El jardín de los espejos

El jardín de los espejos

Pilar Ruiz

Rocaeditorial

Primera edición: septiembre de 2020

Av. Marquès de l'Argentera, 17, pral.
08003 Barcelona
actualidad@rocaeditorial.com
www.rocalibros.com

Impreso por EGEDSA

ISBN: 978-84-17541-08-8
Depósito legal: B. 12425-2020
Código IBIC: FA

RE41088

INÉS

La mujer que busca

1

Tengo que contar una historia que todavía no conozco. La busco porque sé que está ahí, escondida en alguna parte, muy cerca, tanto que casi puedo tocarla con los dedos. ¿Se puede tocar una historia? No lo sé; la mayoría son como fantasmas. Casi invisibles, vaporosas, tenues; una gasa siempre a punto de romperse. En ocasiones se aparecen como ellos, en la oscuridad y el silencio, como si la luz les hiciera daño. Otras veces son espíritus inquietos, juguetones o aterradores, que persiguen a los mortales para sorberles la vida o demandarles que cumplan sus deseos. También son tenaces y escurridizas, pueden colarse por cualquier rendija e incluso poseer a otros seres para hacerse reales.

El fantasma de esta historia me encontró hace solo dos días, cuando recibí la llamada de Andrea.

—¿Te interesa?

Y ahora estoy en un vacío vagón de tren encajonado entre montes tan juntos que no dejan ver el cielo, ante un paisaje que corre hacia un lugar desconocido. El verde se ha comido la luz y una lluvia invisible desenfoca todo lo de afuera, tan cerca y a la vez imposible de alcanzar. Algunas gotas se han quedado quietas, agarradas al vidrio de la ventana, pero tiemblan como de frío hasta que resbalan y caen cuando el tren traquetea en las curvas. No hay horizonte: bajo la ventana aparecen y desaparecen pedazos de un río pequeño y rabioso que también escapa de la garganta cubierta de bosque enmarañado. La roca, la tierra y todo lo que crece sobre ella se levantan sobre las vías del tren en muros gigantes dispuestos a aplastar como una nuez ese objeto ridículo y pequeño que se desliza bajo sus pies. Y, sin embargo, el tren sigue su camino.

—¿Inés?

La voz al otro lado del teléfono sonó con un titubeo de temores remotos; eso me pareció. Quizá Andrea no confiaba en mí, no creía que fuera capaz de hacer este trabajo. Pero entonces, ¿por qué me había llamado?

—Perdona... Se pierde tu voz —mentí. Ahora me doy cuenta de que yo, que no soporto la mentira más inocente, empecé esta historia mintiendo a Andrea.

—Entonces, ¿te interesa? ¿Quieres hacerlo?

Por supuesto que quería: necesitaba el dinero después de más de tres meses sin trabajo, incluso hubiera abrazado a Andrea si la hubiera tenido delante; por suerte no estaba allí, solo su voz a través de un móvil y antes una presencia escrita en un mensaje de WhatsApp.

«Hola, Inés. ¿Cómo estás? Espero que todo te vaya genial. Estoy con un proyecto que quizá te interese. Dime cuándo me puedo poner en contacto contigo y hablamos. Es urgente. BSS, Andrea.»

¿Qué sabía ella de mí? ¿Qué sabía yo de ella? Solo habíamos coincidido en aquel taller de edición y producción. Nos llevamos bien, estuvimos quedando durante un tiempo, conocí a algunos de sus amigos, luego desapareció o quizá fui yo quien lo hizo; no lo recuerdo. Desde entonces tenía su teléfono y ella el mío. Andrea. Siempre resuelta, sin miedo a opinar, imponiendo sus ideas mientras agitaba la coleta larga y rubia. La imaginaba alzando la voz en una reunión: «Yo sé cómo solucionarlo, dejadme a mí, solo tengo que hacer una llamada». Y así volvió a aparecer, en forma de llamada urgente y un problema aún más urgente que resolver, como era habitual en este trabajo. Pero ¿qué trabajo? No supe en qué consistía hasta mucho tiempo después y ni siquiera ahora puedo estar muy segura de ello. Debería haberte preguntado muchas cosas, Andrea, todos los detalles posibles antes de aceptar tu oferta; tendría que haberte dicho: «Encantada de que te acuerdes de mí, pero ¿cómo ha surgido mi nombre para esto? ¿Por qué me ofreces algo así? Hay muchos otros y con más experiencia, pero me has llamado a mí para un proyecto tan extraño, tan urgente. ¿Por qué?».

Me encontré con ella en su oficina a última hora de la tarde, quizá por eso estaba vacío el edificio acristalado reflejado en los ventanales de otros edificios acristalados casi idénticos e infinitos, un caleidoscopio de complejo financiero. La propia Andrea salió a recibirme, sin la coleta rubia que yo recordaba sino con un pelo muy corto y el flequillo tapándole la mitad de la cara. «No has cambiado nada», dijo al verme, y no supe si era una crítica o un halago. Seguí su andar sinuoso, la cadencia de la cadera envuelta en pantalones caros por pasillos enmoquetados y puertas cerradas hasta la sala de reuniones. Nos sentamos en torno a una mesa enorme rodeada de sillas vacías, frente a una pared sobre la que lucía, troquelado en grandes letras de acero, el nombre de la empresa: Gaula.

—Se trata de documentar el proyecto y localizar para él exteriores interesantes, algo muy sencillo. Y creo que bien pagado, la verdad.

Hablaba con un tono amable pero lejano. Me enviaría un guion, en realidad solo unas notas; aunque no fuera definitivo eso no debía preocuparme, ni siquiera se había decidido quién lo dirigiría. Por supuesto Gaula también pagaría los gastos de mi estancia, material, viajes y dietas. Todo lo necesario. Temí decirle algo inconveniente y que se echara atrás, como que no tenía carné de conducir ni coche, una condición imprescindible para esa clase de trabajos. Pero se lo dije porque no me gusta mentir y contestó que no importaba: corría prisa. Me dio la impresión, quizá equivocada, de que estaba intentando desembarazarse del encargo cuanto antes.

—Hay algo importante: por las especiales características del proyecto tendrás que firmar un documento de confidencialidad y todo el material grabado deberá ser archivado en nuestra nube; tampoco puedes enseñar a nadie ninguna documentación ni hablar del proyecto. Ni antes ni después.

Debí de poner cara de extrañeza: no era habitual.

—No te preocupes, es un contrato tipo: cosas de los inversores internacionales —explicó.

Un escalofrío y un pinchazo en la garganta: hace frío

dentro del vagón, así que me echo por encima el plumífero que tengo en el asiento contiguo. No me he acordado de traer un pañuelo para el cuello o una bufanda; las prisas, supongo. La libreta y el portátil sí están sobre la bandeja abatible.

«¿El tiempo cura todas las heridas? Sería mejor decir que el tiempo cura todo menos las heridas. Con el tiempo, el dolor y la muerte pierden sus límites reales. Con el tiempo, el cuerpo amado desaparecerá y, si ha dejado ya de existir para el otro, entonces, lo que queda es una herida sin cuerpo.» Así comenzaba el documento que Andrea envió justo el día anterior a mi salida. Tras la marca de agua con el nombre de GAULA bien presente sobre el envío digital y el recordatorio de la prohibición de hacer copias para mantener la confidencialidad, las notas no guionizadas de las que habló Andrea, un listado de localizaciones de interés y un perfil del autor del proyecto: Román Samperio. Ni siquiera tenía título definitivo: la productora lo identificaba como «Proyecto S», supongo que por la inicial del apellido de su autor. Acompañaba al texto una fotografía en blanco y negro brumoso, espectral, de un hombre de pelo rizado y oscuro vestido con un chaquetón de piel, apoyado sobre un muro con un fondo de árboles y paisaje montañoso. Mira a cámara con unos ojos brillantes al fondo de una sombra. La mirada es lo único definido de la imagen, parece taladrar el objetivo, clavarse en él. Casi obliga a apartar los ojos. Los míos.

¿Quién era Samperio? «Artista heterodoxo —decía su biografía—. Nacido en Bayona en 1945, cambia su verdadero nombre —Eduardo Larios y Osorio— para alejarse de su familia, poseedora de una gran fortuna y títulos nobiliarios. Estudiante de arte y de cine, vive en París hasta que vuelve definitivamente a España en 1976.» No encontré más datos biográficos y sí vaguedades recopiladas aquí y allá: «Poeta visual», «cineasta hermético», «de obra escasa y polémica». También averigüé que «no concede entrevistas y no permite que se le fotografíe». La imagen que ilustraba el texto, una de las escasas del hombre misterioso, había sido tomada tras su vuelta a España, pero no se sabe cuándo, ni por quién, ni en qué lugar. Y al final una frase que lo cambiaba todo: «Desaparecido en 1980». Revoloteaba sobre la biografía. ¿Desaparecido? ¿Murió? ¿Dónde estaba Román Samperio?

La escueta biografía de la documentación aportada por Gaula no hablaba de las circunstancias de su desaparición y el resto de los datos se repetían una y otra vez sin aportar nada nuevo. Tampoco era fácil encontrar cortes de sus películas, más allá de algunos planos de mala calidad. ¿Por qué? Su nombre aparecía en publicaciones del Festival de Gijón, de Berlín y de Sitges, también en un ensayo sobre cineastas alternativos ya descatalogado. Apunté el nombre de su autor para contactarlo: cualquier documentación que encontrara resultaría valiosa. No sabía nada. Acababa de conocer el proyecto, pero la oscuridad que lo rodeaba me inquietaba, como si estuviera estudiando el examen final de una asignatura sin materia y sin profesor. Quizá por eso Andrea me había contratado, sabía que soy buena buscando pistas, rastreando, buscando y encontrando. Supongo que eso habría contado para que Gaula —«empresa vinculada a canales de televisión, especializada en grandes eventos y muestras internacionales como la Bienal de Venecia y producciones audiovisuales internacionales para fundaciones, bancos y corporaciones», según su web— se decidiera a contratarme. Un nombre dicho por la persona adecuada: así funcionaba este negocio, ya lo sabía. Pero ¿por qué un gigante como Gaula se habría interesado en un *outsider*, un francotirador del arte como Samperio? Lo único que parecía importarle a Andrea era que comenzara el trabajo cuanto antes. Y ahora estaba en el tren. Faltaba media hora para llegar a la estación.

«Te espera un coche para recogerte y llevarte directamente al alojamiento. El chófer y el vehículo están a tu disposición.»

Ese era el mensaje de Andrea. Agradecí que me mandara personalmente los e-mails y whatsapp sin intermediarios, aunque dada su tarjeta rimbombante plagada de *Management* resultara un tanto extraño que no delegara estas minucias en algún subordinado de los muchos que pulularían por los pasillos enmoquetados de Gaula; tenía que haberlos aunque yo no los hubiera visto. «Prefiero que hablemos directamente», había dicho ella.

No me había movido del asiento desde que salimos de Madrid a las 7:45 hacía casi cuatro horas y noté el cuerpo entumecido al levantarme. Los escasos viajeros seguían adormilados o enfrascados en sus móviles caros de clase preferente —mi billete lo pagaba Gaula, claro—, pero el lavabo era tan pequeño como el de clase turista, con el mismo espejo desgastado y la terrible luz verduzca que me devolvía una yo pálida y ojerosa. Saqué el neceser del bolso como un arma, dispuesta a borrar con colorete y rímel la cara de madrugón y mis casi cuarenta años. «Todavía no, Inés.» El espejo hablaba como el de la reina malvada de Blancanieves: «Hagas lo que hagas no eres guapa, no lo has sido nunca». Calla, espejo. Intenté domar mi pelo impredecible —no como el de Andrea—, siempre dispuesto a súbitos cambios de ánimo como una prolongación de mí misma y de mis peores defectos. «Eres bajita, poca cosa y de cadera ancha... Vulgar», reverberó la voz despectiva de Naná dentro de mí y solo entonces me entraron ganas de hacer pis.

2

La primera vez que vi a Naná estoy segura de que mi cabeza no llegaba a la altura del aparador de la entrada. La mancha de color rosa frente a mí es una falda o un uniforme; una de las criadas, Dolores quizá, me cogió de la mano y me llevó con ella. Veo los pasillos inmensos, de techos altísimos, del piso con chaflán en el barrio de Los Jerónimos de Madrid; la tarima encerada brilla y cruje bajo mis pies y si miro hacia arriba veo lámparas de cristal y molduras de formas extrañas pegadas a los techos. Me conducen a través de salones con alfombras silenciosas, porcelana y espejos relucientes. Un carrillón enorme da las horas, pero aún no sé contar ni leerlas en el reloj. Tampoco he estado nunca en una casa como esta.

Ella estaba sentada en uno de los tres sofás del último salón junto a otra mujer que nunca volví a ver. Los ventanales tenían las cortinas echadas, la penumbra envolvía las figuras y los rostros como una red gris.

—¿Sabes quién soy yo?

Dije que no con la cabeza. Naná era alta, delgada, de piel muy blanca y fina y con el pelo rubio recogido hacia atrás. Estaba sentada en el sofá como si de su cuerpo tirara un cable que la impulsara hacia arriba. El borde del cuello y los puños de su chaqueta de lana color ceniza estaban rodeados de una piel que parecía muy suave, ligera, como si animalitos peludos le rodearan las manos o se hubieran quedado dormidos sobre su cuello. ¿Qué pasaría si despertaban?

—¿Sabes quién es tu madre?

No podía ser aquella señora: la madre que no conocía era una mujer joven, alegre, distinta. Nunca llevaría ratas colgando de la ropa ni tendría aquel acento extraño. Tampoco me miraría con esos ojos de hielo.

—No lo sabes. Mejor. Porque no va a volver. Y ahora yo tengo que hacerme cargo de su error.

Ya no me miraba, habló para su acompañante o quizá para sí misma:

—No puedo permitir que alguien de nuestra familia se críe como una vagabunda. Hay que cuidar las formas, eso que Irene nunca supo hacer. Y aunque representes una carga para todo el mundo es mi deber darte un techo y una educación como Dios manda. Todo irá bien si haces lo que te dicen.

Hizo una pausa que se convirtió en un silencio pesado y duro, como de yeso. Las lámparas del techo, los muebles del salón, las dos mujeres allí colocadas sobre el sofá como si formaran parte de él y yo misma nos reflejábamos en los dos enormes espejos colgados uno frente al otro. Un reflejo que nos repetía hasta el infinito.

—Vamos, di algo. ¿Es que no sabes hablar? —Esta vez sí se volvió ligeramente hacia la mujer sentada a su lado—. No será un poco retrasada, ¿verdad? —preguntó Naná.

La mujer quizá murmuró algo desde su agujero en el sofá. Yo no comprendía lo que sucedía, pero hay cosas que se sienten aun antes de entenderlas: no quería quedarme allí, en esa casa enorme, con aquella gente que me odiaba, aunque todavía no conociera el significado de la palabra «odio». Ya no estaba confusa sino aterrorizada.

—Soy tu abuela. Pero no me llames abuela, no me gusta. Llámame Naná, como todo el mundo.

Un nudo en la garganta me bajó al estómago y luego se hizo líquido caliente deslizándose entre mis piernas hasta caer sobre la alfombra.

—Por Dios, lo que faltaba... ¡Dolores!

La criada apareció en la puerta.

—Llévesela y dele un baño. Y tire esa ropa y todo lo que haya traído con ella. Y luego vuelva a limpiar la alfombra... a ver si tiene arreglo.

Alguien tiró de mi mano. No recuerdo más.

3

Una voz de dobladora clásica anunció mi destino: «Próxima estación: Torrelavega».

El tren se detuvo no en la ciudad industrial que prometía Renfe sino en medio del campo; hasta pude ver dos vacas pintas pastando junto a la vía. Casi no daba tiempo a bajar de tan breve como era el intervalo entre el anuncio y la llegada, así que cargué todo como pude y salté al andén justo cuando el tren volvía a ponerse en marcha. Recorrí el apeadero acompañada del canturreo del *trolley* mientras el resto de pasajeros desaparecía rápidamente y me quedé en el exterior de la estación con esa sensación desoladora del viajero al que nadie espera. Porque no estaba allí el chófer prometido. «No es buena señal que Gaula y tú falléis tan pronto, Andrea; cinco minutos de cortesía y luego llamaré a Madrid.» Pasaron diez: cuando ya tenía el móvil en la mano para hacer la primera reclamación a mi empleadora, un viejo Lancia deportivo surgió del fondo de la carretera acercándose a la estación con una velocidad que me pareció suicida hasta frenar de mala manera a unos metros de la puerta. El conductor asomó la cabeza por la ventanilla.

—¿Inés? —gritó a distancia.

—¿Eres el chófer de la productora?

No contestó. Ni siquiera hizo el gesto de ayudar con los bultos, solo bajó del coche para abrir el maletero mientras yo arrastraba hasta él mi *trolley*, que levantó sin esfuerzo, como si estuviera vacío, y en dos zancadas volvió a meterse. Ya arrancaba antes de que pudiera terminar de sentarme y abrocharme el cinturón de seguridad. Pero no soy de las que se achican ante la descortesía. Todo lo contrario.

—Supongo que eres el conductor que envía la productora.

—No. Soy Martín.

Ceño marcado, barba de varios días y nariz grande; aspecto descuidado. En décimas de segundo mi mente alertó de los posibles peligros presentes y futuros con ese instinto que desarrollamos todas las mujeres desde que somos niñas: si no es el chófer, ¿quién es? ¿Por qué sabe mi nombre? ¿A dónde me lleva? ¿Es un secuestrador, un violador? ¿Un asesino de mujeres?

—Siento el retraso, pero me acaban de avisar de que llegabas. Y no soy chófer. Soy tu ayudante.

Nadie me había dicho que tendría un ayudante. O puede que sí: algunos detalles no me habían quedado del todo claros durante la conversación con Andrea.

—Tu jefa quiere que vayamos grabando imágenes de todas las localizaciones interesantes con cierta calidad técnica, por si se pueden incluir en el montaje final.

—No es mi jefa. —La palabra «jefe» siempre me pone a la defensiva—. ¿Has hablado con Andrea?

—¿Quién es Andrea?

—Tienes que haber hablado con alguien de Gaula. Si no, no sé qué estoy haciendo aquí. O qué estás haciendo tú.

—Gaula... ¿Esa es la productora? Solo he hablado con un compañero que me ha llamado hace media hora. Como él estaba en un rodaje y no podía hacer este trabajo me ha subcontratado. ¿Qué te crees? ¿Que te estoy secuestrando? Tienes mucha imaginación.

Entonces sonrió burlón con un lado de la boca y con los ojos claros, quizá verdes, me miró. No respondí. Menudo imbécil. Volvió a poner la atención en la carretera y la sonrisa se esfumó.

—Me sorprende un poco todo esto, la verdad. Tendré que hablar con Andrea.

—No sé quién es esa tal Andrea de la que hablas tanto, pero tú eres Inés ¿no? Y tienes que escribir el guion de un documental.

Eso era mucho decir. Andrea tampoco había especificado tanto en aquella única reunión que ahora me parecía aún más corta y apresurada.

«¿Y quién lo escribirá? ¿Tenéis ya equipo?», me atreví a preguntarle.

«No, pero estamos en contacto con varios directores importantes, uno de ellos premiado en el Festival de Cannes, y todos los realizadores de ese nivel llevan su propio equipo de guionistas. Lo que queremos con tu documentación es preparar un buen dosier de venta, incluso un *teaser* para mover en los mercados, en las televisiones y para posibles patrocinadores. Ya sabes…», contestó Andrea.

Eso había sido todo. Yo no escribía guiones de documental, pero quizá por prevención no se lo conté a Martín.

—Soy operador de cámara. Mi trabajo es conseguirte imágenes.

Imágenes. Ya me rodeaban. El paisaje que debía contar aquella historia se estiraba entre montes y prados oscuros. Nubes de largos dedos grises reptaban sobre la hierba hasta deshacerse en jirones antes de llegar al río, temerosas de tocar el agua fría y negra que discurría imitando la forma de la carretera. La corriente iba veloz, aunque no tan rápido como el coche; al salir de la autovía y llegar a la carretera nacional tuve que agarrarme al tirador de la puerta, pero las curvas cerradas en un deportivo de los noventa no iban a impresionarme.

Comenzaba a llover otra vez cuando del fondo del valle surgió el pueblo encajonado entre el río y un monte del que no se veía la cima: los nubarrones se enroscaban en sus laderas, entre los árboles, envolviéndolo como un sudario. Atravesamos el pueblo como partiéndolo por la mitad: a un lado bares y restaurantes y al otro, cruzando un puente, el balneario, la iglesia, hoteles. No había sido posible encontrar habitación en el balneario que tenía tanta fama y que llevaba allí desde el siglo XIX; quizá más adelante, había dicho Andrea: lo importante era que me trasladara cuanto antes y que el proyecto avanzara. Así que habían abierto solo para mí una posada rural cerrada durante los meses de invierno, un poco alejada pero mucho más tranquila. Así podría trabajar mejor, sin duda.

—¿Ese es el monte de El Castillo?

—Sí.

Rompía la capa de nubarrones grises enseñando su lomo verde oscuro: desde lejos parecía cubierto de musgo suave y mullido. Su perfil cónico me resultó familiar, aunque es verdad que lo había visto varias veces en foto por ser uno de los pocos lugares concretos citados en los textos de Samperio.

—Es una de las localizaciones importantes.

—Dentro de las cuevas no se puede grabar ni fotografiar —informó Martín.

—Lo imagino, pero tengo que ir.

—Se pueden visitar. No es como Altamira, no hace falta reservar con antelación.

Seguí mirando el monte cónico hasta que desapareció de mi espejo retrovisor envuelto en la nube gris. La estrecha cinta asfaltada y cada vez más empinada se diluía en la niebla densa y cerrada de la que brotaban árboles oscurísimos asediando la carretera. Martín conducía en silencio; no había vuelto a mirarme ni a hablarme y no quise obligarle a salir de su silencio porque yo tampoco tenía nada interesante que decir. Hasta que mi arisco acompañante habló de nuevo:

—Ahí está.

Conseguí distinguir el perfil de la casa cuando la carretera desembocó junto al muro que la rodeaba y tras la verja vi la copa de dos palmeras altas como guardianes.

«Casona del siglo XIX rodeada de jardín de estilo romántico. Arquitectura tradicional completamente original, pero adaptada a la comodidad del viajero.» En el tren había echado un vistazo a la web de mi alojamiento; en las fotos el lugar parecía bonito y las reseñas de los usuarios eran casi todas positivas: «rincón muy agradable», «casona antigua con encanto», «el jardín que la rodea es precioso», «tejo centenario». Pero también: «con mal acceso a la finca», «sitio mal comunicado» y «es difícil llegar con el coche, incluso peligroso».

Martín caminaba delante de mí siguiendo el sendero cubierto de lastras de piedra que culebreaba haciendo rizos entre árboles, setos y una fuente cubierta de musgo. Ahora sí que llevaba él mi maleta; las ruedas tropezaban en las lastras quejándose con un sonido tartamudo. Menos mal que mi plumífero tenía capucha, porque el agua caía a raudales sobre la hierba alta, sin cortar, y en los macizos de hortensias y eléboros, en las hojas del laurel y del magnolio, haciendo regatos de agua que corrían a nuestro alrededor con destino desconocido. Metí el pie en un charco antes de llegar al tramo de escalones de piedra que subía a la puerta principal, cubierta por un porche de forja de elegante estilo decimonónico igual al de la verja de la entrada. De los remates caían goterones del tamaño de canicas reventando en salpicaduras sobre la baranda de piedra. A un lado de la puerta, un cartelito metálico anunciaba la posada rural El Jardín del Alemán.

Martín se agachó para meter una mano en un hueco entre dos sillares apartando un limpiasuelas de hierro con forma de monstruo mitológico: tres cabezas y lenguas en forma de llamas.

—Tiene que andar por aquí... Eso me dijeron por teléfono.

—¿No has estado antes?

Negó con la cabeza mientras hurgaba en el agujero; yo no me hubiera atrevido a meter la mano en esa rendija negra, buen refugio para arañas y escolopendras, ni por todo el oro del mundo. Pero de allí no salió ningún bicho sino una llave de hierro grande como la de un castillo medieval, perfecta para ser usada como martillo o arma defensiva. Martin abrió la puerta de madera maciza y doble hoja, que se quejó de nuestra invasión con un angustioso chirrido.

—Espera: hay una alarma.

Desapareció en el interior. La existencia de la alarma me tranquilizó: vivir en esa casona aislada en medio del monte, completamente sola y armada solo con una llave de hierro que no cabía en el bolsillo me había disparado de nuevo la imaginación. Mi acompañante se asomó al quicio de la puerta.

—Tendrás que aprenderte la clave. Aunque, la verdad, aquí una alarma de estas no sirve para nada.

—¿Por qué no?

Volvió al interior dejándome con la palabra en la boca. Le seguí: la luz verde de la alarma parpadeaba dándome permiso para entrar, y a su lado la llave arcaica colgaba de un clavo de la pared. Olía a piedra fría y a tarima de roble cubierta de cera que hubieran absorbido la humedad exterior: los árboles centenarios que pisaba continuaban vivos a pesar de las apariencias. La penumbra lluviosa se colaba por la puerta abierta mostrando un distribuidor con dos puertas abiertas y una escalera al fondo con peldaños y pasamanos también de madera oscura, irregular y pulida por un siglo de manos, de pasos. La voz de Martín sonó desde el salón.

—Porque el cuartel de la Guardia Civil más cercano está en Renedo: veinte kilómetros de carreteras que en invierno se bloquean con cada nevada. Supongo que por eso los dueños de la casa cierran en octubre y vuelven a abrir en primavera.

«Hombre, gracias por tu sinceridad: ahora sí que voy a dormir tranquila», pensé en decirle, pero me tragué el sarcasmo; había recibido muchos castigos de niña por hablar sin pensar en las consecuencias.

Martín descorría las cortinas: una cristalera dejó pasar el verdor del jardín a un salón decorado sin la cursilería de anticuario de pacotilla típica de las casas rurales. Pocos muebles y estos con la mezcla exacta de funcionalidad y comodidad propia de las casas de campo inglesas; incluso los cuadros no desentonaban. Además, ver que había chimenea me reconfortó, como la estantería con libros y en ella el rúter y un papel con la clave de wifi —*eljardindelaleman,* claro—. Me habían desterrado de la civilización, pero no tanto.

Algunas lámparas se encendieron, también el farolillo del porche, una luz anaranjada y suave ablandó las aristas oscuras de la casa. La puerta de la izquierda desde el recibidor conducía a la cocina: encontré rápido la llave del agua, puse en marcha la caldera y descubrí dónde se guardaban la vajilla y los cubiertos. La cocina era recoleta, con armarios pintados de blanco, baldosas de barro cocido y un mirador semicircular que abombaba la fachada trasera. Bajo la ventana, un asiento cubierto con cojines hacía media luna frente a una mesa blanca. Alguien había dejado sobre la mesa una llave de la que colgaba una pequeña tarjeta escrita con letra picuda y anticuada: JARDÍN. Pegada al recodo donde habían colocado el frigorífico, encontré la puerta al exterior. «Úsame», parecía decir la llave. Obedecí y la metí en la cerradura, esperando, como Alicia en el País de las Maravillas, a que entrara un conejo blanco diciendo «llego tarde», pero solo se coló la misma helada ráfaga de viento que sacudía los árboles del jardín. Cerré a conciencia y dejé la llave en el colgador de la entrada junto a su hermana mayor, la de la puerta principal. Ante todo, orden.

Tenía que ocupar una de entre las siete habitaciones que según su web ofrecía la casa; seis en el primer piso y una en el segundo, diferenciadas con nombres de árboles autóctonos —Aliso, Cajiga, Acebo...— como concesión a la condición rural del hotelito. Inspeccioné todos los cuartos: pulcros, sencillos, con ventanas o balcones al jardín y camas con colchas bordadas. Y con radiadores, menos mal. En el piso superior una sola habitación abuhardillada ocupaba todo el hastial con tejado a dos aguas, perfecta para una familia —también según la web de la posada— pero no para mí, poco dispuesta a subir y bajar doble tramo de escaleras. Escogí el cuarto más amplio del primer piso con balcón y vista sobre el valle, aunque para comprobar si el panorama merecía la pena tendría que esperar a que la nube negra que ahora descargaba toda su rabia sobre la casa se disipara. Una placa en la puerta avisaba de que mi habitación se llamaba TEJO y al nombre lo acompañaba el dibujito de una rama con dos frutos rojos.

Cuando regresé al salón encontré a Martín encendiendo la chimenea.

—La caldera tardará en calentar la casa.

—Está muy bien. Gracias.

La habitación se llenó del aroma a leña quemada. Se limpió las manos sucias de tierra y corteza de tronco en el vaquero.

—¿A qué hora quieres que empecemos a trabajar?

—No sé... ¿Crees que hará mejor tiempo?

—Dan bueno. Pero aquí, lo que veas.

No podía ser más lacónico. Y menos preciso.

—Pues... ¿a las ocho?

—Vale. Hasta mañana.

Se dirigió hacia la puerta.

—Espera, será mejor que intercambiemos números de móvil.

—No hace falta, ya sé dónde estás. Vendré a las ocho.

—Es por si pasa algo.
—¿Qué va a pasar?
—Pues, no sé... Algún contratiempo.
Me miró como si le hablara en el idioma desconocido de un país inventado.
—Mañana estaré aquí. A las ocho.
No esperó a que le replicara: se marchó.

4

Lo primero que hice al quedarme sola fue ir a comprobar que todas las ventanas y puertas estuvieran bien cerradas; sobre todo la puerta del jardín, que me daba mala espina: era perfecta para un susto de película de terror.

Al entrar en la cocina descubrí sobre la mesa una bolsa de plástico, y en su interior un paquete de sobaos, un cartón de leche, un paquete de café y otro de té, una torta de pan y un bulto de forma ovalada: un olor fragante y dulce se escapaba de su interior a pesar del envoltorio. Al abrirlo apareció la mantequilla más grande y amarilla que había visto en mi vida. Decorada con medias lunas, parecía una pieza de artesanía. El regalo no era propio de duendes ni de trasgos, especímenes más molestos que solícitos al decir de la tradición, así que Martín, bajo su apariencia de oso cavernario, podía mostrar amabilidad con los extraños. A su también extraña manera, claro.

Un escalofrío y pies helados, por eso no me había quitado el plumífero todavía: era verdad que la casa tardaría en calentarse sumida en ese frío inapelable de lo deshabitado; pero ahora, junto al fuego, me atreví. El sillón orejero frente a la chimenea me tragó en su blandura en una calidez que se parecía mucho a la de un abrazo. «Gracias, butacón: creo que vamos a ser buenos amigos.» Acerqué una mesita que servía de revistero y puse en ella el ordenador dispuesta a preparar a conciencia mi primera salida, o lo que es lo mismo, un día de grabación inesperado: no estaba dispuesta a que Martín me pillara con los deberes sin hacer.

Había parado de llover y no se oía absolutamente nada en

el exterior. Para quien vive en el centro de Madrid, con su vocerío noctámbulo, su tráfico y estrépito de camiones de basura, puede resultar inquietante sentir el silencio más absoluto, pero yo lo encontré acogedor e ideal para sumergirme como un buceador en los escritos de Samperio y el relato de sus obsesiones inconexas y enrevesadas. No me lo iba a poner fácil con sus mil referencias: arte, paradojas, apropiación de imágenes, viajes temporales, psicotrópicos, ocultismo, magia. Un mar espeso y ambiguo.

«¿Qué es la magia? El deseo antiguo, profundo, mítico, de vencer lo material y refugiarnos en lo imposible. Con la magia destruimos los límites de lo real mediante la invocación de un poder desconocido que nos libere de la desesperación, la enfermedad o la muerte. La creación de ilusiones nos permite seguir vivos, realizar todos los deseos humanos, dominar el mundo.»

Incluso si olvidaba su misteriosa desaparición, el personaje enmarañado de Samperio resultaba tan fascinante como hermético. ¿Qué le había traído hasta este lugar? ¿Qué pretendía? Estaban el paisaje, las cuevas y sus pinturas prehistóricas, de las que hablaba sin cesar. También mujeres, muchas mujeres. Bajo las palabras escritas aparecían continuamente sus cuerpos, sus manos, sus ojos. Y, sobre todo, sus heridas.

«He llegado hasta aquí siguiendo su voz, pero ahora que las busco me esquivan. No tengo nombre, espero a que ellas me den el suyo. Pero solo vienen a mí cuando quieren: en ese instante sublime siento su presencia filtrándose a través del tiempo hasta poseerme. Ya soy parte de ellas, pero no del todo. ¿Me piden ir más allá? ¿Qué tengo que hacer? ¿A dónde queréis llevarme? Tengo que seguirlas: es la única manera de descubrir su misterio, que es el mío.»

Aticé el fuego y las llamas rechinaron y se abrazaron unas a otras.

Solo paré para hacer café acompañado de una enorme rebanada de pan untado con la mantequilla de Martín; estaba deliciosa y tuve que contenerme para no acabar con ella de una sentada. También envié un mensaje al WhatsApp de Andrea:

«Ya instalada. Todo OK.»

No contestó. Pero decidí llamarla al día siguiente: teníamos que hablar del final sin final de Samperio, un detalle que se le había olvidado mencionar y que me parecía fundamental para entender su vida y su obra.

Estuve trabajando hasta que el cansancio me impidió seguir desentrañando aquel discurso laberíntico y cerré el ordenador. Al subir las escaleras me di cuenta de lo cansada que estaba, las piernas me fallaban y el cuerpo me pesaba horriblemente, como si no fuera mío y se rebelara contra mí; tuve que agarrarme al pasamanos. Me costó encontrar el interruptor de la luz del pasillo y al llegar frente a la puerta de mi habitación me di cuenta de que estaba cerrada a pesar de que estaba casi segura de que la había dejado abierta. Pero leí TEJO en la placa de la puerta antes de abrir, eso lo recuerdo bien, antes de girar el pomo. Cerrada. ¿Con llave? Yo no había cerrado con llave. Debía de haberse quedado atascada, puertas viejas, madera húmeda. Empujé. Nada. Volví a empujar y, en ese momento, la luz de la casa falló. No se apagó: fue como si la corriente se debilitara, incapaz de brillar, como si no pudiese vencer a la oscuridad y desfalleciera para luego volver con más fuerza destellando hasta deslumbrarme. Entonces la puerta se abrió por sí sola. Lo noté porque aún tenía la mano derecha sobre el pomo. La sensación fue que otra mano la abría desde dentro, pero por supuesto eso no podía suceder: estaba sola. Sin embargo, antes de entrar ya supe que había alguien en esa habitación y que se me permitiría pasar cuando ese alguien lo decidiera.

A partir de ahí solo la veo a ella. A Naná. Está en la habitación de la posada rural, metida en la cama. Iluminado por la lámpara encendida de la mesita de noche, su rostro consumido, lleva puestas unas gafas nasales, de modo que el concentrador de oxígeno debe de estar por alguna parte; el camisón de satén color crema le queda grande y de él escapan las clavículas salientes, los brazos esqueléticos, las manos artríticas; los dedos como garfios deformes pero siempre ensortijados se posan sobre el embozo de la sábana. Los brillantes lanzan destellos: ellos no han cambiado.

Naná intenta incorporarse un poco al verme, pero ya no le quedan fuerzas; no puede respirar y abre la boca, un agujero negro, vacío, desmesurado en su cara de cera. Tiene algo que decirme con voz firme y clara, como si no estuviera a punto de morir:

—A pesar de todo, te he querido.

Un fogonazo de luz blanca: un tronco cayó con estrépito y chispazos al deslizarse sobre las cenizas, me puse en pie de un salto. Estaba en el salón y las pavesas de la chimenea habían caído muy cerca de mí, estaban a punto de prender la alfombra, las pisé para apagarlas. ¿Me había quedado dormida? Encendí todas las luces para espantar la oscuridad y ayudar a mi mente a despejar cualquier idea que no fuera estrictamente racional. Luz eléctrica: la luz de la razón. Y, sin embargo, había visto, había oído. Si era un sueño no se deshacía al despertar como acostumbran las pesadillas. Tenía que moverme, espantar aquella alucinación de mi memoria; porque yo nunca vi a Naná morir, no estuve presente, nunca me dijo esas palabras, nunca.

«Vamos, tú no crees en nada, Inés, ni siquiera en el zodiaco o el psicoanálisis. Quizá te hayas sugestionado por el atracón de lectura esotérica untada en mantequilla: las digestiones pesadas son lisérgicas.» Tuve que repetírmelo varias veces antes de atreverme a subir al piso de arriba, pero esta vez no me sentía cansada sino muy despierta. Alerta. Quizá por eso cuando estuve frente a las escaleras vi el cuadro. ¿Por qué no me había fijado en él antes? Era lo bastante grande como para llenar la pared frente a la escalera y ocupar por completo la mirada de quien subiera, incluso podía verse desde el recibidor, pero no había reparado en él ninguna de las veces que había revisado la casa. Sus colores de óleo brillaban en la plata del cielo con el verde penetrante, el rojo intenso del pelo muy largo de una mujer que mira hacia algún lugar incierto. Tuve la sensación, quizá sugestionada por lo que había pasado, de que me miraba a mí. Pero no, no estaba dispuesta a aceptar más extrañezas, al menos por esa noche. Supe antes de llegar ante mi puerta que al abrirla no encontraría nada más que una habitación vacía. Aunque esa primera noche que pasé en El Jardín del Alemán dormí con la luz encendida.

Antes de que sonara el despertador del móvil ya estaba despierta y en pie, abriendo los postigos de la ventana: las ramas de un enorme tejo rozaban el vidrio de la ventana. Al fin había dejado de llover, lo más importante si había que grabar en exteriores. Bajo el día despejado con un sol aún débil, más allá de las copas de los árboles del jardín, se distinguía la cima inconfundible del monte de El Castillo.

Después de ducharme con un agua más fría que caliente y maquillarme lo justo para quitar las ojeras de mal dormir, salí al rellano: allí estaba el cuadro que había descubierto la noche anterior. A la luz del día la pintura era, ¿cómo decirlo? Sorprendente, sí. La noche pasada no me había dado cuenta, pero en ella aparecía el monte vecino con su perfil reconocible: en las anotaciones de Samperio, dentro de la casa y afuera, si miraba desde mi ventana. Bien, tampoco eso resultaba tan extraño: era la vista más conocida del valle y su principal atracción turística. Pero había más. La mujer pelirroja de cabellera agitada por el viento casi flotaba sobre un risco, una especie de abismo, mientras era espiada por unas inquietantes presencias que parecían fundirse con un bosque de miles de verdes de árboles, zarzas y espinos. A su lado aparecía una especie de aparato negro que no identifiqué. Me acerqué más: entre el verde que cubría el monte distinguí otra figura escondida, algo parecido a un ciervo o un corzo rodeado de lo que parecían pequeñas manos rojas, puntos y símbolos geométricos.

La pintura tenía algo estático, como de tabla medieval combinada con el vuelo fantástico de un Chagall pero más cercano, con la mirada de Ángeles Santos o Remedios Varo. Me pareció muy buena, demasiado para estar colgada en el pasillo de una casa rural, pero como no soy ninguna experta hice unas cuantas fotos para enviarlas a mi amiga Diana: ella sí que sabe porque es artista y restauradora, y confío en su opinión. Me costó encontrar la firma: abajo a la derecha, en negro, muy pequeñas, solo dos iniciales A. V. junto a la fecha: 1949.

Un campanillazo. Bajé a abrir; Martín estaba al otro lado de la puerta.

—¿Vamos?

—Sí, solo tengo que recoger mis cosas.

Bolso, carpeta con apuntes, bolígrafo. Conecté la alarma

antes de salir —cruzó por mi mente el absurdo pensamiento de que alguien podría entrar a robar el cuadro— y la puerta se cerró con el estruendo de un portón de fortaleza. Seguí a través del jardín la espalda amplia y los pasos de botas de siete leguas de mi acompañante cuando me acordé:

—Oye, Martín; muchas gracias por la mantequilla y todo lo demás que dejaste ayer. Me salvaste la cena.

—De nada —dijo sin volverse, y siguió andando hacia el coche. Esta vez esperó a que me pusiera el cinturón de seguridad.

—¿Por dónde empezamos?

—Tengo aquí una lista de lugares: quería repasar el itinerario contigo para decidir qué nos conviene más. ¿Podríamos ir primero a las cuevas?

—¿Has desayunado?

—Pues no.

—Yo tampoco.

Arrancó. No pregunté a dónde quería llevarme; por alguna razón insólita no intenté controlar la situación y me dejé llevar por aquel hombre extraño que conducía a toda velocidad por carreteras estrechas atravesando una tierra desconocida. Era el mismo hombre que había ido a buscarme a la estación, pero ni él, ni el valle, ni siquiera el coche me parecieron los de ayer. Por la ventanilla abierta entraba una brisa húmeda que olía a hierba mojada y a la gasolina de nuestro motor. Cerré los ojos y de pronto se esfumó el peso invisible que había estado aplastándome durante mucho tiempo sin dejarme respirar. Algo había cambiado en una sola noche; pero todavía no lo sabía.

Nuestro destino no estaba muy lejos, salimos de la carretera comarcal hacia un camino hasta llegar a un prado en el que pastaban vacas rojizas. Aparcamos junto a un complejo de naves limpias y modernas de las que salían mugidos. Sobre la pared de una de ellas, un gran rótulo con la leyenda GRANJA LAVÍN aparecía quemado y manchado de pintura roja, lanzada con mala idea. Me sorprendió por el contraste con la pulcritud del resto de la vaquería, pero me dio apuro preguntar. Una mujer rubia vestida con un mono azul de trabajo y botas de goma salió del interior de la nave y se acercó a nosotros.

—Áurea os está esperando —dijo, y para saludarme me lanzó una manaza fuerte y cálida de valquiria que estreché casi avergonzada de la mía, como de juguete por comparación. El mismo tono brusco que Martín, casi tan alta y fuerte como él y los ojos del mismo color verde.

—¿Vienes? —le preguntó Martín.

—Voy primero a la estación de las amamantadoras.

—¿Han vuelto a fallar los filtros?

—No creo que sea nada. Ahora os veo.

Se alejó con paso atlético y nosotros rodeamos los establos hasta llegar a un caminito que bordeaba una tapia de piedra vieja cubierta de musgo. Al fondo del camino, entre árboles, asomaba un tejado rojo. Estaba solo dos pasos por detrás de Martín con su caminar demasiado rápido para mí y no recuerdo si me detuve antes o después de oír la voz, pero sentí la misma ráfaga de aire frío que la noche anterior, el mismo destello de luz temblando sobre mí.

—Inés.

La voz me llamó por mi nombre. Miré alrededor: en el camino no había nadie salvo mi guía, que seguía caminando delante de mí, inadvertido.

—Inés —repitió.

¿Quién me llamaba? ¿De dónde venía esa voz? ¿De detrás de los árboles? ¿Junto al muro?

—Mira, Inés.

Insistía. La tapia. Intenté caminar hacia ella, pero me rodeaba un aire pesado que ralentizaba mis movimientos como si caminara bajo el agua; extendí las manos, las veía delante de mí intentando romper la cortina invisible. Al fin logré tocar la piedra fría y mojada. «Mira. Tienes que mirar.» Entre las ramas de los árboles, otra vez el monte de El Castillo. Mejor dicho: lo sentí y lo reconocí. De nuevo me fulminó el rayo blanco y la sensación de aire espeso se desvaneció.

—¿Inés?

Ahora la voz sonó próxima y conocida: Martín.

—¿Pasa algo?

No contesté, abrí el bolso —me temblaban las manos, no sé si Martín se dio cuenta— y rebusqué: tenía que estar allí entre los apuntes, entre las páginas... La fotografía impresa con mala calidad, el blanco y negro del hombre de ojos oscuros mirando a cámara; Román Samperio cuarenta años atrás, apoyado en un muro de piedra con un monte a su espalda. El mismo muro, el mismo monte. Yo estaba, exactamente, en el mismo lugar.

AMALIA

La mujer que huye

1

Volver. De la nada.

Descubrir el mundo de nuevo, como una amputada a la que por milagro le hubieran salido manos y crecido lengua y nacido ojos.

Pasar horas sentada viendo cómo la luz cruza el jardín, se cuela temblando entre las ramas del tejo, llega a las telas blancas y estalla en rayos amarillos y naranjas o de plata cuando está nublado.

Levanto una mano y corto el rayo de luz con la palma, hago sombras con los dedos sobre la pared y mi piel se vuelve incandescente. Mis manos han vuelto. Como los pinceles, los colores, los cuadernos, los lienzos. Tesoros de otro mundo. Al principio no me atrevía a acercarme a ellos: tenía miedo de esos diosecillos rencorosos. Ahora ya me atrevo a tocarlos, los ordeno y cambio de sitio y vuelvo a contemplarlos y estoy así mucho tiempo, ensimismada, dice Paquita. Me encuentra allí sentada, rodeada de frascos de cristal llenos de pinceles y lápices sin tocar, de carboncillos y tubos de óleo colocados sobre la mesa, silenciosa y quieta, mirando algo que ella no puede ver.

—Amalia, ¿me acompañas a misa?

Contesto que sí y caminamos el trecho entre la Casa del Alemán y la ermita de la aldea de Aes, donde hay misa cuando viene el cura, que no es siempre. Paquita lleva tres años de maestra y cuando sale de la escuela por la tarde viene a verme. Le encanta la casa y su salón enorme con ventanal, sentarse junto a la chimenea en la butaca de cretona con estampado inglés y tomar el café en tazas de porcelana. Lo encuentra todo muy elegante y como de película.

—¡Qué bien se está aquí! Da gusto tener con quien charlar una de sus cosas. Las mujeres del pueblo no son malas, pero las cosas como son: no es lo mismo.

Paquita está sola, igual que yo. Agradezco su compañía aunque tenga que hacer esfuerzos por compartir su mundo, pequeño y compacto como una nuez. Pero supongo que ella también tendrá que esforzarse en adaptarse a mí. Hace poco reunió el valor para decirme a la cara lo que realmente le rondaba por la mente:

—¿Ni siquiera te planteas volver con él?

En el fondo, Paquita sigue siendo la misma desconocida que encontré esperándome en la parada del autobús el día que llegué a Puente Viesgo. Caía una llovizna persistente sobre el monte y el pueblo, sobre el río y el puente, sobre el balneario al otro lado y sobre nosotras. La poca gente que se bajó del autobús desapareció corriendo bajo aquella llovizna pegajosa como no había visto en mi vida. Paquita me cobijó bajo su paraguas; no llevaba ni colonia ni perfume, tampoco maquillaje, sí un sombrerito tipo boina y una gabardina de color gris. Aparentaba unos treinta años, que podían ser más o menos. Detrás de ella esperaba un hombre junto a un carro pequeño tirado por un caballo chaparro y peludo.

—Aquí Mauricio —el hombre saludó levantando una mano hacia nosotras— se ha ofrecido a llevarla; la casa está a casi tres kilómetros de cuesta, ¿sabe? Estará usted acostumbrada al automóvil, pero esto no es Madrid: aquí hay muy pocos.

El tal Mauricio cargó mi maleta. Paquita y yo caminamos juntas bajo el paraguas, y sus labios un poco resecos susurraron:

—Hay que darle una propinilla. —Y añadió, en alto—: De todas maneras, la acompaño.

Insistí en que prefería no causarle más molestias, pero resultó inútil.

—Faltaría más. ¿Cómo no voy a acompañarla? Recién llegada y sin conocer a nadie…

Las dos nos subimos al carro, que olía a estiércol, agarrándonos a los varales, de pie. Cuando el caballito rechoncho echó a andar y el carro empezó a traquetear, no pude evitar pensar que nos llevaba de camino a la guillotina, como nobles condenadas.

—Espero que haya tenido buen viaje desde Madrid. Yo fui una vez de niña. ¡Cómo me gustaría volver!

Por no parecer descortés, le pedí que me tuteara: eso abrió la compuerta de su confianza y de su conversación, más torrencial que la lluvia. Estaba un poco impresionada con mi llegada porque había supuesto que yo era una Lallende, por tanto posible heredera de la casa. Aunque se comprende: un edificio que no se parece a ninguno de los alrededores, con dos palmeras enormes ante la fachada, tenía que ser muy conocido en la comarca. Pero enseguida saqué a Paquita de su error: solo era una amiga de la familia encargada de poner en venta la finca, cosa en parte cierta aunque no del todo. Tuvo que esperar más tiempo para que le contara la verdad, y no toda, pero en el pueblo y más allá mucha gente pensará todavía que soy una Lallende y que la casa, de alguna manera, me pertenece.

—No, yo no he entrado nunca, no me atreví. Solo he visto por fuera la finca. De vez en cuando me doy una vuelta por el jardín, por saber si todo sigue bien, por si hay desperfectos. Agua sí que hay, pero la luz está cortada; llamé a la Electra de Viesgo para que conectaran la luz pero dijeron que tardarán unos días. He traído velas por si acaso.

No me importaba pasar unos días a la luz de las velas. Paquita seguía hablando.

—Frío no hace aunque el día esté así, tan desagradable. Y seguro que dentro de la casa habrá ropa de cama, colchas y mantas. Dicen que en tiempos había de todo, hasta gramófono cuando nadie tenía y la gente del pueblo se acercaba a oír la música en verano, cuando hacían fiestas y bailes. La llaman la Casa del Alemán. Algunos también le dicen El Jardín del Alemán, supongo que porque por aquí no hay jardines así. Es una leyenda de lo más curiosa: dicen que la finca la vendió hace muchos años su primer propietario, el marqués del Valle del Tejo, que se quedó sin un céntimo por culpa del vicio del juego, a un alemán que abandonó aquí a su mujer, aunque también dicen que no llegaron a casarse. En fin, que la pobre no soportó la pérdida y de tanta pena perdió también la razón y un día desapareció y nadie volvió a saber de ella. Yo no sé si será verdad, pero ¿a que es muy romántico?

Paquita tiene una idea tremendamente romántica del amor, del que sabe por un primo de León que no le tocó un pelo pero le escribió cuatro cartas, y por las novelitas rosas de Pérez y Pérez.

—¿No has leído *Madrinita buena*? ¡Pero si ha sido un éxito hasta en el extranjero! Aunque creo que a ti te gustarán más las históricas como *Los cien caballeros de Isabel la Católica*. Mañana mismo te la traigo —dice, entusiasmada.

Creo que mi vida ha entrado como un huracán en la de Paquita, aunque no se dé cuenta, arrollando aquello que la sostiene y le da fuerzas para seguir adelante.

—Yo ya sé que hay hombres malvados, cómo no va a haberlos si no hay más que ver lo que pasó en la guerra; tanto odio, tanto salvajismo, tal falta de cristianismo que hiela la sangre en las venas. Pero aun así, hay que reconocer que la misión de toda mujer es servir al hombre y ser madre y sostén de la familia. Y por mucho que eso resulte a veces un sacrificio, Dios sabe que la mujer que sufre se ha ganado el cielo. Así que espero conocer algún día a alguien que, si Dios quiere… alguien que merezca la pena. ¿De verdad que no te planteas volver con él?

No contesté, sabe mi respuesta. Ya no ha vuelto a preguntar pero supongo que tiene claro su propósito: está convencida de que su buena influencia puede hacerme entrar en razón y vencer mi terquedad de alma confusa y descarriada. Por eso me lleva a la iglesia. Tiene buena intención y por eso la acompaño y juntas recorremos el camino hasta divisar el tejo altísimo que se levanta junto a la puerta de la ermita. Me parece fea aunque sea antigua, como feas son las imágenes de santos y santas que parecen muñecos de guiñol desconchados y polvorientos frente a la doble fila de bancos: las mujeres a un lado y los hombres a otro. No presto atención ni escucho nada de lo que allí se dice, cierro los ojos y el murmullo de las beatas y la cantinela de vocecilla cascada del cura me adormecen; dejo que el hielo de la piedra se me meta en el corazón, tan adentro que me fundo con las losas del suelo hasta que el cuerpo se me vuelve pétreo, insensible y perenne. Mi amiga tiene razón: venir hasta aquí me calma. Puede que la iglesia sea el único lugar donde me encuentro a salvo, siempre que no recuerde el día de mi boda. A veces la imagen de mí misma vestida de blanco y la de él, de negro, me despierta de un golpe, atravesándome con un fulgor de incendio. Entonces veo el remolino de rostros de gente desconocida con vestidos y sombreros nuevos, siento besos de pluma en las mejillas y oigo el runrún de palabras sonrientes mientras el vestido blanco relumbra y el traje negro de vacío hondo se come todo lo que toca. No recuerdo que fuera feliz, pero lo era.

Paquita cree que algún día tendré que ir a comulgar, que qué va a decir la gente. Pero también tendría que confesarme antes y sabe que no puedo contarle a nadie la verdad; menos a un cura. Que hablen, eso no me importa. Porque tampoco van a hablar muy alto. En el pueblo, en las aldeas, en toda la comarca solo se susurra, todavía hay miedo. Mucho. Temores viejos como la memoria metidos hasta la raíz en cada casa, cada vida, cada cuerpo, en cada rincón silencioso y oscuro donde crían las arañas de la miseria y el recelo. Su miedo es el mío, un espejo en el que me miro cada día.

La misma noche en que llegué a la Casa del Alemán supe que aquello de lo que huía había venido conmigo; como la maleta hecha a escondidas, el dinero cogido sin permiso y el autobús para viajar hasta aquí. Quizá fue el cansancio y la incertidumbre de no saber qué encontraría al final de mi viaje o el caserón vacío y fantasmal o la desolación de ser consciente de mi propio fracaso, pero no fue un sueño, vi lo que vi a la luz de las velas que trajo Paquita y de la lámpara de carburo que encontré en un rincón de la cocina.

Antes, recorriendo la casa, había revisado la librería del salón y allí encontré *Las vidas* de Giorgio Vasari. Mi maestro sabía de memoria todas aquellas historias un tanto fantasiosas sobre artistas del Renacimiento y nos las repetía durante las clases en su academia de pintura de la calle Fortuny. Las páginas del libro, a pesar del olor a humedad y a papel viejo, me devolvieron al estudio luminoso de don Jaime. No sé si fue culpa del carburo o de las llamas temblorosas de las velas, pero de pronto me deslumbró el destello intenso y duro, algo así como la luz de flas de una máquina fotográfica. Cerré los ojos y un golpe frío, de corriente de aire helada, me erizó la piel. Al abrirlos vi a doña Carola y a Mila frente a mí. Conocía a doña Carola de toda la vida: me cuidaba de niña, me daba de merendar y me limpiaba los mocos, y cuando crecí fui yo quien cuidó a su nieta Mila, que cruzaba el rellano para jugar con mi cocinita y mis recortables. Eran mis vecinas, puerta con puerta, crecí junto a ellas, forman parte de mi infancia tanto como el edificio de la calle del Vergel número 19. Esa casa que recuerdo ya no existe y ellas tampoco, pero estaban ante mí en medio del salón de una casa extraña para cualquiera de nosotras. Hacían esfuerzos por hablar como si su imagen pudiera viajar hasta mi mente pero sus voces lo tuvieran prohibido: Milagros todavía con catorce años y el pelo recogido en una trenza con un lazo azul; doña Carola, con su pelo tan blanco, el cuello del vestido cerrado con el broche de perlas en forma de lazo, tan bonito. Exactas, iguales a como las vi por última vez, de pie junto al portal, esperando a alguien que no recuerdo antes de que mi madre me agarrara del brazo y sonaran las alarmas antiaéreas, antes del refugio, del bombardeo.

—No mires, Amalia, por Dios, no mires —dijo mi madre.

Ella se quedó al otro lado de la calle rodeada de vecinas abrazadas en su terror, pero no le hice caso y me acerqué al agujero que había dejado el obús en el lugar donde había estado nuestra casa; a pesar del noviembre frío, el fuego y el humo de las bombas incendiarias me quemaron la cara. Sorteé a los voluntarios de la Cruz Roja que corrían entre los adoquines levantados y desperdigados por la calle y los rieles retorcidos del tranvía: gritaban porque las ambulancias tardaban en llegar. A veces las bombas respetaban los esqueletos de los edificios o los dejaban cortados como quesos por la mitad y el interior de los pisos, sus objetos —un cuadro torcido, un armario abierto, una cama perfectamente hecha— quedaban a la vista de todo el mundo, mostrando con desnudez obscena la fragilidad de lo humano. Pero yo no encontré ni siquiera eso: donde antes había estado mi casa solo había un cráter y de los escombros llovidos a su alrededor ya habían sacado cuatro cuerpos. Allí estaban, quemadas, negras y rotas antes de que las taparan con unas mantas: reconocí el pelo blanco, la cinta azul.

Por fin doña Carola rompió a hablar y su voz sonó muy lejana, como si no estuviera frente a mí sino en otro lugar.

—No corras, Amalia: solo mira. Mira tu camino.

El libro se escurrió de entre mis manos y cayó lento, como flotando en un aire espeso hasta golpear el suelo y quedar boca abajo sobre la alfombra. Al levantar la vista mis vecinas ya no estaban.

Busqué una explicación a la alucinación: el cansancio, el nerviosismo y la incertidumbre del viaje, de la llegada. De todas maneras, recorrí la casa oscura con la lámpara en la mano, abrí todas las puertas y la luz entró en todas las habitaciones revelando su vacío, subí las escaleras hasta la buhardilla donde solo había esqueletos de muebles. No sé por qué lo hice, no esperaba encontrar a nadie. De nuevo en el salón me di cuenta de que el libro seguía en el suelo: lo recogí y lo coloqué con cuidado en su hueco de la librería. ¿Por qué habían aparecido doña Carola y Mila precisamente allí y después de tanto tiempo? Sentada en la butaca, esperé. Pero no volvieron.

Desperté con el día golpeándome en la cara y con las palabras de doña Carola pegadas a la mente: el sol no había conseguido despejarlas. ¿Qué era lo que tenía que mirar? Crucé el pasillo hasta entrar en la habitación del fondo y abrí los postigos: el dedo de luz se fue posando sobre la mesa de trabajo, las cajas con tubos de óleos y de carboncillos, los juegos de lápices y pinceles, los rollos de papel, los lienzos y los caballetes: señalaba un camino.

2

Los colores brillan al pasarles el estropajo. Feliciana, de rodillas, con el cubo de agua al lado, frota las estrellas de caleidoscopio que hace el mosaico en el suelo: verdes, blancas y rosas con cenefas y ondas modernistas. La mañana de sol entra por el balcón abierto de primavera, la asistenta frota con fuerza y mueve las caderas con un ritmo de diapasón. El piso es grande y bien amueblado, soy joven y tengo toda la vida por delante. Vinimos después de que Jesús saliera del hospital, donde estuvo mucho tiempo, con la cabeza hundida en la almohada y la cara gris crispada de dolor, oliendo a sudor frío y rancio y a la sangre de los drenajes. Durante un tiempo no quiso verme, decía que le daba vergüenza. Pero su familia, o alguien, quizá el médico, le hizo entrar en razón, aunque al principio se pasaba las horas en silencio sin mirarme siquiera. Nos casamos, aunque ya no se parecía al muchacho que subió conmigo al carrusel en un julio madrileño.

Tenía diecinueve años y Merche, colgada de mi brazo, me había dicho:

—Ven conmigo a la verbena. Ya verás cómo se pone de gente, no se puede dar un paso de Eloy Gonzalo a la glorieta de Quevedo… Estará lleno de chicos, hasta vienen mis primos de Burgos con unos amigos.

Nunca me había gustado salir ni esas tonterías de los novios, pero Merche, con zalamerías, me convenció. Bajo la doble fila de árboles se apiñaban los puestos de juguetes, de flores y de botijos, de horchata y porrones de limonada fría; también las barracas, las barcas y las sillas volanderas, los carruseles de caballitos, los tiovivos, la noria, apretados y tan juntos que la gente casi no podía pasar y todo el mundo se miraba, se empujaba, pero también se reía y llamaban a gritos a alguien que iba delante o andaba despistado. Olía a churros, sonaban los organillos y la música castiza se metía dentro de las casas de balcones abiertos, como los disparos, pac-pac, de las carabinas del tiro al blanco y los silbatos y las voces de las tómbolas. Hacía mucho calor.

Jesús era amigo del primo de Burgos. Tan alto, tan serio y algo mayor que los chicos que le acompañaban, con un porte como de caballero antiguo hasta en su forma de moverse; Merche lo llamaba, en broma, el Cid. No cruzamos palabra, aunque se colocó a mi lado desde que llegamos a la verbena y nos juntamos con la pandilla alrededor de la mesa de una barraca. Alguien ofreció una limonada que no llevaba solo limón y trozos de manzana, sino también vino blanco. Nunca me ha gustado el vino. Insistieron mucho, tomándome el pelo y riéndose de mí por pava.

—Dejadla, pesados, que sois unos pesados... No les hagas caso, Amalia, que estos están tontos —me defendió Merche.

Como me daba apuro rechazarlo otra vez, cogí el vaso, pero antes de que me lo llevase a los labios, Jesús, a mi lado, sin decir nada, me lo quitó de la mano con suavidad. Sentí sus dedos acariciando los míos durante una fracción de segundo.

—No quiere beber esta porquería, ¿es que estáis sordos?

—Chico, no es para ponerse así... —dijeron los demás, siguiendo con las bromas. Oí una risita nerviosa de Merche. Entonces Jesús volvió hacia mí los ojos negros y me dirigió la palabra por primera vez.

—Voy a traerte algo mejor.

En cuanto se perdió entre la gente, Merche aprovechó para arrimarse a mí y susurrarme al oído:

—Hija, estarás contenta, eso es llegar y besar el santo...

—¿Qué dices?

—Pues ¿qué va a ser, inocentona? Has causado sensación. Si ya sabía yo que al final te llevarías al más guapo, con esa cara que tienes de no haber roto un plato. Anda, anda... No te hagas la sorprendida: tú a este le gustas.

—¿A quién?

—¿A quién va a ser? A este. A Jesús.

—Pero si le acabo de conocer...

—Suficiente. Se llama flechazo. Al menos para él, que no te ha quitado ojo de encima desde que hemos llegado.

No soy una mujer de bandera sino delgada y un poco aniñada, más en aquel entonces. Merche, por ejemplo, es muy espectacular. Dicen que se parece a Myrna Loy, por eso se peina y se depila las cejas como ella, hasta le copia los modelos que saca en las películas, con faldas ajustadas, y los hombres le dicen cosas cuando pasa por la calle.

—Por eso me gustas tú, porque no eres como Merche, que parece una fulana.

Me enfadé con Jesús por decir aquello de mi amiga. No tenía derecho a hablar así, se lo dije y me fui a casa dejándolo plantado en medio de la calle. Estuvimos tres días sin hablarnos ni vernos y al cuarto llamó a la puerta. Tenía una pinta terrible, sin afeitar, con el traje arrugado, él que iba siempre impecable. Le temblaba la voz.

—No me hagas esto... No me lo vuelvas a hacer en la vida. ¿No te das cuenta de que yo ya no puedo vivir sin ti?

Se echó a llorar y me abrazó tan fuerte que casi se me paró el corazón.

Tampoco fui nunca una de esas chicas graciosas que son el alma de la fiesta, sino tímida, retraída. Mi madre me reñía por no querer salir de casa y pasarme las horas dibujando hasta de noche, lo que la enfadaba aún más porque iba a perder vista: «A una chica joven las gafas le arruinan la mirada y le espantan los pretendientes». Aquello sulfuraba a mi padre, que soltaba muchas palabras feas: «¡Idiota, frívola, que eres una sinsustancia!». Cuando éramos pequeños, a mi hermano Andrés y a mí nos asustaba mucho nuestro padre, hasta que comprendimos que solo tenía mal genio con ella. Mis padres terminaron por firmar un extraño armisticio para vivir tan separados como podían: él comía siempre fuera, cerca de la universidad, volvía tarde y se metía en su despacho que era grande y tenía una cama plegable. Ella partió en dos el piso de la calle del Vergel, que tenía dos puertas, la principal y la de servicio; mi padre siempre entraba por esta última. Andrés y yo nos acostumbramos a repartirnos también: en el lado materno estaban nuestras habitaciones, el salón, el comedor, la cocina y el cuarto de jugar, pero podíamos cruzar la gran zanja invisible que dividía la casa cuando queríamos coger libros o escuchar discos en la biblioteca o ir a ver a papá a su despacho. Cuando el gobierno de la República aprobó el divorcio, después de años sin pisarlo, mi padre cruzó la frontera hasta el territorio que pertenecía a mi madre. Los gritos y lloros de ella, el escándalo, debieron de oírse hasta en la calle. Nunca se divorciaron.

Jesús y papá nunca se llevaron bien: él no podía compartir mi cariño con ningún hombre, ni aunque ese hombre fuera mi padre.

—Uy, calla, que ahí viene.

Merche se separó de mí para dejar un hueco entre nosotras y que Jesús se sentase a mi lado. Me trajo una horchata. La bebí entera porque tenía sed aunque nunca me había gustado mucho. Luego me invitó a la noria pero no quise subir. Durante un rato permaneció callado, pensativo.

—¿Te gustan los caballos? —preguntó al fin.

—¿Los caballitos? —Señalé el carrusel de la esquina.

Le hizo mucha gracia aquello, rio a carcajadas sin poder parar, llegué a pensar que su apariencia reservada quizá escondiera que había bebido, como el resto de la pandilla, cada vez más ruidosa. Corrían los porroncitos de limonada, Merche se manchó el escote del vestido y ahora bebía chupando el pitorro entre vítores de la concurrencia. Me molestaban aquellas risas, la suya y la de los demás.

—No tiene tanta gracia, la verdad.

—Perdona —dejó de reír—. Quería decir los caballos de verdad.

—No sé. Una vez, en la finca de unos amigos, mi abuelo me subió a un pony. Era muy lindo.

Me miró de arriba abajo —otra vez los ojos negros— hasta conseguir que enrojeciera.

—Vamos.

—¿A dónde?

—A montar a caballo.

La pandilla enmudeció al ver cómo nos íbamos juntos. Llegamos al carrusel. Los caballitos daban vueltas y el mundo y nosotros también. Todo pasó tan rápido que no pude pensar, pero me dejé llevar por una máquina que giraba sin pedirme permiso, montada en el caballito que subía y bajaba. Estuvimos en el tiovivo un segundo y mucho tiempo, como una vida entera; cuando paró, me tendió la mano para ayudarme a bajar. Se la di. No sabía qué decir.

—¿Eres muy amigo de Pedro?

—No, solo conocido. Tenemos un amigo común del picadero y del hipódromo. No pensaba venir, creía que las verbenas eran cosa de niños, pero ahora me alegro de haberlo hecho.

Seguía mirándome de aquella manera.

—Tenemos que volver con los demás…

—Prefiero estar solo contigo. ¿Te veré mañana?

Sin saber del todo por qué, dije que sí. Al día siguiente, Merche se plantó en mi casa muy de mañana; oí desde mi habitación a Angustias, nuestra criada, abriéndole la puerta y sus pasitos rápidos taconeando por el pasillo. Merche se dejó caer sobre mi cama suspirando y abanicándose con el sombrero, pero yo me quedé junto a la ventana sin levantar la vista de mi cuaderno de dibujo.

—No vuelvo a probar la limoná, como dicen los castizos: ¡Por estas!

Fue a cerrar la puerta y después me arrebató el cuaderno y el lápiz y los tiró sobre la cama.

—No cierres, que hace mucho calor y así hay corriente.

—Bobina, es para que no nos oiga tu madre.

—¿Por qué?

—Anda, esta... ¿A qué te crees que he venido, a pesar de este mal cuerpo? Pues a cotillear lo que quieres saber aunque no lo digas por esa vergüenza que tienes. Porque ya me he enterado de que tu conquista es de familia de mucho pisto, todos militares, terratenientes y así. Veranean en San Sebastián pero él no ha ido porque hace hípica y tiene aquí una competición. Me han dicho mis primas que está sin novia pero que en Burgos andan todas locas con él. Chica, ¡vaya ojo tienes!

—No le volveré a ver. Si ni siquiera es de Madrid.

—Mentira y gorda. Ha estado preguntando por ti.

—¿Por mí? ¿Y a quién?

—Al primo Pedro, claro, y él me lo ha chivado a mí. Quería saber dónde vivías, cuántos años tenías y si tenías novio. Todo todito.

Un estremecimiento desconocido me recorrió de arriba abajo y se paró en el estómago con un golpe que me dejó sin aliento. Me sorprendió la intensidad con la que surgía una parte de mí misma que había permanecido oculta, creciendo en silencio y que ahora se rebelaba para gritar que existía. Esa fuerza desconocida... ¿era placer o miedo?

—¿Te gusta? Es muy guapo, pero para mí un poco soso.

Pasó las hojas del cuaderno con mis apuntes del natural.

—Me encanta este dibujo. Es la maceta de geranios del balcón, ¿verdad?

—No están terminados, solo son bocetos.

—Y al fondo se ve la calle, justo desde donde estás sentada. ¿Me lo regalas?

—Claro.

—Entonces, ¿vas a verle?

Me encogí de hombros y las dos nos echamos a reír.

Ya no tengo diecinueve años ni me paso los días dibujando ni asistiendo a las clases de la Academia Lallende. Ya no voy a la verbena ni pinto flores ni hablo con Merche, a la que hace mucho que no veo. De hecho no veo a nadie más que a Feliciana, nuestra criada. Ahora está fregando el suelo de baldosas y la miro sin que ella se dé cuenta.

—Voy a salir a por el pan.

Levantándose como un resorte, Feliciana se baja la falda arremangada y se seca las manos coloradas en el delantal.

—Señora, ya bajo yo. No se moleste.

—No me molesta. Quiero tomar el aire.

—Sabe que está delicada, el médico y el señor ya le dijeron que tuviera cuidado...

—Voy a salir.

—Pues entonces deje que me ponga la chaqueta y bajo con usted.

—No es necesario.

—Faltaría.

Ese fue el día en que decidí escapar.

3

La primera vez que vi a la Mujer Roja fue a los pocos días de llegar a la Casa del Alemán. No había salido de la finca desde que llegué: agotada y con las manos en carne viva de tanto frotar y limpiar, vestida con un jersey grande y viejo que encontré abandonado en un armario, salí al jardín a sentarme en el banquito bajo el magnolio y entonces, lo vi. El monte. Por fin el viento arrastraba el manto apretado que había cubierto el valle desde mi llegada. La luz levantó la tela gris de lluvia y el pico del promontorio desgarró las nubes hasta que el monte logró desnudarse de ellas del todo. Surgió como una ballena del mar, casi perfecto en su forma cónica, vivo. Tanto que creí oír un rumor salido de su interior fundiéndose con el susurro del viento en las hojas de los árboles: tenía una respiración de gigante dormido.

Sin darme cuenta estaba dentro del paisaje y el mundo se hundía en la lejanía mientras el monte, allí delante, me guiaba como un faro. El camino sembrado de barro y piedras se deslizó hasta un bosque que cerraba su abrazo húmedo sobre mí. Ya no hacía frío. Los pies me sacaron del camino empujándome a seguir como en el cuento de las zapatillas rojas, sin que yo lo decidiera, pisando la piel mullida del bosque, sumergida en un mar verde. A la tarde le costaba abrirse paso entre las ramas largas y grises de los avellanos; me agarré a ellas para abrirme paso, por no perder de vista el monte y subir cada vez más alto hacia su cima. Y entonces la vi: sobre un promontorio que caía a pico hacia el valle y a pesar de la distancia que nos separaba, había una mujer. Sola. El viento jugaba con su increíble cabellera roja, larga y rizada, hacía revolotear su falda y el abrigo también largo, como una capa. Su belleza altiva me golpeó los ojos, me dejó sin aliento. Intenté acercarme a ella pero no había camino abierto que llevara hasta el promontorio y cuanto más me adentraba en el bosque, más lejos parecía estar ella.

Aún la veía cuando escuché el crac de madera rota, como de pisada de un animal grande y torpe que asusta a los pájaros y les obliga a levantar el vuelo. No pude verlos al principio, mimetizados en el gris de sus capas con los líquenes y las hojas, salieron del bosque como si formaran parte de él, duendes gemelos. Me quedé quieta; al acercarse a mí las ramas caídas volvieron a quejarse bajo sus botas. Solo uno de los duendes habló, el otro había empuñado su arma y me miraba con ojos de fuego. Luego me di cuenta: eran los ojos del miedo.

—¿Adónde va?

—Estaba paseando.

—Aquí la gente no pasea. Documentación.

—No la llevo. La he dejado en casa.

—Usted no es de por aquí.

—No. Acabo de llegar.

—¿Dónde vive?

—Cerca de Aes, en la casa grande.

—¿La Casa del Alemán?

—Sí.

—Ah... Usted es la señora que ha venido de Madrid para vender la casona.

Me miró de arriba a abajo. Yo no tenía aspecto de señora: el jersey demasiado grande y los zapatos llenos de barro.

—Eso es.

—¿Y nadie le ha dicho que es peligroso que una mujer ande sola por el monte?

—No. Aún no conozco a mucha gente por aquí.

—Pues ya lo sabe. Estos montes están llenos de bandoleros.

—¿Bandoleros?

Sonaba a cuentos de siglos pasados, a leyendas de caballistas que raptan mujeres a la luz de la luna.

—Sí, señora. Viven en el monte como las alimañas y bajan de vez en cuando a atacar a la gente decente y a las fuerzas del orden. Delincuentes y subversivos muy peligrosos.

—¿Contrabandistas?

—Y cosas peores. Así que nada de andar por zonas que no se conocen, que además de tener un mal encuentro puede desgraciarse al caer de una altura. O pillar una tormenta, que aquí son muy traicioneras; entra la niebla y se pierden hasta los del pueblo, pues con más razón la gente de ciudad que no sabe andar por el monte. ¿Le ha quedado claro?

El guardia civil demostraba a las claras la irritación que mi estupidez le producía.

—Sí, por supuesto. Gracias. Tendré cuidado —le dije.

—Pues con Dios.

—Buenas tardes.

El otro rezongó algo que no fue un adiós y siguieron su camino entre chirridos de correaje viejo. Antes de desaparecer tragados por la espesura a la que pertenecían, el guardia silencioso se volvió para echarme por encima una mirada resentida. Puede que los civiles hubieran estado a punto de disparar confundiéndome con una alimaña o un contrabandista, quizá su miedo me tuvo en el punto de mira, en silencio, escondido y cobarde, para cazarme como hacen los furtivos con las corzas. El bosque tampoco era ya refugio, sus peores peligros no llegarían de unos misteriosos bandoleros sino de aquellos trasgos armados en busca de quién sabe qué.

De pronto temí por mi mujer solitaria. ¿La habrían visto? Puede que ahora mismo estuvieran yendo a por ella. ¿Sería uno de esos subversivos que andaban buscando? ¿O solo una mujer que, como yo misma, era lo suficientemente estúpida para aventurarse donde no debía? Quizá estaba escapando. Como yo.

4

El lino del lienzo. Paso la mano sobre él y es suave, limpio, sin grano. Tenso la tela sobre el bastidor, clavo las tachuelas. La cola de conejo disuelta en agua templada, la pintura blanca preparada para dar las primeras capas. La trementina y el aceite de linaza, olores que golpean la nariz, que arrebatan como una droga euforizante. La luz entra en la habitación ventilada y el caballete está en el centro. Vuelvo a revisar los pinceles, las espátulas. Los colores están sobre la mesa, no me gusta usar paleta de mano. Los paños de algodón, la jarra de cerámica con agua limpia. Los bocetos. Miro el lienzo ya preparado y en blanco, solo puedo encontrarlo una vez que empiece y mi mano levante el vuelo. Pero aún no puedo, no me atrevo.

—Ah... No sabía que pintabas —dice Paquita.

Ha entrado en la casa como hace siempre: da un campanillazo en la puerta y como sabe que durante el día la dejo abierta, no espera a que salga y me encuentra en el estudio y se queda en el umbral sin atreverse a entrar. Noto su perplejidad: no sabe cómo reaccionar. Supongo que debería habérselo dicho, pero ¿cómo? Ni yo misma podía sospechar que volvería a pintar. Llegué a creer que nunca más lo haría, que nunca más podría hacerlo aunque la idea me avergonzaba y atormentaba en forma de pesadilla real que no me dejaba dormir por las noches y me sacudía con un escalofrío cuando alguien conocido me preguntaba: «¿Ya no pintas?». No le miraba, pero sabía que no hacía falta, que si no respondía rápido, Jesús clavaría su mirada en mí, un clavo metido en la carne hasta el hueso. «No, ya no» respondía entonces. Si continuaba el interrogatorio, Jesús me apretaría el brazo enlazado en una presión nerviosa más que violenta —un gesto que hacía sin darse cuenta— y diría impaciente: «Ahora está casada y tiene cosas más importantes que hacer». La mano sujetando mi brazo, ese lazo que nos unía ante nosotros mismos y ante los demás que tanto me había gustado exhibir cuando éramos novios, convertido en un grillete de hierro frío que me arrastraba, prisionera, cada vez que salíamos a la calle. Pero antes no, antes no era así, o es que yo no quise verlo; ni mi padre ni don Jaime, que intentaron convencerme, consiguieron nada.

—Estás en la Escuela de Bellas Artes, has expuesto... No lo tires ahora todo por la borda —me decía papá.

—Ya tendrás tiempo de casarte más adelante, no hay prisa —añadía don Jaime.

Mamá no dijo nada, solo mandó hacerme el equipo. Pero a fin de cuentas no hubo que decidir, la guerra lo hizo por mí.

—Perdona, Paquita. —No sé por qué, siempre que hablaba con Paquita tenía miedo de ofenderla, de causarle algún daño involuntario—. No te lo había contado porque ni yo misma sabía si me atrevería.

—¿Atreverte?

—He estado mucho tiempo sin hacerlo. Ni siquiera sé si seré capaz de hacer algo más que garabatos.

—¿Como estos? —Cogió el cuaderno sobre la mesa con los bosquejos a carboncillo—. Pues se te da muy bien. Esto de aquí parece el monte de El Castillo. ¿Y esta mujer? ¿Quién es?

—No lo sé, la vi en el monte y me pareció deslumbrante. La llamo la Mujer Roja.

—Hija, ¿no podías llamarla de otra manera?

—No se me ocurrió otro nombre: aunque ahí a carboncillo no la puedes ver, tenía una melena pelirroja.

—Lleva una ropa extraña; como de otra época. ¿Seguro que no te la has inventado?

Me hizo gracia su idea.

—¿Por qué iba a inventarme algo así y decirte que he visto lo que no he visto?

—Ay, qué sé yo... Los artistas tenéis mucha imaginación. —Noté la desconfianza ante esta nueva faceta de mi personalidad—. Porque tú eres pintora. Se nota. A mí nunca se me ha dado bien. —Miraba de nuevo el cuaderno de bocetos, pasaba las hojas—. Y este animal de aquí ¿es un ciervo?

—Una corza. Pero no sé si la incluiré en el cuadro. Si es que llego a pintarlo.

—Pues es muy bonita. ¿Y estos dos que están como escondidos entre los árboles? ¿Qué son?

—Demonios.

—¡Ay, por Dios!

Soltó el cuaderno. La desconfianza tenía una razón de ser. Esas ideas que rondaban por mi cabeza y de las que intentaba apartarme debían quedarse allí y no salir. Por eso cambió de tema.

—Si estás ocupada, me marcho.

—No, mujer, ¿quieres un café?

El estudio estaría allí al día siguiente, esperándome, mientras que mi única amiga reclamaba mi compañía y quería disfrutar de una casa que le fascinaba: yo sabía que hacía esfuerzos por no fisgar en los armarios y los baúles, convencida de que guardaban mil tesoros.

—La casa parece otra. Y lo bien que has dejado la cocina... Muy monas, las cortinas.

—Las encontré en un cajón del armario. No hacía falta más que lavarlas y colgarlas.

—Pues le dan un aire muy hogareño.

La casa. Me gustaba estar allí y creo que yo también empezaba a gustarle a ella. Ya no parecía abandonada ni oscura ni demasiado grande. Podría convertirse en algo más que un refugio provisional, pero ¿hasta cuándo? Paquita sacaba con cuidado las tazas de porcelana del armario y las cucharillas de plata, sus tesoros. El café empezó a borbotear en el puchero. Sobre la mesa frente al mirador semicircular había colocado una jarra con flores.

—Me gustaría limpiar el jardín de maleza. Pero fíjate que así, abandonado, tiene algo especial, me gusta.

—¿Ves? Eso es porque eres artista: yo no veo más que zarzas y malas hierbas. Y ese tejo tan alto y negro que da miedo. ¿Por qué no pintas las palmeras o el magnolio cuando esté florecido? Eso sí que es bonito; las flores le gustan a todo el mundo, no las cosas raras.

Me recordó a mi madre y sus explicaciones cien veces repetidas delante de las visitas: «Si por mi fuera, no pintaría más que bodegones de flores y retratos de niños, cosas de señorita. No me gustan nada esas escenas lúgubres y estrambóticas que trae a casa».

Fuimos a tomar el café al salón, frente a la chimenea, tal y como le gustaba a mi amiga. La cuchara de plata tintineó en la porcelana, Paquita estaba sentada en su butaca favorita, el placer le llenaba la cara de luna y la voz cómplice:

—Hay novedades en el pueblo.

Las novedades que traía mi mensajera solían ser cotilleos inocentes: un vecino había vendido una vaca en Torrelavega y se había bebido el dinero en la primera tasca que encontró; unas vecinas que habían tenido unas palabras por culpa de alguna rencilla vieja o algún visitante despistado que había llegado al balneario a pesar de su decadencia y deslustre. Pero no había más que verle los ojos brillar para saber que esta vez rabiaba por contarme una verdadera primicia.

—Hoy me han presentado al nuevo médico. Esta mañana, saliendo de misa. Es joven aunque no demasiado; tendrá, no sé, como treinta y cinco o cuarenta. Como acaba de llegar y todavía no tiene alojamiento se queda de invitado en casa del Indiano. Ya se conocían: don Santos es un gran benefactor de hospitales y cosas así.

Desde mi llegada, Paquita se había propuesto alejarme de mi condición ermitaña con sus lecciones sobre la vida y hechos de los habitantes ilustres del pueblo, así que estaba al tanto de la existencia del tal don Santos, conocido como el Indiano y seguramente el morador más célebre de Puente Viesgo. Sabía que apenas salía ya de su casa con cinco balcones al río, la mejor del pueblo, por culpa de una enfermedad; también que en su juventud había recorrido México, Cuba y medio mundo para hacerse rico deslomándose a trabajar, arruinándose y volviendo a enriquecerse —aquí las versiones variaban— hasta regresar al pueblo de sus padres. Por si la vida aventurera y la riqueza fueran pocas señas de notoriedad, vivía con una sirvienta que causaba sensación en todo el valle, una mulata a la que llamaban doña Caridad o Cachita, según a quien tocara hablar del personaje.

—Ya sabes cómo es la gente de los pueblos y lo de que haya negros no les entra en la cabeza, que les da repelús hasta el negrito de loza de echar limosna a las misiones. Se hacen cruces cuando la ven pasar y digo yo que la pobre mujer ya tiene suficiente con lo que tiene, pero ya ves, como si fuera el mismísimo diablo. Y eso que me la encuentro todos los días en misa y es de lo más devota, que ya quisieran muchos que se las dan de cristianos viejos. Pues fíjate cómo será de mala la ignorancia, que los aldeanos la tachan de curandera o algo peor.

Paquita salía de la escuela y caminaba esos kilómetros de revueltas y cuestas que la separaban de mí para traer al salón de la casona los personajes del universo en que vivía, a los que a pesar de la cercanía física sentía yo lejanos y como salidos de un cuento. Incluso al médico recién llegado, que seguro era un señor de lo más corriente, pero cuya existencia, contada por la admirada Paquita, adquiría tintes legendarios.

—Se llama Fidel Peña. Es de Santander, estudió fuera de España, en el extranjero, pero lleva mucho tiempo por aquí. Por lo visto es el mayor de tres hermanos y tiene una hermana que está casada en Torrelavega; una familia muy bien, muy considerada. Y es soltero.

Soltero. Esa era la razón del brillo en los ojos de Paquita y de su entusiasmo de niña que no puede dormir la noche de Reyes.

—¿Te ha contado él todo eso?

—No, mujer, ¡qué cosas tienes! Si con él no he cambiado ni tres palabras, pero claro, se oyen cosas. No me tomes por cotilla, ya sabes que no me gusta caer en ese pecado tan feo.

—Y él, ¿es feo?

—¿Quién?

—Nuestro médico recién llegado.

Aquí Paquita se puso un poco azorada.

—Ni feo ni guapo. Tampoco es Alfredo Mayo... Quizá un poco bajito para mi gusto, pero interesante. Ah, y no te lo pierdas: ¡tiene automóvil!

Un coche, verdadero símbolo de prosperidad en estos valles remotos. Comprendí la ilusión de Paquita ante la promesa incierta de escapar de todas las miserias que ella se guardaba para sí. El día a día rodeada de rapaces que faltaban a la escuela por ayudar en las labores del campo. Las manos rojas de sabañones en el invierno. La paga escasa que compartía con su madre y su hermana, allá en Palencia. El aislamiento, la soledad cuando las noches empiezan temprano y no acaban nunca. La juventud que pasa sin darse cuenta. Allí estaba haciendo frente a todo eso sin nada, sin nadie, mi única amiga en aquel lugar. Sin saberlo, logró contagiarme su esperanza en el futuro, a mí, que desde hacía mucho tiempo no pensaba en el futuro sino para temerlo. Tenía tantas ganas de darle las gracias... Estaba sentada a su lado, junto al fuego, le cogí la mano y se la estreché.

—Me alegro de que estés contenta y de que lo compartas conmigo.

El gesto la sorprendió y retiró la mano como si la mía quemara: el contacto humano la asustaba. No respondió, sino que se levantó para irse.

—Qué tarde es, ¿no? Gracias por el café, pero tengo que bajar antes de que se haga de noche.

La acompañé hasta la puerta. En el umbral se volvió como si de pronto recordara algo importante:

—Oye, Amalia; no quiero meterte miedo, pero sería mejor que por el día cierres la puerta y que por la noche le eches todas las vueltas a la llave. Se dice en el pueblo que anda por aquí la partida de Angelín y que merodea cerca. Han subido más guardias civiles del cuartel de Ontaneda para patrullar los montes. ¿No los has visto pasar?

—No.

No sé por qué mentí, pero una extraña voz interior, esa que a veces responde sin contar con nuestro pensamiento, había decidido hacerlo por mí.

—¿Quién es ese Angelín?

—Uno de esos bandidos... Ya sabes quiénes.

—No. No lo sé.

Bajó la voz.

—Una banda de criminales, los que quedan de... cuando la guerra. Los que se echaron al monte. Por aquí todavía quedan salvajes de esos que son capaces de todo, que viven en cuevas como los osos y bajan del bosque como las fieras a atacar a la gente civilizada. Ten cuidado. Y cierra bien, ¿eh?

Desde la puerta seguí con la mirada su figura alejándose hasta la primera vuelta del camino. Nunca podré explicarle que no puedo tener miedo de ningún bandido o de ninguna fiera salida del monte, que ya no puedo temer a nada ni a nadie que no salga del bosque oscuro de mi propio corazón.

ELISA

La mujer que espera

1

Soy la mujer del alemán. Así me llaman en el pueblo, en el balneario, en el valle; a veces en voz alta y otras murmurando al verme pasar. Pero no creo que conozcan mi historia, qué he visto, qué he vivido, por qué he venido de tan lejos, incluso la razón por la que subo hasta aquí arriba, hasta la montaña, junto al abismo soldado a su pared de aire, la tierra cortada a mis pies, desgajada. Aquí arriba el viento me azota la cara y se mete dentro de mis pulmones: por fin puedo respirar. Ya sabe usted, doctor, que a veces me cuesta respirar, aunque diga que tengo los pulmones sanos, que está harto de tratar tuberculosos y no es mi caso. Además, estar en la cima de esta montaña hueca, llena de enigmas, completamente sola frente al vacío, resulta un extraño alivio: la idea del peligro inminente, el ser consciente de que un solo paso podría hacerme desaparecer, se desliza dentro de mí y se adueña de mi conciencia como una medicina o mejor, como una droga. Estoy más cerca de ti, mi amor.

He traído la cámara para atrapar este lugar en el que deberíamos estar juntos. Quedará para siempre impreso en el cristal de todas las maneras posibles; las laderas de los otros montes que lo rodean, el fondo del valle junto al río y también el puente en el pueblo y el solárium del balneario. Aprisiono las formas reconocibles en tantas fotografías que si cierro los ojos podría describir este paisaje con todo detalle. Aunque siempre por fuera: no me ha sido posible entrar en las cuevas ni ver nada en su interior porque han tapiado las entradas a la excavación; dicen las autoridades que es peligroso subir aquí a causa de los desprendimientos. Yo no hago caso de los avisos y recorro muchas veces sus laderas, al menos hasta donde la montaña me deja, porque cuanto más subo, más se cierra la maraña de zarzas y hojarasca como si no quisiera permitir el paso de extraños, como si fuera en verdad un castillo con una sola almena que se defiende así de los invasores. A veces pienso que tú fuiste uno de esos intrusos y que quizá todo lo que ocurrió es por culpa de esta montaña sagrada que ha lanzado una maldición contra los que violaron su secreto. Te reirías de esta idea si la escucharas. Pero estoy segura de que tu empeño en que nos encontráramos aquí tiene algún motivo que quizá ni siquiera conocías. Por eso espero en tu montaña: puede que termine por conocerla mejor que tú. Me pregunto si fuiste capaz de escucharla como lo hago yo, si descubriste su rumor de tiempo sin fin, el latido saliendo de su estómago oscuro, la voz de oráculo que habla de presente, pasado y futuro. Quizá algún día, si la montaña me lo permite, pueda entrar y preguntar a la sibila que habita en su interior dónde estás y si voy a volver a verte.

Cambio de lugar el trípode y lo clavo en el suelo mullido de hierba: he encontrado un saliente hacia el precipicio, un claro despejado entre los árboles. Nivelo. Las aves rapaces surcan el viento por encima de mi cabeza. Enfoco. Ahí está, eso es lo que quiero. Disparo y espero: necesito una larga exposición.

Es como un golpe o un corte de cuchillo. Nunca antes he tenido una sensación así, como si una fuerza secreta me devorara por completo. Miro a mi alrededor pero no veo a nadie, no puede haber nadie, pero no estoy sola: la navaja de una mirada está clavada en mí, la de alguien invisible que está cerca y sin embargo lejos, como si me observara con un catalejo, igual a como yo observo el paisaje a través de la cámara. Siento esa presencia sin cuerpo cada vez más cercana y real. Quizá sea un fantasma, pero no me da miedo, me acompaña; solo me quiere a mí, aunque no sé por qué. Pero no eres tú, lo sé. Tú estás vivo.

—¿Jim?

Pregunto en voz alta hacia la montaña y hacia el valle, grito, pero nadie responde. Me enfrento de nuevo a la idea de que mi voluntad te haya traído hasta mí, me resisto a la idea de que hayas muerto; no quiero tu espíritu, te quiero vivo. Y la mirada clavada es desconocida, lo sé, quien mira acaba de descubrirme igual que yo acabo de descubrir su presencia. Sí, eso es: una presencia.

—¿Quién es? ¿Hay alguien ahí?

La presencia no responde y desaparece tan de improviso como ha llegado dejándome sola otra vez. Un repentino cansancio me aplasta bajo el peso de todos estos años como una losa, o peor, como una montaña, me fallan las fuerzas y tengo que apoyarme en sus rocas salientes para no caer al suelo. ¿Ha sido producto de mi imaginación? Tiene que serlo. Me paso el tiempo cabalgando ideas desbocadas, temiendo perder la razón, luchando contra mí misma y ese precipicio que a veces me llamaba con un susurro. Y otra vez, la misma pregunta: ¿estaba esperando a un fantasma?

2

Quién sabe qué podía hacer allí, nunca me lo dijo. A las fiestas del *atelier* de Madame Vù solo acudía gente de mal vivir siempre y cuando perteneciera a la buena sociedad. Jim llegó con el aspecto descuidado que le caracterizaba: no se había vestido para la ocasión. No era su intención, pero resultaba chocante verle con su chaqueta gruesa y sus botas de campo entre las modelos y los invitados con copas de champán entre los dedos. Como en Biarritz abundaban los millonarios estrafalarios y los aristócratas de campanillas arruinados por la ruleta del Hôtel du Palais, nadie le requirió su invitación, no fuera a resultar un duque tronado o un insensato norteamericano. Antes de que se fijara en mí, vi su imagen invertida oculta tras el visor de la cámara. Estaba a punto de hacer una fotografía a aquel hombre —el pelo demasiado largo, con mechones rubios de sol, sin afeitar pero extrañamente elegante, bebiendo champán, apoyado en un balcón que daba al jardín— cuando me descubrió: su mirada atravesó la lente. Se movió hacia mí, rompiendo el encuadre y el foco. Tuve que levantar la cabeza y salir de mi escondite para responder una batería de preguntas sobre las características de mi cámara. Jim no prestaba atención a las bellezas que nos rodeaban sino a mi Kodak Junior n.º1 flamante, recién salida de fábrica, un modelo de fuelle cómodo y ligero que tras la tapa trasera incorporaba lo que la casa llamaba «función autográfica»: se podía escribir sobre el negativo con un lápiz metálico. Aquello le fascinó encontrándolo utilísimo para su trabajo, pero antes de que pudiera preguntarle a qué se dedicaba siguió haciendo preguntas y yo contestándolas: el n.º1 indicaba un tamaño de negativo de 2¼ x 3¼ pulgadas en película de formato 120 y el modelo era una versión más barata y sencilla que el Special, equipado con mejores objetivos y obturadores y con un acabado de mejor calidad. Estaba acostumbrada a la sorpresa o el rechazo de muchos hombres convencidos de que las mujeres somos incapaces de entender el funcionamiento de una máquina, pero él no hizo ninguna observación sobre mí, solo dijo que se llamaba Jim, agradeció mis explicaciones y se alejó, y yo continué con mi trabajo para Madame Vù, es decir, retratar la colección de vestidos de fiesta de la célebre casa de modas.

—Todo París debe quedar enterado de que Madame Vù está de veraneo en Biarritz.

Hablaba siempre en tercera persona de su personaje; su mejor creación. Cuando terminaba su representación diaria y se quitaba la peluca rubia llena de tirabuzones, dejando caer en cualquier sofá sus rechoncheces envueltas en seda japonesa, volvía a ser la hija del pescador de Fuenterrabía que cambió el nombre muy poco chic de Esperanza Mendiguchía por el más hermético a la vez que memorable, Madame Vù. Vestía a actrices, cantantes de ópera o duquesas, aunque ella ni diseñaba ni cosía, para eso pagaba con largueza a unas modistas muy hábiles. Solo daba sus «toques» a los modelos, destellos de su espíritu juguetón, verdadero genio de los negocios y la autopromoción, siempre interesada por las novedades. No como mi madre, ocupada en mantener la frágil pompa de jabón en la que se reflejaban los antiguos esplendores de Belle Époque.

Tras enterrar una biografía oscura en lo más hondo de las alcantarillas parisinas, Esperanza supo renacer de sí misma como Madame Vù, y con nueva personalidad y nueva vida se mantenía alejada de los hombres, un negocio que conocía demasiado bien y al que bajo ningún concepto aceptaría volver. Por supuesto, la había conocido a través de mi madre.

—Me ves aquí tirada, sin hacer nada, derrochona, gorda... Eso sería imposible si hubiera aquí un hombre, vigilando. Le faltaría tiempo para manosear mi negocio, estaría husmeando, controlando y obligándome a hacer las cosas como a él le pareciera. ¿Y el dinero? Ay de mí: si no lo tiene querrá gastarse el mío, y si lo tiene, morirá de celos si el mío aumenta más que el suyo. Cualquier hombre prefiere un buen par de cuernos a que su mujer gane más dinero que él, no lo olvides. Hombres: ni con un cipote de oro merecen la pena... Atender su satisfacción, ese pozo que no tiene límites, es un trabajo de negros, criatura, una dedicación plena en la que no hay descanso ni de noche ni de día. Y sus atenciones, una lata; lo que la inmensa mayoría de los hombres considera delicadezas son solo reflejo de su propia vanidad, que nosotras tenemos que alimentar como quien alimenta a una serpiente pitón que nos devorará poco a poco. Hay excepciones, claro, como tu madre: ella no ha desfallecido. Es una atleta.

La filósofa fumaba sin parar unos puritos finos en boquilla de marfil mientras bebía cerveza traída de la tasca de abajo: las pocas concesiones a su pasado que se permitía, como aquellas secretas pastillas de opio guardadas en una cajita de oro sobre su tocador y traídas de China desde el puerto de Marsella.

—¿Y el amor?

—Ay, el amor... ¡Qué niña eres! ¿No hablarás de otra cosa? Mira que los calentones son cosa mala, una debilidad de la que hay que huir como de la peste. La cabeza fría y lo de abajo también es lo único que nos puede salvar a las mujeres.

Resultaba curioso que Madame Vù, con su lenguaje soez de vendedora de sardinas —solo permitido en español— terminara por recomendar la castidad igual que las monjas de Le Inmaculé en Rodez, el exclusivo internado para señoritas a donde me envió mi madre cinco días después de llegar a Francia. Nunca la había visto más que en el retrato que presidía el salón de casa. Mi padre se pasaba las horas muertas admirando a la mujer pintada y culpándose por haberla perdido.

—No podía retenerla, no tenía derecho. Se fue con razón, porque yo no fui suficiente para ella. Nadie lo es. Pero no me arrepiento de uno solo de los minutos que pasé junto a la mujer más hermosa sobre la faz de la tierra.

Ella, la mujer más hermosa sobre la faz de la tierra, apareció ante mí con un vestido ligero de verano que flotaba a su alrededor. En el salón elegante había otras señoras jugando a las cartas, pero se hicieron invisibles al lado de mi madre. La diosa me dio un beso en la frente sin cambiar la máscara de su cara pintada y se apartó para valorarme con ojo de feriante.

—*Oh! Quels vêtements horribles!*

—Eso no es problema, querida. Le encargaremos algo especial —dijo Madame Vù, que estaba allí: la conocí a la vez que a mi madre.

—No, nada de eso: las monjas de Rodez son muy estrictas. En fin... Los ojos no están mal, la boca imposible, demasiado grande. Desgarbada. Al menos el pelo es espléndido. ¿Hablas francés?

—No mucho.

El mohín de disgusto era también encantador.

—La próxima vez que nos veamos debes hablar solo en francés, pero de eso se encargarán las monjas de Rodez. Viajo mucho, así que si quieres algo tendrás que escribir a esta dirección, aquí me guardarán las cartas. Pero no creo que necesites nada porque estarás muy bien en el internado: es el más elegante del Mediodía. Ahora siéntate ahí y no molestes a estas señoras. Vas a ser buena, ¿a que sí?

Me sonrió y su rostro embelleció aún más. En ese momento hubiera hecho cualquier cosa por ella, lo mismo que si me lo hubiese pedido un ángel. La divinidad se volvió hacia la mesa del salón para sentarse en una silla y convertirla en un trono; una de las mujeres repartió cartas, ella las cogió con displicencia como si tampoco le importaran demasiado y desaparecí por completo de su mente. Me quedé muy quieta, como ella había pedido, mirándola como un perro mendigando la caricia de su amo. Fue Madame Vù quien se acercó a mí con una bombonera de cristal en la mano y ocupó el resto del sofacito incómodo en el que mi madre me había ordenado que me sentara.

—Hola, cielo. ¿Cuántos años tienes?

—Doce.

—¿Te gustan los bombones? A mí sí. Coge, anda... Coge más.

Adicta al chocolate suizo igual que al opio, buscaba cualquier forma de endulzarse la vida.

—Por favor, Esperanza; no la acostumbres a tus malos hábitos... Perderá la figura. —Mi madre habló sin levantar la mirada de sus cartas.

—Oye, Carolina, no me seas sinsorga que yo no tengo que educarla, eso es cosa de las monjas.

Mi madre no replicó. Nunca supe cuál era el poder de Esperanza sobre ella, supongo que algún secreto compartido por dos españolas emigrantes, mujeres solas en suelo extranjero, pero Carolina soportaba estoicamente las salidas de tono de su vieja amiga, incluso la mala influencia que pudiera ejercer sobre mí. Con el tiempo supe que la idea de traerme a Francia fue de Madame Vù, no de ella.

—Yo me enteré de que existías de casualidad: me vinieron con un chisme que resultó que no lo era. Entonces a tu madre ya le había puesto piso en la Place Dauphine un señor de campanillas y se lo dije a la cara, que vaya vergüenza, que si ni las gatas dejan así a sus crías... Pero nada, ella salió por peteneras y pasó del sofocón a los lloros de cocodrilo. Yo no sé qué tuvo con tu padre porque no se le podía ni mencionar, vete a saber si lo quiso de verdad, que sería el primero y el último digo yo, porque después nunca más: fría como el pinrel de un contable. Cuando me enteré de que el pobre hombre estaba cada vez peor y lo llevaban al manicomio de Carabanchel me dije por ahí no paso. Claro que primero tuve que meterle miedo a tu madre con que si se corría la voz de que tenía una hija abandonada por ahí, su reputación caería más que la de la Traviata, porque a ver qué santo varón traga al descubrir que su querida no es un ángel caído en el barro de la vida sino una bruja mala que abandona niños. A muchos de estos señorones les encanta el melodrama y encima se creen salvadores de mujeres perdidas, serán mamones, y tu madre, con esa carita de virgen de Murillo ha explotado a base de bien su mala conciencia. Oye, funcionó: siempre ha tenido respeto al qué dirán. A su manera.

Salí de un París que casi no había pisado hacia la otra punta de Francia y no volví a ver a mi madre más que en contadas ocasiones; mi presencia le suponía una incomodidad que no se molestaba en disimular y un fastidio incompatible con su agitada vida social. Mucho tiempo después, y a pesar de vacacionar también en Biarritz, no acudió a la fiesta de su amiga Madame Vù por no estar dispuesta a soportar aquella extravagancia mía de querer trabajar.

«Una dama no trabaja con sus manos.» ¿Podía yo ser una dama? Solo en la medida en que ella lo era; una miembro de la aristocracia de las cortesanas parisinas adiestradas en el arte de agradar a hombres capaces de regalar palacios y esmeraldas a cambio de compañía, sometida a una competencia feroz y a una extraña moral de la inmoralidad. Lo supe durante el primer curso de colegio, cuando mi amiga Solange me invitó a pasar el verano en la casa que su familia tenía en la Provenza. Al enterarse, la madre superiora me llamó a su despacho para ordenarme declinar la invitación con cualquier excusa: por ser hija de quien era, yo no debía pisar la casa de una familia decente ni siquiera para tomar el té. Aunque tuviera derecho a una educación católica como la que me daban las monjas para poder enmendar los pecados de mi madre, ese alma descarriada. Lo cierto es que las hermanas nunca me trataron de forma distinta a mis compañeras, me educaron, enseñaron y mantuvieron total discreción sobre mi origen, puesto que el dinero de las almas descarriadas nunca comete pecado alguno. Pero al oír aquellas infamias lloré y protesté: mi madre era un ángel, un verdadero ángel, aquella mujer fea y vieja no sabía de quién estaba hablando, solo podía envidiar a un ser que sin lugar a duda resultaba inalcanzable para ella y para todos. Me había convertido en mi padre: pensaba y sentía cómo él, miraba la única fotografía que tenía de la diosa, vestida de blanco en la playa de Deauville como él miraba la pintura colgada de la pared del salón. Como le ocurrió a él, mi amor no sería nunca correspondido.

Carolina vivía cada vez más retirada en el palacete que le había regalado Monsieur Lachaille, su último protector, y no gustaba de exhibirse en público, menos de día: la luz del sol podía revelar a sus muchos admiradores que el tiempo no perdona jamás, ni siquiera a una de las mujeres más bellas de París. Además, hacía tiempo que había tomado la decisión de no aparecer en la compañía de una hija tan crecida que podría dar pistas sobre su verdadera edad, tesoro más oculto que el de los nibelungos. No me importaba. Mi madre no había hecho casi nada por mí, pero me había enseñado a vivir sola y a convertirme en una mujer independiente. No la culpo: creo que nunca quiso tener hijos, mi nacimiento solo había supuesto para ella un accidente anecdótico, el vestigio incómodo de una vida pasada que no quería recordar, algo así como el apellido Mendiguchía de Madame Vù. Era muy rica: a lo largo de los años aprendió a invertir sus ganancias con buen tino —todas las mañanas leía el boletín de la Bolsa de París— usando los buenos contactos entre los potentados que frecuentaba. Jamás se me ocurrió pedirle dinero y ella tampoco ofreció nada, quizá creyendo que con costear mi educación conventual ya había cumplido. No dejaba de ser consecuente: había tenido que labrar su propia fortuna sin ayuda de nadie.

Madame Vù, en cambio, fue lo más parecido a una madre que conocí. Carolina estaba muy ocupada en una gira por Sudamérica acompañando a un magnate brasileño y cuando por fin regresó a París, seis meses después, no quise irme a vivir con ella. No hizo ningún comentario, pero creo que respiró aliviada; su largo viaje suponía una forma sutil de informarme de su incapacidad para aceptar mi existencia, la convivencia conmigo debía de aterrarla. A pesar de ello, la estrafalaria Esperanza-Vù nunca opinó sobre la posible dejación de funciones de mi progenitora y se ocupó de mí sin pedir nada a cambio. A ella le debo todo, incluso el descubrimiento de la fotografía; la primera cámara que tuve entre las manos fue la de un tal Duroy, cronista de la revista *Gil Blas* que llegó al *atelier* en busca de cotilleos de la buena sociedad. Al ver mi entusiasmo ante la máquina, Madame me regaló una igual.

—No me des las gracias: aprende a hacer funcionar ese chisme porque voy a explotarte igual que hago con mis oficialas.

Trabajé para ella hasta el comienzo de la guerra, pero la eterna superviviente no logró vencer la epidemia de gripe de 1918. Sin embargo, aquel día todavía estaba viva. Aun con la impresión de que todo pasó hace cien años, la recuerdo muy bien en aquella fiesta, su sonrisa pícara al decirme:

—Alguien te está esperando.

—¿A mí?

—Sí, querida. Creo que has hecho una conquista.

El hombre que esperaba en el jardín iba a ser el único a quien yo podría esperar.

3

En el mostrador de recepción, dos botones vestidos con uniforme color azul de Prusia escoltan al recepcionista. Al verme llegar, este levanta una mirada indulgente detrás de sus gafas de concha. Compartíamos un ritual y ninguno de los dos quería traicionarlo.

—Buenos días, señorita.

—Buenos días. ¿Ha llegado el correo?

—Sí, señorita. Siento decepcionarla de nuevo, pero no hay nada para usted.

—Avíseme si llega algo para mí, por favor.

—Por supuesto.

A pesar de todo, carezco de paciencia. Es mi principal defecto y mi infierno personal, en él sufro la condena a una eterna espera de noticias, huellas, señales, cartas, llamadas, testigos. Pero no tengo más que eso. Sigo aquí, Jim: donde querías que nos encontráramos, sigo esperando.

Dejo atrás el lujoso *hall*, donde recibe a los huéspedes un mosaico que el establecimiento presenta orgullosamente como traído de las ruinas de unas termas romanas, atravieso el corredor principal hasta llegar a la habitación que las sirvientas usaban para dejar las escobas y las fregonas antes de llegar yo y que la dirección me permite usar como cuarto de revelado. Costeo mi estancia haciendo fotografías de recuerdo a los visitantes y estampas del balneario para tarjetas postales. El cuarto de revelado es mi refugio, una isla perdida en la que permanecer a salvo de todo lo que hay afuera, donde combato las ideas oscuras iluminándolas con luz roja, entre placas de cristal, cinta fotográfica, cubetas y el químico de los reactivos. Allí tengo en mis manos el poder de creación, de la alquimia, soy una bruja removiendo el caldero, haciendo un conjuro para robarle al tiempo sus imágenes. Mientras estuviera allí dentro nada malo podría pasarme, hasta el balneario desaparecía.

Todos los balnearios se parecen. Más o menos grandes o lujosos, con vistas de montaña o de ribera, con su casa de baños, manantial de aguas curativas, casino y gran hotel. Ocupados por idénticos visitantes desde Cestona a Baden-Baden: los mismos comerciantes enriquecidos repentinamente, idénticos nobles tronados, mismas familias de alcurnia, rentistas ociosos, malcasadas, jugadores profesionales, buscavidas, hipocondríacos, damitas de compañía con sueños románticos, ludópatas, vagos y arruinados de cualquier país de Europa. Hombres y mujeres que arrastran su pérdida empeñados en negar que el mundo que conocieron ha dejado de existir, sumergidos en sus bañeras de mármol intentando permanecer inmunes al contagio del exterior, cada vez más pálidos, consumidos, iguales a los tuberculosos que no aceptan que lo son porque no pueden ver los bacilos que les infectan los pulmones. Nadie viene a un balneario a curar ninguna enfermedad, sino a permanecer a salvo.

Al otro lado de la cristalera el solárium, con sus hamacas perfectamente colocadas y dispuestas, esperando en balde: en esta época del año el tiempo es impredecible y el fondo del valle húmedo y oscuro; hay poco sol y menos visitantes. Quedan los enfermos eternos, los que no quieren volver a sus casas porque nadie les espera y los ociosos nostálgicos de la Belle Époque como doña Guillermina, quien me ha pedido varios retratos para ella y para su sobrina; juntas y por separado, vestidas de noche en el salón, de diario en el jardín e incluso disfrazadas de princesas turcas. Viuda reincidente y adicta a las anfetaminas, doña Guillermina contaba a quien quisiera escuchar sus hazañas amatorias de juventud en los establecimientos balnearios de medio continente: las orgías romanas que pudo presenciar el mosaico del corredor no pueden compararse a las de la alta sociedad decimonónica cuando se puso de moda tomar las aguas, siempre según su propio relato, adornado con todo tipo de detalles picantes. Pero a esta hora temprana no hay clientes a la vista, ni siquiera doña Guillermina, que debe de estar tomando su baño electrolítico detrás de alguna de las decenas de puertas blancas con sus placas también blancas en cada puerta: CHORROS CAPILARES, BAJADA A LAS TERMAS, BAÑOS DE ASIENTO. Paredes con azulejos de colores de estilo mozárabe prometiendo la ilusión de una Alhambra de teatro y al otro lado del pasillo, una escalera de mármol con balaustrada de hierro también pintada de blanco conducía al piso superior, a las oficinas. La flanquean dos básculas enormes, pesadas y fabricadas en Suiza también con su placa blanca a juego con todas las demás, que anuncia para el despistado: PESO EXACTO. A la derecha, los consultorios médicos; a la izquierda, el cuarto de recepción y entrega de ropa; al fondo, el patio cubierto con cristales y más allá los vestidores, un cuarto de estufa, una sala de masaje y otra para los baños de regadera, el departamento de pediluvios y el de las veinte bañeras de mármol de estilo neoclásico idénticas a la bañera de Isabel II, artefacto que el establecimiento exhibe como reclamo aunque la reina desterrada nunca pasara por allí. Al lado se encuentra el cuarto de descanso destinado a los baños sudoríficos y de trementina, una habitación para electroterapia y un tramo más de escaleras hacia el piso inferior conduce a las piscinas de agua caliente y fría. Y al otro lado del jardín está el edificio de baños para hombres, gemelo al de mujeres, pero con menos bañeras, y en cada esquina del recinto, fuentes con forma de concha de las que surge el agua del manantial.

El vapor del agua caliente se colaba por cada resquicio pero el ambiente húmedo y sofocante no hacía mella en don Gustavo Zaragoza; en este y otros invernaderos había crecido, desarrollado y dado fruto su carrera. Alumno de Sebastián Kneipp, el sacerdote naturista precursor de la hidroterapia, el doctor llevaba más de veinte años aplicando tratamientos en balnearios de media Europa hasta que en 1914 huyó de la destrucción europea para volver a su país de origen. Calvo, corto de vista y gran conversador en tres idiomas, seguía su vocación con una pasión entusiasta que algunos hubieran tildado de fanatismo: vivía para lograr que en el siglo recién estrenado la hidroterapia se convirtiera en obligatoria en todos los países y se construyeran cientos, miles de balnearios para todos, pobres y ricos.

—La hidroterapia soluciona trastornos digestivos, ginecológicos como el puerperio y la lactancia, pero también la caquexia, las enfermedades respiratorias y circulatorias y los ataques apopléjicos. Y se recomienda específicamente para el tratamiento de las enfermedades mentales: hipocondría, melancolía, epilepsia, clorosis y parálisis... Ninguna de ellas se resiste a los beneficios de la cura de aguas cuando el tratamiento aborda los dos aspectos: el moral y el físico. Por eso se requiere que el enfermo aspire aire puro, se aparte de los malos hábitos, disfrute de hermosas vistas y de una sociedad amena con amigos alegres y festivos que le ayuden a cambiar su forma de vivir y de sentir. Esa es la finalidad última de la estancia entre nosotros. Tiene usted que leer el artículo que he publicado en la *Revista médica de Hamburgo*; creo que le resultará francamente interesante, puesto que se refiere a las dolencias de la mente y sus procesos curativos. Ahí, ahí es donde se encuentra el verdadero reto para la comunidad científica... ¡el Mont-Blanc de la ciencia!

Lo imaginé subiendo a las alturas alpinas; la bata blanca de don Gustavo, su cuello duro también blanco, su calva reverberando bajo la luz de hielo de los glaciares, al fin y al cabo, agua también.

—Lo fundamental estriba en que el público en general tome conciencia de lo recomendable de las curas de aguas en cualquier situación de crisis y en cualquier tipo de individuo, sin importar sexo ni edad. Incluso en niños; nada mejor que una cura de aguas para niños irritables cuyos padres sean neurópatas; no digamos para estudiantes que por culpa de los exámenes padecen de fatiga intelectual o física.

Eran públicas sus desavenencias teóricas con gran parte de una comunidad médica a la que tildaba de vetusta e inquisitorial y a la que había declarado la guerra a través de infinidad de artículos y ponencias con las que se había hecho un cierto renombre como especialista en afecciones mentales, así que no era de extrañar que entre los visitantes del balneario hubiera varios que también habían visitado otro tipo de establecimiento: el manicomio.

—Porque las afecciones del alma cercan la salud de grandes y pequeños y, aunque le sorprenda, se ceban en los individuos de clases privilegiadas. Precisamente, los favoritos de la fortuna se encuentran a merced de patologías peligrosísimas; por ejemplo, hay muchísimos hombres de negocios y políticos que padecen trastorno narcisista maligno. Con un buen tratamiento de duchas frías y calientes los vesánicos mejoran muchísimo.

Don Gustavo estaba convencido de que todos estábamos enfermos: todos menos él. Según él, yo sufría de melancolía aguda y estaba empeñado en curarme.

—La melancolía, señorita Elisa, es un mal propio de nuestro tiempo; una verdadera plaga. Yo prescribo dos baños por semana; baños de asiento durante media hora con agua fría; luego a sudar con una sábana húmeda durante dos horas y aplicando defensivos fríos en el vientre y lienzos fríos en el pecho y en la espalda. Combinado con lavativas en el caso de congestión estomacal, alivia los síntomas en menos de dos semanas. ¡Comprobado científicamente! ¡Cien-tí-fi-ca-men-te!

Un propagandista incansable y convencido, un agitador que convertía a sus pacientes en adeptos prometiendo erradicar la miseria que traen todas las enfermedades, la decadencia de los valores que habían llevado a la locura de la guerra y todos los vicios y podredumbres propias del ser humano a base de agua, capaz de limpiar ella sola toda aquella mugre convertida en fuente de salvación del género humano. Solo el agua y su correcta administración podía garantizar la paz mundial y la felicidad universal: esta era su obsesión, su manía. De momento, había conseguido esquivar su afán por someterme a sus prescripciones, pero me perseguía sin descanso.

Creo que fue él quien dio pie a los rumores que sobre mí

se extendían por el balneario. Doña Guillermina, además de fervorosa seguidora de las teorías terapéuticas de don Gustavo, era la principal propaladora de sus maledicencias, de seguro habría adornado con detalles novelescos mis escuetas respuestas a sus preguntas, pero sospechaba que todo lo que se decía sobre «la mujer del alemán», eso que había llegado hasta el último rincón del valle, era fruto de las indiscreciones y fantasías de don Gustavo.

—Aquí tiene el artículo: página 34.

Imposible escapar; cogí la revista y, dándole las gracias, le dije que lo leería cuanto antes inventando una excusa para escapar de su presencia.

—¿No prefiere hacerlo ahora, en mi consulta, tranquilamente?

—No querría interrumpir sus quehaceres.

—No hay nada más importante que estar en su compañía.

—Señor Zaragoza, por favor.

—No se vaya... Mi querida amiga, debe usted ser sincera conmigo y contarme, esta vez sin asomo de vergüenza ni reparo, todo lo relacionado con su estado actual.

—Ya le expliqué mi situación. Estoy comprometida.

—Sí, sí, con ese señor alemán. Yo lo comprendo todo, soy el hombre más comprensivo del mundo, pero no puede usted tenerme así, querida mía... No sea cruel. Fíjese que lo he intentado todo para calmar estos ardores juveniles que usted me provoca: duchas frías, baños con hielo, compresas, pediluvios... Y he de reconocer que apenas he sentido mejoría. Mi enfermedad solo puede curarse de una sola manera: acépteme usted.

Su pasión era sincera, de otro modo nunca hubiera reconocido el fracaso de sus recetas terapéuticas; desde mi llegada al balneario esta era la tercera vez que el ardoroso don Gustavo se me declaraba. Y la tercera vez que le rechazaba.

—En cada ocasión he sido sincera con usted: ya sabe por qué no puedo aceptar su proposición.

—Lo sé... Y yo le pedí que reflexionara... Que analizara la situación a la luz de la razón. Después de tanto tiempo, años ya, no hay más remedio que aceptar la realidad. No ha vuelto a saber de él tal y como usted misma reconoció, por tanto es libre de desatar una unión que no existe ya más que en su imaginación. Y esto lo digo como experto en las afecciones del espíritu: ¡libérese del pasado y viva, viva con todas sus fuerzas!

A duras penas conseguí zafarme de sus intentos de atrapar mis manos entre las suyas: empleaba la misma pasión para declarar su amor que para defender los beneficios de la cura de aguas.

—Piense, alma mía, piense en las inmensas ventajas de elegirme como compañero.

—Basta, señor. Se está usted propasando.

—Nosotros dos estamos al margen de los convencionalismos, de las costumbres retrógradas de este país; ¡somos seres humanos libres en plenitud física y mental! ¡Somos europeos! —Alzaba la voz: cualquiera que pasara por el corredor podría oírle—. No puede seguir esperando el regreso de una sombra, un fantasma... Ese hombre está muerto, ¿entiende?

Eso sí que no podía consentirlo: le di una bofetada que lo dejó con cara de pasmo. Me alejaba por el pasillo cuando escuché a dos doncellas reír al pasar por delante de la puerta de la lavandería, ¿habrían oído algo de la escena bufa ocurrida en el interior de la consulta? Alejarme de allí es lo único que quería. Crucé la pasarela sobre el río, el camino más corto para llegar al hotel, y me detuve, temblándome todo el cuerpo. No por el comportamiento intolerable de aquel lunático, sino por aquellas palabras malditas: había conseguido enfrentarme a una pregunta que me perseguía, me acosaba y me rondaba a todas horas.

Escapé del balneario hacia la pasarela cubierta, en dirección al hotel. Desde allí arriba se podía ver la corriente de agua oscura y veloz a varios metros de altura. Fue Suceso quien me contó que un hombre joven, guapo y tuberculoso al que los médicos daban pocos meses de vida, se había arrojado desde la pasarela al río. Días después, unos pescadores de salmón encontraron su cuerpo kilómetros más abajo, hundido y enganchado entre los matojos de la ribera. Pero muchos huéspedes juraban que habían visto y hablado con ese mismo hombre durante esos días, que por las noches había jugado y ganado grandes sumas de dinero en el casino, que habían charlado con él visitantes y empleados, que había bailado con las damas en el salón hasta el amanecer cuando en realidad estaba en el fondo del río, con los pulmones llenos de agua, mirando sin ver el mundo de la superficie, al que no volvería.

4

Elisa. Lise. Mi nombre español, mi nombre alemán. Al fondo se distingue el estanque de los jardines de Luxemburgo. Ellos están cogidos del hombro, vestidos con sus trajes claros de verano: Jim no lleva chaleco y levanta una mano como haciendo una señal de victoria; Jules posa con el aplomo que sabe que le sienta tan bien. Estoy al otro lado de la cámara, fuera de la imagen y, sin embargo, dentro de sus ojos. En el reverso de la fotografía veo las letras y los números escritos por mi propia mano: «París, mayo de 1914». Y al lado, la letra de Jim: «*Fait par Lise*».

Habíamos pasado toda la noche riendo, bebiendo y bailando, dando vueltas abrazados los tres juntos sin volver a hablar de sus planes ni de su marcha, en la ilusión de un futuro donde todo era posible, donde nada malo podía pasarnos. Es la única imagen que tengo de Jim y me parece una puerta a lo desconocido que abrí sin querer, por la que se colaría el viento de tempestad de otra realidad, un remolino que los absorbería arrebatándolos de mi tiempo y de mi lugar para cerrarla luego de un portazo dejándome aislada en otra dimensión. Ahora son ellos los que están fuera: nunca volvieron de ese retrato. Yo tampoco; somos fantasmas de nosotros mismos.

Suceso entró en la habitación como una ráfaga de viento y guardé el retrato en el cajón de la mesilla de noche.

—Señorita, ¿se ha enterado?

Todo habitante del balneario está obligado a participar de la principal diversión: la habladuría. Suceso mullía dos almohadas limpias de fundas recién planchadas antes de dejarlas bien colocadas sobre la cama. Al golpearlas un aroma de espliego inundó el cuarto, pequeño y oscuro.

—El general ha retado a duelo a don Romano. Ya no solo

lo llama tramposo y tahúr... Dice que ha faltado al honor de la señora de Meléndez por lo que contó en la mesa de bacarrá.

Don Romano era italiano y llevaba años de balneario en balneario gastando el dinero de su mujer rica, a la que nunca veía, seduciendo a señoras y diciendo que había inventado un cristal irrompible del que nadie tenía más noticia. El general no era tal, sino un alférez de caballería con delirios de grandeza que solía contar batallas históricas como si hubiera participado en ellas; hasta los criados se reían de él. Las princesas rusas se divertían sin cesar, la revolución bolchevique les había sorprendido en un balneario y no habían podido volver a su país, vagaban por Europa como prostitutas de lujo, arruinadas y tuberculosas.

—... y con esas ha traído a unos que dice que son padrinos: el abogadito que lleva siempre la misma corbata llena de lamparones y a don Alonso, que estuvo en la guerra de Cuba. El señor director intentó mediar entre ellos, pero nada: don Romano soltó que el general era una momia de Egipto o algo así y muchas palabras en italiano, eso dicen, para mandarlo a paseo. Pues el otro se puso su uniforme y su sable y salió al jardín todo empingorotado llamando cobarde a don Romano, que se reía de él desde un balcón, con las rusas a carcajada limpia. Yo creo que lo de las rusas ha encendido más al viejo, porque siempre andaba haciéndoles besamanos y rendibús con eso de que son princesas y duquesas y no sé qué más... Pero para mí que de tanto na, que hemos visto por aquí más veces a esas señoritingas de ringo rango que luego están peladas y van a pegarle el sablazo a algún viejo verde. Eso sí, que el general se puede llevar una sorpresa porque el italiano no es tan guasón como parece. Como soy yo quien le hace la habitación, le puedo asegurar que tiene guardada debajo de la almohada una pistola, vaya usted a saber por qué. El grito que di el primer día que la vi... Se reía el muy pillo, que no tuviera miedo, que tener un fierro es una cosa muy útil, decía, me enseñó como se le quitaban y se le ponían las balas para que me quedara tranquila y luego me quiso tocar el culo.

Suceso, más que doncella, era un gramófono. Yo la dejaba hablar y hacer todo lo que quisiera; como no interfería en sus limpiezas y demás funciones ni nunca le pedí que se esforzara en trabajo alguno, le caí en gracia. Orgullosa, repetía siempre que podía que no era «una paleta como las campesinas de aquí» porque sabía leer y escribir, había aprendido algunas palabras en francés solo escuchando a los clientes del hotel y nadie la ganaba en desparpajo ni en gracia para llevar la cofia como quien lleva una corona. Porque no estaba dispuesta a dejarse la vida siendo criada de casa fina a cambio de miserias y quién sabe si señoritos de los que se propasan, que su buen salario ganaba como camarera a cambio de un trabajo más que descansado y con el techo y la comida incluidos; pero no iba a estar toda la vida aguantando a huéspedas tiránicas. Todo fuera por ahorrar y algún día poner un negocio, mejor con algún novio espabilado. La sangre pasiega le corría por las venas cuando contaba y recontaba las monedas que le daban de propina y nunca gastaba sino por alguna muy buena razón. Por eso mostraba el mayor de los desprecios por las burguesas ociosas del balneario, puestas a remojo como garbanzos y perdiendo buenos duros de plata en las mesas del casino, ¡con lo que a ella le costaba ganar siquiera una peseta!

—¿Enfermas? ¡Menudo cuento! ¡A trabajar las ponía yo! —Y refunfuñaba insultos como los que hubiera soltado la sardinera Esperanza Mendiguchía.

De ese grupo nocivo para la sociedad tenía yo el honor de ser excluida, en primer lugar porque no hacía uso de las terapias termales: solo una vez intentó don Gustavo que siguiera un régimen de duchas y baños y el aburrimiento me exasperó de tal manera que ni siquiera mi admirador, con toda su palabrería, fue capaz de convencerme para que los retomara. ¿Podía la hidroterapia aliviar la angustia del silencio insoportable? Prefiero convivir con ese monstruo, es lo único que me queda. Si el precio de esa cura era olvidar, no: no quería curarme.

—¡Ay, señorita, pues no se ha ido usted otra vez por esos caminos monte arriba! Mire, mire cómo ha puesto las botas y el bajo del abrigo, perdido de barro...

También enternecía a la doncella una escasez de vestuario que a su entender nos hermanaba en la condición ahorradora, así que cuidaba de mis pocas pertenencias y de mí misma como una guardiana implacable.

—Lo siento, Suceso.

—No diga que lo siente, que me da vergüenza. ¡Si a mí no me importa limpiarlo y se lo voy a dejar como los chorros del oro! Es que me da rabia que la vean y luego la critiquen esas brujas de ahí fuera. Tendría usted que dejarme cortar algunas lenguas...

Mi aspecto causaba sensación entre la mayoría de los huéspedes: una mujer pelirroja, medio extranjera —¿quién podía hablar de nacionalidades cuando medio mundo no se reconocía en los mapas?— paseando por el campo sin compañía, sin corsé y con un capote de soldado. Una atracción.

—¡Qué bonito pelo tiene, señorita! Es una cascada. Ya me gustaría a mí tenerlo tan lustroso y brillante, ya...

Me hubiera llenado la cabeza de horquillas, peinetas y lazos si la hubiera dejado, pero para desesperación de mi admiradora siempre llevo la melena suelta o en una trenza sencilla porque encuentro muy molesto el recogido y ridículos esos postizos y aderezos que impone la moda: Jim solía reírse de la obsesión parisina por adorar a esa tirana.

—Me voy a llevar el capote y las botas para limpiarlos y le saco el par de zapatos aquí fuera. Si tiene frío se pone la chaqueta de lana.

Sacó del armario todas esas prendas dejándolas preparadas y en orden.

—Gracias, Suceso. Eres muy amable.

—No hay de qué, señorita Elisa. —Ya salía de la habitación cuando se volvió para decirme—: Siento mucho que no haya tenido noticias tampoco hoy, pero ya verá como mañana hay más suerte.

Su tono sincero me conmovió.

—Espera un momento, por favor.

—Dígame.

—Tengo que abandonar el hotel.

—¡Ay, por Dios! No me diga que se marcha...

—Quiero quedarme en el valle, pero salir del balneario. Necesito encontrar en el pueblo un alojamiento barato. ¿Puedes enterarte de algo que me convenga?

—¿Pues no va a haber? Si aún estuviéramos en temporada alta... No ha visto usted cómo se pone toda la comarca en tiempo de veraneo, que no cabe un alfiler y ni pensión ni alquileres se encuentran, pero ahora en cambio... No se preocupe por eso, que se lo arreglo yo en un periquete; déjeme un par de días y ya verá. Buena soy yo.

Me acerqué a ella y le cogí las manos ásperas y fuertes.

—Suceso; eres una verdadera amiga.

La pobre abrió la boca para decir algo, pero no pudo más que ponerse colorada como un pimiento. Miraba sus manos entre las mías sin dar crédito.

—Ay, de verdad, señorita. Por favor. Deje, deje...

Se soltó de mí y salió de la habitación como entró, con una ráfaga de viento. Al quedarme sola sentí la sombra negra cercándome, lanzándome sus garras al cuello. Y tuve que luchar contra la desesperación hasta que Suceso me ayudó encontrando una casa dos días después. Acepté ocuparla aun sin verla porque confiaba en su buen criterio y tenía prisa por salir del balneario. Al amanecer del tercer día, antes de que comenzase el ajetreo del hotel, la doncella envió mi baúl y el material fotográfico y de revelado junto con dos mujeres del pueblo encargadas de hacer limpieza. Yo llevaría la Kodak: no me gusta perderla de vista. Salí del balneario sin avisar ni despedirme de nadie después de escribir la postal, encargando a Suceso llevarla hasta la estafeta de correos.

«Querido Jules: he dejado el balneario, te envío mi nueva dirección. Abrazos, Lise. Catorce de abril, 1919.»

En el dorso de la postal aparecía una de mis fotografías publicitarias del balneario: el edificio con el puente cruzando el río y sobreimpresionado, con elegantes cursivas, «Balneario de Puente Viesgo».

Evité cruzar el pueblo dando un rodeo por la ribera del río, en un atardecer inacabable de primavera, con las sombras del día alargándose en las copas de los árboles y al final cayendo entre los montes y tiñéndoles las faldas de negro.

—Ir andando hasta allí para usted es un paseo y no se perderá, que se ve desde la carretera porque la casa no se parece a ninguna: fue el capricho de un ricacho que en buena hora se montó la casa a todo plan, que hasta trajo a los albañiles de

Santander, no vea la señorita lo mal que sentó eso en el pueblo, que muchos se alegraron porque justo cuando iba a estrenarla le dio un arrechucho y se fue con Papadiós. Pues como no tenía hijos andan hermanos y sobrinos como el perro y el gato por la herencia mientras la ponen en arriendo, y ya merece la pena la herencia esa que el fulano era tan finchao que fue uno de los que pagaron el palacio para que fueran los reyes a veranear a Santander, no le digo más, y se le puso en el moño contratar a uno de los arquitectos de allá para que le construyera un chalet a la inglesa, como a la reina. A mí me parece que aquí en medio es como un Cristo con dos pistolas, pero la verdad es que la casa está puesta a todo plan, a estrenar. Hasta agua corriente y excusado tiene. Ya verá que va a estar divinamente.

La hierba junto al camino vibraba y zumbaban en ella insectos invisibles; abajo, en los prados, mugían vacas suplicando ordeño. Todo estaba vivo. Imaginé a la gente dejando sus labores y volviendo a sus casas para sentarse alrededor de la cocina junto a su familia. Una vida de otros y no mía: su existencia me ofendía porque en ella no estaba Jim. No, no hay que pensar en eso. Levanté la cabeza y a mi izquierda vi el monte: me acompañaba con su forma cónica para recordarme por qué permanecía allí con su presencia imponente y su forma extraña como un compañero fiel que nunca se movería de allí, aferrado a la tierra como yo a mi idea, inalterable, esperando conmigo desde tiempo inmemorial. Estaba ahí, delante de mí y de pronto desapareció. La luz del sol pestañeó durante unos segundos y después destelló en una explosión de luz clarísima que cayó con fuerza sobre mí, deslumbrándome.

Bajo el monte, en el mismo prado que rodeaba el camino y hasta donde podía extender la vista, se extendían millares de cuerpos caídos, como dormidos, sobre la hierba de primavera. Muertos esparcidos como muñecos, soldados y oficiales con uniformes grises, azules, blancos, algunos todavía con el fusil entre las manos o la cara cubierta con las máscaras antigás. No era un recuerdo; había recorrido muchos de esos campos después de la guerra y solo encontré tierra vacía, reseca, removida por agujeros de obuses y alambradas o cementerios atestados de cruces; nada de campos verdes cubiertos de cadáveres. No, nunca había presenciado nada semejante; esto era diferente.

Di un paso y salí del camino, los pies sobre la hierba corta y mullida para acercarme a los cuerpos. Temí encontrar a Jim, descubrirlo tan quieto y silencioso y muerto como los demás. Caminé lentamente entre los caídos con uniformes franceses, alemanes, americanos, rusos, australianos. Pero también otros hombres vestidos a la manera de los partisanos o los cazadores, con mono azul de trabajo o chaquetones de cuero que empuñaban pistolas y armas que no reconocí y otros con boinas y capas antiguas, rodeados de espadas y de lanzas: todos los guerreros muertos en batalla salían de las esquinas del tiempo para decirme algo. No sé cuánto tiempo duró la visión —porque eso es lo que fue, clara, nítida— hasta desaparecer tan abruptamente como había venido, acompañada de ese breve fogonazo de luz deslumbrante tan blanca como la de un flas de magnesio.

¿Estaba perdiendo la razón? A veces dudaba, pensando en mi padre, pero entonces Jules me decía:

—Mira a tu alrededor, ¿los ves? ¿Ves cómo se ocultan, se engañan, cómo mienten intentando negar la realidad? Los chalados son todos esos que no quieren ni saber ni recordar. Y si tenemos que estar locos mejor que sea a nuestra manera, no la suya.

Él y yo conocíamos bien la locura, los dos habíamos estado a punto de caer en ella desde lugares diferentes; desde que terminó la guerra luchábamos en esa otra contienda silenciosa. Para conjurarla había retratado sus muchas caras: la de los soldados internados en los hospitales franceses, la de las mujeres que no se movían de la tumba de sus hijos o maridos bajo la lluvia o el sol abrasador y solo cuando caían desfallecidas conseguían arrancarlas de su lado; la de los hombres rotos al encontrarse con sus mujeres y sus hijos. Había visto el terror en los rostros desaparecidos por culpa de la metralla, en los temblores incontrolados y la incontinencia que les obligaba a llevar pañales, la mudez o la ceguera sin causas físicas. Y por eso supe que no, que lo que había visto —o mejor dicho, vivido— no había sido producto de la locura: había presenciado aquel portento como si fuera un fenómeno natural, como la lluvia o el amanecer, sin miedo ni sorpresa. Cuando todo volvió a su ser —el camino, el monte, los prados, hasta las vacas, el aire que respiraba— tomé conciencia de que todo había cambiado: era imposible volver a percibir la realidad tal y como la había conocido. Ya no sentía la omnipresente amargura que desde hacía años me anegaba hasta hundirme, porque el destello y lo que dejaba ver me había liberado. El mensaje que tanto tiempo había estado esperando había llegado por fin a su destino.

INÉS

¿Soñando todavía?

1

—No tengo ni idea de quién es —dijo.

—Estamos aquí para hacer un documental sobre él... O algo parecido. Se llamaba Román Samperio. ¿Te suena?

—No, pero es un apellido de aquí. Puedo preguntar.

—Es un seudónimo; su verdadero nombre era Eduardo Larios.

Martín seguía mirando la fotocopia. ¿Debía contarle lo que había ocurrido un momento antes? ¿Cómo hablarle del resplandor que me había deslumbrado o de la voz que quería mostrarme ese lugar? Ni siquiera podría asegurar que no fuera la mía, esa que a veces sale de nuestra propia conciencia como un grito de alerta para avisarnos de que nos estamos quedando dormidos. Así que quizá todavía estaba dormida y permanecía dentro de un sueño tan vívido como el de la noche pasada en El Jardín del Alemán. Pero no me sentía dormida: mis sentidos, mi piel, todo mi cuerpo estaba despierto; sé lo que vi y lo que oí, entonces y ahora. ¿Cómo contar lo imposible?

—Esta es la única imagen que tenemos de Samperio y está hecha justo en el camino que lleva a tu casa. Aquella es, ¿no?

Entre la masa de árboles, el tejado rojo y un trozo de fachada blanca.

—¿Vas a decirme que es una casualidad? —insistí.

—No creo en las casualidades —contestó Martín.

Al escucharlo sentí alivio. Yo tampoco creo en ellas, pero

ya he dicho antes que no creo en nada. Martín se acercó al muro cubierto de musgo que levantaba poco más de un metro sobre la hierba, una pequeña protección ante la caída cubierta de zarzas que había del otro lado.

—Todo es idéntico, ¿lo ves? Incluso se ve la cima del monte de El Castillo al fondo del paisaje, igual que en la fotografía. Ni siquiera el árbol de aquí atrás ha cambiado.

—Es un tejo.

—Como si la fotografía hubiese detenido en el tiempo todo lo que rodeaba a Samperio.

—Eso no tiene sentido.

No respondí. Martín se alejó unos pasos hacia la tapia, sentándose en el sitio exacto y de la misma manera en que lo había hecho el hombre de la mirada penetrante.

—Hazme una foto. Espera: estás mal colocada.

Comprobó la distancia, calculando el emplazamiento de la cámara original y me movió cogiéndome de los brazos con sus manazas.

—Ahora.

Le obedecí. Sonó el chack falso del obturador de la cámara del móvil, apareció en la pantalla la foto digital y con el filtro monocromático hice desaparecer los colores saturados hacia un blanco y negro tan desvaído como el de la fotocopia que sostenía entre mis manos. Le mostré su imagen junto a la de Samperio, una al lado de la otra.

—Encaja —dijo mi acompañante.

Encajaban hasta las ramas del tejo y sus hojas, perfectamente, como fichas de un puzle, exactas, iguales a las retratadas cuarenta años atrás.

—¿Qué opinas?

Paseó la mirada por encima del paisaje.

—Que Samperio y yo no nos parecemos.

Y sin esperarme, se encaminó hacia la casa. No le seguí, me quedé allí quieta albergando la esperanza de que el fenómeno se repitiera, pero no pasó nada. Solo vi el sol reverberando entre las hojas del árbol —ahora ya sabía cómo era un tejo— y manchas de luz y de sombra manchando las piedras del muro; sonaron las esquilas del ganado y unas moscas zumbonas a mi alrededor. Fuera lo que fuese aquello que había vivido pocos minutos antes, fuera quien fuese quien me había llamado, no iba a repetir el truco. La naturaleza se restablecía en lo cotidiano intentando arrancarme de la mente una certeza que a pesar de los esfuerzos de la razón, se colaba hasta instalarse en una esquina oculta de mi cerebro. Y esa certeza no era otra que la de haber vivido un suceso extraordinario.

Creo que me asusté. Eché a correr hacia Martín, que caminaba delante y cuando estaba a punto de alcanzarle se volvió hacia mí tan bruscamente que estuve a punto de chocar contra su pecho. Sonó sombrío, casi amenazador:

—No cuentes nada de esto a mi familia. Esto es algo entre tú y yo.

2

Está prohibido hablar, preguntar, saber de él, de ella. No se les puede nombrar. Durante toda mi infancia y parte de la adolescencia la prohibición extendió sus tentáculos sobre mí y sobre todo lo que me rodeaba. Mis padres están siempre ausentes, no hay rostros ni recuerdos para ellos. Ni siquiera podía saber mi nombre completo: el apellido paterno no aparecía en la ficha del colegio, si bien las monjas jamás mencionaron aquella anomalía posiblemente por una de esas indicaciones inapelables de Naná. Porque de una manera u otra, todo el mundo terminaba obedeciendo a Naná. Si el nombre de mi madre aparecía en momentos de riñas o reproches, el de mi padre permanecía aún más hundido en la nada oscura donde ambos habían caído.

Esa nada oscura se hacía más grande por la noche, en el terror de niña en la casa antigua asediada de crujidos de tarima decimonónica y campanadas de relojes y carrillones anunciando una noche abismal y eterna. Lloraba a gritos pero nadie vino nunca a mi habitación al fondo de un pasillo solitario, nadie me consoló con una palabra de cariño ni una luz encendida: no había que malcriar a los niños con mimos y menos cuando buscan una atención que no merecen. Yo no merecía nada, eso estaba muy claro. Aunque no sabía por qué; es verdad que era mala estudiante y repetía curso, pero eso a nadie le importaba, Naná se limitaba a firmar las notas sin mirarme a la cara. En el colegio era tímida y tartamudeaba; las profesoras y las niñas me creían algo retrasada. Además me costaba hacer amigas porque ella prohibía que acudiera a ninguna casa ajena y tampoco permitía que invitara a nadie a la suya. Solo me compraba ropa cuando la anterior se me quedaba pequeña y enviaba a Rita a hacerlo; entonces la acompañaba y esas tardes en El Corte Inglés eran para mí una verdadera fiesta. Tampoco salía al cine ni a ningún otro sitio, no me faltaba de nada pero nunca me dio dinero para gastos; en eso, como en todo, rozaba la mezquindad. Naná no tenía televisión —le parecía un invento para pobres y desclasados— y yo veía a escondidas programas infantiles y películas en el cuarto de Rita, que tenía una tele pequeña, portátil. Comía y cenaba en la cocina mientras que Naná lo hacía en el comedor o en su saloncito, una habitación pequeña y coqueta con muebles tapizados de raso color malva situada junto a su dormitorio y a la que yo no podía acercarme a no ser que me llamara expresamente, igual que el servicio doméstico. Otra de sus tajantes prohibiciones era la de deambular por la casa, «haciendo quién sabe qué». Por eso busqué un refugio donde pasar las horas interminables de la infancia: mi cuarto no lo era porque daba a un patio y los muebles antiguos y oscuros —horribles para una niña— se comían la luz. Tampoco podía estar en la cocina, a Rita y a Asunción les molestaba tenerme en medio mientras trabajaban. Encontré mi lugar en la biblioteca: Naná nunca la pisaba y menos las criadas. Llegué a conocer cada uno de sus rincones, cada dibujo del papel pintado de las paredes y de la alfombra gordísima, las estanterías altas hasta el techo, los arañazos en el cuero rojo de los sillones capitoné, la mesa de despacho con escribanía con su silla como un trono. Todo había pertenecido a un antepasado magistrado que colgaba de una pared en una foto coloreada, con una mano sobre una columna dórica, un bigote enorme y unos ojos un poco idos. A pesar de la toga y las puñetas me miraba sin severidad y no creí que le pareciera mal que ocupara su antiguo lugar de trabajo ni que cogiera sus libros y otros acumulados en la familia a través del tiempo, tan antiguos y bonitos, con tapas rojas de tela o de cuero repujado, con páginas finísimas de papel cebolla y cintas de seda para marcarlas. Leí sin orden ni concierto, todo lo que pude salvo los librotes de Derecho, claro, sin saber lo que realmente tenía entre las manos. Aunque una historia me aburriera hacía esfuerzos por leerla hasta el final sin saltar una página antes de devolver el ejemplar a su hueco en la estantería: hubiera sido incapaz de abandonarla, me parecía una traición hacia quien tan generosamente se abría a mí. Cuando la historia me gustaba, la comenzaba de nuevo nada más terminarla. Llegaba corriendo del colegio sabiendo que ellos me esperaban allí dentro, en su habitación secreta y hospitalaria tras pasar todo el día solos, pendientes de mi llegada, impacientes por encontrarse conmigo y abrirse para mí como flores al sol, para hablarme a mí, a nadie más que a mí.

Tendría trece años cuando me atreví a romper la prohibición y comencé a preguntar sobre lo que no debía intentando alzar una punta del pesado telón del silencio. No a Naná sino a Rita, el único ser humano que me mostró algo de afecto en ese tiempo.

—Pues más o menos a tu edad fue cuando empecé a trabajar. Sí, no pongas esa cara. En aquellos años todavía era normal sacar a las niñas del colegio y mandarlas a servir a la capital; fíjate qué burradas se hacían.

Tenía suerte de haber nacido más tarde que Rita: en la biblioteca había muchas novelas con historias de huérfanos desgraciados como Oliver Twist, Marianela, Cosette o mi favorita, Jane Eyre. Rita no había sido huérfana sino la mayor de seis hermanos en un pueblo de Segovia y aunque me parecía tan vieja como Naná, resultó ser mucho más joven; debía de ser el precio de trabajar como una mula, porque el piso enorme de la calle Fortuny se lo echaban a la espalda entre ella y Asunción, la cocinera. Aunque también estaba Francisco, el chófer, pero ese no daba palo al agua; se pasaba el día escuchando la radio en la cocina, de cháchara con el portero y mangoneando.

—La señora recorre la casa para pillarnos en falta que es un sinvivir. Todo tiene que estar como un jaspe, hasta las habitaciones que no se usan y la plata que nunca se saca —decía Rita mientras nubes de vapor salían de la plancha e inundaban el cuartito. Como le aburría planchar le gustaba que la acompañara para darle palique, como ella decía—. Como me quedé viuda y mi hijo ya estaba criado, volví a trabajar. Y vine a esta casa. Hace veinte años ya, ¡qué barbaridad! Y va siendo hora de parar: en cuantito me jubile me vuelvo al pueblo, allí por lo menos se vive con poco, porque la jubilación que me queda es una miseria: la señora no nos dio de alta a Francisco y a mí hasta que no le quedó más remedio, media vida me he pasado trabajando de extranjis para ella y como para quejarse, que ya sabes cómo se las gasta.

Su marido había muerto tras pasar media vida enfermo sin poderse mover siquiera de la cama; ella se había acostumbrado a desplegar energía por los dos y a pesar de la edad seguía siendo un torbellino. Tenía un hijo viviendo en Valladolid porque trabajaba en la Renault, pero solo lo veía en vacaciones, cuando se reunía con él en su pueblo segoviano.

—Yo a la señora la conozco bien. A ver, todo lo bien que se puede conocer a esa mujer.

Naná, aunque no lo pareciera, había sufrido mucho, según Rita. Sus padres eran mayores cuando nació y se murieron siendo ella jovencita, uno detrás del otro, como su hermano mayor tras un tonto accidente de tráfico, dejándola heredera absoluta de dos fortunas familiares y diez apellidos con solera.

—Dicen que la familia de Francia ya la tenía casada con un príncipe, nada menos. Pues ella que nones, se salió con la suya y nada más salir del internado donde la tenían en Suiza, se casó con el primero que apareció. Y claro, la cosa salió como tenía que salir.

En el salón de la entrada había una foto de boda de Naná. Ella sola, sentada en una butaca muy bonita, con un vestido de seda blanco abotonado hasta el cuello, un collar de perlas y un velo de tul. Parecía una reina.

—Con perlas no se tiene que casar una que dan mal fario: cada perla es una lágrima... Se casaron en París y allí estuvieron un tiempo, luego ella, cuando murió su hermano, quiso volver. Y se volvió con la niña, pero sin el marido.

Mi abuelo no estaba en la foto de boda ni en ningún salón sino más escondido. Rita me lo señaló, con mucho secreto.

—Ese es, el del caballo. Pero que no se entere tu abuela de que te lo he dicho: a saber cómo se lo tomaría...

Pasé mil veces por delante de ese cuadro al óleo con el jinete a caballo antes de saber que era mi abuelo. Y nunca en la vida se me ocurriría contarle a Naná algo así, no había prohibición expresa, pero tampoco hacía falta: seguro que el jinete formaba parte de esas incógnitas que no había que mencionar.

—Guapísimo, eso sí. Medio argentino, medio francés, de muy buena familia por lo visto, pero una cabeza loca que le hizo pasar a tu abuela las de Caín. Porque siempre fue muy orgullosa, nunca le perdonó que la humillara de aquella manera.

Años más tarde entendí que «las de Caín» eran las juergas, las ruinas y las infidelidades del abuelo Fernando. Al enterarse de que no solo mantenía unos cuantos *affaires* con señoras de la buena sociedad sino que también había tenido dos hijos con otras tantas mujeres antes y después de casado, Naná hizo las maletas y se volvió a Madrid con una niña de cuatro años.

—Vivieron separados media vida y luego él, cuando lo del cáncer, vino a esta casa. Y aquí murió. Igual lo perdonó, a saber, pero conociendo a la señora, me extrañaría. Yo no alcancé a conocerle porque llegué justo después de que se muriera, en aquel entonces ella decidió echar a todo el servicio, aunque llevaba aquí ni te cuento. Yo creo que para hacer borrón y cuenta nueva.

Fernando el jinete, el apuesto jugador de polo, *playboy* de la alta sociedad de los años sesenta, había muerto en aquella casa sin pasar por ningún hospital, decrépito, arruinado y acompañado por una mujer desconocida que hacía mucho tiempo había sido su esposa, sin dejar tras él más recuerdo que un retrato ecuestre. En la historia de mi familia siempre faltaban piezas, pero aun así dejaba resquicios por los que entrever el puzle. Por Rita supe también que mi madre había sido desterrada de aquella ínsula gobernada con mano firme por Naná.

—Nunca se llevaron bien y ella era una chica rebelde, tan terca como la madre y tan cabeza loca como el padre, no te voy a mentir ya que me has preguntado. Pero el modo en que salió de aquí... No sé... Yo le vi la cara cuando salía con la maleta en la mano: algo se le había roto por dentro, no sé cómo explicarlo... Nunca creí que no volvería a verla, ¿cómo iba yo a pensar algo así?

A veces Rita sufría ataques de lealtad servil y acataba las decisiones de su señora como si fuera una especie de diosa cruel e infalible, alguien por encima del bien y del mal. Ni siquiera discutía mi singular presencia, una especie de recogida sin estatus alguno y sobre la que pesaba una maldición desde el nacimiento, como la de la Bella Durmiente.

—¿Tú sabes por qué Naná no me quiere?

—Hija, yo que sé; sus razones tendrá. No se puede obligar a nadie a querer, eso sale o no sale, así, de natural.

—Y mis padres, ¿tampoco me quieren?

—Ay, chica, no empieces, si yo no sé nada. Mejor será que te olvides de esas cosas, que solo falta que entre aquí la señora de improviso y nos pille hablando de lo que no debemos. Tú no quieres que me eche, ¿verdad? Pues a callar.

Temblaba ante la idea de perder a Rita, crecí con el miedo al castigo, aunque Naná nunca me gritó ni me puso una mano encima. No le hacía falta; como un viejo inquisidor había destilado durante décadas una sutil forma de tortura consistente en acumular desdén y hacerlo crecer día a día con miradas y frases hirientes como piedras, formando una montaña bajo la que estaba yo, ahogándome. Hubiera preferido recibir una bofetada. Pero quizá estoy siendo injusta, puede que no fuera consciente de que su desprecio había llegado a ser una prolongación de ella misma: soberbio, imponente, invencible y tan compacto que casi se podía tocar, que lo llenaba todo y alcanzaba a todo el mundo, familiares o allegados, no digamos a sus empleados. Era tan contagioso que todas las personas a las que conocí en aquella época, salvo Rita, me trataron con idéntico menosprecio, sin darse cuenta o para demostrar que reconocían la autoridad que ejercía sobre ellos aquella mujer. Llegué a creer que mi abuela —aún me cuesta llamarla así— sufría una especie de posesión infernal: un diablo altivo se había metido en su cuerpo utilizándolo para inundar el mundo con un odio viscoso. Me costó años comprender que no libraba una guerra contra mí, sino contra sus propias sombras.

3

La puerta se abrió y apareció Áurea. Ella y su sonrisa casi ocupaban la puerta entera; era también un coloso, pero de piel morena y melena negra. Llevaba puesta una camiseta de Star

Wars tamaño XXL en la que se veía a la princesa Leia en la primera entrega, armada y dispuesta a dar la batalla galáctica.

Luminosa, diáfana, toda la planta baja la ocupaban el salón y el comedor y las escaleras que conducían al segundo piso. Al fondo, una puerta abierta a la cocina. El espacio, los muebles, hasta la tele de plasma me parecieron enormes, como si me hubiera colado en el castillo de un ogro de cuento.

—Así que queréis visitar las cuevas —dijo Áurea, y antes de llegar a la mesa ya me ofrecía un plato con una especie de tortas de maíz recién fritas cubiertas de miel y café y pan untado en una mantequilla igual a la que había cenado la noche anterior: un festín en mi honor o un almuerzo frugal para aquellos titanes. La miel rebosaba del plato y al cogerlo me pringué los dedos.

—Sé que hay algunas cuevas cerradas al público y es imposible entrar. Y mucho menos grabar en su interior.

—Para todo el mundo, salvo para vosotros dos.

Intenté limpiarme la miel con la servilleta sin éxito.

—Eso sería estupendo, pero no sé cómo podemos conseguirlo.

—Para que lo sepas, querida: estás hablando con la puta ama de la arqueología. ¿Sorprendida? Que tengo mucha mano, vaya.

Soltó una risotada que hizo temblar las paredes y a la princesa Leia sobre sus tetas enormes. Porque en esta casa todo tenía unas dimensiones a juego con el tamaño de sus habitantes, de la risa de Áurea a la chimenea del salón, de sus pechos a la cantidad de comida sobre la mesa. Y sin embargo, tanto la casa como los objetos a la vista mostraban una sencillez y utilidad extremas, nada parecía fuera de lugar ni inservible. Por eso llamaba la atención un único elemento decorativo: una decena de pares de zuecos de madera típicos de la vestimenta regional colgaban de la pared. El efecto era extraño, al menos para mí: me pareció que esperaban a unos pies invisibles que podían caminar por las paredes y los techos. Áurea se había dado cuenta de que llamaban mi atención:

—¿Te gusta la colección de albarcas? Son verdaderas joyas antiguas, aunque eso solo lo puedan apreciar tres o cuatro personas en el mundo.

En ese instante entraba Valvanuz, la hermana de Martín, quien sin el mono de trabajo y en chándal seguía pareciendo una valquiria.

—Cariño, esta es Inés.

—Sí. —La afirmación sonó como un gruñido; al parecer Valvanuz era tan parca en palabras como su hermano. Se acercó a la mesa, también digna de Odín, para servirse un tazón de café en el que cabría más de medio litro. Áurea suspiró.

—Ay... Ya te acostumbrarás a la gente de estos pueblos, guapa.

Me pareció que Valvanuz y Martín intercambiaban miradas de alarma, pero no podía prestarles demasiada atención porque la poderosa presencia de Áurea lo inundaba todo.

—Son así de siesos, que parece que hay que tirarles de la lengua para todo, de un seco que tira de espaldas, aunque algunos tienen un pase. Incluso alguno más.

Cogiéndole la cara con una mano de uñas largas pintadas de un chillón azul cobalto, le plantó un beso en la boca a Valvanuz, que enrojeció y luego sonrió por primera vez en una especie de mueca tímida, devolviéndole el beso con los ojos, resplandeciendo bajo el toque mágico de la inocencia y la devoción con que se mira al verdadero amor.

—No vayas a pensar mal, Inés, que estamos casadas. —Áurea se partió de risa mientras me servía más comida sin hacer caso de mis remilgos y sin dejar de levantarse, moverse a toda velocidad y hablar—. Por lo general no resulta nada fácil, pero creo que gracias a mí vais a poder entrar donde solo está permitido a los investigadores. Cada vez hay más excavaciones cerradas al público y me parece bien, qué coño, yo sería mucho más restrictiva: a veces aquello parece una romería y las pinturas sufren. Muchísimo. Dentro de nada se vetará el acceso a todas las cuevas con arte rupestre como hicieron con Altamira, lo veréis: somos la última generación de privilegiados que han respirado su mismo aire. El turismo es la única razón por la que las cuevas tienen interés para las administraciones, pero lo que las ha salvado a la vez las está matando. No te doy la tabarra, pero es que podría estar horas hablando del tema.

—De hecho, te pagan por hablar de eso —terció Martín. Tranquilo, relajado, parecía otro.

—Pues sí: por dar charlas, conferencias y escribir artículos. También trabajo como guía aquí, en el monte de El Castillo. Y que sepas que no lo hago por dinero, porque es una miseria, sino para entrar en las cuevas cuando me da la gana. Cientos de visitas llevo y fíjate que siempre veo una cavidad distinta, detalles que se escapan, que sorprenden. Cambian. Como si estuvieran vivas. Ya... Soy una exagerada, lo sé.

Era de Toledo, un reverso alegre y parlanchín de Martín y Valvanuz. Los tacos y giros manchegos aliñaban su torrente discursivo a pesar de haber salido del pueblo hacía más de veinte años para convertirse en doctora en Prehistoria. Y con plaza de profesora en la Universidad de Cambridge. Áurea había llegado a Cantabria cinco años atrás, formando parte de un equipo internacional para un proyecto de conservación de las diez cavernas declaradas Patrimonio de la Humanidad por la Unesco en 1985, entre ellas, las del monte de El Castillo.

—Son una maravilla, te lo digo yo que he visto cientos; me enamoré de las cuevas y de esta señora, claro, así que tuve que quedarme. Y eso que entonces me habían contratado para dar un máster en Australia, pero ni medio minuto me lo pensé: dejé la universidad y los canguros y más que hubiera dejado. Fíjate, yo de aquí para allá toda la vida y termino en este pueblo, que está muy bien, eh, pero que tiene sus cosas y la verdad es que cuesta pillarle el punto. ¡Qué te voy a contar a ti que vienes de Madrid!

—En Madrid no tendría una bienvenida tan espléndida. —La comida opípara seguía sobre la mesa, inacabable—. Si todo es así, me quedo y no vuelvo.

—Nosotras sí que íbamos a estar encantadas, que aquí nos hacen faltas caras nuevas y gente joven, ¿verdad, cari?

Valvanuz asintió. Aquel parecía un hogar tranquilo, organizado, en el que Áurea hacía de locomotora tirando de dos vagones bien enganchados. Pero Martín me había prohibido mencionar la existencia de Román Samperio a aquellas dos mujeres. ¿Por qué? Áurea siguió hablando:

—¿Te han enseñado la granja?

Por un instante pensé en preguntar por el rótulo vandalizado porque me picaba la curiosidad, pero aunque hubiese querido no lo hubiera podido hacer: Áurea contestó por mí:

—Pues tienes que verla; te sorprenderá, la gente no se imagina que una explotación ganadera parezca la NASA. Y no hay nadie más orgullosa de sus vacas que Vali, si pudiera se casaba también con ellas.

Para darle la razón, Valvanuz habló por fin:

—Nuestras vacas son pasiegas, una raza casi extinguida: quedan menos de trescientos animales en toda la región. Aquí tenemos veinte ejemplares, una decena de terneros y dos sementales. La leche es ecológica, con ella fabricamos nuestros quesos y yogures. Y la mantequilla.

—La granja ha recibido un montón de premios y esta señora es la presidenta de la asociación de ganaderos pasiegos de raza autóctona, toda una mandamás.

Áurea era una excelente propagandista no ya de sí misma, también de los logros de su mujer. Pero yo no había llegado hasta allí para hablar de ganado vacuno.

—¿Cuándo crees que podremos ir a las cuevas?

—Calcula un par de días; lo organizo y aviso a Martín. Oye, el documental este ¿va de arqueología? Porque yo me dejo entrevistar, ¿eh?

Martín había traído el equipo de grabación y lo revisaba sobre la mesa, sus manos enormes se habían vuelto de seda para tratar la cámara y los objetivos.

—No, no... Tiene más carácter cultural. A los productores les interesan los lugares de la comarca, los paisajes y las tradiciones... —No era del todo verdad, pero tampoco mentira, Gaula había pedido algo parecido—. Oye, Áurea: me gustaría saber tu opinión. ¿Por qué tanta gente, incluso los que no son expertos como tú, encuentran esas cuevas y esas pinturas tan fascinantes?

—Porque lo son. Y no solo por su valor arqueológico o estético, no... Nunca sabremos a ciencia cierta qué función tenían para aquellos seres humanos, pero yo estoy convencida de que es un santuario desde hace milenios y lo mismo la gente de aquí, que tiene un respeto casi reverencial al monte y a lo que oculta. Incluso cuentan historias sobre el influjo que ejerce sobre quienes se adentran en él.

Recordé las notas de Samperio y sus palabras sobre las cuevas: «El útero de la montaña me atrapó y el tiempo me devolvió otro ser distinto, cambiado. Transformado. A veces creo que sigo allí, en su laberinto, y me he convertido en roca y eternidad».

—Tenemos que irnos ya —interrumpió Martín.

—Pues no te olvides de coger los bocatas de tortilla para el mediodía; los he dejado en la cocina. ¡Aquí nunca vas a pasar hambre, Inés!

Seguía riendo, pero en cuanto Martín salió del comedor, seguido por Valvanuz, Áurea aprovechó para bajar la voz —hablaba a un volumen atronador— y ponerme una mano sobre el brazo: sus uñas azules destellaron al sol mañanero.

—Eres la primera mujer que trae mi cuñado a casa en siete años.

La confidencia me pareció bastante intempestiva y aparté con disimulo el brazo. Los ganchos azules se cerraron sobre el aire.

—La verdad es que acabo de llegar y Martín ha sido muy amable por invitarme a vuestra casa.

—Ya, ya... A ti seguro que te parecerá una tontería lo que te acabo de decir, pero es que él... Bueno, ya le conocerás mejor.

Su cuñado regresaba y ella alzó de nuevo la voz.

—Pues ya sabes dónde estamos: no te cortes y llama para cualquier cosa que necesites, ¿eh?

No había dado ni las gracias y Martín ya estaba fuera de la casa, sin esperarme ni mirar atrás. Fue al salir cuando me fijé en que sobre la puerta había una figura tallada en la piedra del dintel: un círculo con tres barras y tres puntos en lo alto. Me volví hacia las dueñas de la casa.

—Qué curioso. ¿Es típico?

Las dos mujeres me miraron fijamente durante un momento antes de que Áurea contestara.

—Sí... Es un símbolo de buena suerte.

Se acercó a la puerta, levantó la mano para tocar la figura y luego posó la mano en mi hombro en un gesto solemne, como si me hiciera objeto de alguna clase de ritual. Cuando estoy incómoda en una situación tiendo a ironizar y además tenía la cara de la princesa Leia justo delante.

—¿Que la Fuerza me acompañe?

Aún oía las carcajadas de Áurea al salir de la casa, incluso pude escuchar las de Valvanuz.

4

El primero de los destinos en la lista que había hecho nos llevaba hasta un pueblo llamado Selaya, a unos veinte kilómetros. Martín conducía con su característico estilo agresivo pero sorprendentemente seguro.

—¿Qué quieres grabar?

—El museo de las amas de cría.

—¿Habla también el amigo Samperio de las amas de cría pasiegas?

—Pues sí. Y ya que lo mencionas, ¿podemos hablar ahora de él? No he olvidado lo que me dijiste en el camino, eso de que no mencionara a Román Samperio. ¿Qué es lo que no quieres que sepan tu hermana y su mujer?

—Nada. Te aseguro que no tiene nada que ver con la película ni con nuestro trabajo.

—No te creo.

—¿Por qué iba a mentir?

—No lo sé. Pero lo estás haciendo.

—Lo que te digo es cierto, solo se trata de algo personal.

—¿Personal? Vamos, hombre... Estamos hablando de un tipo del que sabemos poquísimo, no te imaginas lo que me está costando documentar todo esto. Cualquier información me puede ayudar.

—No lo entiendes: esto no va de Samperio.

—¿De qué, entonces?

No contestó y siguió mirando a la carretera, que se estrechaba cada vez más. Martín frenó bruscamente y tuve que apoyar las manos en el salpicadero: un viejo y enorme Santana surgido de una curva ocupó casi toda la vía y también aminoró la marcha hasta detenerse, como si nos esperara. Pasamos a su lado tan cerca que me dio tiempo a ver a sus dos ocupantes, dos hombres con las caras rojas y aspecto áspero nos echaron una mirada hostil y retadora que Martín no devolvió; se limitó a acelerar hasta dejarlos atrás. Siguió en silencio, miró varias veces por el retrovisor, vigilante, pero yo no pensaba dejarlo escapar como antes y regresé a lo que me interesaba.

—El tipo llega hace cuarenta años a pasar unos días en este valle, no sabemos si solo o acompañado, y el sitio le gusta tanto que empieza a escribir un guion con la pretensión de rodar una película de no ficción, experimental, aunque en realidad tampoco lo sabemos. No sabemos nada porque el argumento está inacabado. Y de pronto descubrimos que estuvo en la finca de tu familia; puede que le gustara como localización. Es evidente que todo esto pasó antes de que tu hermana y tú nacierais, pero ¿vivían aquí tus padres o algún pariente? ¿Pertenecía la finca a otras personas? Porque si fuera así y si aún viven, podríamos preguntarles por él, si le conocieron. Tal vez se alojara con ellos o incluso alguno sea el autor de la foto, ¿te das cuenta?

—La finca es nuestra desde hace generaciones.

—Entonces me estás dando la razón: alguien de tu familia tuvo que conocerle; alguien tuvo que ser testigo de su estancia aquí.

—No creo que nada de esto sea importante para el proyecto.

—No te pagan para opinar.

Sí, lo reconozco: esa frase podría haberla dicho Naná. Diré en mi descargo que, al fin y al cabo, ella me educó. O me deseducó: me enseñó a comer sentada muy derecha, a coger bien los cubiertos y a decir cosas hirientes. Sin embargo, Martín no acusó el golpe o al menos lo disimuló tras su gesto granítico. Intenté reconducir la situación con una oferta que me pareció razonable:

—Cuéntamelo y te prometo no decir nada ni a Áurea ni a tu hermana.

—No hay nada que decir, de verdad.

—Tiene que haberlo, si no, no estaríamos teniendo esta conversación.

Esta vez me miró para fulminarme con unos ojos verdes de ira.

—No es de tu incumbencia.

Le hubiera estrangulado en ese momento si hubiera tenido la fuerza y las manos grandes como para rodearle ese cuello de toro.

El resto del camino no nos dirigimos la palabra hasta que, de un frenazo, aparcó entre una casa y una pequeña ermita, al borde de un monte boscoso.

Teníamos permiso para grabar el interior de la casa de labranza remodelada y la colección de objetos y recuerdos que albergaba: cartas, fotografías, joyas y vestidos pertenecientes a las antiguas amas de cría del valle del Pas, famosas en toda España por amamantar a los hijos de la aristocracia y la realeza. A pesar de la modestia del lugar y el evidente cariño con que se exponían las piezas, me resultó imposible concentrarme en lo que tenía delante: no me gusta discutir ni las confrontaciones y este estúpido acompañante forzoso me había sacado de quicio. De repente, las pesadillas y duermevelas de la noche pasada, el fogonazo de luz deslumbrante, me asaltaron en forma de cansancio y un escalofrío me recorrió de arriba abajo. Solo llevaba una chaqueta, tendría que haber cogido el plumífero. Martín colocó la cámara y el trípode, y también un par de focos de apoyo: el interior, como todas las casas de la zona, era umbrío.

—¿Quieres que grabe algo en particular? —preguntó Martín.

«A pesar de todo, muy profesional», pensé.

—No.

Y de la manera más desconsiderada que pude lo dejé solo y salí de la casa.

No había nadie, podía oír el viento en el bosque junto a la pradera donde se levantaban la casa y la ermita. Unas nubes color humo corrían sobre las montañas empujadas por el viento del oeste, volviendo gris un día que había comenzado brillante y soleado. Noté una punzada de angustia: estaba echando muchísimo de menos un cigarro. Hacía por lo menos diez años que no fumaba —con alguna recaída—, pero este era uno de esos momentos en que el compañerismo del veneno no fallaba. Una ráfaga de viento me trajo olor a lluvia, el cielo se espesó más, el puré gris ocultó el brillo del sol y los distintos verdes que me rodeaban se volvieron más verdes. No le había preguntado a Martín cuánto tiempo le iba a llevar la grabación pero calculé que sería un buen rato, así que decidí acercarme a la ermita: era sencilla con sus paredes blancas y su espadaña con tres campanas, casi acogedora. Sobre el pórtico de piedra un escudo fechado en 1682 avisaba: VIVA EL REY DE CASTILLA, PATRONO DE ESTA CAPILLA. La puerta estaba entreabierta y aunque antes de entrar miré a todos lados, no vi a nadie, así que la empujé y entré.

Era una nave tan sencilla como el exterior, pero al fondo, sobre el altar, el brillo de la plata cegaba en forma de retablo suntuoso, fuera de lugar, que albergaba una muñeca pequeña con un niño en brazos. La virgen coronada de rostro quieto, inexpresivo —debía de ser gótica— pintada de colorines como un dibujo infantil a pesar de estar rodeada de kilos de plata reluciente, resultaba tan poco pretenciosa que incluso yo le hubiera rezado. Me senté en uno de los bancos: no se oía ni un ruido del exterior y seguía sola, mi única compañía era la mujer antigua, venerada, su mano levantada con los dedos hacia arriba como si cogiera una pelota para jugar con el niño, tan pequeño, en el regazo. No podía dejar de mirarla. «Mírame bien, sí. ¿Lo ves? Todo está bien —parecía decir—. Llevo aquí tanto tiempo, he visto tantas cosas y sin embargo aquí sigo, no me altero, procuro que nada me afecte. Algunos lo llaman meditación zen porque lo exótico está de moda, pero esto lo inventé yo, querida. Hazme caso a mí que soy madre de madres, como todas las diosas que vienen de la tierra y reinamos en ella desde antes del tiempo de los hombres. Mírame la mano, no está vacía: sujeto con ella el tiempo entero. ¿No lo entiendes? No te preocupes, no pasa nada, estate tranquila. ¿Ves qué bien se está aquí? Es que te he contagiado la calma de saber y olvidar, de sentir y aceptar este mundo e incluso el otro, si es que lo hay. Este es el secreto, Inés.»

Sí, ella tenía razón: se estaba bien allí. Cerré los ojos y dejé que me pasara el tiempo por encima, abrigándome como una manta; dejé de pensar y de sentir como si me absorbiera la piedra que tenía alrededor.

—Estabas aquí.

Su voz sonó muy lejana y sin embargo Martín estaba a mi lado; no le había oído entrar. Me costó moverme, tenía los brazos y las piernas como sin fuerzas, entumecidos.

—Sí. La puerta estaba abierta… —También me costó hablar. Carraspeé.

—Ya he terminado. ¿Vienes? Aquí cerca hay otra buena localización.

Me levanté con muchísimo esfuerzo, Martín miraba alrededor, extrañado.

—¿No hay nadie? Es raro. Salvo los días de romería, siempre está cerrada.

—¿Qué romería?

—Pues la de la Virgen de Valvanuz.

Así que la virgen tenía el mismo nombre que su hermana. O al revés. Volví a mirarla. «¿Me has abierto tú la puerta?» Me pareció que respondía a mi pregunta imaginada con una sonrisa de Gioconda.

—Grábala.

La Iglesia solía ser muy celosa de sus tesoros y los protegía con estrictos permisos, de pago, por supuesto. Martín no solo no rechistó sino que sacó la cámara a toda prisa para hacer los planos que los del oficio llaman «terroristas», es decir; sin permiso de la autoridad competente. Era evidente que no era su primera vez: en un momento había grabado todos los planos posibles de la virgencita y su niño.

—Hazle un plano detalle de la mano, por favor —pedí, sin saber muy bien por qué.

Cinco minutos después estábamos fuera y hasta cerramos la puerta tras nosotros, para no dejar pistas de nuestro paso. Afuera el día se había vuelto más frío y hacía viento: me encogí en la chaqueta echando de menos el regazo cálido de la ermita.

—Es ahí al lado, donde los árboles. Dijiste que querías paisaje variado y dentro de ese bosque hay un río muy bonito, aunque han hecho un merendero y un puente y unas pasarelas que recorren la ribera. Ahora no hay nadie, pero el fin de semana viene mucha gente. Todavía queda algo de luz, como se cierre más no podré grabar dentro del bosque.

—Me parece bien.

Miró mi chaqueta pero no a mí.

—Además allí no corre el viento; está más protegido.

El robledal estaba a pocos metros, rodeaba el prado de la ermita y la casa y subía el monte cercano hasta su cima. Dentro de él, un puentecillo de madera salvaba la corriente de un arroyo. Martín grabó desde allí: el río saltaba enroscándose en rizos oscuros sobre las piedras relucientes. Todo a nuestro alrededor era verde, como si el mundo se hubiera cubierto de musgo y de helechos. Los cantos del río, los robles, las balaustradas de madera que señalaban el camino, los maderos que hacían de bancos en el merendero y las mesas de lascas de pizarra, hasta el aire parecía verde. Lo que había dicho Martín era verdad: los árboles formaban una enmarañada bóveda natural que apenas dejaba pasar el viento, pero tampoco la luz del sol, de modo que la humedad calaba hasta el fondo de los huesos. A pesar del intento humano por domarlo, el bosque mantenía su fuerza salvaje y quimérica, como si sus verdaderos habitantes, los duendes y las hadas, esperaran escondidos para salir de sus escondites en cuanto los extraños seres humanos y su máquina de atrapar imágenes se marcharan.

—Es una buena localización.

—Gracias —respondió Martín sin despegar el ojo del visor y grabando.

Estuvo casi una hora trabajando, mientras saltaba sin resbalarse entre las piedras del río y saliendo del circuito abalaustrado para tirarse al suelo, meterse entre ramas y helechos y subirse a la rama más baja de un roble centenario. Parecía gustarle. Yo estaba destemplada y aburrida: el móvil casi no tenía cobertura allí, como si se la comieran los árboles.

—Ya está. Creo que hay un buen material.

Sentados en los bancos del merendero comimos cada uno nuestro bocadillo de tortilla preparado por Áurea. El suyo era gigantesco y aunque me lo ofreció con un gesto y sin una palabra, cogí el otro, más pequeño y razonable. El bocata estaba delicioso, con su buen pan y unos pimientos verdes fritos espectaculares.

—Muy bueno; mi enhorabuena a tu cuñada.

—Los huevos son de nuestras gallinas y las patatas y los pimientos del huerto.

No sabía cómo entablar conversación con él, ni siquiera si quería hacerlo. Aunque se había sacudido la ropa, aún llevaba enganchada en el pelo una hojita seca de roble y no podía quitar los ojos de ella. Una tontería, lo de la hojita, pero me estaba poniendo nerviosísima: me moría de ganas de arrancar aquella burla vegetal de un manotazo, con brusquedad. Pero no podía, solo le conocía desde hacía dos días y sin embargo allí estábamos, obligados a mantener una intimidad forzada por las circunstancias. Estas situaciones ocurren a menudo en el mundo de los rodajes, donde es habitual trabajar codo con codo con personas completamente desconocidas compartiendo unas horas intensas y a veces agotadoras, donde el trabajo se confunde con lo personal, para bien y en demasiados casos, para mal. Sabía que podía mantener las distancias de una forma cortés, pero cuando creía tenerlo todo controlado, este hombre hosco y silencioso me había llevado a conocer a su familia, había sido invitada a su mesa —eso para mí es colmo de la intimidad— y por si fuera poco me había hecho partícipe de un secreto que, en realidad, no quería contarme. Aunque lo que más me molestaba era que ahora, sentado frente a mí en un merendero en medio del bosque y completamente solos, parecía estar a gusto en este silencio incómodo. En cualquier caso era una situación absurda: resulta ridículo enfadarse con un desconocido.

—Va a llover. Pensaba que podríamos acercarnos a las cabañas pasiegas, pero cuanto más alto subes peor se pone el tiempo.

No quería decirle que estaba disgustada, muerta de frío y deseando volver a El Jardín del Alemán. Y perderle de vista.

—No pasa nada, tengo que seguir trabajando en las notas de Samperio y ordenar sus textos sobre las cuevas. Será mejor que lo dejemos por hoy.

Comenzó a recoger sin decir nada, concienzudo, con el hábito de quien está acostumbrado a trabajar y a acampar en plena naturaleza. Si me hubiese caído un poco mejor le hubiera preguntado dónde y con quién había rodado; seguro que por lugares interesantes, pero no lo hice. Caminábamos hacia el coche cuando tuve el primer mareo.

—¿Estás bien?

—No sé, creo que he cogido frío.

—Estás pálida.

—No es nada.

Pero en la vuelta tuvimos que parar dos veces en la carretera: vomité el bocadillo entero. Martín me miraba de vez en cuando mientras conducía —ahora sí—; yo tenía una tiritona tremenda y supongo que un aspecto lamentable. Cuando aparcó frente a la casa comenzaba a llover; lo último que recuerdo es estar metida en la cama y, entre sueños de fiebre, una mano fría sobre mi frente sudorosa, el sabor amargo de un líquido amarillo maloliente y mi propio vómito en una palangana. También recuerdo la voz de Martín discutiendo con una mujer a quien no podía ver y a la que acusaba de cosas horribles que no podía entender. Martín siempre parecía estar cerca de mí porque recuerdo que a veces me hablaba y reconocer su voz me tranquilizaba, me apartaba de lo oscuro y aterrador y me llevaba hasta un refugio acogedor. También me pareció oírle llorar, pero no puedo estar segura, lo que pasó durante los días en que estuve tan enferma permanece en un lugar borroso y sombrío de mi memoria.

AMALIA

Puntadas

1

Mi querida Amalia:

Aunque no alcanzo a comprender los motivos de tu repentino viaje, seguro que tienes razones muy poderosas para hacerme esta petición, que me alegra mucho poder satisfacer. Todas estas precauciones que me haces tomar —enviar esta carta a través de una persona interpuesta y tu insistencia en que nadie sepa de estas misivas nuestras— hacen que tema por ti. Ignoro las razones y respeto tu intimidad, pero tanto Albertina como yo quedamos preocupados. En cualquier caso, ya sabes que siempre podrás contar con mi modesta ayuda, aunque esté tan lejos. Nuestra casa de Aes es la tuya: me ilusiona que por fin alguien la disfrute, y si bien temo que no esté en las mejores condiciones, seguro que lograrás convertirla en un hogar como lo fue para nosotros durante tantos veranos. Espero que algún día podamos regresar. Mientras tanto, te imaginaré recorriendo el jardín, leyendo bajo el tejo, subiendo las escaleras de piedra, abriendo todas las ventanas para que entre la luz y la vida. Esa idea me hace feliz. Pero vayamos a lo práctico: las llaves las conserva mi viejo amigo Alonso Prieto, maestro del pueblo y buen compañero de juventud. Te incluyo su dirección. Yo le escribiré ahora mismo para ponerle sobre aviso y para que te reciba apropiadamente. Y te recuerdo que puedes usar todo el material que encuentres en el estudio, incluyendo los lienzos. Es más, te animo a ello.

Eso me dijo don Jaime en respuesta a mi carta. No fue fácil escribirle: mi correo lo vigilaba Feliciana, así que tuve que componérmelas con el chico de la botica, quien me atendía cuando compraba mis medicinas porque don Servando, el farmacéutico, estaba ya muy mayor, medio sordo y ciego. Era un tacaño y le pagaba mal; el chico siempre tenía cara de hambre, así que le ofrecí un duro —en casa dije que lo había perdido: los gastos de dinero no le enfadaban— para que me enviara la carta a París y se ocupara de recibir la contestación.

Leí la respuesta de mi querido amigo nada más salir de la botica escondida en un portal que no era el mío, la carta temblándome en las manos. Yo nunca había estado en aquella casa de la que me habló tantas veces a pesar de haber sido invitada cada verano; mi madre no me permitía ese viaje con excusas pueriles, pero yo sabía que consideraba a don Jaime el principal responsable de aquellas manías mías de convertirme en pintora. Cien veces intentó que abandonara su academia, pero papá nunca dio su brazo a torcer: conocía a los Lallende de toda la vida y uno de los primos de don Jaime era compañero de pupitre de colegio y buen amigo. A cambio de este fracaso, mi madre me obligó a ir todos los jueves a aprender bordado a casa de doña Leonor; era un precio pequeño que estaba dispuesta a pagar, pero me daba tristeza aquella dama venida a menos por culpa de las deudas de juego de su marido, obligada por la necesidad cosía «para afuera» y enseñaba vainicas, palestrinas, punto de cruz y realce a las hijas de las familias que en otra época se codeaban con ella como iguales. Hablaba lo justo y nunca nos miraba a la cara, puesta toda la atención en nuestros trapitos más o menos torpes, como si desterrara el interés por todo lo humano y prefiriera la compañía de los hilos de colores, los trocitos de terciopelo y de fieltro, los ovillos de algodón, las agujas y ganchillos. Le hice un retrato a lápiz sentada en su sillita baja de costurera, con las gafas puestas, la cabeza baja, mi bastidor entre las manos.

La recordé a ella y el sonido de la aguja atravesando la tela de tambor del bastidor mientras escondía la carta con las indicaciones de don Jaime en el bajo del abrigo; las puntadas una detrás de otra, iguales, perfectas, como a ella le gustaban. Después de aquello pasó un tiempo que parecieron siglos: fue imposible dar con el señor Alonso Prieto. Esos días, cuando creía que jamás podría huir de él, me tumbaba con el abrigo puesto sobre la cama y acariciaba el dobladillo que ocultaba la carta. Mi cómplice de la botica siguió prestándome ayuda a cambio de más duros y finalmente pude saber que, apartado de su puesto, el maestro de Puente Viesgo había abandonado el pueblo para irse a Vigo, a casa de un hermano, y que antes de marchar había pedido a su sustituta que se hiciera cargo de las llaves de la casa de su amigo don Jaime Lallende en la aldea de Aes. La nueva maestra prometió guardar bien la finca y sus llaves.

—En el pueblo se rumorea que don Alonso falleció de un infarto al poco de partir; no sé si será verdad. Un señor muy serio, todo un caballero. Había que ver con qué pena se subió al autobús. Pena, sí, pero al fin y al cabo, alguna razón habría para que lo depuraran, ¿verdad?

Paquita me entregó las llaves que durante meses soñé tener entre las manos. A veces acariciaba la llave de la puerta de entrada, tan gruesa y gastada como la de un viejo fortín. La casa, con sus altos muros, me protege; una fortaleza me guarda y aquí me siento segura por primera vez en mucho tiempo. Pero una vez instalada comencé a darme cuenta de que fugarse resultaba más sencillo que vivir como fugitiva. Me había mantenido hasta ahora con lo que logré sacar de la cajita que tenía sobre la cómoda de nuestro dormitorio, pero una parte lo gasté en el viaje hasta Aes. Al menos los gastos corrientes de la casa los seguía pagando don Jaime a través de un bufete de París: no quería perder los derechos sobre su propiedad aunque estuviera exiliado.

Harina de maíz, un trozo de tocino, patatas, un manojo de berzas: Paquita vaciaba la cesta sobre la mesa de la cocina. Y café: es caro, puedo pasarme sin comer pero no sin el café que trae de Torrelavega la camioneta de la VES, cargada con otros tesoros como el aceite, el pimentón, las lentejas y los garbanzos.

—¿Por qué la llaman la Ves?

—Es un almacén de comestibles muy conocido y la dueña una señora: Viuda de Eulogio Sánchez. ¿Ves? La V E S.

Nos reímos. Porque a pesar de todo, también podíamos reír. Cuando cree que estoy contenta, mi amiga insiste en que la acompañe a Torrelavega.

—Pero Paquita, si no bajo siquiera al pueblo. Aquí estoy bien.

Por eso hace ella mis compras y las trae hasta mi casa.

—A veces creo que exageras… —me regañó—. No puede ser bueno estar todo el día encerrada como en una cueva. Eso, fíjate, da que hablar en el pueblo; justo lo contrario de lo que pretendes. Vas a terminar siendo famosa por solitaria como la Mujer Osa de Andara, que vivía en cuevas y se alimentaba de castañas.

No escuché sus cuentos y miré la comida sobre la mesa: tiene que durarme mucho porque me estoy quedando sin dinero; casi no puedo pensar en otra cosa, ni siquiera en el miedo. Aquí no son tan estrictos con el racionamiento como en Madrid, donde con los contactos de mi marido nunca nos faltó de nada. Ya nadie usa la cartilla y en los pueblos grandes hay casi de todo. Pero la harina de trigo sigue siendo cara, además el pan hay que hornearlo una vez a la semana y eso consume leña y carbón; es mejor comer las pulientas que Paquita me enseñó a hacer: unas gachas de harina de maíz con azúcar y leche caliente si son frías y con leche fría si son calientes. Me ronda un fantasma nuevo al que nunca puse nombre: el hambre. Aún tengo los pendientes que estrené el día de mi boda, de zafiro y brillantes, y las perlas de tía Marisa, pero no sé cómo puedo venderlas aquí. Se lo dije a Paquita.

—Para eso tienes que ir a Torrelavega. Habrá alguna joyería que las compre, pero no te van a dar lo que valen.

Ella no quería hablar de problemas sino de lo que lleva días rondándole, que no era otra cosa que la invitación a merendar en casa de don Santos.

—Será el sábado, mandó a la misma Cachita a darme el aviso. Estarán todas las personas que cuentan en el pueblo, hasta el alcalde. Y Fidel.

—¿Fidel? ¿El doctor Peña? Qué confianzas gastas ya…

Se puso colorada y me arrepentí de haberle tomado el pelo.

—Mujer, que es broma. Si me parece muy bien.

Andaba atribulada, la pobre, porque no tenía nada que ponerse para una ocasión tan memorable y yo era la única persona en el mundo a quien poderle hacer una confesión tan frívola.

—Es que no puedo llevar el sastre, ya me lo pongo todos los domingos para ir a misa.

Ese trajecito sastre raído... No. Hubiera querido prestarle mi estola de visón o la torerita de astracán, pero todo eso había quedado atrás; no pude llenar la maleta de cosas inútiles, solo lo necesario, nada más.

—Tengo un vestido bueno pero nunca me lo pongo porque es de mi madre, me queda grande y está pasado de moda. Se empeñó en meterlo en la maleta por si me invitaban a algún sitio, y yo que no, que no, cómo iba yo a pensar... Ay, Amalia, tienes que ayudarme. Tienes tan buen gusto... Y sabes coser y bordar: yo no tengo mano.

Le prometí que haría lo que pudiera con su vestido, que seguro no estaba tan mal, y se fue a casa tan contenta. A la tarde siguiente, nada más salir de la escuela, estaba plantada en mi puerta.

—He traído el vestido, a ver qué te parece.

Su madre debía de ser una mujer más bien gruesa: el vestido le quedaba ancho y sin gracia, como un hábito de monja color azul oscuro. Al menos la tela era buena y estaba bien rematada.

—Te lo dije... Estoy hecha un adefesio —lloriqueó Paquita.

—Calla y ponte derecha.

Abrí el costurero, con pie de madera y tapas talladas. Quizá perteneció a Albertina, la esposa de don Jaime, o a alguna otra de las mujeres Lallende: su antigua dueña había dejado los hilos, dedales y alfileteros colocados con cuidado. Hasta doña Leonor, tan exigente, le hubiera dado el visto bueno.

—Te queda demasiado largo; hay que estrechar la cintura, los hombros y el pecho, quitar la lazada del cuello y dejarlo un poco escotado, aquí y aquí. Pásame el alfiletero...

—¿Cómo de escotado?

—El vestido es muy oscuro; yo creo que te favorecería un escote cuadrado con una puntilla blanca. Como los de María Félix.

—Ay, ¿no podías haber dicho otra artista? Tiene una fama... ya sabes, de comehombres. Y el vestido tiene que ser decente; mira que no quiero dar que hablar.

—Será decentísimo pero bonito —dije mientras, de rodillas, comenzaba a prender los alfileres en el bajo de la falda.

—Ay, Amalia, ojalá vinieras conmigo. ¡Qué pena que tengas que quedarte aquí!

No podía contestarle: tenía la boca llena de alfileres.

2

En la noche de bodas. Lo supe entonces, aunque tardase mucho más tiempo en reconocerlo. Jesús quería ir de viaje de novios a Castilla para que conociera los lugares donde había crecido y los castillos medievales que le cuadraban tanto, más Cid que nunca, como le llamaba Merche. Antes de eso no mostró más que un amor como de película, romántico, lleno de miradas y de manos enlazadas.

—Como dos tórtolos —decía mi madre. Ella fue su principal valedora, siempre—. Y es apuesto, hija: tan alto, tan bien plantado...

Nunca creyó que su hija fuera capaz de casarse bien y desde que anunciamos el compromiso me había tratado con un cariño inusitado, ilusionándose como nunca por todo lo relacionado con Jesús, más que conmigo. Él lo sabía y lo aprovechaba; se le daba muy bien ser encantador cuando quería. Mi padre se sorprendió al verla entrar en el despacho, había cruzado la frontera domiciliaria para convencerle de la oportunidad que la boda suponía para mí. Aquella euforia materna terminó por decidirle: no le daría mi mano al primer pretendiente que apareciera por llevarle la contraria a su enemiga, es verdad, pero también por otras razones que entonces me parecieron manías de viejo.

—¿Por qué no esperas un poco? Un año, por ejemplo. Así os conocéis mejor. Eres muy joven para casarte, Amalia.

—Siempre me verás como una niña. Olvidas que cuando te casaste con mamá ella tenía diecinueve años recién cumplidos.

—Eran otros tiempos; además, ya ves cómo nos ha salido.

—Eso es injusto. A nosotros no tiene por qué pasarnos lo mismo.

—Ya lo sé... Tu madre y yo no somos ejemplo más que de fracaso, uno muy doloroso, por cierto. Pero tengo que decírtelo aunque te pese: el matrimonio no es como lo pintan, todo de color de rosa, y a las chicas más, que os meten en la cabeza una cantidad de ideas bobas... ¿No ves que en las películas ponen el fin cuando se dan el beso y no enseñan lo que viene después? Pues porque es mucho más feo y miserable.

Se me saltaron las lágrimas mientras mi padre se levantaba de la butaca y comenzaba a dar vueltas por el despacho, quitándose y poniéndose las gafas sin ton ni son.

—Me parte el corazón darte un disgusto, pero cuándo te he mentido yo, ¿eh? ¿Cuándo? Menos lo haré ahora cuando vas a tomar una decisión importantísima, puede que la más importante de tu vida. Y mucho más en los tiempos que corren.

¿De qué me estaba hablando? ¿Qué tiempos corrían? Seguía dando vueltas a mi alrededor como un león enjaulado.

—No te precipites, Amalia: piénsalo bien. Aunque ya sé que decirle esto a alguien enamorado es como obligar a razonar a una pared, es mi deber decirte la verdad.

—¿Qué verdad? ¿Qué es lo que te han contado?

—Pues que tiene buena planta, eso ya se ha encargado todo el mundo de repetírmelo, y mejor familia, además. Pero tú no eres así, no eres...

Pensé que diría «como tu madre», pero se contuvo.

—... una frívola a la que le deslumbran el dinero o la guapura. Así que, dime, ¿por qué él?

De pronto tenía que contarle a mi padre algo que ni siquiera yo me había contado a mí misma.

—Cuando estoy con él, me siento diferente, como... Sí, ya sé: completa.

Me pareció una buena respuesta, pero no para él, que negó con la cabeza.

—Tú ya eres una persona completa y con talento, además, no una cabeza hueca de las que van por el mundo sin pensar más que en pescar un marido como sea, conformándose con el título de señora casada porque ni pueden ni saben ser otra cosa; ni como las cabezas de chorlito que se tragan las comedias de teléfono blanco como si fuera el catecismo, esperando a que las rescate de su vida atontolinada un señor ideal. ¿Crees que hay algún hombre que tenga vocación de príncipe azul? Pues no. Somos más mendigos que príncipes, iguales o peores que vosotras, llenos de inseguridades y miedos. En cuanto dejamos la niñez nos obligan a comportarnos y a pensar como un macho, una cosa que, la verdad, no se sabe muy bien qué es, pero si no cumples esas expectativas, es decir, si dudas o te muestras sensible con otros seres humanos, te ponen verde y te tratan como a un desgraciado. Es un título bien difícil ese de llevar, hija, créeme. Vivimos toda la vida abrumados, aplastados por no parecer débiles, por la responsabilidad de formar una familia, de mantenerla, y cada día tenemos que sacar fuerzas de flaqueza para salir a la calle diciéndole al mundo «soy más hombre que nadie».

—No te entiendo, no dices más que generalidades y eso no es propio de ti. ¿Qué tiene que ver todo esto con Jesús? ¿Es que sabes algo de él?

—Nada. Al menos, nada que tú no sepas. Pero es un hombre herido y esas cicatrices, las que se ven y las que no, las llevará toda la vida.

—Y por eso le quiero más.

—No sabes lo que dices. Ha sobrevivido a una guerra y ni tú ni nadie, salvo los que estuvieron allí, conocen lo que es eso. ¡Qué no habrán visto él y todos esos muchachos, qué habrán vivido, por cuántas calamidades habrán pasado! El tiempo que estuvo en el hospital no fue solo por la operación que se le complicó, sino que cayó en una postración, digamos, más anímica que física. Tú misma dijiste que no te quería ver, que habíais roto la relación.

—Los médicos dijeron que era una reacción normal... Luego se arrepintió y me pidió perdón mil veces.

A mi padre no le gustaba hablar de la guerra, había perdido amigos en uno y otro bando y su propio hijo había sufrido las consecuencias: Andrés estaba en México, exiliado, y eso le martirizaba. Él mismo a punto estuvo de ser apartado de su cátedra de Química en la universidad por haber ocupado el cargo de vicedecano durante la República. Abatido, derrotado, se hundió en el butacón y fui a cogerle la mano.

—Papá, yo le quiero. Eso es lo único que importa.

No volvió a mencionar el asunto.

La misma noche de la boda tomamos el coche cama en dirección a Burgos. Entre el tráfago de la estación del Norte, las voces de los viajeros y las de los mozos que cargaban nuestras maletas, mi madre me abrazó para despedirse y susurrarme al oído:

—Ahora dale gusto y no le lleves la contraria. Déjale hacer. Los hombres saben de esto más que nosotras.

Entendí que, como en ella era habitual, no confiaba en que fuera capaz de hacer feliz a mi marido, pero no me importó, porque yo sí que era feliz. Estaba deslumbrada: era la primera vez que viajaba así, en un compartimento de lujo en un Wagons-Lits, con aseo y ducha dentro del dragón reluciente que resoplaba y echaba humo y llevaba pintado en el lomo MADRID-PARÍS.

—¿Algún día iremos a París?

—Pues claro.

—¡Qué ilusión!

—Todas las mujeres os volvéis locas en cuanto suena esa palabra mágica: París. Tú lo que quieres es comprar modelitos y volver monísima para que chinchen las amigas.

—¡Qué cosas tienes! No soy tan mala... El único modelo que quiero lucir eres tú y bien agarradito de mi brazo, pasearíamos por esos cafetines tan coquetos, iríamos a todos los museos y a visitar a don Jaime. Me gustaría muchísimo volver a verlo.

A partir de ese momento, se le nubló la cara. Ya sabía lo que pensaba de mi maestro, un individuo sospechoso que prefirió exiliarse antes que quedarse en su país como un buen patriota. Igual que mi hermano, al que nunca mencionaba. Pero creía que nada de esto tenía, en verdad, importancia; ya estaba todo hablado y muy hablado, además había renunciado al capricho aquel de ser pintora. Por él. Entonces no me pareció un gran sacrificio: entendía que una mujer casada no debía tener más aspiraciones que las de su marido, eso era lo que todo el mundo esperaba, lo correcto. Y yo estaba de acuerdo.

No fuimos al vagón restaurante, con los nervios y el barullo de la boda se me había cerrado el estómago y la sensación empeoró con el olor del interior: una mezcla de cenicero sucio y grasa de maquinaria. El tren traqueteaba ya hacia el norte cuando salí del pequeñísimo cuarto de baño de nuestro camarote, estrenando un camisón con encaje color champán, zapatillas y batita a juego que habían costado un dineral y parecían de estrella de cine. Suave y blanda y chispeante, el contacto de la seda me acariciaba el cuerpo y como que se me subía a la cabeza. Allí estaba él, esperando, todavía vestido de traje, impecable. Mirándome admirado, pensé. Fui yo quien me colgué de sus hombros y le rocé los labios; no era la primera vez: nos habíamos besado muchas veces a hurtadillas, sobre todo en el antepalco del cine, pero siempre como chiquillos que saben que su travesura está prohibida. Sin embargo, ahora que podíamos hacerlo, que teníamos que hacerlo, noté bajo el abrazo sus músculos en tensión, como si se hubiera vuelto de madera. Me separó sin brusquedad.

—Voy un momento al coche restaurante.

Supuse que querría encargar una botella de champán de esas que la compañía preparaba para recién casados y aproveché su ausencia para recoger y ordenar bien mis cosas en la maleta: por mucho que fuéramos en primera clase cualquier cosa fuera de sitio convertía el camarote en una chamarilería. También recogí su abrigo y el sombrero que había dejado sobre la colcha verde gastada, con unas W y L bordadas. Me tumbé en la cama y el colchón me pareció duro y viejo; miré el techo del camarote: de pronto ya no me pareció tan bonito ni lujoso, la marquetería estaba gastada y tenía desperfectos. Jesús tardaba demasiado, pero quizá el consejo de mi madre cobraba sentido ahora —«Los hombres saben lo que se hacen mejor que nosotras»— y esperé, confiada en esa sabiduría superior. Miré la hora: las 21.30. Cada minuto pareció una eternidad hasta que volvió por fin, más de una hora después, sin la botella de champán y oliendo a un licor que no pude identificar. No dijo nada y yo tampoco mientras se metía en el baño y salía, esta vez sí, con el pijama puesto.

—No hagas ruido —dijo.

Se colocó encima de mí hasta que noté el empellón. Un acto silencioso, hueco y lejano, como si estuviera obligado a hacerlo, como un soldado cumpliendo una misión con miedo a decepcionar, no a mí, sino a un superior. No recordé entonces las palabras de mi padre, pero sí después: ¿qué es lo que se espera de un hombre?

Como si me hubiera leído el pensamiento, se apartó con brusquedad, volviéndose y dándome la espalda sin una palabra, un beso o un abrazo. No entendí lo que ocurría, no tenía sentido y menos que todo el sexo, el mío, recién descubierto. Algo me resbalaba entre las piernas. Me levanté dolorida, con cuidado y con vergüenza: mojada por unos fluidos transparentes algo teñidos de un rosa de sangre, tuve que lavarme mientras perdía el equilibrio por culpa de los bandazos del vagón. Estaba sorprendida. ¿Eso era todo? Es más, ¿qué era «eso»?

Volví a meterme en la cama junto a la espalda como un muro, su respiración junto a la mía. Hubiera querido preguntarle o mejor pasarle un brazo por la cintura —«Abrázame, mi amor, no me dejes aquí sola»—, pero no me atreví; no sabía lo que esperaba de mí. Tumbada boca arriba, en la oscuridad, no pude dormir; fue más un velar con la cabeza confusa y como ida, imaginando cosas extrañas y oyendo sonidos de voces y pasos en el pasillo, los chirridos de los raíles y el trantrán irritante que no se despegaba de mí, como la noche larguísima. Hasta el grito. Desgarrador.

—Jesús, dime, ¿qué te pasa?

Encendí la luz y vi su cara lívida mirándome con unos ojos desconocidos. Salió de un salto de la cama como si quisiera huir, pero no había a dónde ir: estábamos encerrados en una jaula minúscula. Juntos.

—¿Qué pasa? Dime algo, por Dios, que me estás asustando...

Pareció que iba a responderme, pero las palabras se convirtieron en una arcada y aunque intentó ponerse una mano sobre la boca el vómito le resbaló entre los dedos goteando hasta el suelo. Jesús vomitó arrodillado, con la cabeza metida en el retrete pequeño, como de casa de enanitos. Cogí unas toallas, las mojé y me agaché a limpiar todo aquello. «Claro, no ha comido nada en el banquete, como yo, y la bebida esa del coche restaurante le ha sentado fatal.» Al limpiar me manché el camisón y tuve que ponerlo debajo del grifo. Él ya se estaba fumando un pitillo y abrió la ventanilla del compartimento para ventilar el olor a vomitona y el humo del cigarro. Un viento helado llenó el camarote. Jesús estaba apoyado contra la ventana abierta hacia la noche cerrada, el pelo revuelto por el viento. Tiré las toallas manchadas y apestosas por la ventanilla abierta y entonces me miró asombrado, como si me viese por primera vez.

—Todo esto a ti debe de parecerte ridículo, ¿verdad?

—¿Cómo puedes decir eso?

—Dilo, reconócelo: te has casado con un payaso, un mequetrefe.

—No digas eso, te lo pido por favor.

—¿Cómo puedes querer a alguien así? ¿Es que no te da vergüenza? ¿Cómo puedes ser capaz?

Hablaba casi en susurros, sin levantar la voz, y el viento frío le golpeaba la cara y el pelo. Yo temblaba bajo mi seda mojada, con miedo de hablar, de moverme.

—Creí que me ayudarías, pero claro, ¿qué vas a saber tú? Te veo aquí y casi no puedo creerlo. No pude dormir anoche, ¿sabes? Por la boda, sí. Aunque llevo muchos días sin dormir, años creo... Pensé que ahora, contigo, sería distinto, que tú me harías persona otra vez, que tu presencia haría que me olvidara de todo. Amalia, solo tú puedes, eres tú quien tienes que hacerlo, por favor...

—Yo hago lo que tú quieras, dime qué tienes, qué quieres. Estoy aquí para ti, siempre.

Mi Jesús siempre tan formal, educado. Mi novio respetuoso, que me cogía del brazo para cruzar la calle y que nunca bailaba con otra que no fuera yo. Mi desconocido.

—¿Siempre? No puedo creerte, me mientes, aunque ahora no lo sepas. Y por eso no puedo siquiera mirarte, hablarte, sentirte cerca. ¡Qué vergüenza! Ahora voy a tener que manchar para siempre tu inocencia, no me queda más remedio; ya eres mía, lo dicen todos, cuando eso no puede ser, no tiene sentido pero es lo que hay que hacer, ¿verdad? ¡Si soy yo el que te pertenece! Yo soy tuyo, completamente tuyo. Pero ¡cómo puedes conformarte con algo así! Con tan poco... Porque es muy poco lo que queda de mí, una ruina, eso es lo que soy, una ruina pequeña y miserable que te cabe en la palma de la mano. Y me miras esperando que te dé algo que no sé, que no puedo... No me mires así porque me ahogo, me ahogo... No puedo soportarlo. Ni siquiera te das cuenta de que tienes ese poder sobre mí pero es la verdad, Amalia. ¿Lo entiendes ahora? ¿Te das cuenta?

—Dices cosas sin sentido. Es que has bebido.

—¡No entiendes nada!

—Pero no grites, por favor, que es tarde y aquí se oye todo. Ven. Ven, por favor…

Vino hacia mí como un náufrago que se agarra a una tabla de salvación y se debate en el mar y no consigue más que arrastrarte al fondo con él. En ese mar oscuro me besó la boca, los ojos, la cabeza, la piel y cada resquicio del cuerpo apretándome la carne, los pechos hasta hacerme daño. Permanecí con los ojos cerrados porque temía ver lo que estaba haciendo y encontrarme con sus ojos despavoridos, cuando sentí el tirón: acababa de rasgarme el escote del camisón, lo hizo trizas.

—No… Espera… No, por favor.

Aquel «no» le sacó de quicio: me zarandeó y tiró del pelo, mordió y lamió cada rincón oscuro y húmedo, convirtiéndome en una muñeca con mil bocas silenciosas. «Déjate hacer y dale gusto.» Obedecí dejando al soldado luchar contra un enemigo invisible, su propio deseo, como si lo matara a puñaladas, penetrándome tantas veces como quiso, jadeante, sudoroso. Sin poder pensar, sin reconocer al desconocido, tuve el primer orgasmo de mi vida.

3

Pasé la mano por la tela para alisarla, le quité los alfileres y corté los últimos hilos: solo faltaba añadir la puntilla para rodear el cuello; Paquita la había comprado en una tienda de Torrelavega llamada Las Novedades.

—Me daba hasta miedo entrar, menos mal que me había avisado Cachita… Caridad, ya sabes quién, que hay que hacerse idea de lo que sabe esta mujer… Pues eso, ya me había dicho que tuviera cuidado con «las escopetas», o sea, Balbina la dueña y las demás. Las llaman así porque ponen verde a todo el mundo, no se salva nadie, todas sentadas dentro de la tienda alrededor de una mesa camilla, que parecen las brujas de un aquelarre, Dios me perdone. Ni abrí la boca por miedo a que me sonsacaran, pero tenías que oírlas: sabían que soy la maestra de Puente Viesgo, que mi familia está en Palencia... Daban miedo.

Sí, todo daba miedo.

—Respecto a ese asunto que tanto te interesa, consulté con ella, con Cachita. Sin nombrarte, por supuesto. Que sepas que la mejor joyería de Torrelavega es la de Fuente, donde compran alhajas y no por mal precio. Además son una casa discreta, como es una ciudad pequeña, se entiende; porque no eres tú sola, que anda en apuros mucha gente. Por lo visto allí casi compran más que venden y luego le dan salida en Oviedo y Valladolid. Dicen que se están haciendo de oro, benditos ellos que pueden. ¿Lo ves? Dios aprieta pero no ahoga.

Era una buena solución, pero debía meditar mucho sobre cómo llevar a cabo aquel asunto incómodo. Paquita no veía tanto problema, lo mismo le daba Madrid que Moscú, estaban igual de lejos de aquel valle y resultaba a todas luces imposible que por una maldita casualidad él averiguara mi paradero. Pero yo sabía que ninguna precaución era poca, por eso no había avisado a nadie de mi huida, ni siquiera a mi madre que estaría desesperada por tener que soportar mi desvergüenza, tampoco a mi padre. Desde que sufrió el derrame ella disfrutaba de la venganza que tanto había tardado en llegar: dijo perdonar todas las ofensas y proclamándose abnegada esposa reunificó el piso seccionado para estrenar un poder dictatorial con el que atormentar y humillar el cuerpo gastado y enfermo del hombre al que tanto odiaba. La idea de huir sí que me la vio en los ojos mi padre, que ya no hablaba, pero me apretó la mano y creí que me estaba animando a tomar la decisión, como si él escapase conmigo. Había preparado todo a conciencia durante semanas, escondiendo la maleta en el trastero del patio, calculando el tiempo que tardaba Feliciana en subir a colgar la colada a la terraza, teniendo cuidado de que no me viese siquiera el portero, que además era confidente de la policía, como casi todos. Nadie podía saber de mí ni dónde me encontraba. Aunque estaba segura de que era cuestión de tiempo que me encontrase: no se rendiría. Me estaría buscando como un loco, quizá en algún momento recordase mi amistad con don Jaime y atase cabos preguntando a vecinos, conocidos o amigos de esa época que, inocentemente, le hablarían sobre el origen montañés de mi maestro, incluso sobre la finca donde veraneaba su familia antes de marchar de España. Al final me encontraría, nunca más tendría un respiro ni un día de paz y viviría cada hora, cada minuto de mi vida, temiendo verlo aparecer delante de mí.

—Han preguntado por ti.

—¿Quién?

—Don Santos. Si es que ya te dije que en el pueblo despiertas una curiosidad... Yo le he contado a todo el mundo lo que acordamos, pero chica, no hay caso, hay rumores.

—¿Qué rumores?

—Nada que deba preocuparte, la gente habla por hablar. Que si estás tísica y has venido para curarte con los aires de aquí; que si perdiste a tu familia en un bombardeo y desde entonces andas como alma en pena... Tonterías.

Sé lo que es la imaginación, esa loca de la casa capaz de llegar muy lejos en su afán por atrapar las almas ociosas o atormentadas; sé lo que es sentirse invadida, poseída por ideas imaginadas, las tengo dentro o ellas me tienen a mí, dispuestas a estallar en la cabeza. Si quería escapar de ese cavilar desenfrenado solo tenía los dibujos y los lienzos, donde aparecían sin buscarlas las ideas esquivadas.

No había vuelto a ver en mis paseos a la Mujer Roja ni me fue posible saber de ella. Paquita se habría enterado de su existencia, no digamos la famosa Cachita, pitonisa infalible. Pero no, nadie tenía noticia, así que llegué a pensar que era una alucinación de mis nervios alterados. Tampoco habían vuelto a visitarme los fantasmas del primer día, aunque los recordara tan bien que comencé a dibujar a mis dos vecinas tal y como las vi aquella noche. Ni siquiera ellas querían mi compañía, quizá les asustase el rigor de mi retiro y lo encontraran aburrido, pero para mí, que había pasado años encerrada en mi propia casa acompañada de personas indeseables, aquella soledad era tan confortable como un nido. La casa tan grande, el paisaje siempre cambiante, el estudio, la chimenea, incluso la taza de café aguado: apreciaba cada cosa, cada objeto, cada momento.

Estaba cosiendo la puntilla al vestido cuando me sobresaltaron los golpes en la puerta, tanto que tiré el costurero al suelo y me clavé la aguja en el dedo, que casi atravesé de parte a parte rompiendo la aguja; corrió sangre, estuve a punto de manchar el vestido de Paquita y a toda prisa me envolví la mano en el pañuelo que llevaba en el bolsillo. Eran horas de escuela: no podía ser Paquita. Me temblaba el cuerpo al acercarme al ventanal aunque supiera que él nunca llamaría a mi puerta. Lo había imaginado muchas veces: esperaría fuera, bajo el frío o la lluvia, de día o de noche, sin moverse, impasible en un asedio silencioso y paciente, mostrándome su determinación, esperando minar mi voluntad hasta que rindiera el castillo y saliera a encontrarme con él.

Aparté las cortinas del ventanal con precaución: una mujer esperaba en el porche. Una mujer negra, para más señas. Abrí. Me pareció bella como una estatua africana y tan alta como una torre, hasta que me di cuenta de que iba subida en unos zuecos de madera que la elevaban por encima de mi cabeza. Se los quitó, dejándolos junto a la puerta, y entonces adquirió una dimensión humana.

—Ya sabrá usted de mí. Soy Caridad. Pero me llaman Cachita.

4

Hacía mucho tiempo que no veía fruta como aquella: naranjas, limones, peras y manzanas resplandecían dentro de un cesto de tiras de avellano trenzado como el de los cuévanos que usan los pasiegos para llevar a la espalda cualquier cosa. Imposible apartar la vista, aunque Cachita también fuera un espectáculo. La veía posando para mí rodeada de las frutas de colores, quizá desnuda, mostrando su piel de café junto a los amarillos, verdes, naranjas de las frutas. Entendí por qué se había ganado a Paquita y quizá a medio pueblo: hay personas así, que con su sola presencia iluminan una habitación a oscuras.

—A mi señor don Santos le gustaría mucho que lo aceptara —dijo ante mis tímidos intentos de rechazar un obsequio tan espléndido.

—Pues dígame cómo puedo agradecerle a usted por venir hasta aquí y a don Santos este regalo tan inesperado.

—Mi señor opina que es obligado hacerle sentirse bienvenida. Al fin y al cabo, hubo un tiempo en que tuvo alguna relación con los dueños de esta casa y se tiene por buen vecino.

El acento suave, los giros caribeños y un lenguaje impropio para una criada: Cachita hablaba como una persona culta de otra época, como una dama decimonónica más que una mujer de nuestro tiempo. Volvía a imaginar tonterías: solo era un rasgo americano en contraste con la sequedad del castellano español. Ella miraba mi mano envuelta de mala manera en el pañuelo, el costurero caído en el suelo y los hilos desparramados. Me dio apuro el desorden.

—Ah, esto... Estaba cosiendo y me he pinchado, una torpeza, ya ve usted.

—Muy cierto. ¿Me deja verlo? Resulta que se me dan bien estas cosas.

Se acercó a mí; olía como un caramelo, como un ramito de violetas o un montón de jazmín al sol, pero no llevaba perfume. Me quitó el pañuelo manchado de sangre sin dejar de hablar:

—Ya lleva usted un tiempito en el valle y ahora que se ha aposentado, le gustaría conocerla. ¿Podría considerarlo? Le haría honor a mi señor.

Imposible calcular su edad metida en un cuerpo definido y fuerte bajo la ropa sencilla, la piel sin una arruga, el pelo cubierto con un pañuelo colorido y pequeños aros de oro en las orejas. Con otro color de piel podría pasar por una aldeana rica pero de hacía cien años.

—No parece gran cosa. ¿Ve? Ya ha dejado de sangrar.

Era cierto: nada más coger mi mano entre las suyas, la hemorragia había parado.

—Ahora recogemos esto en un periquete.

Fue colocando los hilos como si supiera el orden que tenían antes de mi llegada, de forma idéntica a como los habían dejado las Lallende.

—Ya sabrá que mi señor sufre una enfermedad que le impide trasladarse con comodidad.

—Sí, sí, me han contado.

—Por esa razón le gustaría mucho que aceptara reunirse con él, en su casa del pueblo, cuando usted guste. Está deseando disfrutar de su compañía.

Cachita no estuvo mucho tiempo porque acepté la invitación en el momento, sin dudar, aunque sorprendida de mí misma: iba a abandonar mi enclaustramiento sin que nadie tuviera que insistir. Se despidió armada con una sonrisa blanca y abierta, tan rara en aquellos lugares, mientras volvía a calzarse las albarcas típicas de los valles donde los caminos suelen estar llenos de barro y boñigas de vaca. Las de Cachita llevaban pintada la parte superior de negro y estaban talladas con extraños dibujos geométricos.

—Qué curiosas...

—¿Le gustan?

—Son muy bonitas. Pero creo que nunca me atrevería a usar algo así.

—No tema usarlas, son muy útiles. Ya lo comprobará.

La vi alejarse camino abajo con un andar elástico y ágil a pesar de llevar aquellas cosas en los pies y regresé a la cocina para estrenar mi regalo comiéndome una pera sin ningún cuidado, como los niños, dejando que el jugo me resbalara de la boca y chupándome los dedos. La montaña de colores apetitosos seguía brillando al sol: un rayo golpeaba sobre la piel lisa de las manzanas, resbalaba hasta rozar el limón sacándole una chispa amarilla, caía sobre las naranjas reventando de alegría. Cogí la cesta y la llevé al estudio, donde aparté del caballete el cuadro comenzado de mi Mujer Roja; la figura de la mujer aparecía aún invisible, solo se distinguía una cabeza de pelo rojo y coloqué un nuevo lienzo, esta vez más pequeño. Sin hacer boceto alguno, sin parar durante horas, sin hambre ni sed, estuve allí hasta que se fue la luz. Pintaba como si fuera fácil. Los colores, la luz, las formas habían dejado de ser enemigos para convertirse en aliados a mi servicio, como si deseasen lo mismo que yo: atrapar ese objeto, extraerle la vida, robársela y quedarse con ella. No pensé en nada, como si estuviera en trance. Todas las preguntas aparecieron después, atizando el fuego en la chimenea.

¿Por qué me había invitado don Santos? ¿Cuál había sido

la relación de los Lallende con el indiano? Se conocían, eso había quedado claro. ¿Sabía Cachita que era yo quien necesitaba vender unas joyas y que pasaba apuros económicos? ¿Había supuesto el indiano que yo pasaba hambre? ¿Por eso me había mandado un regalo comestible? Pensé en escribir a don Jaime para que solucionara una parte de mis dudas, no lo había hecho desde que llegué, pero una carta suponía explicar las circunstancias que me habían empujado a pedirle ayuda y aunque lo intenté no pude garabatear ni tres líneas. Me avergonzaba. Así que abandoné el intento de poner por escrito aquello sobre lo que ni siquiera podía razonar y decidí enviarle una postal del balneario de Puente Viesgo que encargué comprar a Paquita. Era una fotografía antigua en color sepia, como correspondía a la época: estaba fechada en 1919, cuando el balneario, ahora de capa caída, vivía su época dorada. En el dorso, sin dirección ni firma, puse una sola palabra: «*Merci*». No hacía falta más, él sabría muy bien quién se la enviaba.

Al día siguiente, sin asearme siquiera, corrí al estudio ansiosa por comprobar si el trabajo del día anterior tenía algún sentido. Nunca he servido para valorar mis propias obras, quizá por inseguridad y demasiado sentido crítico, sin embargo, me gustó lo que vi. ¿Un espejismo? Tal vez. Tenía que seguir pintando para demostrarme a mí misma que había encontrado un camino que hasta ahora había permanecido alejado, secreto. Por supuesto, no había tocado el cesto de fruta desde la tarde anterior y lo encontré en la misma posición en que lo había dejado sobre la mesa, pero me di cuenta de inmediato. El orden de las frutas metidas en el cesto había cambiado y faltaba una naranja. Miré alrededor y debajo de la mesa, aunque era imposible que se hubiera caído sola. Nada. Había desaparecido. Parecía una nueva broma de la casa aquella, pero los fantasmas no comen naranjas, me dije a mí misma. Comprobé la ventana que daba a la parte más abandonada del jardín, cubierto de zarzas enmarañadas: parecía cerrada pero estaba entornada, solía dejarla así para ventilar el estudio. Temblé al pensar que no estaba sola. Armándome de valor y del enorme llavero, recorrí el caserón cuarto por cuarto incluyendo la buhardilla que llevaba años cerrada, temblando cada vez que metía la llave en la cerradura, pero no encontré más que muebles arrumbados y polvo de tiempo. Salí al porche: nadie. El jardín ya no parecía acogedor sino una selva desconocida y peligrosa. A pesar de todo, di la vuelta a la casa hasta llegar a la altura de la ventana del estudio: no se veía a simple vista, pero justo bajo ella las hierbas altas estaban aplastadas. Volví al interior a toda prisa y cerré detrás de mí con todas las vueltas. Era verdad: aprovechando la noche alguien había entrado por la ventana del estudio para robar la naranja, quizá alguien del pueblo que conociera la finca y estuviera muy hambriento; sin embargo, el ladrón no había ido a la cocina donde guardaba los víveres. No, había ido directamente a la cesta de fruta. Sin duda, alguien había visto llegar a Cachita con la cesta, quizá se había apostado en el jardín y esperado a que se hiciera de noche para entrar y robar la naranja. Me habían espiado, habían entrado en mi casa con facilidad solo para demostrarme que podían hacerlo, que no estaba a salvo. El terror de haber sido descubierta me paralizó. «Me ha encontrado, está aquí, me ha encontrado...»

Di dos pasos dentro del salón y las piernas no me sostuvieron, no podía respirar y de pronto estaba en el suelo sin poder mover un cuerpo que pesaba como si fuera de plomo, con una losa en el pecho aplastándome hacia la tierra para hundirme en una tumba. Solo pude moverme para encogerme sobre mí misma como si pudiera meterme dentro algo muy pequeño, tanto que nadie me pudiera encontrar. No sé cuánto tiempo estuve así.

—¡Amalia! ¡Por Dios! ¿Qué te pasa?

Paquita. Oía su voz amortiguada tras la puerta. Estaba al otro lado y la golpeaba.

—¿Qué tienes? ¿Puedes hablar? ¡Amalia, ábreme!

Sus gritos me hicieron reaccionar lo suficiente para arrastrarme hasta la puerta, las llaves colgaban de la cerradura, me sentía sin fuerzas para poder girarlas. Paquita había dejado de gritar.

—Ya estoy aquí, ya está... Abre cuando puedas. Tranquila... —decía desde el porche.

No sé cómo pude abrir pero al poco sentí el abrazo de Paquita y una manta por encima.

—Ya está, ya. ¿Ves qué bien?

Mi voz era un murmullo, como si tuviera la garganta dormida.

—Está aquí. Está aquí.

—¿Quién está aquí?

—Él...

—Yo no te dejo sola. Me quedo contigo y que venga quien sea... Pero ¿está aquí ahora? Porque yo no he visto a nadie y tenías las puertas y las ventanas cerradas a cal y canto. Bueno, ya me explicarás. ¿Estás mejor? Vas cogiendo color... ¡Estabas pálida como una aparición! Y yo que venía tan contenta a recoger mi vestido...

Seguía sobre el brazo del butacón donde lo dejé el día anterior al llegar Cachita: lo había olvidado por completo. Aunque insistió en que no me cansara, terminé de coserle la puntilla al vestido. No era para tanto, expliqué: no era la primera vez que sufría un ataque así, intenté quitarle importancia para que no se preocupara. Además, ella estaba deseando que le contara la sorprendente visita de Cachita; se había quedado de piedra al ver el cesto con frutas en el estudio y más sorprendida aún al saber que había aceptado la invitación de don Santos. Sin embargo, se mostró escéptica ante la extraña desaparición de la naranja.

—Tú estás segura de que alguien entró, yo no lo tengo tan claro. Pero de haber pasado como decías sería algún bicho; estás en medio del monte y hay unos tejones que parecen leones, ¡unos dientes, unas garras! Tasugos los llaman aquí. O una broma de los mozalbetes del pueblo, te lo digo yo que los conozco y son de la piel del diablo: ¡menudas me hacen en la escuela! Y la casa la conoce todo el mundo. Vienen a hacer el tonto y ven esa fruta ahí; lo raro es que no se llevaran más que una naranja, que la mayoría no han visto una en la vida, aquí no se encuentran esos lujos... Lo que estás es muy aislada y le das muchas vueltas a la cabeza. Demasiadas. Y pasa lo que pasa.

Con todo cuidado envolvió el vestido en un papel de seda que traía preparado, pero no dejaba de hablar de las frutas.

—Entonces, ¿vas a pintarlas y no a comerlas? Hija, qué pena, si está todo maduro, se va a poner malo.

Estaba deseándolo, así que le ofrecí unas cuantas piezas que guardó rápidamente en el bolso como si fueran de oro.

—¿Seguro que estás bien? ¿Quieres que me quede a dormir contigo? O mejor, baja conmigo al pueblo. Tengo poco sitio y mi cama es estrecha, pero podemos apañarnos.

—No, gracias. Ya está todo bien cerrado, fuera quien fuese el que entró no va a poder volver a hacerlo.

La abracé en la puerta y no rechazó mi contacto como otras veces.

—Paquita... No sé qué haría sin ti.

—Cuídate, anda.

Esperé en el porche hasta que la perdí de vista. La tarde caía sobre el mundo tranquila, apacible, indiferente, sabiendo que el tiempo estaba de su parte y no de los seres humanos. Me senté en el poyete de piedra pegado a la pared de la fachada y reparé en que a mi lado había un buen montón de castañas y avellanas perfectamente reunidas y apiladas. ¿Desde cuándo estaba ahí aquel montón? ¿Era otro regalo? ¿Era posible que quien se llevó la naranja no fuera un ladrón y quisiera compensarme a su manera? Estaba cansada y confundida. «Amalia, deja de hacerte preguntas, quizá Paquita tenga razón: piensas demasiado y eso no te hace bien. Olvida todo lo que ha ocurrido, olvida el cuadro de las frutas, el miedo, el montón de castañas, la angustia, lo que no tiene respuesta. Me gustaría poder vaciar la mente como quien vuelca un cubo de agua sucia sobre la tierra.»

La luz blanca destelló sobre mí, casi escuché su voz de chasquido acompañada de la sensación física como de latigazo, de una presencia invisible. Pero esta vez no hubo recuerdos ni fantasmas; quizá era yo la que me había deshecho en luz y desde un lugar remoto alguien miraba a través de un catalejo desplegado por el tiempo hacia una mujer sola, sentada bajo el porche de la Casa del Alemán.

ELISA

Fantasmas de nosotros mismos

1

Me gustó nada más verla. La casa tenía algo intemporal y caprichoso que la hacía aún más singular, casi extravagante, incluso fantasiosa. Como Suceso me había advertido, aproveché el litigio por la herencia de su primer dueño para conseguir un alquiler ridículo, por eso estaba sorprendida: era mucho más majestuosa de lo que se espera de una casa de campo. Al menos esa fue mi primera impresión al abrir la cancela y entrar en el jardín con rosaleda, un magnolio y dos palmeras gráciles que se cimbreaban con el viento, el camino de losas con forma de serpiente hasta el porche elevado sobre los escalones de piedra. Un asiento saledizo recorría la fachada y antes de entrar me senté allí con la cámara fotográfica junto a mí. Las preguntas se agolpaban en mi mente, desordenadas, fugaces. En el fondo sabía que no iba a encontrar respuestas.

La visión, como la llamo desde entonces, seguía impresa en mi memoria con extraordinario detalle y hubiera podido describir con total precisión las posturas de los cuerpos que me habían rodeado, las armas caídas a su alrededor, los colores de sus uniformes, los ojos vueltos hacia el cielo, negándose a ser convertida en un recuerdo borroso. Casi tan real como la montaña ante mí, el monte que ocultaba el tesoro que me había traído hasta aquí. Mostrándome su ladera sur, la serenidad de su presencia dominaba el valle entero.

Abrí la caja recubierta de piel suave y desgastada por el uso, desplegué el fuelle tirando de las dos lengüetas y la cámara despertó con un movimiento de animal. Una Kodak como aquella que miró por primera vez a Jim pero más moderna, el diseño *pocket* que cabe en un bolsillo grande, pensado para acompañar a los soldados a las trincheras: la guerra ha servido para separar los cuerpos de las almas con eficacia técnica y para reinventar la fotografía. Acerqué el ojo al visor y enfoqué y disparé hasta que gasté el negativo y tuve que entrar en la casa a por más: Suceso y sus dos enviadas habían dejado los pertrechos fotográficos en el salón del primer piso, junto a la chimenea. Continué fotografiando todo lo que me rodeaba de forma impulsiva y obstinada, como los besos de los adolescentes: el paisaje, la casa y cada rincón del jardín, todo lo que tuviera delante de mis ojos para poder escapar de la visión, el espejismo de soldados muertos.

Estuve allí hasta que el atardecer me sorprendió y tuve que parar, sin luz no era posible seguir. A pesar de las horas transcurridas desde que salí del balneario no sentía cansancio ni hambre ni sed, y el simple gesto de apretar un botón había espantado ese ruido atronador de mi mente que aparecía cuando intentaba comprender lo inconcebible.

—No busques explicación, te romperás la cabeza. Por muchos periódicos que leas, por muchas opiniones versadas que consultes, no encontrarás ninguna respuesta porque no la hay.

Ari quería que yo dejara de pensar y de sentir, pero eso era imposible.

—¿Tenemos entonces que aceptar que nada de lo que ha ocurrido tiene sentido? ¿Te das cuenta? Millones de personas lo han perdido todo, ¿hay que aceptarlo sin preguntar por qué?

—Del caos originario surge la luz.

Entonces Ariel ya era el sargento Jules Dassin, un soldado que no hablaba con la voz que yo había conocido sino con un gorgoteo sordo como un río subterráneo dentro de una caverna, la garganta y parte del mentón destrozados por la metralla. Como en una lección de anatomía, había llegado a verle la tráquea y el hueso blanco de la mandíbula durante las curas.

—Aparta esos pensamientos funestos, querida Lise. Solo tienes dos salidas: el suicidio o el anarquismo. Y ahora que lo pienso, estarías encantadora como revolucionaria, un ángel exterminador con una bomba Orsini en la mano.

Un siseo, su nueva risa: el aire se escapaba entre los dientes rotos.

—El médico ha dicho que no hagas esfuerzos. No hables.

—Ni hablar ni reír. ¡Qué perspectiva tan sombría!

Bromeaba como si su cuerpo no estuviera postrado en el camastro de un hospital atestado de heridos y mutilados que por las noches lloraban y gritaban, ni dolorido por infinitas cirugías, como si no viese a la muerte saludando cada mañana a algún vecino de cama, como si bajo las vendas su cara siguiera siendo la misma. ¿Cómo podía hacerlo? Él también había caído en el abismo abierto por ese caos que hundió en la oscuridad al planeta entero durante cinco años eternos. Yo aún intentaba salir de ese pozo sin fondo por el que no terminaba de caer y, sin embargo Ari —ahora Jules— lograba hacer reír a todo el hospital haciendo un truco de magia.

—Todos están enamorados de ti, Lise; por eso dejan que les retrates. Porque como enfermera eres un desastre.

Me aterrorizan la sangre y el dolor, el olor de la gangrena me provoca náuseas y siempre me da miedo equivocarme al poner una inyección. Me hubiera sentido inútil en el hospital si no fuera por la cámara; solo a través del objetivo podía hacer desaparecer la miseria de aquellos cuerpos, como si pudiera disolverla al atraparla en una placa de cristal.

—Fotografíalo todo. Eso tiene sentido para ti, ¿verdad?

En el salón casi vacío de muebles, quizá víctima de la rapiña de los herederos, quedaba una mecedora solitaria sin valor, posible recuerdo del indiano que había construido el palacete. El fuego de la chimenea bailaba sobre los instrumentos y cajas de material que Suceso y sus mujeres habían dejado sobre la alfombra, seguramente sin saber lo que tenían entre las manos. Debió de parecerles más valioso el baúl porque lo subieron a una de las estancias del primer piso, donde encontré la cama abierta y el camisón doblado sobre la colcha. Bendita Suceso.

—Y no se preocupe usted de nada, porque mandaré de vez en cuando a Fonsa para que le haga la comida y las cosas de la casa.

—Suceso, ya sabes que no puedo permitirme tener servicio.

—¡Qué servicio ni qué niño muerto! Si Fonsa es más bruta que una albarca, cómo va a ser eso... Se la mando porque es de confianza y me debe unos cuantos favores, usted dele una propinilla de vez en cuando y santas pascuas.

A pesar del mimo con que la doncella había dejado preparado mi sueño, no fui capaz de dormir, no después de todo lo que había pasado durante aquel día, como si yo misma fuera una placa impregnada por imágenes extrañas, incomprensibles. Conocía la sensación y solo desaparecía al introducirme en otras imágenes que me vaciaran la memoria y velaran las anteriores. Velado, cubierto por un velo; revelado, mostrado a la luz de la verdad. Las palabras podían ser como un rayo que rompe la oscuridad para mostrar el camino. Necesitaba un cuarto de revelado para saber qué había estado fotografiando sin esperar al día siguiente; lo encontré en la despensa de la cocina que las criadas habían limpiado con tesón.

El monte, los árboles y prados, la cerca y el camino que descendía hacia el valle, las esquinas recónditas del jardín y el viejo tejo. Iba a desecharla entre las estropeadas pero me sorprendió: una de las imágenes de la fachada de la casa captada de frente mostraba una falta, un error en el revelado o tal vez mis ojos vencidos por el cansancio me engañaban, porque la mancha parecía una figura humana. Estaba amaneciendo; había pasado toda la noche en el cuarto de revelado y pronto pude examinar de nuevo todas las fotos a la luz de la mañana que no miente nunca: la fotografía no estaba estropeada y en ella, bajo el porche y sentada en el poyete de la casa, se veía a una mujer.

Durante la sesión fotográfica yo no había visto a nadie ni mucho menos retratado a ninguna persona, de eso estaba segura, tampoco había salido de la finca en ningún momento y si alguien hubiera entrado o salido de la casa no me hubiera pasado inadvertido. Volví a examinar la imagen con el cuentahílos y no cabía duda: a pesar del plano general y de la distancia focal, podía distinguir que la mujer era joven y tenía el pelo oscuro.

Recorrí cada metro de la finca, abriendo cada habitación de la casa y asomándome a cada balcón de los pisos superiores a sabiendas de que me encontraba completamente sola, igual que la tarde anterior, desde mi llegada. Con la fotografía en la mano me acerqué al porche y al asiento saledizo: el mismo lugar en el que aparecía la mujer y que veía tan vacío como cuando lo había retratado unas horas atrás. No lo entendía. Tenía que pensar. Caí en la cuenta de que la visión que sufrí —algunos la llamarían alucinación, otros, experiencia terrorífica— había ocurrido unos momentos antes, en el camino hacia la casa. No podía ser una casualidad. Aunque no sabía la razón, tenía que haber una conexión entre un suceso y otro. Ahora, además, tenía entre las manos una prueba palpable que no había salido de mi imaginación.

2

—¿Me acompañarás? ¿Vendrás conmigo?

Hubiera ido al confín del mundo si me lo hubiera pedido.

Estábamos sentados en la terraza de un café del que olvidé el nombre pero recuerdo muy bien todo lo que él dijo y todo lo que yo callé. Jim estaba junto a mí, muy cerca: a veces me rozaba el brazo con el suyo, podía sentir su pierna junto a mi muslo y su aliento cuando me hablaba al oído, el calor de su cuerpo atravesándome como un ejército invasor.

—Treinta mil, cuarenta mil años, quizá más. ¿Te das cuenta? Es como si el universo entero estuviera atrapado en ese monte y hubiera dejado su firma en él.

Casi tuve celos: cuando Jim hablaba de aquellos trazos pintados en las paredes de una cueva el entusiasmo le transformaba por completo. No, no quería competir con esas rivales tan bellas por muy viejas que fueran.

—Me gustaría que las vieras. ¿Vendrás conmigo?

No me soltaba la mano, la apretaba sin darse cuenta mientras hablaba y hablaba con su acento extraño que no sonaba alemán ni francés sino propio, hecho por y para él: alguien que nunca permanece mucho tiempo en el mismo lugar y que ya no pertenece a ningún sitio.

—Nunca creí que esa expedición pudiera descubrirme tantas cosas sobre nuestra existencia. Suena exagerado, lo sé; pero he visitado muchos otros sitios increíbles, fantásticos, como el Valle de los Reyes, Pompeya o Leptis Magna, y sin embargo esto es distinto: ya no se trata de encontrar los restos de ciudades o grandes civilizaciones ni tesoros que llevar a un museo porque lo que hay allí no puede llevarse a ningún lado, ni robarse ni expoliarse. Es... es como adentrarse en un océano infinito y sumergirse en la oscuridad, como si fuéramos buzos caminando por el fondo de un mar desconocido, dentro de él y a la vez, fuera. Pero no podemos vivir dentro del agua, como tampoco podemos descubrir quiénes eran esos seres ni por qué pintaban. Siempre será un misterio.

Cuando la nombraba, la palabra «misterio» quedaba colgada del aire que nos rodeaba o trazaba círculos concéntricos a nuestro alrededor, como cuando lanzas una piedra al fondo del río.

—Aunque quizá a nadie le importe, ni tan siquiera a la mayoría de nuestros colegas, incapaces de apreciar el inmenso descubrimiento que supone. Algunos nos acusaron de poco rigor argumentando que habíamos sido engañados por una falsificación creada por los propios habitantes de la zona: está demasiado cerca de la población para no sospecharlo. Pero Obermaier está convencido de que no es así y yo le creo.

Nunca supe dónde había conocido Jim a su compatriota ni cuándo fue que este le contagió aquella fiebre por la prehistoria como hizo con el príncipe de Mónaco Alberto I: el príncipe se convirtió en mecenas de sus expediciones y del flamante palacete parisino que albergaba el Instituto de Paleontología Humana. Además, Hugo Obermaier había logrado convertirse en jefe de las excavaciones en el norte de España a pesar de su juventud; Jim hablaba con admiración de su capacidad de persuasión, inteligencia y determinación. Un gran hombre al que yo no quería conocer: lo imaginaba tan intransigente como un monje guerrero, una especie de fanático empeñado en convertir al mundo a sus creencias. Además era sacerdote y por mi experiencia con las monjas intuía que un hombre así jamás me vería con buenos ojos. Pero eso no se lo dije a Jim.

—Cuando encontré a Obermaier le seguí sin dudarlo. Hasta entonces no había hecho otra cosa que perder el tiempo, no era más que uno más de esos idiotas ansiosos por probarse en todos y cada uno de los contrastes de la vida y de la forma más vulgar. Me avergüenzo al recordarlo.

Participar en el descubrimiento de aquellas cuevas lo llenaba de orgullo, hasta el punto de considerarlo una redención que borraría todos los errores —«pecados», los llamaba él— cometidos en su vida.

Casi todo lo que sé del pasado de Jim antes de conocernos me lo contó Ari el judío o Jules el soldado o el mago o el hombre del cinematógrafo, por eso no tengo la certeza de que sea verdad: cualquiera de estos personajes era capaz de mentir con gran habilidad, no por mala intención sino porque al hombre que llevaba esos nombres le resultaba imposible dominar su tendencia a la ilusión. Decía que Jim viajó al África del Sudoeste siendo muy joven para dirigir la hacienda familiar situada en la colonia, pero una vez allí nadie puede seguir su rastro: ignoraba por qué había abandonado África y el motivo por el cual vagó por medio Europa derrochando una fortuna en cacerías, casinos y balnearios de moda hasta arruinarse, encontrar a Obermaier y embarcarse en sus expediciones arqueológicas. El soldado Jules me contó otra parte de aquella historia; esa vez —quizá la única vez— estoy segura de que no mentía, porque durante esos días en que recuperaba la consciencia tras sus ataques de fiebre, tumbado en aquel camastro sucio del hospital de campaña, hablaba de su amigo sin cesar, hasta olvidando mi presencia, con aquella voz que ya no era la de él, con aquel cuerpo que ya no se parecía al suyo, como si aquellas palabras pudieran conjurar la ausencia.

Así supe que Jim no se llamaba Jim: había cambiado su nombre igual que el hombre que me relataba su vida, los dos amigos se desdoblaban uno frente al otro como reflejos deformados en un espejo de feria. Jim fue el apelativo cariñoso con que lo llamaba *miss* Cooper, la institutriz americana que le educó en sus primeros años. Como el resto de los niños de familias acomodadas, creció alejado de unos padres a los que veía solo en ocasiones y toda su educación quedó en manos de preceptores e institutrices como *miss* Cooper, de quien se convirtió en favorito. Aquel niño rubio demasiado inquieto pedía sin cesar a la *nanny* americana historias del país del que había venido, donde se había criado junto a un padre cuáquero que llevaba la palabra de Dios a las reservas indias. El motivo por el que aquella mujer había pasado de vivir entre nativos sioux y navajos a cuidar de los hijos de una pudiente familia alemana solo puede explicarlo el propio Jim. Hacía muy poco de la llegada de la nueva institutriz cuando uno de esos niños, con apenas cinco años, cayó al río que cruzaba la enorme finca de los Maltzan: las niñas mayores gritaron y señalaron el cuerpecito arrastrado río abajo, la institutriz se lanzó al agua tras él y, con peligro de ahogarse también, consiguió sacarle del agua. Ya en la orilla miss Cooper comprobó que el niño a su cargo no estaba herido, no mostraba miedo ni susto alguno y le tendía el puño cerrado.

—Estaba en el agua, lo cogí para ti.

En la mano del niño había una crucecita de oro. Unos días antes, miss Cooper, que vestía de forma muy sencilla y sin ningún adorno, había perdido el único objeto de valor que poseía en este mundo: la pequeña cadena con una cruz de oro que le colgaba del cuello. Preguntó a todo el mundo pero fue inútil, no apareció. Disimuló el disgusto ante los niños, pero uno de ellos la había visto buscándola por el camino del río durante horas.

—Gracias, querido mío. Esta cruz me la regaló Jim. Y tú eres como él.

Desde entonces comenzó a llamarle Jim y él a contestar a ese nombre, también sus tres hermanas le llamaron así, convirtiéndolo en un apodo familiar. El niño Jim parecía no tener miedo a nada ni a nadie y solo quería que su institutriz le contara una y otra vez historias de aquel lejanísimo oeste americano a la luz del fuego en el pabellón de caza, cuando los trofeos colgados de las paredes parecían cobrar vida: las cabezas coronadas de ciervos y corzos, las lanzas, máscaras y escudos nativos, pieles de león y decenas de cabezas de antílopes, hasta la de una jirafa y un rinoceronte. Allí podía imaginar sonidos de sabana y de jungla, tambores y rugidos al atardecer, verse a sí mismo cruzando ríos poblados de animales monstruosos y enfrentándose con salvajes. Aquellas fantasías le obligaron a hacerse mayor cuanto antes; tenía prisa por recorrer aquel continente que era aún más gigantesco en su imaginación. El día que cumplió dieciocho años su padre le hizo el regalo que tanto tiempo había estado esperando: acompañarle a la colonia africana y allí prepararle para un futuro en el que Jim tomaría las riendas del emporio y así continuaría, incluso aumentaría, la prosperidad familiar. Pero lo que encontró allí no fue lo que esperaba.

La fortuna de los Maltzan, como la del resto de la colonia, se sostenía en un régimen de terror en el que las minas eran tumbas para pueblos enteros, obligados a trabajar en ellas como esclavos bajo la amenaza de torturas y mutilaciones. En África Jim vio a millares de hombres, mujeres y niños de la etnia herero caer bajo las balas y las bayonetas del ejército que envió el káiser para aplastar su rebelión. Comprobó que su propio padre participaba en la locura del exterminio y se enriquecía con ella: Jim se rebeló ante aquellas visiones de un infierno en vida y no pudo soportarlo; al fin y al cabo, le había educado una cuáquera americana.

—Después del Armisticio debieron de perderlo todo: su fortuna dependía por completo de la colonia y durante la guerra esas minas de oro sirvieron para pagar el ejército africano del káiser: fueron lo primero que reclamaron los ingleses y portugueses en el nuevo reparto de África.

—¿Y el resto de la familia?

—Jim puede estar en cualquier lugar de la Tierra, salvo donde se encuentre la familia Maltzan.

Yo no podía descartar la idea de que Jim hubiera vuelto a casa. Nuestras conversaciones siempre terminaban de la misma manera: ¿dónde estaba Jim? La aventura le impulsaba hacia delante y le permitía escapar de todo lo que detestaba y encontrar otro lugar, otro sueño, por eso estaba convencida de que había podido escapar y de que estaba vivo. En el pasado había tenido miedo de él, lo reconozco. Quizá él también tuviera miedo de mí: aquella tarde en el café, tan pocos días antes de que desapareciera, lo confesó.

—Sé que toda mi vida será así, itinerante, inestable, siempre persiguiendo lugares y tesoros enterrados que quizá no existan. No puedo ofrecerte la tranquilidad de un hogar, eso que necesitan la mayoría de las mujeres.

—¿Crees que yo también lo necesito?

—No lo sé.

—Nunca he conocido esa paz del hogar de la que hablan tanto; no la conocí en mi propia familia ni en nadie que me rodeara. Mi madre abandonó a mi padre cuando yo era niña y él murió en un manicomio, me crie en el internado de unas monjas y la única madre que puedo llamar así es Madame Vù, a quien ya conoces.

Estuvimos un rato en silencio porque no nos hacía falta hablar; supongo que debíamos componer una de esas ridículas estampas de enamorados para quienes las ven desde fuera allí sentados, callados, mirándonos y acariciándonos las manos por debajo de la mesa del café lleno de gente. Hasta que Jim me preguntó:

—Lise, ¿qué es lo que quieres?

Mis ojos en los suyos tan cerca que casi podía verme reflejada en ellos. La realidad ya no existía, a nuestro alrededor ya no había café, ni gentío, ni ruido, ni París, sino una amalgama borrosa que no nos importaba porque solo nosotros dos existíamos, solo nosotros éramos reales con nuestros contornos definidos, perfectos dentro de nuestros cuerpos vivos, hechos de materia palpitante, carne, piel, huesos, sangre, latidos. Aún no éramos fantasmas de nosotros mismos.

3

El suelo del salón está cubierto de fotografías ampliadas. Estoy arrodillada entre ellas, rodeada por ellas. La imagen de la mujer más y más grande, repetida. Ya me parece conocerla de tantas veces como la he visto salir del líquido de revelado. Es morena, de rasgos finos y rostro grave. Lleva el pelo ondulado recogido en la nuca y viste una chaqueta de lana que se parece a la mía. La mano derecha, en movimiento, solo es un rastro blanco, fugaz; con la otra se apoya en la piedra. Su cuerpo está en tensión como si la hubiera captado un segundo antes de levantarse y sostiene la mirada en mi objetivo: ¿me está viendo? Quizá necesita salir de su cárcel en dos dimensiones y acercarse para decirme algo. Había algo más que solo vi en las últimas ampliaciones, concentrada como estaba en la figura desconocida que se había colado en mi fotografía, una sombra muy oscura que no coincidía con las demás, creadas por la luz natural: junto a la mujer aparecía una mancha extraña, un borrón negro definido como una señal o una marca, como si formara parte de su universo, ese que había captado sin querer.

Quería enseñar la fotografía a alguien que pudiera reconocer a la retratada y la única que podía ayudarme era Suceso, de modo que no me quedó más remedio que bajar al balneario a pesar del riesgo que suponía encontrar a don Gustavo; seguramente este ya se habría enterado de que había abandonado el balneario y vendría a pedir explicaciones. Entré por los pasillos de servicio y pregunté a todas las sirvientas que me crucé por el paradero de Suceso. La encontré en el cuarto de la plancha.

—¿Sabes quién es? ¿La has visto antes?

Posó en la fotografía una mirada suspicaz.

—Pues no, señorita. Estoy segura, de aquí del pueblo no es. Pero está sentada afuera de la casa, ¿no? ¿Y cómo ha entrado, si se puede saber? ¿Cómo puede ser eso si no hemos visto ni un alma? Porque las llaves las tenía servidora y yo misma se las puse a usted en la mano, me diga cómo se ha colao la tía gorrona esta y usted no ha dicho nada, si hasta le ha podido echar una placa…

Le conté la verdad de la forma más sencilla posible.

—Ayer, al llegar, hice unas cuantas fotografías en el jardín y la finca. Pero te aseguro que esta mujer apareció después, al revelar esas fotos. No vi a nadie. Esa es la verdad.

Para mi sorpresa, calló. Y no era fácil callar a Suceso. Volvió a observar más atentamente a la mujer de la imagen. Luego se rascó el pelo tirante bajo la cofia.

—Usted, ¿qué cree que ha pasado? —espetó señalando la foto.

—No tengo ni la menor idea.

—¿De verdad quiere saberlo?

Por supuesto que quería.

—Entonces espéreme abajo del puente, a la altura de la poza grande. Todavía me queda un rato de faena, pero le prometo que no tardaré. ¡Y tenga cuidado con el viejo chivo! La está buscando.

Intenté salir del balneario por la puerta de servicio igual de desapercibida que había entrado, pero la mala suerte se cruzó en mi camino en forma de doña Guillermina. Nada escapaba a su afán inquisitorial y una de sus actividades favoritas era quejarse del servicio a la dirección, lo que suponía husmear en todos los lugares vetados a los demás residentes: cocinas, lavaderos, almacenes; podía presentarse de improviso en cualquier sitio y dado que era una visitante habitual que gastaba allí sus buenos duros al cabo del año, nadie osaba cerrarle el paso. Casi choqué con su corpachón al salir del cuarto de plancha: llevaba el estrafalario traje de baño con el que las señoras se ponían a remojo, como decía Suceso, en las piscinas termales, vigiladas de cerca por el ojo implacablemente hidráulico de don Gustavo, el amo de todas ellas.

—¡Elisa! ¡A usted quería yo ver! —dijo, con el imperativo propio de quien se cree dueño de las vidas de otros, afable según se hubiera saltado o no su dieta estricta e insolente como lo son quienes creen que todo el mundo debe estar a su servicio. En su mente escueta, monda y lironda de cualquier concepto abstracto o medianamente complejo, vacía de nada que no redundara en provecho propio, no cabía mucha más organización que la jerarquía de clases—. ¿Cómo se te ocurre desaparecer de esta manera, sin decir ni adiós? Nos tienes en ascuas y ya sabes que la gente habla, en fin, y eso empeora las cosas.

—Solo he decidido dejar el hotel y trasladarme a una residencia privada.

—Oh, oh... ¡Residencia privada! ¡Qué ínfulas! ¿Y cómo te vas a permitir esa residencia, querida, si puede saberse?

—Me parece que esa cuestión no es de su incumbencia.

En ese momento me hubiera gustado tener la lengua de Suceso para responder a aquella bruja como merecía.

—Pues estás muy equivocada: es de mi absoluta incumbencia y responsabilidad ayudar a quien lo necesite, sobre todo cuando esa persona ignora lo que le conviene.

Movía el dedito artrósico delante de mi cara para reconvenirme mejor. La vieja libertina, jubilada ya de aventuras galantes, aburrida de sí misma, creía saber mejor que nadie lo que convenía al resto del mundo.

—¿Qué creías, que no había de enterarme? Yo aquí estoy al cabo de la calle. A mí no me engañas: tanto paseo a lo romántico, haciéndote la interesante... Pues para lo de siempre, a ver si me mira este o si cae el otro; que no he nacido ayer, cara bonita.

—Tengo que irme.

—¡Pero si estoy de tu parte, tontona! Que sepas que estoy enterada de los líos que te traes con el doctorcito. Don Gustavo, como imaginarás, se ha confesado. Él sabe de la buena relación que nosotras tenemos y ha confiado en mí para que te lleve a buen puerto. ¡Quiere casarse! Y sales corriendo, ay, ay... Que tenga que venir yo a decirte cómo es la vida, que ya eres mayorcita y has corrido lo tuyo, como todas; vergüenza debería darte de no haber espabilado a estas alturas. Entre tú y yo, el fulano, en fin, no es un galán para tirar cohetes, ya lo sé, pero un médico es una proporción para una doña nadie con pasado oscurillo. No seas boba y aprovecha.

Solo sentí repugnancia ante aquella celestina y mucha más al pensar en el hombre que había recurrido a sus servicios, aquel ridículo médico con sus delirios de grandeza y manías regeneradoras.

—Señora, ya que parece haberse proclamado usted mensajera de ese caballero, es mi deber aclararle que ya contesté a sus pretensiones. Quizá no le haya contado todo, incluso haya ocultado la verdad respecto a su propuesta, porque ya fue rechazado en reciente ocasión. Insisto: no me interesa casarme ni con él ni con ningún otro sujeto, y le agradecería que de ahora en adelante se abstuviera usted de inmiscuirse en mis asuntos personales. Tenga muy buenas tardes.

Con la certeza de que me había granjeado una enemiga feroz, me alejé a buen paso, no fuera a recuperarse de la impresión y me persiguiera con más impertinencias.

Había recorrido medio tramo de puente dejando atrás el balneario cuando oí que me llamaban:

—¡Señorita! ¡Espere! ¡Señorita Elisa!

Uno de los botones corría hacia mí con el rostro sudoroso y congestionado dentro de su uniforme azul Prusia; en la mano llevaba un sobre que agitaba como si fuera una bandera. Me dio un vuelco el corazón. Corrí también a su encuentro y le arrebaté el telegrama; me temblaban las manos, lo rasgué sin cuidado.

—La he buscado por todas partes… Me dijeron… que… ya no estaba en el hotel… —Tosió, le faltaba el aliento.

—¿Cuándo ha llegado?

—Hará una… hora. Llevo de aquí para allá, buscándola, desde que la recibimos.

«Pronto estaré ahí.»

Estaba sin firmar pero entre Jules y yo no hacían falta firmas. Sentí abrirse de nuevo el agujero en mi pecho, el viento helado volvía a correrme por dentro: no había podido encontrarlo, eso era lo que significaba el mensaje. El botones me miraba, curioso.

—Mil gracias, Andresito. Toma, anda.

El dinero que saqué del bolsillo del gabán era todo lo que había ganado en la última semana de trabajo en el balneario y aun así no me parecía suficiente. Todos habían estado tan pendientes como yo de aquel correo que nunca llegaba.

—Por favor, señorita… No, no —dijo, con cara de susto.

—Tómalo y reparte con los demás, ¿quieres?

—Sí, señorita Elisa, así lo haré.

El chaval volvió a echar a correr por el puente como si volase y yo seguí mi camino. Bajé a la orilla del río y recorrí el sendero pegado a sus meandros hasta perder de vista el pueblo, comido por la espesura de los fresnos y castaños hacia el lugar donde Suceso me había citado. El Pas remansaba allí sus aguas verdes en una poza profunda, las ramas de un sauce caían hasta el río y rocas planas formaban terrazas donde sentarse; uno de los destinos favoritos de los visitantes del balneario y el lugar preferido por los niños del pueblo para bañarse cuando el calor apretaba en verano. Me senté en uno de aquellos enormes cantos de río y volví a sacar el telegrama. ¿Por qué Jules avisaba de su llegada con tan poca antelación? ¿Tenía que seguir llamándole Jules como en el hospital o quizá había vuelto a cambiar de personaje? ¿Hasta dónde había llegado en su búsqueda? Lo último que supe de él fue a través de aquella postal desde Reims, con una sola frase y sin firma. «Están restaurando la catedral.» Y la fecha: «25 de mayo de 1919».

La catedral de Reims fue bombardeada el 19 de septiembre de 1914, nada más comenzar la guerra; cinco años después, el soldado Jules había vuelto allí. Le imaginé alzando la cabeza para ver sus torres, la piedra levantándose de nuevo sobre las cenizas de los bombardeos y los incendios delante de los ojos del superviviente resucitado de la barbarie, diciéndole al mundo cómo vencer el dolor de las heridas, cómo recuperar la humanidad perdida, cómo volver a la vida.

—Le encontraré, tanto si está vivo como si no. Pero es mejor que nos separemos y tú esperes en ese lugar, Elise. Ya no puedes hacer más.

—No he vuelto a España desde que me separé de mi padre —protesté y la excusa sonó infantil, como si hablara la niña asustada montada en un tren que la alejaba de todo lo que había conocido. Pero Jules no iba a ceder.

—Ambos sabemos que si Jim regresa, volverá allí. Te lo prometió, ¿recuerdas? Te enviaré noticias.

Pero hasta hoy no había cumplido su promesa. Un viento del sur agitó las ramas de un sauce haciéndole susurrar, sus hojas acariciaron el agua como los dedos de una dama pensativa que mira su propio reflejo. Si levantaba la cabeza podía ver el monte de El Castillo alzarse sobre el valle, muy cerca, quizá demasiado, una mole gigantesca que quisiera mirarse también en el río. No te olvido.

—Señorita Elisa...

Suceso tuvo que ponerme la mano en el hombro. Había olvidado por completo la razón por la que estaba allí, nuestra cita y la fotografía de la mujer misteriosa.

—¿Está usted bien? Porque hay que caminar un ratillo monte arriba hasta llegar.

—¿A dónde vamos?

—A casa de la Vijana.

4

Caminaba delante de mí guiándome por unos senderos por los que no había pasado nunca. Llevaba el cuévano a la espalda, como cualquier otra aldeana del lugar.

—¿Qué llevas ahí?

—Regalos para la tía Damiana. No puede presentarse una con las manos vacías, estaría feo.

—¿Quién es esa mujer?

—Una muy sabia, no haga caso de lo que oiga por ahí: la conozco bien porque somos algo parientas. En el pueblo se meten con Damiana porque vive a su aire en las cabañas y no se junta con nadie, que parece la osa de Andara, pero otros la respetamos mucho, como hacían nuestros mayores con la gente así. Tiene un... ¿cómo diría? Un don, eso es lo que tiene, para saber de cosas que no sabe nadie y curar con ungüentos y cataplasmas a los que andan fastidiados. También para hacer albarcas, las hace preciosísimas, con madera de tejo, que eso no lo hace nadie porque es un árbol venenoso, pero solo las vende a quien ella quiere y eso casi nunca pasa.

—Una curandera.

—Así le dicen algunos porque lo mismo cura una vaca enferma que el hueso tronzao a un hombre hecho y derecho; pero no solo, no vaya a creer; es capaz de mucho más, la tía Vijana.

—No se me ha roto ningún hueso, ¿cómo va a poder ayudarme una curandera?

—¿Pues no quería usted averiguar quién es la mujer del retrato? Ella es la que sabe de esas cosas.

Atravesábamos un bosque tan cerrado que dejaba de ver a Suceso al taparla las ramas apretadas de los avellanos y los troncos de robles cubiertos de líquenes; tenía que guiarme por su voz filtrada a través del tamiz de la espesura.

—... adivina si una mujer encontrará marido o si parirá hembra o varón; también si le han echado mal de ojo y sabe si alguien perdido está vivo o muerto. Cosas así.

Mis propias contradicciones luchaban con la razón para que no me dejara llevar por aquella pobre chica inculta ni por los engaños de las supersticiones, pero una cosa es la razón y otra muy distinta, la desesperación.

El tiempo parecía detenerse dentro de aquel laberinto; imposible calcular cuánto nos habíamos alejado del pueblo, cuánto llevábamos caminando ni hacia dónde, entre árboles altísimos de troncos retorcidos y en ellos agujeros como bocas gigantescas en las que podría esconderse un hombre. Los guardianes encantados protegían la casa de la bruja impidiendo el paso a los desconocidos, ni siquiera la luz del sol conseguía penetrar en el interior del bosque salvaje.

—Ya falta poco —dijo mi guía.

El bosque, inesperadamente, se abrió en un claro. En el centro, tres piedras colosales y más allá, suspendida en el desnivel de la montaña, sobre el verde deslumbrante, la choza surgiendo de la tierra como otra roca milenaria. Seguí a Suceso hacia la cabaña de piedra tosca, cerrada sobre sí misma como un fortín: una puerta, dos vanos pequeños como troneras, el tejado cubierto de lastras de pizarra y un hilo de humo saliendo de él, sin chimenea. Imaginé a la bruja removiendo un caldero en su interior. Mi acompañante no llamó a la puerta, se plantó delante de los tres escalones rocosos que levantaban la choza y gritó con todas sus fuerzas:

—¡Tía Vijana! ¡Que soy Suceso, la del Evaristón!

La interpelada surgió tras la casita arrastrando un grueso tronco de árbol.

—La Suceso eres, sí, ya te oigo, cagoenlá. Lo que chillas, muchacha, que ni un chon en la matanza... —rezongó la mujer tirando el tronco hacia la pila formada por otros árboles cortados como si pesara lo que un palillo.

La Vijana no parecía muy distinta de las demás campesinas de la región; fuerte, de mejillas coloradotas y edad incierta, aparentaba unos cincuenta años, aunque podría tener muchos más. Se había recogido las faldas dejando ver debajo un pantalón de pana raído y las botas viejas, de hombre.

—Ya sabía yo que veníais... Los de abajo hacéis más barullo por el monte que los jabalís.

—Tía, ¿cómo estás?

—Bien, bien... Ven, a ver qué me traes. Porque algo me has traído, ¿eh? Mira que cuévano sin carga y estómago vacío, ni quitan el hambre, ni quitan el frío.

Suceso descargó la cesta y con mucho aparato, como si lo entregase a una reina, le puso en las manos la torta de pan. La Vijana lo olisqueó con deleite.

—Esto es candeal de Lerma... ¿Qué más llevas ahí?

Suceso sacó un queso blanco y húmedo envuelto en un paño fino y lo entregó con igual reverencia.

—Queso mantecosu y ciegu, cátale que es pasiegu... —La curandera echó una risotada y con el pan bajo el brazo y el queso en las manos se metió en la cabaña. Nos quedamos frente a la puerta hasta que oímos el vozarrón de la Vijana—: ¡Entraros, so ñoñas!

Costaba habituar la vista a la oscuridad del interior: una sola habitación de suelo de lastras, un camastro de hierba seca, el lar con el pote de hierro borboteando al fuego. En un rincón se veían hachas, azadas y otros aperos que no reconocí; manojos de hierbas colgaban de cordeles y junto a una pared, un montón de albarcas: los zuecos de madera usados por los campesinos de la región. Olía a animal y a paja húmeda. Todo era tan elemental y primitivo que creí haber viajado siglos atrás. La Vijana se había sentado en una banqueta de tres patas de las utilizadas para ordeñar y atizaba el fuego; sobre su cabeza, en una de las vigas maestras que sujetaban el tejado de la choza, un único adorno: un signo tallado formando un círculo atravesado por tres barras con tres puntos sobre ellos.

—¿Y a ti, pelirroja, qué puñetas te pasa? ¿Eh?

Lo dijo sin mirarme, como había hecho desde nuestra llegada. No supe qué decir y ya Suceso se adelantaba a explicar el caso que nos había llevado hasta allí cuando la Vijana la cortó sin miramientos.

—No te he preguntado a ti, bocona. Anda, vete fuera.

Suceso salió de la cabaña sin rechistar y nos quedamos solas. El fuego crepitaba y lanzaba chispas y humo cargando el aire. La mujer levantó la cabeza dejando medio rostro oculto en la oscuridad mientras que su otra mitad brillaba al rojo del fuego. Me traspasó un solo ojo fulgurante como un espejuelo.

—Has visto cosas en la finca del indiano, ¿verdad?

No hacía falta decir nada, ella ya lo sabía.

—¿Muertos?

Como si cesase el influjo de los ojos de la Vijana, noté nuevamente el aire en mi garganta y mi voz saliendo de ella.

—Sí...

—Subiendo la cuesta y a la sombra del monte grande, seguro.

¿Cómo conocía mi visión? No se lo había contado a nadie. Quizá fuera verdad que aquella mujer tenía un poder sobrenatural.

—¿Te había pasado antes?

—Jamás había visto algo así.

—Ese sitio es sagrado, desde siempre, desde el principio de los tiempos. Pero los hombres lo han dejado de respetar, sembrándolo de muerte y odio, que ahora campan por allá. Si vuelves a ver aparecidos no les tengas miedo: esos ya no hacen ná, de quienes hay que guardarse es de los vivos, cagoenlá. Ven, anda, siéntate aquí.

Me acercó otro taburete igual al suyo salido de algún rincón oscuro, puede que de debajo de sus propias faldas, porque yo no había visto ningún mueble más.

—Mira el fuego, pelirroja.

Obedecí y de nuevo sentí un vértigo como el que me había provocado su mirada. Las llamas bailaban delante de mí acompañadas por el borboteo del caldo, que olía a una mezcla de manzanilla, sauce, lana y leche agria.

—Tus ojos me cuentan lo que viviste, veo en ellos al monstruo más terrible que hayan inventado los hombres desde que empezaron a concebir espantos, y mira que llevan tiempo haciéndolo.

El fuego seguía bailando y ella hablando.

—Esos muertos vinieron para decirte algo. Tú misma, sin darte cuenta, los llamaste, porque querías saber algo que solo ellos pueden decirte. Lo que pasa es que no has entendido su respuesta. ¿Estaba el hombre que buscas entre ellos?

—No; no estaba allí.

—Porque tú buscabas en el reino de los muertos y resulta que allí no está. ¿Entiendes?

No pude evitarlo; una corriente de agua cristalina, limpia, arrastraba todo el miedo y el dolor acumulados desde hacía casi cinco años.

—Si no está muerto, ¿dónde está? ¿Por qué no vuelve a mí?

—Eso yo no lo sé. Puede que algo lo retenga. A veces las personas se quedan atrapadas en un tiempo que no va hacia delante ni hacia atrás, como en una estampa.

—¿Como en una fotografía?

—Igual.

De pronto, recordé a la mujer, su foto en el bolsillo de mi gabán. Se la mostré.

—No sé cómo ha aparecido. No vi a nadie, yo estaba sola en la casa.

La Vijana no tocó la fotografía pero la miró atentamente con el ceño fruncido.

—Ya he dicho suficiente.

Se levantó del taburete como impulsada por un resorte y en tres pasos de sus enormes zapatones fue a asomarse a la puerta.

—¡Suceso!

La muchacha entró en la choza de inmediato.

—Mándame, tía.

Seguía sorprendiéndome la sumisión de Suceso; en el balneario siempre se había mostrado de lo más indómita y rebelde.

—Ya sabes cómo va esto: hay secretos que no se revelan por una puta mierda de pan con queso. Deberías habérselo explicado a tu señorita. Llévatela.

Puede que la doncella estuviera intimidada por la bruja, pero no yo: su influjo, de haberlo, había desaparecido cuando mostró que tenía miedo. ¿Qué fantasma había visto la Vijana, que vivía sola en medio de la nada y a la que no asustaban ni las visiones de muertos? No me movía solo la curiosidad: tuve la impresión de que intentaba ocultar algo esencial relacionado con todo lo que me había ocurrido desde mi llegada, y quizá desde mucho antes.

—No me iré hasta que me diga usted todo lo que sabe.

La Vijana guiñó los ojos pero no me moví del sitio. Tendría que sacarme de su choza a rastras.

—Muy cabezona te crees…

Las dos mujeres bisbisearon entre ellas aunque ahora la que atizaba el fuego era yo y me importaba un comino lo que pudieran tramar. No sé a qué acuerdo llegaron, finalmente, la Vijana dio su brazo a torcer.

—Pues allá penas, si quieres meterte en entresijos, con tu pan te lo comas. Eso sí, cosa rara, cosa cara. ¿Qué estás dispuesta a dar a cambio?

—¿Qué quiere usted?

Se acercó a mí tanto que pude oler el aroma entre pestilente y dulzón, entre animal y vegetal, que salía de su cuerpo y de su aliento.

—Lo único que puedes darme.

Alargó una de sus manazas de uñas negras para atraparme un mechón de cabello.

—¿Mi pelo? ¿Para qué?

—Eso es cosa mía. ¿Te interesa o no?

Corté yo misma la trenza de un solo tijeretazo.

INÉS

Un filtro de amor

1

Salieron de la pantalla en negro y me rodearon, los rostros flotaron sobre mí como fantasmagorías. Uno de ellos era el de Áurea, estoy segura, me hablaba con su voz cálida que oía lejana y distorsionada mientras ponía una mano fría sobre mi frente; otras mujeres me rodeaban también, puede que una de ellas fuera Valvanuz. También vi a una desconocida anciana de pelo gris, corto, su voz segura y casi juvenil hablaba un idioma desconocido que se perdía cuando cerraba los ojos. Intenté contestarles pero la pantalla se apagaba continuamente, la cama se movía como si tuviera vida propia y me asaltaban las náuseas, vomitaba otra vez y volvía a hundirme en la oscuridad.

Estoy en una cueva y camino con cuidado de no resbalar en el suelo húmedo y liso, apoyando las manos en los salientes rocosos. Me guían los resplandores amarillos y azules surgidos de entre las grietas, hasta que el pasadizo estrecho se abre y la caverna se vuelve grande y alta formando una bóveda. La roca se revuelve de modos increíbles, levantada en columnas, volcada en una cascada detenida de un color blanco puro y metálico que lanza destellos, deslumbrándome. Esa misma luz proyecta sombras desproporcionadas sobre las paredes ásperas; no veo a nadie pero sé que no estoy sola, hay alguien conmigo que no se deja ver aunque yo quiero encontrarlo, conocerlo. Por alguna razón no tengo miedo y sigo a la sombra recorriendo galerías cada vez más oscuras, más estrechas, sin lograr alcanzarla porque el laberinto se cierra sobre mí cada vez más, hasta atraparme, encerrándome, enterrándome en el interior de la montaña.

«Es una pesadilla. Tengo fiebre.»

En cuanto lo entendí la claridad apartó la pantalla negra colándose por la abertura de las cortinas. Estaba en la cama de una habitación extraña que me costó reconocer; ah, sí, El Jardín del Alemán, el encargo, el viaje, el documental; había venido a trabajar y ahí estaba, en la cama con el sol ya alto, perdiendo el tiempo. En mi mente resonó la voz de Naná: «No espero nada de ti», y como siempre, mi vejiga lanzó un puntazo doloroso. Cuando vivía con ella tenía pavor a ponerme mala; mi abuela consideraba cualquier enfermedad —una varicela, unas anginas— como un intento velado por mi parte de minar su autoridad, una forma pasiva de rebeldía, y llamar al médico para tratarme le suponía una afrenta personal igual que los cuidados del servicio, que le parecían innecesarios y exagerados, así que pasé todas y cada una de mis enfermedades infantiles sola en una habitación sombría, enfrentada a todos los monstruos imaginarios y reales.

Al levantarme noté las piernas flojas pero llegué hasta el baño; el espejo certificó la cara pálida y ojerosa. Llevaba la camiseta larga que usaba para dormir aunque no recordaba habérmela puesto. La verdad es que no recordaba gran cosa. Hice pis mientras notaba la cabeza embrollada, apretada de ideas incompletas, como mutiladas, y solo una consiguió abrirse paso en el atasco de tráfico: seguramente había sufrido una intoxicación o algo parecido, porque lo último que recordaba con claridad era que Martín me había traído a casa después de sentirme fatal, febril y con el estómago revuelto. Sí, tenía que ser eso. Como cualquier persona de mi generación en una situación de confusión busqué el ordenador y el móvil, pero no estaban en la habitación: encontrarlos era mi prioridad, luego decidiría el siguiente paso.

En el pasillo, el cuadro de la mujer en la montaña brilló a la luz del día, pero no me detuve a mirarlo. La madera antigua de los peldaños crujió bajo mis pies descalzos y me arrepentí de haber olvidado ponerme las zapatillas al notar las losas de piedra helada en el suelo de la entrada y en el salón. Las cortinas de la cristalera al jardín estaban corridas y el salón todavía en penumbra, pero nada más entrar distinguí el bulto humano tumbado en el sofá y a pesar de encontrarme todavía aturdida y floja, supe de inmediato que aquel cuerpo no formaba parte de ninguna pesadilla o ilusión fantasmagórica. Era el de Martín. Pero ¿qué hacía Martín en mi casa? Quiero decir, en El Jardín del Alemán.

Me acerqué a él. Dormía de costado, llevaba puesta una camiseta negra y un brazo le sobresalía de la manta. Las pestañas largas y negras, la respiración tranquila, toda la fragilidad del cuerpo sin conciencia, hundido en el sueño con una belleza inocente, como la de un niño o un animal grande. Un cosquilleo en el estómago que recorre el pecho hasta encender el cerebro. De pronto, la persona que tienes delante, hasta ahora invisible, cobra una desmesurada importancia y reclama toda tu atención. La observas mientras no te mira, estudias su manera de andar, la forma inadvertida de encender un cigarrillo, escuchas el tono de su voz al pasar a su lado. Reconocí de inmediato la sensación porque me acompañaba desde la adolescencia, la primera vez cuando vi a Abel caminar delante de mí en el pasillo del instituto. Dos cursos mayor, moreno, reservado y con novia en su misma clase, una chica vulgar y gritona —al menos eso me parecía, reconcomida como estaba por la envidia— con la que se daba el lote a la hora del recreo delante de todo el instituto. Abel nunca supo nada de mí ni de mi amor, tan intenso que pasaba noches enteras sin dormir recordando cada gesto, cada palabra, cada sonrisa que no eran para mí. Hacía años que el cosquilleo no me visitaba y tenía que hacerlo ahora, en el momento más inoportuno y con la persona más inadecuada. Lo peor del caso es que sabía que no iba a servir de nada intentar evitarlo: el cosquilleo nunca perdona.

Descorrí las cortinas haciendo ruido adrede, como si con ello pudiera despertarme a mí también, y Martín se despertó. Me miró como se mira a un fantasma.

—¿Qué haces levantada? ¿Estás bien?

—Sí. Solo un poco cansada. ¿Has pasado aquí la noche?

Se levantó deprisa, apurado. Había dormido vestido: llevaba los vaqueros puestos.

—Me pareció buena idea. Por si necesitabas algo. Siéntate, por favor.

Obedecí y me senté justo donde había estado tumbado: el asiento del sofá todavía calentito. Se inclinó sobre mí mientras me colocaba la manta sobre las piernas desnudas, con un gesto natural, cariñoso. Noté un vuelco en el estómago. ¡Maldito cosquilleo! Estaba haciendo de las suyas.

—Has estado dos días con fiebre muy alta. Delirabas.

—¿Dos días?

—Habrá sido un virus, una gripe, supongo. Te pegó fuerte.

Dos días enteros sin tener conciencia... Nunca había estado enferma así, de esa manera. Jamás.

—¿Y has estado cuidando de mí todo este tiempo?

Un extraño —que de pronto me gustaba— había estado cuidando de mí, limpiándome los vómitos, quizá cosas peores... Perfecto.

—Estoy aquí para ayudarte, ya lo sabes —contestó.

—Me parece que cuidar de una enferma no entra dentro de tus competencias. Y encima has dormido en el sofá cuando hay tantas habitaciones en los pisos de arriba.

—Tampoco quería revolver nada. Y el sofá es grande.

Daba vueltas por el salón como si le preocupara dejarlo recogido; sobre la mesa vi la maleta de cámara y mi bolso. Martín se adelantó.

—No te levantes —me regañó.

—Solo iba a mirar el móvil, por si tengo llamadas.

—No te ha llamado nadie. Lo hubiera oído.

El móvil, a esas alturas, estaba descargado y Martín, que seguía sorprendentemente solícito, lo conectó a la red.

—Es mejor que no te canses. ¿De verdad te encuentras bien?

—De verdad. Hasta tengo hambre. No me importaría que tu cuñada me invitase a uno de esos increíbles desayunos suyos...

—No.

Respondió con el tono demasiado brusco que ya conocía, de nuevo a la defensiva con su característica adustez, pero esta vez creo que se arrepintió al momento. Hasta intentó sonreír a modo de disculpa.

—De verdad, no lo vas a echar de menos. Ya verás que he traído de todo. No te muevas.

—No me moveré, te lo prometo.

Salió hacia la cocina, donde al poco le oí trastear. Cerré los ojos, me envolví en la manta y le esperé.

2

Cuando nos encontramos por primera vez ni siquiera me di cuenta de su presencia, cuando se fue no sabía que no lo volvería a ver. Quizá ese principio hacía juego con el final: tenía que acabar así.

—Querida, lo dices como si fuera una maldición divina.

—Quizá lo sea.

—Me sorprendería si no te conociera. Siempre te pasa igual.

Daniel no quería entenderme. Tan guapo, tan sofisticado, tan cínico, su narcisismo era su escudo, una capa indestructible que le protegía del sufrimiento causado por cualquier ser humano, como un personaje mitológico al que los dioses hubieran hecho invulnerable sumergiéndolo en una laguna mágica. Pero no sé qué hubiera sido de mí sin él, sin su sentido del humor sutil y pegajoso como el hilo de una araña, a pesar de que me dejaba plantada en cuanto aparecía un chulazo y se esfumaba durante semanas, pero yo sabía que siempre estaba ahí, aunque no estuviera. Encendió un porro con uno de esos gestos elegantes que admiraba y envidiaba a la vez, dio una larga calada con forma de nube azulada y me lo pasó.

—Sabes que yo no fumo.

—Hoy sí.

No me gustan las drogas, me dan miedo, pero no podía llevarle la contraria: hubiera sido inútil, siempre se salía con la suya. Aspiré la marihuana estupenda que le pasaba el proveedor habitual de un famoso exbailarín de danza clásica, director de compañías nacionales y extranjeras con el que había tenido un lío y que no le dejó más huella que el número de teléfono de su camello. El humo me hizo toser. Daniel tenía razón: yo sabía que el dolor punzante que me taladraba en ese momento acabaría en algún momento, cuando menos lo esperase, como las otras veces. Pero también, como las otras veces, la herida seguiría doliendo durante meses a pesar de que su razón de ser hubiera dejado de existir, como un miembro amputado, adquiriendo las mismas formas espectrales que habían tenido todas mis parejas, que tampoco habían sido tantas. Todos los hombres de mi vida, sin excepción, habían llegado y se habían ido dejando tras de sí un rastro de extrañeza y desapego, de imágenes soñadas que sobreviven poco tiempo al despertar. Una especie de blandura cálida me inundó como si un gato se acostara en mi regazo. Yo solo sabía responder de una manera, la misma de siempre, la fórmula magistral que empleé mucho antes con mi padre, con mi madre, con mis exnovios y amantes. La fórmula era muy simple: si alguien no me quería a su lado, no servía de nada suplicar por un cariño que no existía; ese alguien había decidido y yo no podía hacer nada para cambiarlo. Puede que sí fuese una maldición divina y hubiera algo equivocado en mi nacimiento, mi aparición intrusiva, aterrizada en la existencia de otras personas por error, ocupando un nombre y una vida que no me pertenecían. Cuando alguien lo descubría, me abandonaba: es imposible amar a una impostora. Daniel hubiera puesto el grito en el cielo si le hubiera hecho esta confesión, así que lo esquivé bromeando:

—No te preocupes que no pienso convertirme en el tópico de mujer seducida y abandonada, como un personaje de novela decimonónica.

—Pues la imagen te viene como anillo al dedo, con esa carita pálida y esos rasgos aristocráticos, por no hablar del aire ausente y misterioso que te gastas. Creo que en realidad eres tú la seductora... Sí, demos la vuelta al asunto, perversa *femme fatale* que arrastras al pecado a honrados padres de familia.

—Estás fumado.

—Reconozco que puede que esté hablando bajo el hechizo psicotrópico del cannabis, pero así es como funcionamos los chamanes: la voluntad de los dioses habla a través de nosotros y las drogas siempre han tenido mucho que ver con estos asuntos; hasta la Pitia de Delfos se pasaba el día colocada con emanaciones volcánicas, ya hay hasta pruebas arqueológicas de ello... Tú déjate llevar por mis capacidades analíticas, que te va a salir mucho más barato que una terapia.

Daniel es antropólogo aunque trabaja como creativo de publicidad; decía que se había vendido, y de muy buena gana, al verdadero brazo armado del capitalismo. Ahora daba largas caladas y soplaba el humo a mi alrededor como hubiera hecho un arúspice romano o un brujo de la Amazonía. A las dos de la mañana, sin casi ruidos exteriores, con la habitación a la luz un poco lúgubre de las dos velas que Daniel encendió frente a mí, además del humo tóxico, era fácil sugestionarse. Hasta me pareció que la cara de mi amigo se transformaba en una máscara.

—Sí, ya los escucho, ya vienen. Aquí están y tienen algo que decirte. Los dioses saben que andas perdida y te advierten de que todavía no te conoces a ti misma, mujer. Ya basta de lamentos. Tienes que despertar. Ese amante tuyo… Mucho movimiento, sí, muchos viajes… Pero se marcha porque tú le echas, porque nunca has querido permanecer junto a él, por eso le elegiste, para tener la excusa perfecta, para poder fracasar sin culpa. Y ese hombre ha tenido miedo de ti y de tus enormes poderes de mujer, esos de los que ni siquiera eres consciente.

Hablaba con una voz que no era la suya.

—No hay que lamentarse, no pierdes nada, solo se abre otro camino… ¿Cómo? Dioses, hablad más alto… Sí, eso es: tienes que cerrar esa puerta y comenzar de nuevo en otro lugar. Un lugar lejano. Veo una estación, un tren y montañas verdes. Allí te espera alguien y algo nuevo, sorprendente… Sí, ese es el elegido, uno de esos hombretones de las montañas, de los que llevan boina y parten troncos con las cejas…

Le tiré un cojín a la cabeza y lo esquivó riendo. Nada más llegar le había contado que había firmado el contrato con Gaula.

—Pero no te fíes de Andrea, ¿eh?

Conocía a todo el mundo, a ella también.

—¿Por qué me vienes ahora con eso?

—Porque estoy colocado. Y te lo voy a contar, a pesar de que te puedo joder la ilusión, porque Madrid sí que es un pueblo y en algunos negocios nos conocemos todos. Gaula es una empresa monstruo que se traga todo lo que toca y los que sobreviven allí suelen ser trepas sin escrúpulos, y no es que yo sea un ángel, que he toreado en plazas de tercera…

—Menuda novedad.

—Mira, querida, nuestra amiguita Andrea ha ido dejando cadáveres por todas las productoras y agencias por donde ha pasado y nadie se fía ya de ella, pero Gaula es especialista en fichar a maquiavelos de tres al cuarto de esos que embarran todo lo que tocan. ¿Y un documental sobre Román Samperio? Ese proyecto huele a gato encerrado: Samperio fue un yonki del que se rumorea que murió de sida, y su obra, de haberla, está perdida.

—No toda. Lo que hizo en París en los años sesenta y setenta con metraje encontrado en la línea de Marker está muy bien, el mediometraje sobre el Sáhara español es fantástico, me sorprendió, como la película inacabada sobre las distintas personalidades de B. Traven y el rodaje de *El tesoro de Sierra Madre* en México.

—¿La de Bogart?

—Esa misma.

—Pero ¿a que eso en Gaula no lo quieren ni en pintura? Nada político ni de autor, como si lo viera. Quieren a Samperio sin Samperio.

Tenía razón. Andrea me había pedido algo más parecido a un reportaje convencional que a una de las películas documento de Samperio; como siempre me tomo muy en serio las opiniones de Daniel, me quedé un poco chasqueada.

—Olvídalo. Piensa en el dinerito que te van a pagar y olvídate de Andrea, sé lista por una vez, anda…

Se estiró todo lo que pudo en el sofá, robándome el sitio; Daniel era un gato de los que invaden el territorio ajeno de forma desvergonzada y sin remordimiento. Cerró los ojos y en un segundo estaba dormido.

3

Era la primera vez que sonaba el tono de llamada desde mi llegada y casi no reconocí el sonido estridente de mi propio móvil cuando Martín me lo acercó. Aún con el pelo húmedo de la ducha, envuelta en el albornoz, me alivió ver que en la pantalla no aparecía el nombre de Andrea, porque, como una niña cogida en falta, no me apetecía tener que dar explicaciones sobre mi ausencia de noticias: no había hablado con ella desde que salí de Madrid. Por suerte, no era Andrea quien llamaba. A causa de mi indisposición —llamémoslo así— había olvidado por completo el asunto del cuadro misterioso, pero no mi amiga Diana: su voz al otro lado del teléfono me decía que teníamos que hablar del hallazgo. Martín me hizo un gesto por si quería hablar en privado: cada vez me sorprendían más las repentinas delicadezas de aquel hombre. No me importaba que escuchara y puse el manos libres en pago a su discreción.

—Un hallazgo... —repitió Diana—. No sé si te das cuenta de lo que puede suponer... Pero no adelantemos acontecimientos, para estar seguras del todo tendría que comprobarlo María en persona, que es la especialista; lleva años investigando sobre mujeres artistas y denunciando olvidos académicos clamorosos. ¡Si hubieras visto la cara que puso cuando le enseñé la foto! Al principio no lo podía creer, tuve que jurarle y perjurarle que tenías buen ojo y lo tenías delante. Casi se echa a llorar de la emoción. Es que en España no se ha encontrado ningún cuadro de ella... Toda la obra de Amalia Valle está en México y en Nueva York.

—¿Amalia Valle?

—¿Cómo te quedas? Pero claro, no hay nada seguro, no está catalogado. María ha llamado al museo de México y nadie tiene noticia de este cuadro.

Amalia Valle era una pintora del siglo pasado influida por el surrealismo, claro que la conocía. Contagiada por el entusiasmo de Diana, me levanté del sofá y subí las escaleras hasta quedar frente a la mujer de pelo rojo y el precipicio sobre el que flotaba, las montañas, el bosque y las figuras misteriosas, pertenecían a alguien. Su dueño quedaría muy contento al saber que lo que había dejado colgado en su hotelito de pueblo sin ningún cuidado tenía un valor insospechado. Tuve un sentimiento irracional: el cuadro se me escapaba, como si quisiera independizarse de mí.

—Ahora mismo lo tengo delante —informé a Diana.

—¡Qué envidia!

Oí a Martín subir las escaleras, a mi espalda. Supongo que la conversación le había picado la curiosidad.

—Es de una fuerza increíble.

—A mí me recuerda a la primera época de Ángeles Santos; puede tratarse de un caso parecido, de esos que parecen milagros.

Volví a mirar las iniciales A y V escondidas en la esquina del cuadro y la fecha, 1949. Se las señalé al silencioso Martín mientras la voz de Diana nos acompañaba.

—Porque de su vida en España no se sabe casi nada, piensa que ni siquiera el Valle de su apellido es real...

—¿Firmaba con seudónimo?

—Ya sabes que era práctica habitual en las artistas de todas las épocas y hasta fechas recientes. Amalia incluso despistaba sobre su lugar de nacimiento y sus apellidos reales en las entrevistas que hay documentadas. A pesar de todo, está comprobado que nació en 1919 en Salamanca con el nombre de Amalia Moreno Luengo y que su padre tenía allí plaza de profesor en la universidad, aunque pronto se trasladaron a Madrid. Y ahí tenemos el agujero. No hay referencias ni datos, porque además coincide con las fechas de la Guerra Civil y de la primera posguerra, un lío, vamos. Puede que esta sea su primera obra conocida.

—¿No tiene obra anterior?

—Absolutamente nada hasta el 53, cuando hace su primera expo en Ciudad de México. Solo se conocen las obras de su época mexicana y lo que hizo en Estados Unidos, o sea que no hay noticias de una etapa española. Dejando aparte que aún hay que hacer pruebas de autentificación, María está convencida de que debió de pintarlo antes de abandonar España, aunque puede que los propietarios lo compraran en México y pasara de mano en mano hasta llevarlo a esa casa. Ocurre a menudo con los legados artísticos: a veces los herederos ni conocen el valor de su patrimonio.

No sé por qué lo pregunté.

—¿Vive?

—Joder, Inés, que la mujer tendría ahora la friolera de cien años. Murió en Cuernavaca en 1979.

—Ya, ya sé, pero es que el cuadro está tan vivo, como si lo acabaran de pintar ayer mismo... Déjalo, tonterías mías.

—Ayer estuvimos estudiándolo con ampliaciones intentando que no se escapase ni un centímetro y cada vez alucinamos más; parece un acertijo, una especie de Jardín de las Delicias del Bosco, lleno de imágenes ocultas, algunas minúsculas que solo vimos al ampliar la imagen.

Di un paso hacia el cuadro. Cada vez que me acercaba a él veía algo distinto, como si cambiase cada día; por no hablar de cómo me había pasado inadvertido al llegar, algo que me resultaba inconcebible. Ahora mismo, al acercarme, descubrí una de las figuras ocultas que había pasado por alto: bajo uno de los árboles del bosque aparecía un par de zuecos de madera, albarcas como aquellas que adornaban las paredes de la casa de los Lavín. Mi amiga seguía hablando, hice un esfuerzo por salir de la pintura y prestarle atención.

—María cree que el cuadro es un mapa —dijo Diana.

—¿Cómo un mapa?

—Sí, una especie de autobiografía, como una guía de su momento vital. Cree que de alguna forma el cuadro nos puede contar dónde estaba ella, que hacía en ese momento, esa parte de su vida que nadie conoce.

Desde la ventana del fondo del pasillo llegaba la luz del día y, tras la ventana, la silueta del monte de El Castillo.

—Dile que tiene razón: es un mapa. Literalmente. El paisaje del cuadro es el del valle donde se encuentra esta casa. Solo tengo que caminar unos pasos y mirar por la ventana para distinguir el monte de El Castillo, una montaña de forma cónica que en el cuadro está arriba y a la izquierda.

Silencio al otro lado de la línea, puede que hubiera perdido la cobertura.

—¿Diana?

Al fin pudo responder.

—¡Ya verás cuando le cuente esto a María! Es inédito. Has descubierto una joya. ¿Quién es el propietario de la casa en la actualidad? ¿Lo sabes?

—Ni idea, ya te dije que es un hotelito rural. Pero no creo que sea muy difícil averiguarlo.

—¿Crees que el cuadro puede estar en malas condiciones? El sitio es húmedo, ¿no?

Eché un vistazo al muro donde estaba colgada la pintura antes de contestar, aunque de estas cosas no tengo la menor idea.

—La pintura parece en perfecto estado.

—Habría que hacerle un análisis y ver si está afectado.

Después de lo que me has dicho es posible que la obra lleve ahí desde finales de los años cuarenta, justo antes de que Amalia Valle saliera de España.

Yo también quería saber más de ella.

—¿Volvió?

—No. Nunca regresó.

—¿Se exilió por motivos políticos?

—No hay datos sobre eso, pero no lo parece. Además no pertenece a la generación del exilio, es inmediatamente posterior.

—O sea que puede que ella estuviera aquí, que pintara este cuadro en este lugar.

—... y después se marchara dejándolo ahí para abandonar el país, no sabemos por qué ni cómo.

Durante un momento nos quedamos las dos en silencio, compartiendo pensamientos.

—El agujero.

—Me lo has quitado de la boca —dijo Diana—. Tú que estás ahí puede que encuentres algo más. Sería de mucha ayuda para los investigadores.

Encontrar alguna pista más sobre ese agujero, eso es lo que quería decir. Me di cuenta de que Amalia Valle era otro personaje perdido en una bruma de tiempo y desmemoria que alguien me pedía que encontrara. Exactamente igual que Román Samperio.

—Pero lo importante es que localices a los propietarios y les pidas permiso para examinar el cuadro. Si ves que están reticentes asegúrales que los gastos corren de nuestra cuenta, que podemos ponerlos en contacto con restauradores, tasadores... Yo que sé, diles lo que quieras, a ver por dónde respiran.

—En cuanto sepa algo te llamo, te lo prometo.

—Es fantástico, Inés. Estas cosas solo ocurren una vez en la vida.

4

Lo había oído todo y antes de que yo lo pidiera Martín sacó el móvil del bolsillo, tecleó y sonó en el mío la llegada de un mensaje.

—Ahí tienes el número de contacto que me envió Juan, mi colega, supongo que se lo daría Gaula, porque la casa estaba reservada desde Madrid varios días antes de tu llegada.

Al minuto siguiente estaba marcando ese número, aunque solo para discutir con una señorita muy borde. Con cajas destempladas, me informó de que la agencia inmobiliaria para la que trabajaba no estaba autorizada a dar información privada de sus clientes, si tenía algo que comunicar para ello estaba el foro de valoraciones y si tenía alguna queja sobre mi estancia podía expresarla en un comentario en TripAdvisor. Colgué de mala manera lamentando no poder endosar una malísima valoración a la agencia inmobiliaria y a su atención al cliente.

El catastro, eso es. Un registro público obligado por ley a facilitar la información pertinente sobre la propiedad de cualquier finca: la Administración y su afán fiscalizador venían en mi ayuda, así que llamé al catastro de Puente Viesgo para descubrir que el terreno ocupado por El Jardín del Alemán se situaba en una zona limítrofe entre dos valles y que posiblemente pertenecía a otro ayuntamiento, quizá el de Corvera de Toranzo, donde tras la pertinente consulta declararon no tener noticia de la finca en la que me encontraba y me derivaron a la gerencia regional, que a esa hora ya estaba cerrada. Eso sí, podía acceder a la información que buscaba a través de su sede electrónica; lo malo es que el buscador de fincas solicitaba datos para mí desconocidos, como la calle en la que se situaba la casona rural —¿calle? ¿qué calle?— número de parcela, coordenadas y código registral, fuera lo que fuese eso. No había ayuda posible: la burocracia —esa palabra maldita, solitaria, sin sinónimos ni antónimos— acababa de desatar sus mil infiernos sobre mí. Pero tenía que haber otra manera más rápida de encontrar al escurridizo dueño de una casa que ignoraba el valor de un cuadro por el que no sentía el más mínimo aprecio; no como yo, como Diana o María. Me estaban dando ganas de llevarme el cuadro a Madrid por las bravas: alquilaría una furgoneta y quizá nadie lo echara en falta, ni siquiera relacionarían su desaparición con el último huésped, o sea yo. El crimen perfecto. Una tentación. La fantasía no duró mucho porque soy cobardica a la hora de transgredir la ley y volví a pensar en la búsqueda de ese estúpido propietario que a estas alturas me parecía un soberano imbécil. Quizá la solución era más sencilla y pasara por preguntar a los vecinos de la zona: en los sitios pequeños todo se sabe, pero para eso necesitaba contactos del lugar, como la hermana y la cuñada de Martín; seguro que ellas podrían echarme una mano, parecían integradas en la comunidad.

Me sorprendió encontrar a Martín junto al cuadro, en el mismo sitio en el que lo había dejado antes de perder una buena hora en llamadas burocráticas, absorto en lo que parecía un examen atentísimo. Antes de poder abrir la boca me señaló una parte.

—¿Sabes qué es esto?

—Parecen unas manos, ya las había visto antes.

—Pero no con la suficiente atención. Son tres manos exactamente iguales a otras tres de las que hay pintadas en el «techo de las manos» de la cueva de El Castillo; el color rojizo, la disposición, todo coincide. No hay más que buscarlas en Google.

Yo conocía las imágenes del llamado «techo de las manos», estaban recopiladas en mi documentación desde que encontré continuas referencias a ellas en las notas de Ramón Samperio.

—Son más de cincuenta pinturas en negativo y seguramente las más antiguas de la cueva: más de cuarenta mil años —recité de corrido todavía con el reproche de Martín, ese «no con la suficiente atención» clavado en el orgullo. Pero no me hizo ningún caso, seguía mirando el cuadro.

—La pintora estuvo allí dentro. Las vio —dijo.

—Una prueba más de que quizá pintó el cuadro en este lugar, como el paisaje coincidente… —Señalé el monte pintado en la parte superior del cuadro—. Ahí se ve el monte de El Castillo. Por lo visto lo conocía bien, por dentro y por fuera.

—Ese es el problema: por dentro. No es posible.

—¿Qué quieres decir?

—Si hacemos caso de la fecha del cuadro, su autora tuvo que visitar la cueva antes o durante 1949. Hermilio Alcalde la descubrió en 1910, pero estuvo cerrada desde 1914, cuando la expedición del prehistoriador Hugo Obermaier abandonó España al comenzar la Primera Guerra Mundial. Casi todos los arqueólogos e investigadores venían de Alemania y Francia, gente enfrentada por una guerra. Y desde entonces, nada de nada, abandonada y cerrada, al menos oficialmente, durante décadas hasta 1980, cuando se iniciaron de nuevo las excavaciones.

—Pues Amalia murió en 1979, además sus biógrafos aseguran que no volvió a España.

—Eso significa que pudo ver la cueva en plena posguerra y no es que hubiera muchos arqueólogos ni científicos rondando por aquí... ¿Cómo sabía que esas pinturas existían? ¿Cómo pudo entrar?

Las tres manos pintadas por Amalia. Las manos pintadas por alguien milenios atrás. Las manos de las que hablaba Samperio. La intuición que me arrastraba al convencimiento de que todo lo que ocurría con el cuadro y la pintora estaba relacionado de una u otra manera con lo que había venido a buscar. Encontrando a Amalia encontraba a Samperio. Y al revés. Pero no tenía ninguna prueba de ello.

—Hay que ir a las cuevas. Voy a llamar a Áurea; prometió que podríamos grabar —dije.

—Quizá no sea tan buena idea pedirle ese favor —contestó Martín. Por eso se había mostrado tan solícito, para preparar este jarro de agua fría. Antes de que protestara se adelantó—: Podemos meterla en un lío.

—¿Eso te lo ha dicho Áurea? Da igual, no me lo creo. Voy a llamarla, perdona, no es que no me fíe de ti, pero esto es demasiado importante.

—No la llames, por favor.

—¿Estás de coña? Esa cueva es la localización más importante de este documental, película o lo que sea, y tu cuñada la única persona que nos puede llevar a ella. Lo he comprobado y Patrimonio solo permite el acceso de cámaras a investigadores y equipos que participen en excavaciones. Ni con los contactos de Gaula podríamos grabar allí.

—Hay algo que tengo que decirte.

—Muy bien, soy toda oídos.

Puse cara atenta.

—Verás... Mi hermana y su mujer han tenido algunos problemas. Solo quiero protegerlas.

—¿De qué?

—Digamos que no están bien vistas por alguna gente. El mes pasado les pincharon las ruedas de la furgoneta y aparecieron pintadas y destrozos en algunos lugares de la granja.

Así que esa era la explicación del rótulo de la granja quemado y manchado de pintura roja.

—Cuando llegamos, Vali fue a la estación de las amamantadoras ¿recuerdas? Pues habían forzado la entrada emprendiéndola a martillazos con la maquinaria. Todavía no se han atrevido a matarnos ningún animal, pero es cuestión de tiempo.

—¿Por qué ese acoso? ¿Por su orientación sexual?

—Sí... Bueno, en parte. Cosas de los pueblos, ya sabes.

—Pues oye, ni idea, yo soy de ciudad y allí cuando hay algún tipo de acoso, no te digo una agresión o un allanamiento, solemos poner una denuncia. ¿Es que no podéis llamar a la Guardia Civil?

—No es tan fácil, los problemas aquí se solucionan de otra manera.

El sombrío comentario y el tono bronco de alguien dispuesto a tomarse la justicia por su mano quizá me hubiera impresionado unos días atrás, pero me sentía fortalecida y capaz de enfrentarme a un espectro o, en su defecto, a un hombretón malhumorado. Supongo que se debía a todas las horas de sueño que pasé desde que caí enferma o al aire limpio. O al cosquilleo, quién sabe.

—Siento mucho todo esto que me cuentas, Martín, de verdad. Pero a mí me da igual que me vean con Áurea o con tu hermana, no me dan miedo los cotilleos, pueden llamarme bollera todos los palurdos del valle que me la sopla no sabes cuánto. Eso sí, cuando acabe este curro me volveré a Madrid y os dejaré con estos rollos de Puerto Hurraco que tenéis los aldeanos.

Lo solté así, sin pensar, con ese tono castizo que llaman chulería fuera de la capital, sin importarme que se molestara, algo impropio de mí, y en vez de arrepentirme segundos después como hubiera hecho la antigua Inés, me sentí fenomenal. Y se me debió de notar, porque Martín me miraba alucinado.

—¿Estás bien?

—¿Se puede saber por qué coño me preguntas eso todo el rato? ¡Que he tenido una simple indigestión, hombre!

Su reacción. Martín me ocultaba algo, no sabía disimular. Observándole caí en la cuenta: mi intuición, lo mejor de mí, me avisó dando una patada en algún punto de mi cerebro.

—¿O no?

Lo pregunté por una corazonada, para ver su reacción: ni siquiera podía sostenerme la mirada, puede que estuviera callado pero su cuerpo gritaba.

—Por eso te quedaste toda la noche conmigo, ¿verdad? Pero si estaba tan mal ¿por qué no me llevaste a un médico, a un centro de salud?

Le tembló la voz.

—No podía.

—¿Qué pasó?

No contestaba, esquivo como un animal que se siente acorralado. Por mí.

—Solo comí en tu casa, lo mismo que vosotros, pero no os habéis puesto enfermos, me lo hubieras dicho… ¿No contestas?

Se escabulló, escapaba, bajaba las escaleras a toda velocidad hacia la puerta, le perseguí; en el vestíbulo le agarré del jersey y casi me arrastró hasta la puerta, pero no estaba dispuesta a dejarlo salir, a que se fuera sin ninguna explicación, ya no, a él no, me sentía tan fuerte como para ponerme delante de la puerta y detenerle, impedir que volviera a ocurrir lo de siempre, la condena al silencio, al abandono y a la resignación, todo lo que me había aplastado durante años, Naná, mi miedo, mi confusión se desvanecían. Martín se detuvo frente a la puerta cerrada, su espalda, la cabeza hundida, el puño crispado como si fuera a golpearla.

—No hubiera dejado que te ocurriera nada. Nunca —lo dijo de una manera tan desgarradora que su voz me dio un puñetazo en la boca del estómago. Le hubiera empujado contra la puerta y mordido la boca. Sé que no debí hacerlo, que tenía que haber disimulado y haberle echado con cajas destempladas, pero en vez de todo eso le puse una mano sobre el hombro y, al sentirla, noté un estremecimiento—. Perdona, perdóname. Me da tanta vergüenza… No pude hacer nada, no lo sabía, pero cuando te vi así, sospeché; luego me aseguraron que no te pasaría nada grave, solo sería un día de fiebre, de verdad, créeme, ellas no tienen mala intención, al revés, te aprecian, es solo que creen en cosas... diferentes. Están convencidas. Ellas son así.

—Pusieron algo en mi comida.

Asintió.

—Pero ¿por qué?

—Quieren que te quedes aquí, que no te marches.

—Están locas.

—Sabían que ibas a venir antes de que lo supiera yo. Me lo dijeron. Querían conocerte, que nos conociéramos. Tú y yo. Están convencidas de que tú y yo estamos unidos. Por un *geis*.

—¿Qué es eso?

—Un *geis* es un destino, una maldición o un regalo, una bendición. Pero no sé mucho sobre eso, deberías preguntarle a Áurea.

—¿La envenenadora? No, gracias.

—No era veneno sino un *fathliaig*. Una especie de poción.

—Estás consiguiendo ponerme los pelos de punta. Mira, si no fuera porque tengo un contrato firmado, me volvía a Madrid ahora mismo.

—Lo siento mucho, Inés. Tienes razón. Entendería que no quisieras trabajar más conmigo, pero te pido que no cuentes nada... Toda la culpa es mía, no he sido capaz de controlar todo esto. Cuando volví al valle después de años fuera me lo tomé como algo folclórico, las raíces y todo eso. Nunca pensé que pudiera afectarte, que llegarían tan lejos... Pero es su religión. No hacen nada malo. Es oficial, está admitida y han formado aquí una comunidad. No lo ocultan, se reúnen con otras mujeres y algunos hombres, hacen sus rituales, por eso hay gente en el valle que se siente amenazada y la ha tomado con nosotros.

Demasiada información, un batiburrillo imposible de asimilar.

—Espera, espera... ¿una religión?

—Sí. La religión druídica.

Después de todo tenía que hacerlo: me eché a reír a carcajadas. No podía parar, quizá fue una reacción histérica causada por la tensión. Me dejé caer en el sofá del salón secándome las lágrimas de la risa y pensando que todo aquello era lo más absurdo y extraordinario que me había ocurrido nunca. Martín siguió callado y supongo que muerto de vergüenza.

—Druidas... dices. Como Panoramix —me entraron ganas de reír de nuevo, a pesar de la cara de funeral de mi acompañante.

—Neodruidismo. Mi hermana y su mujer pertenecen a una hermandad llamada Awen, asociada a una organización mayor, la Dun Ailline, reconocida como religión oficial por el Gobierno de España en 2012.

—Estoy alucinando, casi estoy por perdonarte que me lo ocultaras; creo que yo hubiera hecho lo mismo: ¡menudo papelón! No debería reírme, pero es todo tan difícil de creer... No me extraña nada que los del pueblo las tomen por brujas, sobre todo si andan por ahí endosando pociones y hechizos.

—No es habitual, te lo aseguro. Son de lo más pacíficas.

—¿Y cómo empezaron a..., no sé cómo decirlo, a ser druidas?

—Se llaman a sí mismas *creidim*. Y Áurea es una *brandui*, una especie de sacerdotisa, fue ella quien fundó la hermandad local pero se inició en Inglaterra, donde vivió mucho tiempo. Por lo que cuenta, es el país con mayor tradición druídica.

—Vaya con Áurea... Y eso que es de Toledo; no sé cómo se lo tomarían allí, son muy suyos. Supongo que fue ella la que adoctrinó a tu hermana y no me extraña nada, creo que sería capaz de convencerme a mí de la existencia de unicornios. Pero sin usar bebedizos, ¿eh? Eso sí que me va a costar olvidarlo; en cuanto la vea pienso pedirle explicaciones.

—De eso quería hablarte... Te pido por favor que todo quede entre tú y yo. Ya tenemos muchos problemas a causa de esto.

Un hombre que no sabía ocultar nada, que por esa razón se escondía debajo de una máscara impasible y huraña y sin embargo permanecía atrapado, a su pesar, en una maraña de secretos. ¿Qué más ocultaba?

—No solo están los ataques, las amenazas y la desconfianza de gente que antes considerábamos amigos. Pero Áurea y mi hermana no pueden intentar influir entre las personas, sus relaciones. Me parece intolerable. Hablaré con ellas; tienen que recapacitar y no creo que lo mejor sea encontrarse contigo. Al menos tan pronto. Déjame unos días, al menos.

Suplicaba. Y aunque compungido me parecía encantador, decidí tranquilizarle.

—Está bien. Pero tienes que prometerme que Áurea nos llevará a la cueva para grabar. Me lo debe. Y otra cosa: ¿todo esto tiene que ver con tu negativa a que les hablara de Samperio y su fotografía?

—Si les cuentas tu historia se obsesionarán con ella: tiene todos los ingredientes para fascinarlas y ya has visto de lo que son capaces cuando algo se les mete en la cabeza. No estamos en condiciones de llamar más la atención, pero no lo entienden; creen que están protegidas por un montón de árboles y plantas y conectadas con unas mujeres ancestrales a las que llaman las Ancianas. Imagina...

Suspiró como si se quitara de encima una montaña.

—¿Alguna pregunta más?

—Sí. Para qué sirve un *fathliaig*. ¿Se dice así?

Tragó saliva.

—Es... creo que es... Un filtro de amor.

AMALIA

Rescoldo y ceniza

1

Me desperté antes de sentir los pasos leves en el pasillo y ver el reflejo azulado colarse por la rendija de la puerta cerrada. A través de la puerta oí hablar a una mujer, aunque no entendí ni una palabra de lo que decía. Pero era imposible: nadie podía entrar en la casa si solo yo tenía la llave y, esta vez sí, me había asegurado de cerrar todas las puertas y ventanas. Recordé la visión de la noche en que llegué a esta casa: quizá mis vecinas muertas habían regresado con algo importante que decirme y la idea borró el miedo, porque mis aparecidas no podían hacerme daño, eso lo sabía.

Abrí la puerta y una corriente de aire se enroscó en mi camisón. En la oscuridad oía más claramente la voz de la desconocida, que venía del piso de abajo. Me paré en mitad de las escaleras: la luz se había detenido en el salón y teñía de reflejos azules las paredes del *hall*, escapándose por la puerta entreabierta. La voz, ahora nítida, escuchaba y luego contestaba a alguien que no estaba allí.

—... a mí me resulta increíble, de verdad... No, no solo lo del cuadro... Ya, pero te he llamado en cuanto he visto el mensaje, ¿no? Sí, te lo contaré todo. Prometido...

La voz se fue, pero la luz permanecía. Bajé con cuidado de no hacer crujir los escalones hasta la puerta entreabierta y con una mano la empujé suavemente. Dentro no había nadie. El resplandor azul venía de la mesa del salón. Me acerqué hasta ver de cerca la cajita pequeña, plana y rectangular que emitía luz como si fuera una lámpara, en su interior brillaron pequeños signos antes de que la luz se apagara. El salón quedó otra vez en tinieblas.

Subí corriendo hasta la habitación, cerré con llave y me metí en la cama con el corazón saliéndome del pecho. Tenía que sobrevivir cercada también por la locura, otro asedio donde el enemigo era yo misma, una desconocida capaz de inventar imágenes increíbles más allá de lo fantasmagórico. Con los ojos clavados en el techo, sin conciliar el sueño, comencé a pensar en escapar de nuevo. No estaba tan lejos de la frontera con Francia ni del puerto de Santander, desde el que salían barcos a América. Pero en vano, porque, ¿a dónde iría y con qué dinero? Si quería salir de España tendría que hacerlo de forma clandestina; como mujer casada necesitaba un permiso de mi marido para viajar al extranjero, me hubieran detenido de inmediato y devuelto a él. Pero la idea me rondaba, se abría paso en la imaginación, buscaba la llave de una jaula invisible, porque continuaba presa aunque ahora recluida en el caserón; ni siquiera dentro de la casa me sentía segura. Solo me quedaba un refugio, el lugar donde me encontraba con la Mujer Roja. A medida que salía del blanco del lienzo y de mi memoria para hacerse realidad, la sentía más cerca. Con ella la realidad feroz quedaba en la lejanía, olvidada, hecha jirones; mi amiga me acompañaba y protegía.

Pasé el resto de la noche dando vueltas en la cama, inquieta, contando las horas para que llegara el día mientras el tiempo lento lanzaba sombras espectrales sobre la colcha con la forma de las ramas del tejo que casi golpeaban mi ventana. Al amanecer las sombras se fueron, caí rendida y cuando sonó la campanita de la puerta estaba todavía completamente dormida. Me puse el jersey viejo sobre el camisón y bajé a abrir. Antes miré en la sala: ya no estaba sobre la mesa la caja luminosa de la noche anterior, desvanecida como parte de un sueño.

Al otro lado de la puerta esperaban Cachita y un hombre desconocido.

—Señorita Amalia, ¿cómo está usted? Perdone la intrusión, pero mi señor don Santos se ha enterado de sus molestias y rogado al doctor Peña, aquí presente, que viniera a visitarla por si hiciera falta.

A la indiscreta Paquita le había faltado tiempo para contarle a su confidente lo preocupada que estaba por mi salud. Alargué la mano para saludar al objeto de deseo de mi amiga, a quien encontré bastante alejado del dechado de virtudes que me había descrito. Un hombre vulgar, con lentes demasiado grandes para su cara y bigote mal recortado, no muy alto, con una figura rechoncha envuelta en una chaqueta de paño que le quedaba ancha.

—¿Tuvo usted una indisposición ayer mismo?

La voz de Cachita de tan dulce se hacía densa como la confitura: imposible mentir ni buscar una excusa.

—Bueno, sí... Pero sin importancia.

—Pues señorita, deje usted obrar a los que saben, para descartar cositas feas, nada más. ¿Sí?

Peña seguía en silencio y observaba la casa como si yo no le interesara lo más mínimo.

—Esta es la Casa del Alemán, ¿verdad? Curioso nombre. —Eso fue lo primero que el médico se dignó a decir—. No la conocía, pero me han hablado de ella. ¿Sabe usted por qué la llaman así, Caridad?

—No señor, no sabría decirle.

—Dicen que vivió aquí una señora alemana a principios de siglo, pero parece más leyenda que verdad. —Apenas recordaba mucho más de los chismes de Paquita.

—Sin embargo, bien podría ser verdad... ¿Conoce usted la historia de los arqueólogos extranjeros que investigaron las cuevas de El Castillo? Algunos eran alemanes y otros franceses y belgas que anduvieron por aquí hasta que estalló la guerra mundial, la del año catorce. Por desgracia para todos tuvieron que abandonar la excavación para enfrentarse unos con otros. Pero resulta verosímil que alguno de aquellos alemanes se alojara en este lugar, ¿no creen?

En vez de preguntar directamente por mi dolencia, como solían hacer los médicos, me distraía con una conversación interesante. Me pareció delicado y atento.

—Pero quien mejor sabe de toda esta historia es Santos, que conoció bien a Hermilio Alcalde, un sabio y el descubridor de la cueva, que incluso llegó a participar en aquellas excavaciones. Desgraciadamente don Hermilio falleció hace unos años, quizá él nos hubiera contado sobre el nombre de esta casa, al menos lo suficiente para desarmar esa leyenda. Pero esta es la opinión de un científico, una raza enemiga declarada de cualquier misterio.

—Sin misterio no existirían ni la ciencia ni el arte verdadero.

Creo que le sorprendió mi respuesta y al fin me miró de frente, sin esconderse, a través de sus gafas feas.

—Tiene usted razón... He comprobado que por cada misterio que resuelve la ciencia, la Naturaleza se divierte creando unos cuantos más. Y llámeme Fidel, por favor.

El apeo del apellido me extrañó: no era lo habitual ni entre la gente de su profesión ni en su clase social. Quizá ponía en práctica una vieja argucia de médico para que el paciente confiara en él. Truco o no, a los pocos minutos estaba en mi habitación, auscultándome. Tenía las manos pequeñas, fuertes y cálidas y el sentirlas sobre mi piel me provocó un escalofrío. Hacía mucho tiempo que nadie me tocaba y que yo no tocaba a nadie; ni un beso ni un abrazo ni una caricia. El contacto me golpeaba con un recuerdo que yo quería olvidar. No sé si se dio cuenta, continuó su examen sin decir nada hasta que salió al pasillo y allí esperó a que me vistiera.

—¿Puede sentarse, Amalia? Por favor.

Obedecí como una niña buena y me senté en la cama. El doctor Peña y su voz calmada me confortaban.

—Doctor, antes de que diga nada...

—Fidel.

—No estoy enferma. Es otra cosa. Es verdad que tuve un sobresalto, provocado por un susto... completamente infundado. Me ha ocurrido otras veces, pero solo son nervios.

—Entiendo. Un acceso de angustia o pánico, repetido en el tiempo. Y ¿de qué tiene usted miedo, Amalia?

—No puedo explicárselo. Pero cuantas menos personas sepan de mí y de que me encuentro en este lugar, mejor.

—¿Qué pasaría si se supiera que está usted aquí?

—Que estaría perdida.

Reconocerlo fue liberador, como si me hubiera quitado de

encima una montaña, como si volviera a entrarme aire en los pulmones. Mi instinto o qué se yo había decidido confiar en ese hombre que acababa de conocer.

—Le doy mi palabra de que seré absolutamente discreto.

Le creí porque necesitaba creer y confiar en otro ser humano.

—Es evidente que está usted muerta de miedo, tanto que no le voy a pedir que me diga la razón de sus terrores si no quiere, eso debe decidirlo usted, pero cuente conmigo y con Santos para lo que crea necesario. Sí, ya sé que no conoce usted a mi amigo, pero a pesar de ello confíe en él; es un buen hombre. Y ahora escúcheme bien: se encuentra usted en un estado de extrema debilidad, una anemia grave; debe descansar, comer bien y relajarse un poco. Ya, ya sé que cumplir ahora con estas indicaciones le parece imposible, pero tendrá que hacer un esfuerzo. ¿Cree que es buena idea quedarse aquí tan sola?

—Me gusta esta casa.

—Si así se queda más tranquila, de acuerdo. Pero yo vigilaré su dieta y vendré a visitarla de cuando en cuando, ¿le parece bien?

Asentí y cerré los ojos mientras hacía su exploración, luego contesté a las preguntas de rigor.

—Pues no veo nada extraño... —dijo, cerrando su maletín—. Hágame caso y todo irá bien. Y con más razón en su estado, piense en los meses que le quedan por delante.

—No entiendo.

Los ojos se le volvieron inquisitivos y se clavaron en mí a través de los lentes.

—Quizá todos estos sobresaltos le hayan confundido al respecto.

No respondí: seguía sin entender.

—Está esperando un hijo.

2

Durante el resto del viaje de novios Jesús se comportó como si no recordara nuestra noche de bodas y estuvo atento e incluso delicado conmigo, y también cuando regresamos a Madrid y estrenamos nuestra nueva vida. Llegué a creer que aquel suceso no había ocurrido nunca; era una recién casada con la promesa de un cielo radiante y nada podía enturbiar la felicidad de tenerle conmigo, verle cada día, sentarme a su lado, mirarle cuando no me miraba el perfil de la nariz tan recta, el hueso de la mandíbula tan marcado, la nuca rasurada, las manos largas y elegantes, sin atreverme a tocarle, impaciente por que llegara la noche como una niña el día de Reyes. Durante el día él se mostraba serio pero respetuoso, siempre pendiente del decoro, impidiendo que le besuqueara o me colgara de su cuello tanto si estábamos solos como acompañados, en casa o en el cine o en cualquier lugar público; yo lo aceptaba porque sabía que todo eso cambiaría al llegar la noche.

Conteniendo el aliento y con el corazón acelerado, escuchaba su ir y venir por la casa apagando luces y cerrando puertas como un guardián celoso, el prólogo de los pasos firmes acercándose y el roce de las sábanas sobre mi piel, la luz blanda de una sola lámpara sobre la mesita de noche. Entonces, ocurría. La transformación. Se quitaba su disfraz de marido formal para quedarse desnudo y encontrarse conmigo. Pasaba la noche haciéndome el amor y el amante desaparecía al llegar el día como un príncipe hechizado por un encantamiento que le obligaba a ponerse de nuevo el disfraz. Pero desnudo era realmente él, y se mostraba real, vivo, solo para mí, para vivir en mí, dentro de mí, durante horas, gritando al sentir una caricia mía, riendo o llorando, abrazándome con tanta fuerza que me hacía llorar y reír a mí también. Las noches acababan en un amanecer sudoroso, tembloroso y resplandeciente del que nadie me había hablado y eso me parecía imposible; siendo tan bueno, ¿por qué mantenerlo en secreto? Nadie me había contado que se pudiera vivir así, ardiendo de deseo como una brasa que no se apaga y quema más allá del alma, a todas horas, todos los días. Nadie hablaba de esa clase de amor, lo escondían como si no existiese. Salvo en la iglesia quizá, con palabras odiosas y vacías como concupiscencia o lujuria dichas por gente que nada podía saber de nuestro deseo ni de nuestro amor.

A veces me parecía imposible que nadie sospechara ni notara lo que ocurría entre nosotros; yo no sé disimular, pero Jesús mostraba ante los demás una apariencia fría, controlada y un poco lejana que pasaba por elegancia natural. Pero había otro completamente distinto, que solo se mostraba a una sola persona: yo. No a su familia ni a la mía ni a los amigos —siempre los suyos— con los que salíamos en aquellas cenas eternas que me parecían cargantes y frívolas. Entre ellos Jesús destacaba aún sin quererlo, como si fuera un caballero de otra época, siempre distante de los cotilleos o de las bromas o de las discusiones como subido a un pedestal, que era donde yo le ponía en comparación con aquella gente tan vulgar a pesar de los apellidos encopetados y las fortunas heredadas. Como Roberto y Malena. Él era el mejor amigo de Jesús desde los años en los maristas y quien le había proporcionado el puesto en abastos, a cuenta de su padre, especie de cacique gallego enriquecido con una mina de wolframio durante la guerra europea y con muy buenos contactos en el Gobierno. Roberto admiraba a Jesús como si fuera un héroe de virtudes viriles, creo que le mortificaba haber pasado toda la guerra protegido por su familia exiliada en Portugal mientras los valientes como mi marido se jugaban la vida por la patria, como decía en cada brindis avergonzando a Jesús, a quien no le gustaban nada las alabanzas ni mucho menos los discursos; yo lo pasaba mal cuando le veía ponerse pálido y disimular cambiando de tema. Roberto no se daba cuenta, era un tarambana, un niño mimado que no sabía qué hacer con su vida ni con Malena, la mujer más guapa que he visto en mi vida. A su lado yo parecía una estudiante de colegio de monjas aunque me sacara pocos años, tan refinada y a la moda, con la melena en cascada, medias con costura y zapatos Gilda. Aparcaba con un chirrido frente a nuestro portal, tocaba el claxon —tuuurka, tuuurka— de su Topolino color verde papagayo, casi tan verde como sus ojos, yo me asomaba al balcón y ella agitaba la mano con medio cuerpo fuera, como una aparición rebelada contra las costumbres y la calle vacía, donde el único coche era su Topolino.

—¡Amalia! ¡Baja!

Me llevaba a Embassy, a tomar el té rodeada de esposas de diplomáticos, el único sitio en toda la capital donde dos mujeres podían entrar solas, sin acompañantes masculinos; otras veces íbamos al cine a ver películas bonitas, de amor, de risa y de Diana Durbin. Decía que se aburría mucho.

—Hija mía, es que no se te cae de la boca el Jesusito de mi vida… Eres peor que Roberto, todo el día con Jesús dice, Jesús hace, Jesús para aquí y para allá. ¡Le vais a desgastar!

Era una salida de tono pero como Malena no era una mala persona y había sido educada en internado de señoritas en Suiza, se disculpó a su manera.

—No me hagas caso, si lo digo en broma, si es fenomenal que estéis tan colados el uno por el otro, tú tan mona y él, tan… interesante. Parecéis de película, como aquella de la chica inocentona que se casaba con el dueño guapísimo de la mansión, el viudo que había matado a su mujer pero al final no. Porque no la mataba, ¿verdad?

A Malena le gustaba ir al cine pero le costaba seguir los argumentos, se le hacían pesados; no podía concentrarse mucho tiempo en algo, decía. Lo único que le gustaba de verdad era hablar de sí misma, de su casa, sus conocidos, su ropa, sus joyas… Hablaba sin cesar de todo lo que le pertenecía con una excepción: su marido.

—Me hubiera gustado conocerte antes de casarnos, ser amigas y hablar de novios.

—Solo hubieras hablado tú porque no he tenido más novio que Jesús.

—Bueno, novios, ya sabes, chicos… La verdad es que no les hacía ningún caso, los perdía en cualquier sitio como quien deja olvidado el paraguas. Pero como los paraguas, seguro que alguno de ellos le serviría a otra. ¡Eso es lo importante!

Creo que ya no estaba enamorada de Roberto, que quizá no le había querido nunca, aunque él la adorara y le diera todos los caprichos como el cochecito aquel. Salían cada noche y gastaban a manos llenas, invitando a todo el mundo que conocían y aun a desconocidos con tal de seguir de juerga. Todo aquel derroche me parecía un dislate; había que estar muy ciega para no ver el hambre y la miseria rondando como un perro vagabundo con solo poner un pie en la calle. Creo que a Jesús también se lo parecía; le disgustaba trasnochar, aparentar y mucho más que le invitaran.

El día que hacían cuatro años de casados nos invitaron a cenar en Horcher, tan elegante con su cubertería de plata y la cristalería grabada con su emblema. Nosotros aún no habíamos celebrado el aniversario de nuestra boda, pero pensé que no les devolvería la invitación: nuestro aniversario sería menos elegante y solo para nosotros dos, solos. Malena decía, medio en broma medio en serio, que nos necesitaba como testigos de las miradas que le iban a echar al regalo de Roberto, y es verdad que cuando entramos en el restaurante se volvieron muchas cabezas, pero no por el collar de perlas de cuatro vueltas sino por la belleza envuelta en el vestido de terciopelo con escote corazón. Hubiera podido pasar por una de las artistas famosas de las que acudían a Horcher, una atracción más del lugar. Esa noche me sentí insignificante a su lado, pero no me importó: yo no servía para ser el centro de atención ni tenía vocación de estrella de cine, no podría envidiar a Malena aunque quisiera.

Después de la cena fuimos a Pasapoga, que para eso era la sala de fiestas más exclusiva y chic, porque Roberto era amigo de Luis Sánchez-Rubio, uno de sus dueños, además de presidente de la Asociación del Espectáculo. Bailamos mucho, hasta que me dolieron los pies por culpa de los zapatos nuevos y tuve que sentarme; nuestra mesa estaba muy cerca de la orquesta. Roberto iba de acá para allá saludando a gente, diciendo a todo el mundo que andaba en negocios con Sánchez-Rubio; Malena quería seguir bailando y fui yo quien le pedí a Jesús que la sacara. Hacían muy buena pareja y la gente los miraba. Roberto volvió con cara de funeral y empezó a beber como un cosaco hasta que, repentinamente eufórico, nos propuso acabar la noche en un sitio desconocido al que solo iban los verdaderos noctámbulos, flamencos, artistas. Jesús ya llevaba un rato largo diciendo que quería irse, si no lo habíamos hecho antes fue por no dejar sola a Malena, que estaba un poco achispada. Mi marido protestó pero Roberto terminó arrastrándonos al dichoso tugurio —eso es lo que era—, allá por el barrio de Ventas, cerca de la plaza de toros, junto a un descampado; era una tasca oscura, estrecha y con recovecos, tan humosa que me picaban los ojos y atestada de gente, sobre todo hombres: la entrada de Malena causó sensación. Le dijeron cosas unos americanos que no sé qué pintaban allí, pero Malena habló con ellos en inglés, Roberto se rio y sacó billetes para invitar a todo el mundo. Yo me quedé en un rincón y Jesús, que ni siquiera había pedido una copa, me dijo «vete al coche, espérame allí», y antes de salir vi que se acercaba a Malena que bailaba muy abrazada a uno de los americanos. Luego no sé qué pasó porque todo estaba muy oscuro, sin faroles, y casi me quedé dormida esperando hasta que me espabilaron los ladridos de un perro. Vi llegar a Jesús con Roberto cogido por los hombros como si le costara andar, se desplomó en el asiento y me asusté al verle: tenía sangre en la pechera del esmoquin. Malena estaba fuera y no quería entrar en el coche, lloraba, se le había corrido el rímel.

—Qué vergüenza, qué vergüenza... —repetía. Jesús la empujó de malas formas para que se metiera en el coche.

Durante todo el camino hasta casa nadie dijo nada y yo estaba demasiado asustada como para preguntar. Roberto, borracho, se limpiaba la sangre de la nariz sin enterarse de nada, Malena seguía llorando y Jesús condujo a toda velocidad a través de las calles vacías hasta llegar a nuestra casa. Volví la cabeza antes de entrar en el portal, Malena se había bajado y vomitaba en la acera, junto al coche, se estaba manchando los zapatos; estuve a punto de ir a ayudarla pero Jesús me lo impidió cogiéndome del brazo.

—Déjala.

Al llegar a casa me dejé caer en una butaca, agotada; Jesús casi se arrancó la chaqueta y la corbata.

—Dime qué ha pasado, por favor.

—No tengo ganas.

—No me digas eso.

—¿Quieres saberlo? Pues que esa sabandija, esa mujerzuela... ¡una puta barata es lo que es, le hubiera hecho tragarse las perlas de ese collar una a una! Se me ha lanzado al cuello, no me la podía quitar de encima y el idiota de Roberto a puñetazos con los americanos creyendo que se habían propasado con ella, sin enterarse de que su mujercita está loca por mí.

De alguna manera, no me sorprendió. Tan joven, a pesar de no saber nada de la vida, me daba cuenta de que algo feo y sucio había ocurrido entre aquellas tres personas.

—¡Me da asco! ¡Asco! Le he tenido que dar dos bofetadas bien dadas a la niñata mimada, las que tenía que haberle dado su padre o su marido, ese cornudo.

—¿Le has pegado?

Un escalofrío me recorrió de la cabeza a los pies. Mi marido había golpeado a una mujer indefensa.

—No has debido hacerlo. Estaba bebida.

—Sabía muy bien lo que hacía. Me lo dijo, lleva años suspirando por mí, sufriendo porque no le hago caso... No se ha guardado nada, la muy perra.

—Es horrible, pero a mí me da pena porque no es feliz, porque no está enamorada de su marido. Ellos no tienen nuestra suerte.

—¿Te atreves a defenderla?

—¿Cómo voy a defenderla? Me parece una sinvergüenza.

No me escuchaba, lo podía ver en sus ojos brillantes, ensimismados. Sonrió de una forma extraña.

—¿Y si le hubiera dicho que sí? Si me hubiera ido con ella, ¿qué harías?

—No quiero ni pensar en eso. Me haces daño al obligarme a imaginarlo.

—Di la verdad. Te gustaría. Eso haría todo más fácil.

No quería oír aquello y corrí a esconderme en el dormitorio, pero me siguió, abrió la puerta de par en par de un golpe.

—Dices que no puedes imaginarlo, entonces te lo tendré que enseñar... ¿Quieres ver cómo me acuesto con ella? ¿Quieres vernos a los dos desnudos en esta cama, en tu cama, quieres ver lo que le hago?

—¡No sigas! ¡Calla!

Hundí la cara en la almohada para no verle, pero él se acercó y me levantó la cabeza hacia atrás tirándome del pelo. Ya no gritaba, su voz era ronca, excitada de otra manera.

—Crees que no eres como ella, pero te equivocas, tú también eres una puta como todas, lo sé mejor que nadie porque te conozco... Cómo me buscas, me miras, con qué indecencia... Sé lo que te gusta hacer, cómo te retuerces y chillas cuando llegas, como una cerda...

Me rompió las bragas, grité.

—A mí no me engañas... —susurró en mi oído.

Me aplastaba la espalda, me tenía sujeta sin que pudiera moverme, con la cabeza hundida en la almohada no podía respirar. Fue la primera vez que pensé que podría matarme de un solo golpe, sabría cómo hacerlo, un golpe seco, limpio.

—¿Te vas a conformar conmigo? ¿Cuánto tengo que esperar a que te vayas con otro? ¿Un año? ¿Un mes? Te aburrirás de mí y harás lo mismo que ella, esa buscona, a mí no me engañas, ni tú ni ninguna…

Fue muy rápido, más que ninguna otra vez y cuando acabó no dijo nada, solo se levantó y salió del dormitorio, oí cómo cerraba de un golpe la puerta del despacho. El hombre que admiraba, mi amor, mi amante, mi marido, todos ellos habían desaparecido. Estábamos solos, el odio y yo.

3

Él iba ganando; la balanza se inclinaba de su lado, volvía a atraparme en su tela de araña, ganaba incluso sin estar cerca de mí para doblegarme, todo estaba a su favor: la ley, las costumbres, la moral y ahora, mi cuerpo y mi sangre. Hasta ese momento me había sostenido la esperanza de que algún día terminara por entender que no podía retenerme durante una vida entera, que intentaría escapar de su cárcel una y otra vez sin rendirme jamás. Pero ahora tenía un nuevo aliado y entre los dos conseguirían enterrarme hasta hacerme desaparecer, porque si averiguaba que había tenido un hijo suyo me perseguiría hasta el último confín del mundo, hasta su último aliento y aunque le costase la vida. Un hijo. Con lo mucho que lo había deseado, con lo mucho que lloré al perder los otros y a este, en cambio, no lo quería. No, ya era demasiado tarde, para él y para mí.

—Es imposible, no puedo. Tuve dos abortos naturales y me dijeron que no podría tener más hijos…

Un temblor incontrolable, el dolor me salía por la boca. El médico me hablaba intentando calmarme pero no podía escucharlo, y apareció Cachita, que había subido seguramente asustada por mis gritos; me abrazó, recuerdo sus brazos oscuros, mis lágrimas en la piel negra de sus manos, y su calor, su voz suave de palabras amables que no podía entender, al médico rebuscando en su maletín, una jeringa, el pinchazo que no noté salvo por sus efectos, la angustia luchando dentro de mí hasta que la droga la venció.

No, no quiero vivir así. El puente sobre la corriente turbia del río Pas, el vértigo abrazando mi cuerpo que cae como una piedra haciendo un ruido sordo, sin chapoteo. No puedo escapar del agua que se me mete por la boca, por la nariz, me hunde hacia el fondo. Hundida y también enterrada viva entre raíces antiguas que serpentean y aprietan el cuerpo, los brazos y las piernas. Un bosque profundo, tan espeso que no deja pasar la luz, corro pero las zarzas me clavan sus espinas, las ramas me golpean la cara, se enganchan al pelo y del suelo cubierto de hojas una mano surge de la tierra y me atrapa el tobillo y aprieta, la mano arde y su fuego se propaga por todo el cuerpo hasta convertirme en ceniza.

—No puedo tenerlo.

Lo dije en cuanto abrí los ojos, a los dos, sin importar lo que pudieran pensar de mí, quizá creyeran que era la droga la que hablaba, pero no era así, era yo más que nunca, diciendo la verdad.

—Ya sé que es pecado y que estoy condenada.

—Quizá. Pero más pecado serán las cosas terribles que el mundo no condena y este ya ha condenado a demasiadas mujeres. Usted no será una de ellas, mi niña.

Caridad me puso una mano sobre el pecho como hacen las madres y las abuelas con los niños pequeños para calmarlos y me pareció ver una niebla verduzca saliendo de mi pecho, reptaba arrastrándose con sus tentáculos.

—Esto es miedo y castigo y culpa.

Cachita apretaba en el puño a la sombra repugnante hasta matarla y desaparecía. De pie junto a mi cama, ya no era una criada, su voz ya no era dulce y se elevaba hasta llenar el aire escondido en cada resquicio de la habitación, imponiéndose sobre todo; casi no la reconocí de tan distinta como la encontraba. A pesar de mi confusión y del agotamiento comprendí que algo había pasado mientras yo bregaba con mis pesadillas y ahora el médico era el criado y la mulata su dueña; no hacía falta decirlo ni hablarlo, supe que Peña estaba cumpliendo la voluntad de aquella mujer, aunque no fuera la primera vez que hiciera una intervención como aquella. Intervención, lo llamaba, aunque los tres implicados supiéramos que se refería a un aborto provocado, algo que de saberse nos llevaría a los tres a prisión y al médico a la inhabilitación quizá de por vida, pero eso nunca lo hablamos aunque sí todo lo demás: la anestesia, los efectos, las posibles secuelas.

—La intervención se le practicará mañana, cuanto antes mejor. La haremos en la cocina, es más amplia y la mesa es tan grande que puede hacer de camilla. Déjeme que prepare todo lo necesario.

Cuando me quedé sola encendí la chimenea aunque todavía no hacía frío, y me quedé allí durante horas, hipnotizada por las llamas, como si mirarlas fijamente pudiera quemar lo que crecía dentro de mí. Ese fue el peor momento: la espera en la noche y el temor de que mi enemigo apareciera de pronto como si hubiera adivinado mis intenciones, para impedirme llevarlas a cabo. Pero no vino.

Caridad llegó muy temprano para limpiar y preparar la cocina y convertirla en un quirófano. Al verme entrar me dio la mano y me llevó hasta la mesa cubierta con una manta gruesa, un hule y por encima sábanas tan blancas que lanzaban destellos, como el instrumental del doctor. Me tumbé. Cerré los ojos cuando Fidel me colocó la mascarilla sobre la cara y casi pude oír caer las gotas de éter sobre la gasa.

Salgo al jardín: la Mujer Roja ha venido a visitarme. Es preciosa. Está haciendo fotografías de la casa con una de esas cámaras antiguas, al verme bajo el porche me hace una foto en la que sonrío para ella. Estamos en el balneario, pero parece otro: la fachada no está desconchada ni el tejado del ala este derrumbado; no hay ventanas rotas y el jardín no está descuidado. Los pasillos relumbran, blancos y limpios como los dorados de las puertas; pasan las doncellas uniformadas y con cofias almidonadas; nos cruzamos con caballeros y mujeres elegantes que llevan vestidos largos y sombreros grandes adornados con plumas y flores. No sé qué quiere enseñarme mi amiga pero me ha traído hasta aquí por algo. La escalera interior lleva a los baños termales, lo he visto escrito en una placa. Sigo a la Mujer Roja y bajamos y bajamos hasta que la escalera se convierte en un pozo hundido en la tierra. Estamos en el interior de una cueva, mi amiga la conoce bien porque camina rápido sin temor a resbalarse ni caer, me rezago y dejo de verla delante de mí, me quedo sola en la oscuridad, perdida, hasta que del fondo de la galería llega un reflejo de luz que se mueve, alguien lleva una pequeña lámpara en la mano. Al acercarme puedo distinguir que la lámpara en realidad es la extraña cajita que lleva entre las manos una mujer joven que nunca he visto. Dirige la luz hacia mí y me deslumbra.

—Estoy buscando a Amalia Valle. ¿Eres tú?

4

¿Tengo que sentir algo? Sufrir o lamentar, caer en el remordimiento o la pena. Pero no fue así, no hubo vacío ni huella a pesar de que me habían enseñado desde que era una niña a doblegarme ante mi propia naturaleza de mujer, destinada a ser una madre sacrificada como lo fue la Virgen María. Pero no podía sentir nada, ni siquiera culpa. Quizá nunca más podría sentir como las demás, como si me hubieran cortado un brazo o una pierna.

¿Seguía anestesiada? El éter. El dolor borrado. La cara de piel oscura, la bata blanca del médico. Después de la operación, quizá entre sueños, vi cómo se quitaba la bata, la corbata. Sudaba, sacaba un pañuelo blanco para limpiarse la frente. Se remangaba las mangas de la camisa y mostraba los brazos llenos de pinchazos, las venas azules desgarradas, heridas. Una pesadilla.

Los días en que el doctor Peña me prescribió reposo total solo sentí alivio y la necesidad de volver a pintar: casi oía el cuadro llamándome desde el estudio, su voz subiendo por las escaleras hasta llegar a mi habitación. Pero no podía moverme ni hacer nada, si cogía un libro para leer me daba dolor de cabeza, así que pasaba las horas mirando las paredes de la habitación y cayendo en un duermevela con pesadillas en las que la Casa del Alemán estaba poseída por presencias misteriosas. Casi hubiera celebrado la aparición de Paquita con sus pretensiones de enamorar a Fidel Peña, pero desde que todo esto empezó no había aparecido por aquí; Cachita le había pedido que no me molestara con la excusa de que me encontraba en cama por culpa de una fuerte neumonía y no podía recibir visitas. La criada se encargaba de traerme los víveres y de vigilar que cumpliera a rajatabla las prescripciones del médico, y al atardecer este se anunciaba con el clop-clop de los cascos de su caballo al llegar a la cancela de la finca. La única manera de poder visitar a los pacientes más aislados, los que vivían más allá de los caminos embarrados, en cabañas desperdigadas por los valles agarradas a la tierra desafiando desniveles imposibles, era subido a *Sabino*, el caballito pío de cuatro patas blancas, muy distinto de los percherones toscos de la región. Tenía los ojos azules y la manía de pararse a comer los dientes de león que crecían junto a la tapia de la finca.

—Debe de tener alguna afección hepática y busca alivio en la flor del diente de león. Los animales son médicos de sí mismos y se puede aprender mucho de ellos.

Fidel venía cada día a vigilar mi recuperación, entraba en la casa con cuidado de limpiarse antes las botas manchadas en los escalones del porche y dejaba el sombrero y la trinchera en el perchero. Nos sentábamos en el salón y hablábamos de cosas sin importancia, agradables; creo que me visitaba menos por motivos médicos que por hacerme compañía, quizá preocupado por mi aislamiento. Yo lo agradecía pero solo pensaba en volver a pintar y le rogué que me dejara volver a trabajar en el estudio aunque fuera sentada.

—Ahora que lo dice, me gustaría mucho ver su obra.

—No tiene ningún valor. Pinto solo para mí.

Entonces todavía me costaba enseñar lo que pintaba y no por temor a que no gustara —en realidad eso no me ha importado nunca—, sino porque lo sentía como una invasión en mi mente y mi cuerpo mucho mayor que la que pudiera ejercer cualquier médico. Los ojos ajenos profanaban lo único que me quedaba ya por salvaguardar: un pequeñísimo trozo en lo más hondo de mí misma.

—Vamos, Amalia... Debería tener derecho a verlas aunque solo sea por ser su médico, quien tiene que darle permiso para estar levantada frente a un cuadro tantas horas.

Tuve que ceder al cordial chantaje.

Estuvo un rato largo observando el bodegón de frutas y el cuadro empezado.

—Sorprendente. —Y es verdad que mostraba sorpresa—. Me va a perdonar, pero supuse que encontraría algo más...

—¿Convencional?

—Pues sí, aunque suene mal. ¿Dice usted que no es artista profesional? Déjeme que lo ponga en duda aunque ni por asomo sea un experto, solo un aficionado al arte en general. Pero he visitado museos y galerías también en el extranjero y su trabajo me parece... impresionante. Creo que tiene usted un gran talento, Amalia, lo digo muy en serio. ¿Puedo ver esos dibujos que tiene sobre la mesa?

Me permitió regresar al estudio tras prometer que dejaría de pintar ante el menor signo de agotamiento; a partir de entonces de vez en cuando me preguntaba por mis progresos con el cuadro y yo por sus progresos con sus pacientes.

—Hace una semana atendí a un hombre que se cortó un tendón, tuve que hacerle un remiendo bastante aparatoso. Pues hoy le he encontrado segando. Después de echarle una bronca, me enseña la herida y resulta que la tiene ya cicatrizada. La naturaleza resistente de la gente de por aquí bien merecería una tesis doctoral...

Siempre afable, solo una vez llegó con rostro sombrío, agotado, sudoroso, deshaciéndose el nudo de la corbata y hasta quitándose la chaqueta como si no estuviera en casa ajena, sin pedir permiso. Nunca le había visto en camisa. Le ofrecí un vaso de agua y cuando se lo acerqué me di cuenta de que en la manga de la camisa tenía una mancha de sangre: el rojo destacaba sobre el blanco como si hubiera caído sobre la nieve, pero él no parecía darse cuenta. Yo permanecí en silencio sentada frente a él, intentando apartar la mirada del círculo de sangre detenido sobre el brazo a la altura del codo. No explicó de dónde venía ni qué le había ocurrido y yo imaginé un accidente y alguien desangrándose mientras él intentaba detener esa sangre inútilmente, desesperado al ver cómo se le iba una vida entre las manos. De pronto se levantó, se excusó y salió rápidamente de mi casa. Pero como ya digo, eso solo ocurrió en una ocasión y al día siguiente el doctor Peña volvió a mostrarse tan agradable como solía. Y no volvió a quitarse la chaqueta.

Nos acostumbramos el uno al otro y a nuestros pequeños rituales de amistad. Como cuando terminaba su visita y yo le acompañaba hasta la verja, donde dejaba a *Sabino* ramonear los dientes de león. Siempre se despedía con alguna recomendación médica que no había mencionado en la conversación.

—Tiene usted que comer más carne. Bueno, ya le diré a Caridad.

—No le diga nada, por favor, que bastante hace ya por mí. Pero es que el filete no lo puedo tragar, no sé por qué.

—Pues porque aquí no matan más que a las vacas viejas y correosas, las pocas terneras de carne se bajan al ferial de Torrelavega y así sacan algunas perras que arreglan el año. Hay que entender que familias enteras viven de ordeñar un par de vacas y plantar cuatro patatas, no se puede pedir más. Probaremos con carne blanca, a ver si así…

El pollo era un lujo que pocos podían permitirse.

—No sé cómo podré pagar todo lo que hacen por mí.

—Cuidándose, Amalia. Cuidándose.

Vi partir al jinete camino abajo y volví a la casa atravesando el jardín; las lluvias últimas le habían hecho crecer más verde y salvaje, la luz ya temblona del día no se atrevía a meterse en la espesura descuidada más allá de las palmeras y de la fuente. Pasé la mitad de la noche vigilando una luna llena enorme, sobrecogedora, que intentaba meterse en mi cama, y en cuanto apuntó el día salí al porche. El aire frío y húmedo se encogía en jirones de niebla bajo una luz de ceniza; me envolví en la toquilla de lana con un escalofrío y el vaho de mi aliento se mezcló con la bruma. Había un bulto pequeño sobre el poyete donde solía sentarme. Al acercarme vi al conejo como dormido y desnudo, pero muerto y despellejado. Enseñaba la carne rosada pero le habían dejado la cabeza peluda de juguete desmadejado. ¿Qué pretendían? ¿Matarme de miedo?

—¡Ya está bien! Seas quien seas, ¿no te da vergüenza asustar a una mujer? ¡No seas cobarde y da la cara!

Unos pájaros asustados por mis gritos volaron de las ramas del magnolio, pero nadie respondió. Cuando estaba convencida de que mi imaginación desbocada jugaba otra vez conmigo o contra mí, los árboles se movieron, los arbustos también, al principio como si les impulsase una brisa repentina, luego más fuerte.

Surgió bajo la sombra del tejo como si formara parte de la niebla, del musgo, de la hierba, un duende o un trasgo que viviera dentro del tronco de un árbol o en un nido de cigüeña; un personaje mitológico que hubiera decidido aparecerse ante mí junto a los demás espectros. Bajo la capa terrosa que le cubría los andrajos y el rostro refulgían dos ojos muy claros y una expresión paciente, sin decir nada; el trasgo quizá fuera mudo por castigo de alguna hechicera, pero no era un fantasma.

—¿Qué hace aquí?

El tono arisco no le arredró, no se movió del sitio ni contestó, pero con la barbilla señaló el conejo. El primer tímido rayo de sol hizo brillar la niebla que nos separaba.

—¿Es suyo?

Asintió, el mudo levantó una mano mugrienta para señalarme.

—¿Yo? No entiendo.

El día se sacudía la sombra iluminando al muchacho o eso me pareció, que no era un hombre hecho y derecho. Pequeño y delgado, tenía rasgos de niño y mechones de pelo rubio le caían sobre la cara y el cuello de la chaqueta.

—¿Es para mí?

Volvió a asentir. Seguía plantado bajo el árbol, sin moverse, como si hubiera echado raíces, con paciencia casi vegetal. Debía de ser un pobre chico retrasado de esos que campan por los pueblos sin que nadie se ocupe de ellos; su aspecto mugriento era peor que el de un pastor o un porquero.

—Muchas gracias, pero no puedo aceptarlo, es mejor que te lo lleves.

Negó con la cabeza y sonrió de forma traviesa.

—No soy un cobarde. Y tú tampoco, aunque te escondas.

Su voz me sorprendió: ronca, de hombre, no la de un niño. Tuve que sentarme en el poyete de la impresión. Solo entonces se movió con un rodeo lento, paso a paso, como haría un animal acechando una presa.

—Es buena casa, esta. Alguna vez la usé de refugio, hasta que te metiste en ella. Me hiciste una faena, pero no soy rencoroso.

—Tú eres el que entró en la casa y se llevó la naranja…

—¡Claro! Pero no soy un ladrón, compañera.

Y volvió a señalar el conejo.

—No lo desprecies que no están los tiempos como para rechazar comida. Y el médico te dijo que comieras carne, que uno oye cosas aunque no quiera.

El trasgo sabía mucho de mí, como todos ellos; los cuentos de viejas decían que se metían en los desvanes y las alacenas de las casas para espiar a sus habitantes, intercambiar regalos o trapacerías según les cuajara el humor, pero nunca había visto ninguno. Hasta ahora.

—¿Quién eres?

—Mejor que no lo sepas. Ya sabes cómo es esto, compañera. Punto en boca, cuanto menos sepamos uno del otro tanto mejor, esa es la mejor manera de no cagarla, porque a ti tampoco te gustan los civiles, que lo he visto yo y por eso no bajas al pueblo. —Dio dos pasos más, cada vez más cerca—. A ver si nos entendemos: esta finca me viene de paso y la parte de atrás es buen sitio para acularse y pasar la noche; no te voy a pedir permiso porque yo la propiedad privada me la paso por el arco del triunfo, ¿estamos? Y si vienen los civiles, no te preocupes por mí.

Levantó un pico de la chaqueta raída para enseñar el pistolón, casi tan grande como él, y entonces supe a quién tenía delante.

—Tú eres Angelín.

—¡Anda, coño! Has oído hablar de mí.

Reía de su fama, vanidoso. Después, él mismo me contaría que venía de una familia de albarqueros pobres como ratas y que en toda su vida no había conocido otra cosa más que hacer albarcas y pegar tiros. Con solo quince años se fue al frente con su hermano mayor y cuando este cayó en la batalla del Escudo, siguió durante toda la guerra con un batallón republicano donde lo llamaban El Nene o Angelín por su carita de querubín, aunque su verdadero nombre era Gonzalo Martínez. Ahora tenía casi treinta años, pero seguía con el cuerpo y la cara de un niño, aunque avejentado, como si el tiempo le hubiera sorbido la vida de adulto dejándole atrapado en una infancia imposible. Tras la victoria de sus enemigos se había echado al monte para formar parte de una partida de guerrilleros que incendiaban y dinamitaban lo que se les ponía por delante, intentando revivir los rescoldos de la guerra mientras la Guardia Civil les perseguía y daba caza como si fueran lobos.

—Y te paseas por aquí a plena luz del día... ¿No tienes miedo?

—Qué voy a tener... Esta es mi tierra y voy donde quiero como un bardaliego, y ya te digo que no soy cobarde: hasta he bajado a romerías para bailar con las mozas en las mismas narices de los civiles, para que veas si tengo güevos.

Se sentó frente a mí, en la hierba, con las piernas cruzadas, enseñando las rodillas por los agujeros del pantalón astroso sujeto con un trozo de cuerda que más bien parecía una raíz, como una especie de genio salido de una lámpara cochambrosa. La presencia del emboscado ya no me daba miedo: hasta me resultaba divertida su compañía estrafalaria y su cháchara de tunante.

—Ya has visto al médico y seguro que a la mujer que me ayuda. ¿No temes que te descubran?

—La negra sabe mucho, mi abuela era bruja también y siempre ayudan a los que andan perseguidos porque ellas saben lo que es pasar esa penuria. Una tarde que la pareja me pisaba los talones vi de lejos a la negra haciendo un gesto así como raro y oyes, de repente, salió una niebla espesa que me tapó de los guardias, no se veía ni dos metros alante. Eso es brujería y de la buena. —El pobre hombre creía en esas supercherías a pies juntillas—. Y el médico... Ese no me ve, con los culos de vaso que lleva. Menos me va a delatar.

—¿Cómo lo sabes?

—Porque lo sé. Con la que hay que tener cuidao es con la maestra, ojo con la beata que esas se lo dicen todo al cura las muy cabronas.

—No te atreverás a hacerle nada...

—¡Quiá, yo no me meto con mujeres! A menos que ellas quieran... —me guiñó un ojo. Intentaba ser pícaro pero solo dejaba al aire su fragilidad infantil, una bravuconería impostada, en carne viva, como la carne rosa del conejo muerto a mi lado. Tan pequeño, la delgadez extrema, las mejillas hundidas de malcomido, no paraba de rascarse, debía de tener dentro de los harapos el ejército que le faltaba, pero de pulgas y piojos.

—¿Cómo puedes vivir así?

—¿Así cómo?

—Como un bandido.

—Ni bandido ni bandolero, ¡inventos de los facciosos para desacreditarnos! Soy un soldado.

Y se cuadró, aunque más que soldado parecía el chico de los recados que manda un tendero con el pedido.

—Pero estamos ya muy pocos; por aquí quedamos algunos compañeros que andamos juntos en una partida, pero otro y yo nos hemos peleado por una moza. Los otros son como osos viejos; gruñen porque tienen la reúma y les duelen los dientes podridos; me he cansado de estar con ellos. Yo lo que quiero es ir a Rusia con los *tovarich*, que las rusas son muy guapas y se pirran por los españoles porque somos muy alegres. Pero mientras prefiero estar solo, en el bosque. Al bosque me lo conozco desde que era zagal, es duro, pero yo lo respeto y él me respeta. Lo único que me jode de ser guerrillero es no poder jugar a los bolos; a veces los veo de lejos, era muy bueno, yo. Hasta fama tenía. Pero nos fuimos a la mierda por culpa de los fascistas, si es que no se puede tener todo.

Alrededor del conejo zumbaban moscones y tábanos.

—Voy a llevar tu regalo a la fresquera. Esta noche lo haré con arroz.

Le brillaban los ojos tan claros, seguro que se le estaba haciendo la boca agua.

—Si quieres te guardo un poco; te lo dejo en el alféizar en una tartera, la dejas luego en el mismo sitio para que la friegue. Pero no puedes entrar en la casa. Nunca. Si cumples, prometo que tendrás más guisos.

—Lo que tú digas, morena.

Caí en la cuenta de que el trasgo, como el muérdago que cuelga de los árboles y las setas que crecen en forma de herradura, tenía que saber de todo lo que ocurría en el bosque.

—Oye, Angelín: ¿has visto alguna vez a una mujer de pelo rojo que va sola, vestida con una trinchera que le llega casi hasta los pies? Pasea por el barranco desde donde se ve el monte de El Castillo.

—¿Es guapa?

—Mucho.

Negó con la cabeza.

—Nadie pasa por estos montes sin que yo lo sepa. Y una pelirroja guapa menos.

Cuando volví a salir al porche, el trasgo ya no estaba.

ELISA

Los dos lados del espejo

1

Una corriente de aire frío me erizó la piel del cuello desnudo levantando chispas del fuego, un leño crujió al caer sobre sí mismo hecho ceniza. La Vijana escondió mi cabellera en algún lugar de las profundidades de su choza, quizá para usarla como ingrediente en sus conjuros o venderla a buen precio para hacer pelucas y postizos y terminar colgada del escaparate de una barbería. Salió del rincón, daba vueltas al contenido de un pucherillo formando remolinos en el caldo.

—Las preguntas que te haces solo puedes contestarlas tú. Pero no creas que te he engañado para quedarme con tu melena; un trato es un trato y solo yo puedo conseguir que hables con las Ancianas.

—¿Quiénes?

—Las Ancianas. Las diosas viejas que todo lo saben por llevar aquí más tiempo que nadie. Están en todas partes, en todas las cosas: en el viento que atraviesa el bosque, en el agua cuando se hiela, en la tormenta y en las tijeras con las que te cortaste la melena. También en las bestias y en los hombres y, sobre todo, las mujeres. Si quieres conocerlas tienes que dejarte llevar por ellas.

Del montón de zuecos cogió un par y los puso en el suelo delante de mí. Estaban adornados con un dibujo circular grabado sobre la madera. Igual al que se veía sobre la viga.

—Quítate las botas, mete los pies en las albarcas y quédate quieta.

Obedecí y solo cuando me vio descalza y sentada de nuevo muy derecha en el taburete de tres patas me alargó el pote.

—¿Qué es?

—¡Cuántas preguntas hace la señoritinga del pan pringao! Lo único que tienes que hacer es beber esto hasta el fondo sin rechistar.

Sabía a madera verde y me dejó la boca y los labios como de algodón. Oí a la Vijana musitar palabras incomprensibles, como si rezara o rezongara por lo bajo, mientras yo permanecí plantada en medio de la cabaña, con aquellos zapatos de madera en los pies y el pelo lleno de trasquilones, estrafalaria. También lo era esperar supuestos prodigios venidos de unas diosas ancestrales. Me leyó el pensamiento:

—Ten paciencia, que vendrán pronto.

Casi no había terminado de decirlo cuando me traspasó un fogonazo que quemaba y una espiral de luz me llevó a otro lugar lejos de la choza.

Estoy en la ladera del monte y Jim camina delante de mí, sube la pendiente cubierta de helechos hacia la boca de la cueva. Le llamo una y otra vez pero no me oye y tengo que seguirle, subir, trepar, tropezar, hasta poder meterme en la herida abierta de la montaña. Estoy dentro, pero no le veo; le llamo y solo me responde el eco de mi voz, camino casi a tientas en la penumbra hasta encontrar una roca enorme, pareciera suspendida en el aire y me roza la cabeza como si quisiera aplastarme. Allí están las manos, pintadas en negativo con pigmento rojizo tal y como me contó Jim, son decenas, unas sobre otras. Acerco mi mano a la pintura y encaja: la huella milenaria es la mía. La sombra de Jim está al fondo, la tierra se abre a sus pies y veo cómo cae en una sima. Corro hacia él, quiero salvarle, a mis pies se abre la tierra profunda y negra, de la sima surge su mano buscándome, me tumbo en la piedra y cojo su mano, tengo que ayudarle a salir de ahí pero no puedo; la mano se escurre soltándose de la mía y veo cómo desaparece tragada por la oscuridad total, absoluta, del abismo. Lo he perdido, no puedo salvarle, nunca he podido.

Todo desaparece a mi alrededor hasta que una mujer abre los postigos de una ventana; la estancia a la luz del día me resulta familiar: es una de las habitaciones de la casa en la que vivo, es la misma aunque ahora hay en ella caballetes y lienzos y pinturas. Ella está de espaldas, pinta un cuadro y dentro de él estoy yo. La mujer se da la vuelta y la reconozco: aparece en mi fotografía como yo estoy en su cuadro, pero cada una de nosotras está en lados diferentes de un espejo, una frente a la otra, juntas pero separadas por una pantalla invisible. Extiendo la mano y ella lo hace a la vez, es idéntica a la mía, compartimos las mismas huellas y nuestras manos son también las pintadas en la cueva. Casi logramos tocarnos pero el cristal quema, doy un paso atrás y veo que la mujer solo es una imagen en papel cubierto de una emulsión sensible a la luz, una copia sin alma que arde ante mis ojos. Todo se ha quemado y de las cenizas surge el bosque.

Suceso me mira asustada, supongo que arrepentida por haberme llevado a la Vijana. Al verme salir de la cabaña había dado un grito.

—¡Pero tía! ¡Qué le has hecho a la señorita! Ay, madre mía…

—¡Calla ya, paparda! Pues, ¿qué creías? ¿Que iban a darle el don por su cara bonita? La busca de las cosas oscuras es tan fatigosa como la misma vida. Tú lo has olvidado porque bajaste al valle, que os vuelve a todas blandas y baldragas…

Seguían discutiendo pero no las escuchaba; tenía ganas de dormir y de no despertar para volver a encontrarme con Jim en el sueño inducido por la Vijana, volver a ver el brillo de su pelo, el sudor de su camisa, las huellas de sus botas en los helechos y las ortigas; le había visto precipitarse en la sima de la cueva ante mis ojos, su mano buscándome, tenía que volver allí, al lugar en el que lo había perdido. Pero Suceso no me dejó dormir y me obligó a bajar el monte atravesando de nuevo el bosque sin sentir el suelo bajo los pies como si volase, con náuseas y mareos, hasta que hube de pararme junto a un árbol a vomitar todo aquel brebaje asqueroso que me había dado la bruja.

—Ay, señorita Elisa, qué pena que se haya puesto usted así de mala. Yo lo que quería es ayudarla a usted, si lo llego a saber…

La culpa, de haberla, era solo mía por haber aceptado entrar en el juego de la Vijana y sus trucos alucinógenos. Esa tenía que ser la explicación de lo que había vivido, porque Jim y la mujer pintora me habían parecido tan reales como la hierba que ahora pisaba y el rumor de agua en el lecho del torrente, el aleteo de un pájaro sobre mi cabeza, el viento agitado en los árboles y la cara preocupada de Suceso.

—Pero ¿ha funcionado? Dígame —decía, caminando a mi lado, sujetándome por el brazo por si volvía a marearme.

—¿El qué?

—Pues qué va a ser... Que si funciona la magia de la Vijana.

—No lo sé, Suceso.

—Pues ella quedó sorprendida por las cosas que salieron de su boca, señorita. Dijo que las Ancianas hablaban a su través y que eso solo lo hacen con sus preferidas.

Seguro que la vieja Damiana confundía el delirio tóxico con un trance de vidente, pero yo conocía bien los efectos de las drogas por los hospitales de campaña, por el soldado de la fea herida en la cara a quien yo misma inyectaba la morfina.

—Elise...

Lo oí, estoy segura. Me detuve, no podía seguir adelante. Era su voz resonando dentro de mí con absoluta claridad, como mi mano sobre la mano pintada.

—Lise... Elisa.

Todas las formas de mi nombre vibrando en el aire.

—¿Lo has oído?

—¿El qué, señorita?

—A alguien que me llamaba.

—No, señorita, aquí no hay nadie.

¿Era la voz de Jim? Ya no podía recordar la voz familiar, amada, la había perdido hacía mucho tiempo. A cambio había encontrado la de Jules, aunque al llegar al hospital de Corbie las enfermeras me dijeron que la metralla le había destrozado la garganta, la mejilla, la lengua y que si sobrevivía a la septicemia nunca podría volver a hablar. Pero a pesar del vendaje que le cubría la boca y la cara, al verme entrar en la sala atestada de heridos, habló.

—Elise, Lise, Elisa.

Sus primeras palabras salían de una fosa, ahora estábamos juntos en ella, a uno de los dos lados de una trinchera de veinticuatro kilómetros, Jim al otro lado del mismo infierno de barro, alambradas y locura. En el hospital se combatía también pero con otras armas, como la morfina. Jules la odiaba, tenía miedo de convertirse en un adicto a ella como muchos de los espectros que nos rodeaban, pero a veces el dolor era tan insoportable que se rendía a condición de que fuera yo quien le inyectara el calmante.

—No quiero irme. Quizá no pueda volver.

—Volverás. Y yo estaré esperándote.

La leve presión de la aguja atravesando el caucho del frasquito con su dosis exacta, el olor del alcohol, el sonido de los golpecitos de mi uña contra la jeringa de cristal, su brazo extendido, el rastro de los pinchazos en sus venas como las cotas en un mapa de la guerra.

—Elisa: la ayuda de Dios. La chica de los tres nombres. El poder del nombre, ese talismán. ¿Te das cuenta? Si lo que no se nombra no existe, tú existes tres veces... Existes más que yo, que Jim y que nadie; porque Dios tiene setenta y dos nombres. Ten cuidado, tu nombre es un tesoro y puede que alguien quiera robártelo o cambiarlo en un encantamiento, como pasa en los cuentos de hadas...

Jules decía mi nombre y no era una alucinación ni un hechizo de bruja, sino la llamada de un espíritu capaz de convertir el murmullo del viento y el rumor del agua en una voz humana.

—Date prisa, Suceso. Tengo que ir a la estación.

2

Supongo que acudieron juntos a la fiesta de Madame Vù en Biarritz, no reparé antes en él, pero me esperaban los dos. Era más joven y delgado que Jim, delgado y moreno, los ojos oscuros más suaves y las facciones más delicadas, pero hablaban y se movían de la misma forma, se reían o enfadaban por las mismas cosas, hasta sus voces se fundían en una sola. No se parecían en nada y aun así a veces no los distinguía. Durante el poco tiempo que pasamos juntos creo que estuve a solas con Jim muy pocas veces, recuerdo siempre a Ari junto a nosotros. Yo tampoco me había separado de Jim desde que le conocí, ¿también me había convertido en su sombra?

Todo lo que hacía y decía Jim me parecía incontestable y extraordinario: su seguridad en su propio criterio, la forma de comprender todo lo que nos rodeaba como si para él la realidad fuera más clara, definida y completa. Mi realidad siempre había estado fragmentada, desenfocada. Al separarme de mi padre me obligaron a crecer en un mundo exclusivamente femenino: las colegialas y las monjas, Madame Vù y sus oficialas, incluso mi madre, un universo vaciado por completo de hombres. Cada una de esas mujeres, a su manera, me educó en la desconfianza ante aquella raza bárbara que estamos obligadas a soportar pero no a entender ni apreciar, por eso todas las figuras masculinas se me aparecían borrosas como la de mi padre o lejanas como los amantes de mi madre, extrañamente irreales. Con una excepción: los modistos que Madame Vù mantenía en su taller en un régimen feroz de semiesclavitud. André y Paolo, sometidos al poder tiránico de una mujer, fueron los únicos hombres reales que conocí.

—Ese par de bujarrones me deben la vida. ¡Si los recogí de la calle! Nadie más que yo les consentiría tanto y lo saben. —Madame siempre insultaba en español, encontraba el francés un idioma demasiado fino para soltar juramentos.

Por supuesto, exageraba; toda su vida era una exageración, pero lo cierto es que formaban un extraño trío de amor, odio y dependencia, alimentado por una feroz competencia entre ellos dos cultivada a su vez por la propia Madame Vù, a la que intentaban agradar rivalizando en imaginación, elegancia, locura, un arrebato de vestidos de fiesta, capas con plumas y sombreros enjoyados que la vasca vendía como rosquillas entre las señoras de la buena sociedad. También competían en otros terrenos más agrestes cuando se encaprichaban del mismo galán y terminaban peleados entre lágrimas y escenas dramáticas, hasta que su dueña y señora les obligaba a hacer las paces. Madame explotaba todas sus facetas, incluso su talento como maestros de ceremonias: las fiestas organizadas por André y Paolo eran famosas entre los habitantes de un París *à la mode* ávido de distracciones, una Isla del Placer donde todo estaba permitido, especialmente aquello que en cualquier otro lugar estaba prohibido. En un abrir y cerrar de ojos pasé del colegio conventual, sus rigores y disciplina, al centro de un remolino fantástico que atraía a los reyes y reinas de la depravación a la capital más depravada del mundo: artistas de toda índole, cabareteras y transformistas famosos, periodistas de sociedad y escritores libertinos, bailarinas consagradas que traían de Estados Unidos música negra y cocaína, aristócratas sáficas, millonarios aburridos de gustos enrevesados, mozalbetes bellísimos vestidos de gasa, como hadas, y nínfulas ambiguas vestidas de frac. La sala grande del taller de costura se despejaba para convertirse en un salón de baile «uranista» donde los hombres podían bailar en pareja y las mujeres con otras mujeres. Y no solo bailar. Madame Vù propiciaba estos saraos con su olfato para la autopromoción; solo intervenía si la fiesta se desmandaba hasta el punto de alertar a la policía, pues nunca hubiera permitido que un escándalo perjudicara su negocio.

Aunque yo no participaba de la algarabía, sentía curiosidad y también admiración por aquellas criaturas raras y bellas de todas las especies. Confiada en mi buen criterio, la autora intelectual de aquel desenfreno nunca me previno ni dio consejos al respecto; sencillamente puso esa realidad delante de mí como quien sirve un manjar sofisticado dejando libertad al invitado para que coma o no. Pero yo no buscaba platos refinados, no busqué nada, solo me encontré con Jim. Y con él a su amigo silencioso y esquivo, pendiente de cada gesto y cada palabra de Jim igual que yo. A veces le sorprendía lanzándome unas miradas como centellas que se volvían huidizas, de animal herido. ¿Por qué me miraba así?

—Creo que tu amigo me odia.

—Imposible. Te adora, igual que yo.

Jim no quería renunciar a ninguno de los dos, empeñado en unirnos a la fuerza, amarrándonos con la soga invisible de su voluntad. Ahora me doy cuenta de que no nos conocíamos ninguno de los tres y de que solo teníamos en común nuestro desarraigo. Un aristócrata alemán, un judío francés de origen incierto y yo: formábamos un grupo curioso.

Madame Vù había interrumpido su veraneo y vuelto a París, supongo que preocupada por mi repentina desaparición siguiendo a aquel joven alemán. Me sorprendió encontrarla de nuevo en el *hôtel particulier* del parque Monceau que también albergaba su taller y su salón de modas. Agador, el mayordomo argelino, me contó que al recibir la nota que le envié no dijo una palabra salvo para ordenar la vuelta a París casi con lo puesto, es decir, tres baúles, dos doncellas y el mismo mayordomo: los traslados de Madame emulaban a los de la mismísima Cleopatra en aparato y pompa. Aún no se había quitado el sombrero cuando me mandó llamar:

—Quiero conocerle. Que venga mañana. —No dijo más y no hacía falta, estaba acostumbrada a ser obedecida.

Jim aceptó la invitación de Madame, le dije que había sido como una madre para mí y no se sorprendió, creo que nunca se sorprendía de nada. Cuando le pregunté la razón por la que habían acudido a su fiesta en Biarritz me dijo que él y Ari sabían colarse en cualquier lugar donde hubiera champán gratis y chicas guapas. «La prueba es que te encontré a ti», me dijo, siempre entre bromas.

Llegó acompañado por su inseparable amigo y Madame los recibió reclinada en su diván vestida de sedas de tonos turquesas y aguamarinas y cobaltos y tocada con turbante; parecía la Oruga Azul de Alicia en el País de las Maravillas, aunque mandó a Agador servir el té con *macarons* de Casa Ladurée como si fuera la Reina de Corazones. Jim estuvo encantador a pesar del contraste de su aspecto descuidado con el mobiliario recargado, barroquísimo, del salón del *hôtel*, mientras que Ari permaneció en un segundo plano discreto. En cuanto los despedimos y Agador cerró la puerta a sus espaldas, Madame se despojó de la máscara de refinamiento, se quitó el turbante, lo tiró sobre el diván y se rascó la cabeza con las uñas dejando su pelo escaso revuelto como el nido de una urraca. Ya era la Mendiguchía, la ordinaria buscavidas que se desprendía de su impostado francés y siempre hablaba conmigo en un castellano lleno de palabrotas y acentos vascos aprendido de las pescadoras y remendadoras de redes de su pueblo.

—Así que vas a casarte con ese alemán.

—Ni siquiera me lo ha pedido... —acerté a decir. Siempre me sorprendía su increíble capacidad para ir al grano como quien suelta un escopetazo.

—Lo hará antes o después. Y debes rechazarle; no te conviene.

—Pero... ¡si ni siquiera le conoces!

—¡Que te crees tú eso! No me he caído de un guindo y ya en Biarritz os eché el ojo con tanto paseíto por la playa y tanto bailoteo. Cuando tengo interés en algo o alguien, y tengo mucho interés por ti, querida mía, hago que ciertos pajaritos me canten al oído. ¡Y vaya trinos me dieron! Aunque se haya puesto ese apodo tonto para despistar, a mí no me la pega, porque sé de buena tinta que tu galán es un Maltzan, una familia de mucha alcurnia a pesar de ese disfraz de vagabundo sin un chavo con el que se ha presentado, ¡qué horror! Seguro que lo encontró en el Mercado de las Pulgas. Pero con todo, un aristócrata prusiano, esa raza altiva que tanto daño ha hecho a este país. Y al suyo también.

Detestaba la política como uno de los principales males que asolaban la humanidad —por culpa de la raza enemiga— y por otro lado tenía varias clientas alemanas, muy ricas además, así que tanto escrúpulo estaba fuera de lugar. Protesté.

—Cago en sos... Te lo voy a decir a lo burro: él no es de tu clase y su familia nunca permitirá que se case con alguien como tú.

El peso de la vergüenza, el estigma que me condenaba sin tener culpa, una vez más. Pero Jim jamás le había dado importancia a mi origen porque el pasado que le interesaba era mucho más antiguo y complejo y misterioso que el de mi madre. Intenté convencer a Madame porque era evidente que la razón estaba de mi parte, de nuestra parte.

—Aunque así fuera, él es mayor de edad, no necesita ningún permiso para casarse... Y de su familia nos separa más de un millar de kilómetros.

—Eso no importa nada. ¿De dónde crees que saca el dinero para esas expediciones y esos viajes de los que habla tanto? Pues de dónde va a ser, de esos parientes que según tú nada le importan. Porque, querida, eso es una afición de ricos, a ver si no quién puede vivir de desenterrar huesos y pedruscos... Ya verás, ya, cuando se enteren esos cabrones estirados de que el heredero se les quiere casar con la hija de una de las mujeres con peor reputación de París, porque se enterarán, ya lo creo que sí. Lo primero será cortarle el grifo y ese pieza no ha trabajado en su vida, ¿vais a vivir de lo que ganes de fotógrafa? Con esa miseria no lo mantienes ni una semana... Ojo, que yo no digo que el chico tenga malas intenciones, es más bien de los de naturaleza entusiasta, un idealista, y esos me dan más miedo que los que sueltan un soplamocos de vez en cuando, porque si les da por la política se hacen revolucionarios; si por la religión, fanáticos; si por el dinero, ladrones, y todos ellos terminan arrastrando a sus mujeres a mil penurias y haciéndoles un montón de críos que no pueden mantener, porque encima son fogosos, de los que te ponen del revés en la cama hasta que se largan con otra incauta porque encima son enamoradizos los muy cafres... ¡Tendrían que estar todos en la cárcel! Hija mía, lo que tienes que meter en esa cabecita tuya tan preciosa es que ni tu bienestar ni tu tranquilidad le importan un pito, porque este solo piensa en él. Ya está dicho, hala, aunque sé que vas a hacer lo que quieras, porque veo que estás coladita hasta las patas... Pero tenía que avisarte de lo que te espera.

Todos mis intentos por convencerla de mi futura felicidad fueron en vano y su incomprensión me dolía como nunca creí que lo hiciera.

—Anda, anda... no me pongas esa cara tan larga, que no eres llorica sino fuerte y valiente. En eso saliste igualita a tu madre.

Me acarició el pelo y la cara como cuando era niña y volvía del colegio, poniendo el grito en el cielo contra las monjas al verme demasiado delgada.

—Mi niña, ¿crees que no te comprendo? Ya me gustaría a mí no haber sufrido nunca por amor, pero en todas partes cuecen habas, por revenidas que las veas. Si yo sabía que tú no eras como nosotras y que antes o después encontrarías a un buen hombre, que alguno hay, y querrías casarte y no divertirte con él, que es lo que la experiencia nos dicta que hay que hacer con todos ellos, ricos o pobres, negros o blancos, da igual. Ese germano es un mocetón guapo y comprendo que lo encuentres apetecible. Pero no creo que pueda quererte como mereces... Que sí, que ahora estáis convencidos de que el amor todo lo puede y de que en este siglo nuevecito vais a mandar a la mierda todo lo antiguo; muy propio de la juventud, así debe ser, pero yo he vivido mucho y ya te digo que cambios, lo que se dice cambios, en las cosas que importan, he visto pocos. Recuérdalo, querida: el amor no hace felices a quienes más lo merecen, eso es así desde los tiempos de Maricastaña y me temo que será igual dentro de cien años.

Se llenó la boca de *macarons*, hizo una señal y Agador sirvió más té que no pude ni tragar. Aunque de nada sirvieran sus consejos tan amargos y achacosos como ella misma, el desasosiego quedó flotando dentro de mí como los posos del té en la taza.

—¿Y qué me dices del otro? Es tan guapo o más que tu enamorado. ¿Ese no te gusta?

—¿Ari? No le gustan las mujeres. Y menos yo.

Se echó a reír a carcajadas.

—¡Ay, qué gracia! Si ese chico se pasea por la acera de enfrente yo soy la zarina de Todas las Rusias... Pero vamos, que si ha logrado convencerte de ello es que su disfraz es bueno. A saber qué estará escondiendo... Sus razones tendrá.

3

Esperé en el andén entre la marea de visitantes que llegaban y partían, mozos cargados de baúles y maletas, doncellas con sombrereras y cestas de merienda para el viaje, incluso algunos paisanos que pasaban allí la tarde observando el panorama de forasteros extravagantes como yo, la mujer del capote y el pelo corto que recorría el andén de un lado a otro, impaciente. Por fin, el hilo de humo blanco rodeó las montañas y la bocina del tren sonó tres veces. La esperanza me traspasó como un lanzazo: ¿y si finalmente había podido encontrarlo? La serpiente que conocía muy bien se me enroscó en el pecho. Llevaba mucho tiempo conviviendo con ella, alimentándola, viendo cómo crecía y aumentaba de forma desmesurada o adelgazando hasta quedarse esquelética, pero a pesar de las apariencias nunca moría del todo, permanecía en un estado letárgico esperando el momento idóneo para atacar. No hay nada más peligroso en este mundo que la esperanza. Recordé lo que me había dicho Anna, hacía tiempo, en París.

—Esperan poder regresar a sus vidas anteriores y aquí intentamos ayudarles a ello —dijo Anna cuando entré en su estudio y me dio la mano fuerte y musculosa aún cubierta de restos de yeso seco. Hablaba con la franqueza y cercanía típicamente estadounidenses, en voz muy alta y con mucho acento por estar un poco sorda.

La luz entraba a raudales por los ventanales del enorme estudio. Cuadros y carteles, una bandera de los Estados Unidos y otra de Francia. Y en cada rincón jarrones con flores regaladas por los pacientes.

—Nada de esto sería posible sin la Cruz Roja Americana ni las enfermeras voluntarias, se lo digo a todos los periodistas que se acercan por aquí. ¿Para qué revista dijiste que trabajas?

—Para *La moda elegante.*

Al reír rejuveneció.

—Yo no sé bien qué pueden encontrar de elegante sus lectoras aquí. —Y enseñaba el delantal lleno de manchas de pintura. Anna Coleman tenía cuarenta años pero parecía una niña regordeta, sonriente y extrañamente feliz, como si hubiera conseguido domesticar el horror que la rodeaba modelándolo a su antojo.

—Las mujeres que leen revistas tampoco son las mismas que antes de la guerra.

—¡Oh! —Me dio un golpe amistoso en el hombro—. ¡Muy bien visto! Tampoco nosotras somos las mismas. Yo tenía mi estudio de escultura allá en Filadelfia, con mi marido que también es artista, hacía bustos y retratos de actrices y señoras de la alta sociedad, y mírame ahora.

Había fundado el Estudio para Máscaras también con fondos de la Cruz Roja, pero dependiente del Departamento de Máscaras para Desfiguración Facial en París, y allí atendía a los pacientes que les desviaban los médicos y cirujanos desde todos los hospitales de Francia.

—Tenemos una larga lista de espera, aunque hemos decidido atender solo a los casos más graves.

Los moldes de yeso todavía en proceso de fabricación colgaban de la pared como mascarillas funerarias, algunos aún frescos en pruebas cambiantes, mejorados, acercándose paso a paso al rostro humano de alguien real.

—Una sola máscara requiere al menos un mes de dedicación. Yo intento reproducir su expresión, los rasgos más característicos, las señales que nos hacen distintos unos de otros... Es la parte artística, claro. Luego tengo que encargar que se reproduzcan en una pieza muy fina de cobre galvanizado que esmaltamos y en el acabado final vuelvo a darle el toque pictórico.

En la siguiente sala, las mesas estaban ocupadas por pruebas de pintura para los distintos tonos de la piel y cajas con cabello humano para las pestañas, cejas y bigotes de todos los colores. Todas las máscaras eran distintas en tamaño y forma unas de otras, cubrían una parte del rostro, un ojo o la nariz y otras lo tapaban casi por completo.

—Las prótesis se fijan a la cara con cordeles o anteojos de sol, o gafas, depende de las necesidades de cada paciente.

Hice muchas fotografías de Anna Coleman y de su trabajo con las máscaras, y ella se interesó por mi equipo de cámara ligero.

—Es que yo también trabajo con retratos, es parte del proceso.

Me mostró sus archivos con los expedientes militares e historiales médicos acompañados por fotografías del paciente y su retrato de antes de la guerra, cuando eran hombres como los demás. Las imágenes mostraban con aterradora crudeza las consecuencias de las heridas de la metralla, las operaciones quirúrgicas, las infecciones y las cicatrices sobrecogedoras. Trozos de carne mutilada, caras sin perfil, sin frente o sin labios ni mentón o nariz. Ojos y sienes desaparecidas enseñando la calavera desnuda. Todas las posibilidades de la monstruosidad aplastándome, aterrándome. ¿Y si eso le hubiera ocurrido a Jim?

—No pueden comer ni masticar con la máscara puesta, tampoco mover los labios al hablar, pero para muchos pacientes esto es lo más cercano a lograr un sueño casi inalcanzable: recuperar lo que les han quitado para siempre, volver a salir a la calle y hacer una vida normal sin espantar a sus semejantes. Y me están tan agradecidos... Uno de ellos me escribió para contarme que la mujer de la que estaba enamorado ya no le encontraba tan repulsivo y esperaba poder casarse con ella. Eso es... Algo de esperanza.

Esa esperanza me daba casi tanto miedo como la posibilidad de que Jim hubiera quedado destrozado para siempre, de que tuviera que pedirle a Anna una máscara para él. Quizás esa era la razón de su desaparición, puede que temiera presentarse ante mí desfigurado, que quisiera ahorrarme ese dolor infligiéndome otro, sin saber que yo le querría igual o más, aunque no tuviera rostro. Era verdad, pero ¿podría alguien como Jim sobrevivir a esa herida? Quizá fuera demasiado orgulloso, demasiado vanidoso para soportarlo. No como Jules. Aunque tuvo mucha suerte en las sucesivas operaciones y las heridas más graves en el cuello y la barbilla cicatrizaron bien, la de la cara resultaba más aparatosa, el tajo de la mejilla al ojo derecho, aunque no había perdido la nariz larga y aguileña, ni sus ojos oscuros. No estaba desfigurado como los soldados que llevarían durante toda su vida una de las máscaras de Anna Coleman, pero ya no se parecería nunca al hombre que conocí antes de la guerra, cuando París, la ciudad efervescente, bullía de calor y de inquietud. Entonces incluso yo, sumergida en mi verano de amor con Jim, sabía que Europa sudaba guerra. En cada esquina podía encontrar a alguien hablando de ello: al camarero y al cliente, al caballero con el vendedor de periódicos, los vecinos en la escalera y los parroquianos en la tienda dejaban en el aire frases sueltas como pedazos de un puzle cada vez más extraño y amenazador que había comenzado con la noticia del atentado en Sarajevo. Cuando llegamos a París a principios de julio nos recibió una nube de tormenta y durante todo el mes la nube creció, densa, engordando, cargándose de electricidad y ennegreciéndose, el *casus belli* en boca de todos menos en las nuestras, demasiado ocupadas con besos y promesas.

Antes de entrar en la taberna, justo al otro lado de la calle, Jim miró hacia el cielo:

—Va a haber tormenta y no llevas paraguas ni sombrero.

—Sabes que nunca llevo ni una cosa ni la otra… —contesté, riendo. Me cogió del brazo con brusquedad y me atrajo hacia sí, apretaba demasiado fuerte.

—Cuando estemos casados llevarás siempre paraguas y sombrero, no quiero que te mojes.

El susurro me erizó la piel. Entramos en el cafetín cogidos

del brazo tan juntos que podrían habernos detenido por escándalo público. «Cuando estemos casados» había dicho, y Jim no hablaba nunca por hablar, así daba nuestro casamiento por hecho sin siquiera tener que pedírmelo porque sabía muy bien que aceptaría. La tasca me pareció un palacio de ensueño y no un tabuco del barrio del Marais con el suelo de ladrillo, las mesas pringosas, hombres demasiados derrotados como para beber con alegría, mujerucas con cara de hambre y en el aire sucio, las canciones de amor triste de una mujer pequeña y delgada con voz cascada de aguardiente. Supongo que citarnos en ese lugar fue idea de Jim, siempre en busca de un nuevo lugar, un reto nuevo, como si nada le llenase del todo. Sentado al fondo, Ari nos esperaba.

—Vamos a casarnos —dijo Jim sentándose frente a él.

Una decisión tomada apenas un minuto antes y su amigo lo supo casi al mismo tiempo que yo. Fundido con la oscuridad y el humo y el ruido de taberna, Ari no contestó.

—¿No me crees? Díselo tú, Lise.

Asentí incapaz de decir una palabra, acongojada por la brusquedad de Jim y con miedo de encontrarme con la mirada oscura, las pestañas tan largas, el perfil aguileño. Bebía, la botella sobre la mesa estaba empezada, pero Jim pidió más pastís al hombretón con aspecto patibulario que servía tras el mostrador.

—Y tú serás nuestro padrino.

—Enhorabuena. —Lo dijo sin mirarme a los ojos, con la cabeza baja, y yo me sentí culpable por sospechar que Jim pudiera ser cruel, porque nunca había mala intención en él, solo era espontáneo como un niño travieso y un poco malcriado.

—Celebraremos la boda cuando vuelva de Alemania y en septiembre saldremos con la expedición de Obermaier a España. Lise vendrá conmigo, será nuestro viaje de novios.

—¿Sabes lo que está a punto de ocurrir? —La voz sonó temblorosa y cargada, no solamente de anís.

—Otra vez con lo mismo, pájaro de mal agüero. No va a pasar nada, no es más que una pelea de familia: el zar, el rey de Inglaterra y mi emperador son primos… Y Francia no es idiota, no querrá poner en peligro su frágil República metiéndose en ese avispero de testas coronadas.

—Si vuelves a Alemania puede que no te permitan regresar, ya es un país militarizado.

—No queda más remedio. Nuestra expedición necesita dinero en bonitas y brillantes monedas de veinte marcos: soy el hombre de Obermaier, es él quien me ha elegido para encontrarme con unos cuantos inversores de nuestro país. ¿No te lo había dicho, Lise? Lo olvidé... Tengo una buena excusa: te miro y lo olvido todo. —Habló sin tomarse a sí mismo en serio y con un gesto cómplice, teatral, añadió—: A pesar de la confianza del príncipe de Mónaco, Obermaier tiene como enemigo nada menos que al director del Instituto de Paleontología Humana, *monsieur* Boulé, que nos bloquea los fondos una y otra vez. En este momento Obermaier no puede moverse de París, sería dejarle el campo libre, ¿entendéis?

—Francia ha declarado la guerra a Alemania, pero sus ejércitos están formados por paleontólogos que irán al combate armados con huesos de mamut y aburridísimas tesis de más de mil páginas con gran capacidad destructora.

Jim reía a carcajadas, ya había dos botellas vacías sobre la mesa.

—¿No es maravillosa? Es imposible no adorarla... —le dijo a Ari.

—¿Quieres dinero? —contestó él.

Nunca me había tocado pero esta vez lo hizo, deslizó la mano derecha hacia mi cuello y al rozarme el pelo me sacudió el pequeño chasquido de una descarga estática. Sé que él también tuvo que notarlo, pero disimuló para continuar el truco: entre sus dedos apareció una moneda de un franco con la que jugueteó como un malabarista hasta que volvió a hacerla desaparecer en el aire.

—Necesito dinero que no desaparezca tan fácilmente. Estás mejorando... ¿Has visto, Lise? Tú no lo sabes pero este bribón se pasa la vida metido en el teatro de uno de esos ilusionistas estrafalarios y prefiere su compañía a la nuestra.

Lo imaginé como un escapista atado con cuerdas, nudos, cadenas y candados en un número como los del rutilante Houdini. De niña fui a verlo con Madame Vù y conseguimos saludarle en su camerino gracias a las influencias de Madame, quien desde entonces guardaba una foto dedicada del mago.

Recordé al hombre agotado, con el rostro medio tapado por una toalla, que hacía esfuerzos por ser amable con unas extrañas. Mis dos acompañantes de ojos brillantes y rostros sudorosos como el de Houdini seguían bebiendo, con el calor y la humedad de los julios parisinos sobre la piel. Ari había sacado una baraja y continuaba mostrándonos sus trucos de prestidigitador.

—Nada, me rindo. Es imposible, judío cuentista... Me engañas siempre —se quejó Jim.

—Porque miras justo donde no hay que mirar.

Estábamos llamando la atención, unos cuantos parroquianos despertaron de su modorra para rodear nuestra mesa atraídos por la magia, celebrando los trucos con aplausos y golpes amistosos en la espalda del artista. Jim mandó al dueño del tabuco sacar más botellas de pastís.

—Señores, señoras, brinden conmigo porque voy a casarme con esta mujer extraordinaria.

La concurrencia recibió la invitación con más alborozo aún que el entretenimiento, todo mágicamente gratuito. Se repartieron vasos, pasaron las botellas de mano en mano, algo de licor se derramó en pecheras, dos mujeres desdentadas vinieron a felicitarme, me besaron y yo permanecí sentada intentando sonreír, sofocada por el calor y la vergüenza de ver mi felicidad expuesta ante un público tan poco exquisito. Jim levantó la copa para que el auditorio le acompañara.

—*Prost!*

No sé por qué se le ocurrió brindar en alemán, qué le pudo pasar por la cabeza, yo no lo hablo y tampoco Ari, nunca le oímos una sola palabra en esa lengua y se expresaba en un perfecto francés sin acento, mejor incluso que el mío. La contestación resonó sobre el barullo de voces y ruido:

—*Boche!*

La algarabía cesó. El hombre que le había contestado se acercó a Jim lentamente, le arrojó a la cara el licor y estrelló el vaso en el suelo con rabia. Nadie reaccionó, ni siquiera Jim.

—¿Es que no os dais cuenta, estúpidos? ¡Es un *boche*, un maldito alemán! ¡Un francés no bebe con ninguno de estos cerdos! ¡La patria por encima de todo! ¡Recordad Alsacia! ¡Recordad Lorena! ¡Viva Francia!

La guerra asomaba su rostro fiero en el de aquel patriota, la antigua y la venidera, la de siempre. El estupor pasó de otros vivas a gritos y empujones, insultos, el sonido de vidrio estallado, cuerpos con puños levantados rodeando nuestra mesa. Intenté levantarme pero me empujaron, no veía a Jim rodeado de gente, voló una silla contra la pared, el dueño salió de detrás del mostrador con un garrote emprendiendo a golpes con todos los presentes, me zarandearon las mismas mujeres que me habían besado hacía un momento llamándome puta y «colchón de *boches*», una rasgadura en la blusa y tirones de pelo, me arañaban intentando sacarme los ojos hasta que una espalda me separó de ellas, empujó a las brujas y me arrastró fuera de la taberna. Le abracé con el pánico de alguien que se ahoga, si hubiéramos estado en medio del mar seguro que le hubiera arrastrado conmigo al fondo, pero conseguimos alejarnos corriendo entre callejuelas. Al detenernos el corazón se me salía por la boca.

—Cálmate, Elise. Estás bien, solo tienes arañazos.

No me había soltado de él en ningún momento, tuvo que apartarme casi a la fuerza.

—¿Dónde está Jim?

—Ha escapado por la parte de atrás, alguien abrió una puerta y aprovechó la ocasión. No te preocupes, es muy rápido, le he visto correr otras veces y también defenderse: más de uno volverá hoy dolorido a su casa.

Levanté la vista: las arcadas de la plaza de los Vosgos, uno de los lugares más antiguos de París. El tiempo congelado nos observaba con indiferencia. En los jardines del centro de la plaza un grupo de gente con banderas escuchaba a un orador y daba vivas a Francia y a la República; no sé por qué recordé que allí había vivido Víctor Hugo y a pesar de la manifestación patriótica, me sentí a salvo. Jim lo estaría también, o eso quería creer. Miré a Ari: un hilo de sangre le corría por la frente, saqué el pañuelo del bolsillo pero al acercarlo me sujetó la mano tan fuerte que me hizo daño, intenté soltarme y me apartó con brusquedad.

—Déjame. No me toques.

El desconcierto me paralizó. El hombre que me odiaba de una forma tan brutal huía, la perspectiva de los arcos y la sombra de los faroles cubrieron su figura como si perteneciera a otra época y estuviera a punto de regresar a ella. De pronto se detuvo. No sé por qué dio media vuelta y regresó, acercándose a mí. «Me detesta, es capaz de todo, hasta de pegarme; pero entonces ¿por qué no me ha dejado en la taberna a merced de aquellas fieras? Ah, por miedo de Jim, que no se lo perdonaría nunca...» Sus pasos resonaron en las piedras antiguas, cada vez más cerca, tanto que casi podía sentir su respiración. Dio un paso atrás como si algo o alguien le hubiera sujetado. Quizá creyó que las sombras de los arcos ocultaban su rostro, pero estaba tan cerca que podía distinguir cada rasgo; ya no mostraba odio ni desconfianza sino serenidad.

—Pase lo que pase, te amaré como la esposa de mi amigo y te juro que mientras vivas no amaré a ninguna otra.

Dio media vuelta y se marchó.

4

Esperaba en otro tiempo y en otro lugar su llegada. No sabía muy bien qué habría sido de su vida hasta ahora, quizá solo buscar a Jim, igual que yo. En nuestros telegramas, cartas y postales no solíamos hablar de nosotros mismos, como si solo la búsqueda contada en el papel nos uniera, ambos callábamos que había mucho más, no solo las palabras escuetas, los nombres de lugares y las fechas. Y ahora íbamos a encontrarnos en aquel lugar tan alejado del mundo como si hubieran pasado cien años desde que empezó todo, desde el verano en Biarritz cuando Jim y yo nos sentamos en la playa, con el viento del nordeste levantando rizos blancos a las olas.

—¿Qué piensas de mi amigo? —preguntó y me besó la palma de la mano como pidiendo disculpas de antemano.

—No pienso nada.

—¿No te gusta? Es muy guapo, a todas las chicas les gusta.

—¿Por qué me preguntas algo así? No te entiendo. Y casi prefiero no hacerlo, creo que lo que insinúas es ofensivo.

—Perdóname, Lise. No sé por qué lo he dicho, solo era una broma...

—¿Una broma? ¿Qué clase de broma?

Me aparté de él dispuesta a marcharme y dejarle allí con su estupidez y sus niñerías, quizá así se daría cuenta de su error.

—No te enfades conmigo, por favor, soy un imbécil; dime que me sigues queriendo, si no es así no podría soportarlo. Solo te tengo a ti, mi querida Lise, a ti, a nadie más... Perdón, perdón, perdón...

Me abrazó las rodillas, forcejeamos, me sujetaba las manos.

—Abrázame, abrázame, Lise. No me dejes.

No podía dejarle pero él a mí sí. El día en que Alemania declaró la guerra a Francia estaba sola, más sola que nunca. Jim había partido ya y Ari se había esfumado, ni siquiera sabía si continuaba en París, fue imposible averiguar nada de él, si tenía familia u otros amigos no aparecieron. Incluso fui a buscarle al teatro de *monsieur* Meliès, pero estaba cerrado, me dijeron que se había arruinado. La ciudad era un caos que hubiera tomado las calles en una verbena inacabable y me recluí en casa de Madame; la agitación y la fiebre de París no eran nada comparadas con mi propio dolor.

La primera carta me llegó desde el otro lado de la frontera, muy breve, redactada a toda prisa durante una parada del tren.

> Aquí es grandísima la euforia, hay banderas por todas partes, la banda de música recorre las calles de la mañana a la noche y los hombres corren a alistarse. No sé por qué mis compatriotas lo celebran con tanto entusiasmo pero todo el mundo dice que esto será muy corto y quedará en nada. Por otra parte, y esto te hará feliz, creo que podré regresar a París en unas pocas semanas, Obermaier piensa lo mismo que yo, que debemos partir a España cuanto antes. Prepara tu equipaje, despídete de tus amigos y no olvides tu cámara fotográfica. No puedo imaginarte sin ella, forma parte de ti, de nosotros: te conocí gracias a esa Kodak. En este viaje que nos separa por primera vez he tenido mucho tiempo para pensar en ti, mi Lise. Nos avisan de que el tren va a salir. Con todo mi amor,
>
> J.

No hablaba de los preparativos de la boda, pero yo tampoco podía pensar en eso; además, con la declaración de guerra se habían acelerado los permisos y en las iglesias casaban de forma expeditiva a quienes marchaban a la guerra: bodas relámpago, las llamaban. El inmutable Agador me contó que en muchos casos no era por romanticismo, sino para dejar a la novia una pensión en caso de caer en el frente.

Guardé la carta en el secreter junto a la foto que les había hecho a los dos amigos en los jardines de Luxemburgo cuando sonaron los breves golpes en la puerta que daba Mimí con su discreción habitual. Madame elegía a sus doncellas con una sola regla, siempre la misma: que pasaran desapercibidas hasta hacerse invisibles, en aquella casa solo podía destacar Agador como el eunuco imponente encargado de cuidar de un serrallo. La doncella me traía una tarjeta en una bandeja de plata: su señora tenía gusto por los detalles protocolarios, cuanto más absurdos, mejor.

—Señorita, un soldado pregunta por usted. Ha dejado su tarjeta.

En la tarjeta, muy sencilla, se leía «Jules Dassin».

—No conozco a nadie llamado así.

—Está esperando en el vestíbulo. ¿Lo despido?

—No, no... Bajaré.

Desde la escalera vi la espalda cubierta con el azul del uniforme nuevo, impecable, el rojo de los pantalones, el pelo muy corto, la nuca rasurada, el quepis bajo el brazo. Esperaba de pie junto al ventanal de la calle muy quieto, casi en posición de firmes, mirando al exterior como si tuviera algún interés en los viandantes, los taxis, las floristas que vendían violetas. Al oír mis pasos se volvió mostrándome el perfil que conocía tan bien, y sin embargo, ya era otro. Ari, el amigo de Jim, el mago, el judío, había dejado de serlo para convertirse en el soldado Jules. Quizá tampoco el mismo hombre que ahora, años después, llegaba a otro país y a un valle desconocido, haciendo un largo viaje en tren, atravesando el pasado, para encontrarse conmigo.

INÉS

Blow Up

1

Martín se fue, le pedí que se marchara con la excusa de que tenía que ordenar y preparar la documentación relacionada con la cueva del monte de El Castillo. No podía reconocer que tenía miedo de su presencia, o mejor dicho de mí misma y de lo que me ocurría cuando estaba junto a él. Además, ambos nos mostramos más tímidos de la cuenta, incómodos por culpa de la historia del filtro de amor destinado a unirnos de manera artificial, así que creo que se marchó aliviado. Cuando me quedé sola tuve que reconocer que necesitaba recolocar, tranquilamente y sin distracciones —pobre Martín, lo había relegado a mera distracción— todo lo que había pasado a mi alrededor en tan poco tiempo.

Ahí estaban las notas de Samperio sobre su proyecto de rodaje, el escondido dueño de El Jardín del Alemán, las druidas contemporáneas, la presencia de las manos pintadas hacía miles de años. También el cuadro y el descubrimiento de Amalia Valle. Salió de la pantalla al llamado de Google la anciana elegante, delgada, el pelo blanco recogido en la nuca, con los ojos oscuros todavía jóvenes, curiosos, capaces de romper la cuarta pared, el tiempo y el espacio para mirarme fijamente. «Aún no lo hemos visto todo», me decían. Fue imposible encontrar una fotografía de los años de su juventud. La imaginé exiliada en México, quizá acogida en el hogar de un amigo o amiga, quemando sus fotografías, haciendo cenizas su pasado para que yo no pudiera encontrarla.

«Diana, sigo con lo nuestro: ¿podéis mandarme tú o María alguna imagen de Amalia Valle de la época en que salió de España? Las que encuentro son muy posteriores. Ya me dices. Bsss.» Dejé el mensaje en nuestro chat; ellas tenían acceso a mejor información y mucho más directa sobre Amalia. Sí, ya pensaba en ella por su nombre de pila, un nombre familiar que había pasado a formar parte de mi universo como la casa y el paisaje y la gente que me rodeaban.

Una desazón, la sensación de haber pasado algo por alto, quizá algo muy pequeño, un número, una palabra, una imagen. Me senté en el sillón cómodo y aticé el fuego que había dejado encendido Martín; las llamas bailaron delante de mí mientras revolvía en mi mente como buscando algo perdido en un cajón desordenado. Intenté apartar algunas ideas locas, pero volvían una y otra vez, porque en el fondo encontraba de lo más verosímil que Amalia hubiera estado viviendo en esta casa, en este Jardín del Alemán con dueño anónimo, incluso podía haber estado sentada frente a la misma chimenea, en el mismo lugar, quizá mirando el fuego lo mismo que yo, pero separadas por el tiempo, concretamente setenta años. Quizá había venido de vacaciones justo antes de partir de España para no volver (aunque nadie se va de vacaciones cuando tienes previsto exiliarte) y creado aquí su única obra española. Un cuadro en el que aparecían pintadas otras manos pintadas, como un juego o un acertijo de los que también le gustaban a Samperio. Ambos tenían mucho en común: las pocas imágenes de películas que había visto de él sugerían unos mundos ensimismados, delicados y como salidos de una ensoñación llena de relaciones secretas, de alguna manera similares a los de la pintora. Vaya, Román Samperio se colaba en cuanto podía entre las ideas locas y los objetos del cajón mental... Si aceptábamos que Amalia pudo entrar en la cueva en 1949 —a pesar de que en esa época estaba cerrada— para ver y luego reproducir las manos milenarias allí pintadas, había que reconocer que la misma cueva y las mismas manos aparecían en el relato obsesivo de Samperio, es decir, que se colaba con razón. Puede que tuvieran algo más en común, pero aún no lo había encontrado.

Una corriente de aire helado salido de alguna de las muchas rendijas de la casa me recorrió la espalda con un escalofrío y los leños que crepitaban en la chimenea estallaron como si alguien hubiera echado gasolina sobre ellos, escupiendo una llamarada hacia mí con tanta fuerza que me deslumbró. Tuve que cerrar los ojos y apartar la mirada de la explosión de luz. Al abrirlos no vi nada distinto, pero supe que no estaba sola en el salón y que alguien recorría la casa, pude oír sus pasos y el resonar de las voces de dos mujeres hablando entre ellas.

—... hoy no vendrá el doctorcito a visitarla, tiene que andar hasta muy lejos, cruzar el valle a por medicinas, dijo. ¿Usted cómo se encuentra hoy?

—Un poco mejor.

—No me engañe... ¿Ya no anda metida en esas cavilaciones que le hacían tanto mal?

—Lo intento, de verdad que lo intento, Caridad. Sigo teniendo miedo, no puedo evitarlo.

—De la sombra negra, ¿verdad? Sigue ahí, no le voy a engañar, mi niña. Pero no me llore, que ya no está sola, fíjese que ya no está sola...

Antes de que las voces se disiparan por completo me asomé al ventanal que daba al jardín para no ver a nadie, tampoco en el corredor ni en el piso de arriba, pero las había oído, eso era seguro, quizá no a mi lado sino como a través de una puerta o una pared fina, atravesándola. ¿Quiénes eran? ¿Dónde estaban? ¿Por qué las oía pero no las veía?

Yo, tan descreída y a la vez miedosa, me hubiera espantado en otro momento, pero ahora me encontraba tranquila, como si oír voces sin cuerpo fuera de lo más habitual. Quise explicarme a mí misma la alucinación: posiblemente estaba sufriendo algún tipo de efecto secundario consecuencia de la intoxicación que me había dejado en la cama durante dos días de pesadillas. Agucé el oído, pero nada: volvía a estar sola con el rumor del viento en el jardín, creo recordar que empezaba a llover.

Recorrí la casa entera como si fuera un palacio donde todos estaban dormidos sin encontrar un alma. Nadie. ¿Habían sido imaginaciones mías o fantasmas que volvían a visitarme? De nuevo frente al cuadro de Amalia: la pelirroja de cabellera al viento, con el abrigo largo que hacía ondas con forma de olas, flotando entre nubes, escapando del lienzo. La Mujer de Pelo

Rojo, eso es. Bajé a toda prisa al salón y extendí sobre el suelo todas mis notas: tenía que haber algo dentro de alguna de esas páginas con subrayados de colores, llaves, post-its, flechas y tachaduras. Conmigo dentro de ellas, en el centro de un círculo de papel como un árbol al que se le hubieran caído las hojas, fui revisando frase por frase, palabra por palabra.

Tardé más de una hora en encontrarla, no estaba subrayada ni marcada; recordé haberlo leído y apartado de inmediato de mi guion por resultar completamente indescifrable:

«La Mujer de Pelo Rojo es la primera y es la última en mi búsqueda. Está atrapada, como yo, en una burbuja de tiempo. Ella también adora a la Diosa de muchos rostros, la de las muchas manos, la de los innumerables nombres. La que dice ven conmigo y te mostraré quién eres y qué quieres».

Lo que creía escritos más o menos poéticos o alucinados de Samperio comenzaban a tener sentido, ya no solo sugerían, también mostraban. Pero ¿el qué? El texto en que aparecía citada la Mujer de Pelo Rojo terminaba así:

«Tengo que encontrarla. Estas mujeres la conocen incluso cuando ignoran su existencia. Pero antes o después ellas sabrán de sus diosas tiernas y aterradoras, misericordiosas y terribles como la misma Tierra, hablarán con la lengua de los árboles y las piedras ordenadas como las estrellas. Descubrirán por qué las adoraban las brujas. Ellas son Ella y la reconocerán como la Reina de lo Subterráneo, tomando la forma del mundo. Ella está a mi lado y yo soy Ella».

Apunté las palabras clave, siempre lo hago: Tierra, brujas, reina, subterráneo, orden. Analicé las palabras una y otra vez buscando relacionarlas con lo que sabía. ¿Cueva? ¿Brujas? ¿Se refería a las druidas de Áurea? Imposible; esto se había escrito mucho tiempo antes de que existieran; la asociación de ideas estaba cogida por los pelos en aquella sopa de letras. Recordé la conversación apresurada con Andrea en la sede de Gaula:

—En realidad tenemos muy poco material original del propio Samperio, ya lo verás. Y entre tú y yo, en esos textos nada parece tener mucho sentido, ni siquiera en el plano simbólico. Supongo que hay que tener en cuenta la época, todos esos rollos *new age*, el ocultismo y el pastiche místico…

—Se dice que además era adicto a la heroína, también muy típico de la época. Puede que la adicción tuviera relación con su desaparición.

—¿Ah, sí?—Andrea pareció sorprenderse pero no mucho, era demasiado elegante como para hacer aspavientos—. Me alegro de que hayas empezado a hacer pesquisas, pero te diré que sus circunstancias personales en realidad nos importan muy poco, no es nuestro tema, esto no tiene que ser un *biopic*.

—Vale, me lo apunto, aunque está el asunto de la desaparición.

—Pero eso es una anécdota, no sé si te servirá de mucho.

—La verdad, no me dejas mucho margen.

—Lo sé, por eso tú no tienes que esforzarte más allá del plano estrictamente documental, cíñete a la parte más paisajística, incluso folclórica, ya sabes. Aunque suene a tópico, es lo que a la gente le gusta. Y escribe un texto sugerente, lo justo para hacer un dosier y un tráiler de venta, material para que el director pueda empezar a trabajar.

—Y para encontrar la financiación, supongo.

Se despidió sin contestar; quizá aquello no la preocupaba: el dinero no era problema para Gaula, aunque al final siempre lo fuese.

No conseguía salir del laberinto en el que me habían metido Gaula, Andrea y el mismísimo Román Samperio allí donde se encontrara si es que aún vivía. Y Amalia Valle, para enredar más la madeja. Zumbó bajo el montón de papeles el reconocible sonido de un mensaje de WhatsApp y me lancé hacia el móvil revolviéndolo todo. Diana me contestaba: «Amalia en 1953, en una exposición en México». Y enviaba una fotografía.

2

Mi madre. Joven, morena de verano, el pelo rubio brillando al sol, llena de vida en aquella foto de la prima Eugenia, me miraba sin verme desde el otro lado del tiempo.

—Era preciosa, una muñeca.

Yo ya tenía veinte años, vivía por mi cuenta y buscaba

cualquier información sobre ella y sobre mi padre, creo que así fue como aprendí a indagar, investigar y documentar, en los cajones y los álbumes de fotos llenos de rencores familiares. Había descubierto a la prima Eugenia hacía años por una indiscreción de Rita; a veces se le escapaban comentarios entre golpe y golpe de plancha y yo nunca olvidaba un solo dato relacionado con mi familia.

—No te lleves esos sofocones; si tu abuela es así con todo el mundo, que parece que no la conoces... Anda peleada con la familia entera.

—¿Ah, sí? ¿Con quiénes?

—Pues con las hijas de su primo Fernando, las Villanueva: Eugenia y Luisa Fernanda. Antes venían por aquí a tomar el té y me tocaba bajar a Viena Capellanes a por medias noches. Tu abuela decía que eran unas cursis, pero les dejaba fisgar la plata para chincharlas.

Naná iba dejando el rastro de sus estragos, la pista era fácil de seguir, así que cuando por fin conseguí escapar de ella y comencé a buscar mi historia, encontré a la prima Eugenia. Ella fue quien me ayudó a reconstruir una parte del rompecabezas, encantada de poder hablar mal de su tía. El principal motivo de su odio pasaba por el litigio sobre una finca en San Lorenzo de El Escorial.

—Con malas artes, es que no se puede decir de otra manera. Nos dejó casi sin nada cuando sabía que la abuelita nos lo había dejado a partes iguales, aunque no hubiera hecho testamento. Eso fue... En fin, no me voy a hacer mala sangre a estas alturas. Tu madre ya había muerto, la tía se declaró su heredera, tú eras una niña y ella tu tutora.

Nunca me habían dicho que tuviera derecho a ninguna propiedad, pero así me enteré.

—... le faltó tiempo para alegar mil tonterías jurídicas, y como nosotras no teníamos dinero suficiente para seguir pleiteando, llegó con su abogado de campanillas y al final tuvimos que aceptar una miseria. Luego el terreno se recalificó para la construcción; ganó una fortuna de las de entonces.

Apuró la copa de whisky de un golpe, ni John Wayne en una de vaqueros. Tampoco parecía que la prima viviera en la miseria, con aquel piso enorme en la calle Almagro donde me había recibido, no para tomar té y medias noches aunque fuera la hora de merendar: abrió la puerta con una copa de Cardhu en la mano y siguió bebiendo durante toda la conversación.

—Tu mamá y yo pasamos mucho tiempo juntas, de niñas y ya más mayorcitas salíamos muchas veces. Luego, después de lo que le pasó... pues no.

Supuse que lo que le pasó era yo.

—La verdad es que desapareció. Luego me enteré por unos amigos de que vivía en Ibiza, en plan jipi, con un productor musical inglés o americano, no recuerdo bien, fue hace mucho tiempo y ya habíamos perdido contacto. Pero cuando me enteré de su muerte, me impresionó mucho. Era tan joven...

Había sacado la fotografía del álbum, las tres primas con diecisiete años, eso dijo Eugenia. Mi madre era rubia, dulce, con una sonrisa de ángel. Tendría ahora más o menos la edad de su prima, pero me negué a imaginarla con aquel rostro inflado por el bótox.

—¿Llegaste a conocer a mi padre?

—Qué va... Hasta le dimos vueltas a la gente de nuestro entorno, de la pandilla, alguno de los chicos con los que salíamos, pero yo nunca la vi con nadie en plan cariñoso. Nada, no apareció, quizá el interesado ni se enterara, nunca se sabe; ella era muy particular. De hecho lo de su embarazo lo supimos muchísimo más tarde, la tía contó el cuento de que se había ido a Francia a estudiar arte y como era ella así, nos lo creímos.

—¿Así cómo?

—Ay, no sé... Especial, sensible, muy retraída. Por culpa de la tía, estoy segura, siempre fue una dominante que estaba amargada porque su propio matrimonio resultó un desastre, eso lo sabes, ¿no?

El licor y el aborrecimiento soltaron la lengua a la prima, que me confirmó todo lo que yo sospechaba sobre mis abuelos: engaños, celos y disputas y finalmente mutua claudicación.

—Pero nunca supimos quién era el padre del bebé, me parece mentira que seas tú, tan mayor ya. Todo aquello era como un secreto de estado para tu abuela, ni se le podía mencionar, hacía como si Irene se hubiera muerto; yo creo que no soportaba la vergüenza que su hija había traído a la familia porque era muy estricta con esas cosas y no soportaba los escándalos, pero la verdad es que ellas siempre se habían llevado como el perro y el gato. Claro que tu mamá era rebelde, no te digo que no, para mí que se quedó embarazada para fastidiarla, pero seguro que no esperaba que la echara de casa, porque no tenía a dónde ir.

—¿Y yo? ¿Sabes por qué me abandonó?

Respondió incómoda; incluso ella, que no tenía arte ni parte en todo aquello, debía de sentir un pellizco de culpabilidad.

—Eso... Mira, en todas las familias hay cosas que... No voy a poner paños calientes, pero Irene era una niña que no había salido del Club de Campo y de buenas a primeras descubrió que podía ser moderna, ¡en buena hora! No imaginas cómo eran aquellos años, tan locos. Dejó de ver a las amigas, a la familia, de salir con los de la pandilla, las malas compañías, que sé yo. Estaba siempre tan triste... Así es como la recuerdo.

—¿Cómo murió?

—¿No lo sabes? Ay, por Dios, pues no creas que me gusta tener que decirte esto, pero yo siempre he ido con la verdad por delante. —Movía la melena teñida de rubio ceniza en un gesto inconsciente de autoafirmación o de tic alcohólico, quién sabe—. Pues falleció de lo que entonces se llamaba «larga enfermedad», y luego nos enteramos de que fue por culpa del sida. Imagina cómo nos cayó eso encima a toda la familia.

Nadie me habló de su muerte hasta mucho tiempo después de que ocurriera. Pasé la mitad de mi infancia esperando ver llegar a una madre que llevaba años muerta, supongo que por eso Rita estuvo un tiempo echándose a llorar, siendo yo aún pequeña, cuando le preguntaba por ella. Y mucho más tiempo después descubrí que en realidad no me había abandonado, que quiso regresar y no pudo: ya no le quedaban fuerzas. Saber de todo esto terminó de separarme por completo de Naná y decidí abandonarla, olvidarla, no volver a verla, hacerla desaparecer de la realidad, exactamente igual a como había hecho ella con su propia hija. Y a su manera: no avisé ni pedí permiso, en cuanto me enteré de que tenía derecho a una modesta pensión de orfandad la solicité. Si mi padre no me había reconocido, mi madre sí y a pesar de todo lo que hizo mi abuela por impedirlo, su nombre estaba en mi partida de nacimiento: hija de Irene García de Viana Albret.

Yo sola, a mis diecisiete años, hice todos los trámites y me concedieron la pensión. Esperé un año sin decírselo a nadie, ni siquiera a Rita, atesorando aquel dinero pequeño pero regular que podía hacerme libre, contando todos los días de aquel año como si estuviera presa en el castillo de If. El día en que tuve ahorrado lo suficiente para irme de casa y los dieciocho años cumplidos, hice la maleta y sin cruzar palabra con mi carcelera, me fui.

—Cuando se enteró de la muerte de Irene, tu abuela se encerró en casa. Yo creo que estaba deseando encontrar una excusa para dejar de tratar con el resto de la familia y solo reapareció para lo del pleito, toda reconcomida por las malas ideas, que bien podía haberse quedado encerrada para siempre y dejarnos a todos en paz.

El alcohol le hacía mella y en cuanto podía regresaba al tema que le obsesionaba: aquel terreno urbanizable que le había robado su propia tía, la prima de su padre, sangre de su sangre, una traición de la peor especie. Casi podía sentir su inquina hacia mi abuela resbalando por las paredes de su piso recargado y lujoso pero tan vulgar como ella misma. Le di las gracias por todo dispuesta a marcharme.

—Ahora que lo pienso... Quizá pueda decirte algo más su amiga Blanca, que estuvo con ella en Ibiza y creo que la acompañó cuando falleció. Hace tiempo que no veo a Blanca, pero tengo su teléfono por los Álvarez-Villar: como tienen casa en Mallorca se la encuentran de vez en cuando.

No me acompañó a la puerta, creo que no podía ni ponerse en pie.

—Quédatela.

Y me dio la fotografía de mi madre. Es la única que tengo.

3

Ampliación tras ampliación, cada vez más cerca de mí, Amalia posaba para la cámara sentada delante de uno de sus cuadros con la cabeza levantada y un poco ladeada, los ojos muy grandes, serios, penetrantes y quizá doloridos pero sin miedo, como si quisiera comerse con ellos a quien la observa, bocas abiertas al objetivo. «Una imagen salida de uno de sus cuadros», pensé. Su rostro ocupaba toda la pantalla del portátil, ampliada varias veces mantenía bastante definición, porque el original, que pertenecía al MAM, el Museo de Arte Moderno de México, tenía mucha calidad. Amalia con treinta y cinco años en 1954, la fotografía se había tomado después de abandonar España. Ahora sentía más curiosidad por saber qué le había pasado y por qué razón estuvo aquí, en El Jardín del Alemán y también en las cuevas del monte de El Castillo.

—El cuadro, ¿es un mapa? ¿Para llevar a dónde? ¿Tienes un tesoro escondido?

No me respondió ella sino el sonido de campanita de la puerta. Áurea esperaba al otro lado, desaparecida del todo su sempiterna sonrisa.

—¿Me dejas pasar? —dijo, como hacen los vampiros que piden permiso a la víctima para poder entrar en su casa.

Abrí la puerta del todo y fue directamente al salón como si conociera la casa, dejando caer todo su corpachón sobre el sillón, que se quejó de su peso.

—¿Estás muy enfadada?

Era tan directa que desarmaba.

—¿Tú qué crees?

—Tendrías toda la razón. Es imperdonable, hemos abusado de tu confianza, pero es que nunca pensamos que una simple infusión de hierbas te sentara tan mal. No nos había pasado nunca antes.

—¿Antes? Es decir, que hacéis estas cosas habitualmente... Pero ¿cómo se os ocurre? ¿Se puede saber qué me disteis?

—Pues una combinación de hierba de San Juan, ruda con esencia de almizcle y un hongo que se encuentra por aquí, además de...

—No, no me lo digas que prefiero no saberlo.

—Como quieras. Si yo he venido para explicártelo... Y sobre todo, para que esto no afecte a Martín, que se siente muy incómodo contigo y además teme por su trabajo.

—Él no tiene que temer nada, no pienso contar una palabra de esto, ¿estamos? Solo faltaría, seguiremos trabajando igual. Pero vosotras, de verdad, estáis como cabras...

—Te aseguro que era con buena intención. De verdad, Inés, si me caes de puta madre.

Me senté frente a ella.

—A ver: ya me he enterado por tu cuñado, que la verdad, vaya papelón, que sois de la religión... Mmm... druida.

—Druídica.

—Eso. Y ahora me vas a explicar todo esto del filtro de amor y demás gaitas.

—Vale. ¿Tienes una Coca-Cola?

—No, pero puedo ofrecerte un café.

Aceptó el café a pesar de declararse adicta a la chispa de la vida y fuimos a la cocina. Sentadas alrededor del pequeño mirador con forma de media luna, Áurea defendía sus creencias con ardor aunque yo no las atacara; supongo que estaba acostumbrada a que la tomaran por loca o cosas peores.

—Sí, hacemos rituales, igual que las demás religiones. Yo comprendo que te resulte extraño, pero así es nuestra creencia, tan respetable como cualquier otra, y no nos metemos con nadie. De verdad que lo tuyo ha sido un accidente.

—Ya hablaremos de eso. Pero antes dime, ¿qué pasa con los paisanos? Martín me contó que habéis tenido problemas.

—Pues al principio daba un poco igual que se chotearan y esas cosas típicas de pueblo, pero está llegando a un punto... Ni caso, ya se aburrirán, es cuestión de tiempo y a mí a cabezota no me gana nadie, porque nosotras no nos vamos a ir. ¡Si la mayoría de nuestra comunidad es gente de aquí de generaciones! Yo soy la única de fuera.

—¿No vais a denunciarlos?

—Uf, calla, ¿meternos con estos en pleitos? ¿Un abogado? Vamos, ni en pintura quiero ver uno. Además, no tiene tanta importancia, lo dejarán cuando vean que no logran nada, si son unos brutos, cuatro mal contados, personajes que el resto del pueblo también detesta, alguno ha pasado por la cárcel por peleas, furtivismo, esas cosas... Mala gente hay como en todas partes, pero te aseguro que este es un buen sitio para vivir. Somos muy felices aquí.

Le quitaba importancia y pensé que quizá pecaba de optimista; a mí no me gustaría vivir en un lugar donde sujetos así actuaban con total impunidad. Pero eso no era de mi incumbencia y yo quería llegar al asunto que más me interesaba.

—Bueno, ahora dime: ¿qué se supone que tenía que pasar después del conjuro que me echasteis?

—Uy, conjuro, ni que fuéramos brujas, qué exagerada. —También le quitaba hierro a eso—. ¿No te lo explicó Martín? —tanteó.

—Me interesan los detalles, quizá pueda incluir este asunto en el documental...

Una excusa, ya que no podía decirle que quizá, por una odiosa casualidad, el dichoso filtro de amor había funcionado. Porque Martín me gustaba, eso era real. Muy real, de hecho.

—El *fathliaig* es medicina divina, no lo puedes mostrar desde una perspectiva frívola porque es muy importante en nuestra cultura. Las plantas con las que se elabora son recogidas en condiciones rituales y astrológicas específicas porque nuestra religión está unida a la adoración de la Naturaleza: somos ecologistas, si quieres llamarlo así. Los cristianos nos llaman paganos para desprestigiarnos, pero nuestras creencias son tan espirituales como las suyas y mucho más antiguas, sin necesidad de vincularse a ninguna iglesia. Nuestros templos son los bosques, los ríos, los montes, los cielos estrellados, donde habitan todas las energías del cosmos, con el que estamos conectadas desde tiempo inmemorial. En este lugar, aquí, junto al monte de El Castillo, hay un punto telúrico, un ónfalos, una especie de ombligo del mundo. Por eso lleva habitándose desde los albores de la humanidad.

Al oírla pensé en Samperio: me recordaba a su prosa un tanto patafísica. Ella continuó entregada a su proselitismo entusiasta, una convencida que quizá intentaba convencerme a mí también.

—En nuestra comunidad amamos a todos los seres vivos y los respetamos, igual que a los seres humanos sin distinciones de sexo, raza, religión, orientación sexual... Somos tolerantes y estamos en contra de la violencia. En la granja no se matan animales, a nuestras vacas se las cuida y con la leche que nos dan hacemos nuestros productos, ¿sabes? Y se mueren de viejas.

—Parece una religión amable, desde luego, y no suelen serlo.

—Y tenemos nuestros días de fiesta, con celebraciones, tienes que venir a verlas, son muy bonitas, alegres, participativas... —Hizo una pausa reflexiva, algo que no era propio de ella—. A través de nuestros rituales podemos alcanzar el don de la adivinación. Y aunque no lo creas... Sabíamos que ibas a llegar. Te esperábamos.

Si creía que podía convencerme de algo así, comía hongos alucinógenos o cornezuelo de centeno para colocarse, como las antiguas brujas a las que decía no parecerse.

—Ya, ya sé... lo que estás pensando.

Ella misma se rio a carcajadas, volvía a comportarse como aquella Áurea del primer día.

—Escucha, no voy a criticar vuestros rituales por no ofenderte, pero ¿quieres decime qué pintan un filtro de amor y tu cuñado en este embrollo? —insistí.

—Nosotras no provocamos nada, solo ayudamos a conectar.

Respecto a Martín no logré sacarle nada más que evasivas.

—Te comprendo mejor de lo que crees, pero es que he visto tantas cosas... Y todo encaja: tu llegada e incluso que te hayas alojado en esta casa. ¿Has visto el tejo centenario ahí fuera? Nosotras adoramos ese árbol, como los celtas. No muy lejos del monte de El Castillo hay un tejal de árboles antiquísimos junto a los restos de un dolmen, un santuario donde hacemos nuestras ceremonias. El tejo es un árbol que puede alcanzar miles de años, es venenoso y puede cambiar de sexo a voluntad. Aquí mismo, en Cantabria, en época prerromana, las personas ancianas que no podían valerse por sí mismas morían a la sombra del tejo mascando sus hojas. Y los guerreros que caían prisioneros en el combate se suicidaban de la misma manera antes de que los convirtieran en esclavos.

Ahora el árbol del jardín me parecía un poco siniestro.

—Bueno, ya está bien de tanta chapa. Hablemos de lo nuestro: ¿sigues queriendo ir a grabar a la cueva?

—Por supuesto.

—Pues mañana mismo podéis entrar: tengo todos los permisos.

Áurea era fantástica, absurda, fascinante. Y eficaz.

—Quiero enseñarte algo.

La conduje hasta el rellano ante el cuadro de Amalia. Sacó del bolsillo de la chaqueta unas gafas de montura de colorines antes de acercarse y mirar los detalles con más atención, pero no podía esperar y se lo señalé.

—¡Pero si son las manos de la cueva de El Castillo! Estoy casi segura de que se trata de las improntas negativas del sitio RI 016. Quien lo haya pintado ha captado muy bien la técnica de estarcido por aspersión y el color de óxido de hierro, magnetita y hematita.

Se volvió hacia mí y esta vez sonreía tanto que la media luna no le cabía en la cara.

—¿Quién lo pintó?

Le conté todo lo que sabía de Amalia Valle, le mostré su fotografía, incluso le hablé de Román Samperio. Esta vez calló y escuchó hasta el final lo que tenía que decir mientras observaba el cuadro, escrutándolo con curiosidad científica antes que estética.

—Mira esto. —Eran las albarcas pintadas en una esquina del cuadro, junto a la corza con rostro humano y a los diablos escondidos tras los árboles negros con las raíces surgidas de las baldosas de colores. No supe qué contestar, pero ya lo hizo ella por mí.

—Creo que deberías hablar con Ludi.

4

Allí, en el valle, todo se encontraba a pocos kilómetros: cerca y sin embargo lejos, en caminos imposibles de conocer, escondidos, estrechos, enroscados entre sí. Ludi vivía al final de uno de aquellos senderos y era algo así como una matriarca para su comunidad, muy respetuosa de la sabiduría de los ancianos. Eso me dijo Áurea, que conducía la camioneta de la granja Lavín como si estuviera en el París-Dakar, atravesando barrizales y regatos llenos de piedras sin frenar; casi salí despedida del asiento un par de veces. Lo de la conducción temeraria debía de ser un rasgo de familia o idiosincrasia autóctona y Áurea había adoptado esta costumbre como otras. Pero conseguimos llegar a la casita —choza, más bien— surgida en mitad de un prado empinado como un meteorito incrustado en la tierra. Hacia ella caminaba un monstruo: dos piernas humanas y un cuerpo enorme hecho de hierba, una bola vegetal andante. El monstruo se desprendió de su parte superior: la bola de hierba hasta ese momento sujeta por una larga vara cayó sobre otro montón de heno grande, apilado en forma de cono, y entonces apareció completa una figura humana. La mujer, todavía sacudiéndose briznas de pasto enganchadas en el pelo corto y en la ropa, se acercó a nosotras.

—Ludi, esta es mi amiga Inés.

Cubierta de briznas de hierba, sin dejar de mirarme, en vez de saludarme acercó su mano a mi cara, una mano callosa, de trabajadora y sin embargo, suave.

—Sí, ya te conozco.

El contacto de la mano áspera me produjo una sensación inusitada: fue como si me convirtiera en un bebé a quien su abuela calma poniéndole una mano sobre el vientre. Me dejó el cuerpo relajado y la mente vacía, limpia. Yo también había visto antes ese rostro surcado de arrugas y los ojos tan claros que parecían ciegos, el pelo espeso, gris, pero no podía recordar dónde ni cuándo.

—Quiere enseñarte algo. ¿Podemos entrar?

La anciana hizo un gesto escueto para que la siguiéramos dándonos la espalda ancha y fuerte, casi hombruna, envuelta en una vieja chaqueta de punto sobre una especie de vestido o bata de trabajo de algodón, cuando yo temblaba de frío bajo el plumífero. Parecía tan poderosa como una peña milenaria y tan invulnerable como su cabaña, con apenas vanos ni ventanas, la puerta elevada sobre el terreno en cuesta por tres grandes escalones de piedra apenas tallada.

Más allá, sobre el prado de terciopelo, pastaban cuatro vacas pintas, sonaban sus campanos en un aire tan limpio que hacía daño. Desde donde estábamos no se veía ninguna otra edificación ni rastro humano sino más prados y peñas y montes. Cómo podía sobrevivir aquella anciana sola en los inviernos durísimos de la zona se me antojaba milagroso, pero allí estaba Áurea para explicarlo:

—Ludi tiene varias cabañas desperdigadas por aquí, con sus pastos para el ganado, es lo típico de la cultura pasiega, ¿no lo sabías? Hacen la muda, que es ir de prado en prado y luego baja a la aldea a pasar el invierno. Pero en otros sitios es peor y si la nieve les deja incomunicados, tienen que llevarles comida y las medicinas en helicóptero. Y hasta el médico. Hace décadas solo podían llegar a caballo para ir a visitar a los enfermos, pero ahora van en helicóptero.

El interior de la cabaña estaba negro de humo y pobre, casi sin muebles; olía a una mezcla de leche y estiércol de vaca que sin embargo, no resultaba desagradable. Al fondo chascaba el fuego en una especie de hogar: varios ladrillos macizos colocados unos sobre otros de forma primitiva.

—Esta cabaña está encima de una oruna, así que arrimarse —dijo Ludi.

—¿Y eso qué es? —preguntó Áurea.

—Pues una corriente de aire que sale de la montaña, la nariz por donde respira. Porque algunas montañas están vivas, pero eso ya lo sabéis. Veniros aquí al fuego, que os vea las caras. ¿Qué es eso que me queréis preguntar?

—¿Ha oído usted hablar de Amalia Valle? Vivió en esta zona en el año 1949, usted sería una niña.

Se quedó pensando.

—Tengo muchos años ya y a mi memoria se le resbalan los nombres y las cosas que pasaron ayer, pero no suelta nada de cuando era niña y se me pinta como si volviera a pasar. Algunos días me despierto creyendo que mi cuerpo es joven, voy a saltar de la cama como si fuera zagala y resulta que los huesos se me quejan diciendo, ¡pero si tienes casi ochenta años, pasiegona! ¿Quién dices?

Lo repetí.

—No, no me suena. Pero vete a saber, porque siempre fui mejor para las caras que para los nombres.

Le mostré en el móvil la foto de Amalia joven, la que había enviado Diana al chat. Ludi se acercó a mirar sin tocar el teléfono.

—Es ella, más o menos por esa época.

—Vaya, vaya... Bien que ha pasado tiempo, pero a esta sí que la recuerdo y muy bien.

Al oírlo me dio un vuelco el corazón.

—Vivía en la casona de Aes, esa que llaman del alemán, y era amiga de doña Paquita, la maestra que me enseñó a hacer las cuentas. Estuvo aquí poco tiempo, escondida. Todo el mundo andaba escondido por aquel entonces, hasta los niños sabíamos que había que callar y no decir nada, nada de lo de fuera y nada de lo que se decía y hacía adentro de las casas. Había miedo entonces, sí.

—Amalia Valle murió hace años, pero es una pintora muy famosa.

—Pues mira tú —contestó, sin impresionarse lo más mínimo.

—¿Cómo sabe que estaba escondida?

—Eso se notaba. No asomaba más allá de la casona. Y dio cobijo a Angelín, mi primo segundo, y se lo agradecimos. Recuerdo que ella tenía miedo, por eso que estaba escondida. En la foto esa no, ahí ya se ve que supo matarlo.

—¿A quién?

—Al miedo, mujer.

—¿Quién es ese tal Angelín? ¿Sabe si vive, si puedo hablar con él?

—Uuuuy, qué va... Tendría cien años ahora, además debió de morir por aquellos tiempos si es que no huyó a Francia, porque un día no se supo más de él. Era uno de los que se echaron al monte. ¿Sabes lo que significa? Pues eso.

Ahora sabía mucho más sobre Amalia: su estancia en la casa era segura, y también su exilio. La autoría del cuadro empezaba a ser indiscutible.

—Pregúntale por Samperio —me recordó Áurea.

—Hay otra persona que estoy buscando, un hombre más joven que estuvo por aquí mucho después; quizá también lo recuerde.

Cogió la fotografía y acarició el papel: su tacto parecía resultarle mucho más agradable que el de una máquina como el teléfono móvil.

—No es un hombre. Es una mujer.

Ni Áurea ni yo misma supimos qué decir, quizá la anciana estaba perdiendo la cabeza porque la imagen de Román Samperio no dejaba dudas a la ambigüedad.

—Ya se ve que os sorprende lo que digo, pero está puesto en razón. Ya sabe Áurea, ¿verdad, hija?, que digo poco pero si digo es para decir algo. ¿Quieres saber más? Eso es cosa tuya, no mía. Eres tú quien buscas, pues eres tú quien encuentras.

No chocheaba, todo lo contrario: hablaba con una seguridad aplastante, la que solo da el haber visto y vivido mucho y además haberlo entendido todo. Ludi transmitía una serenidad quieta y hundida en la tierra como la raíz de un roble viejo al que nada ha podido vencer, ni la tormenta ni la sequía ni los hombres. Así que respondí sin necesidad de pensarlo: por supuesto que quería saber más.

—Muy bien, pero tienes que pagar a las Ancianas.

—¿Qué Ancianas?

Áurea me hizo un gesto significativo de «ya te explicaré luego» y callé, además no parecía que Ludi tuviera intención de explicar mucho más.

—Dame algo que tenga valor.

Aunque fuera evidente que no se estaba refiriendo a dinero, tampoco suelo llevar joyas y menos trabajando, solo dos anillos de plata tan baratos que me hubiera dado pudor considerar de valor.

—¿El teléfono?

El dichoso móvil costaba un riñón, todavía estaba pagándolo, pero lo necesitaba para trabajar. A ver cómo me las apañaba para comprar otro por estos lares, pero al menos lo cargaría a las sustanciosas dietas de Gaula.

—Esos cacharros aquí no funcionan —dijo Ludi con desprecio.

—No hay cobertura salvo en los pueblos grandes —terció Áurea.

La mirada de Ludi parecía un acertijo, como la de una esfinge que me estuviera poniendo a prueba. Algo de valor... Para mí. Saqué la cartera del bolsillo del plumífero. Sí que llevaba encima algo de mucho valor para mí. Aunque tenía copias en digital nunca me separaba de la foto original, la que me dio la prima y por eso estaba ya un poco doblada y estropeada por los bordes. No pude evitar un estremecimiento al entregársela, todavía hoy pienso que debía de estar sugestionada o hipnotizada por su mirada de esfinge para dársela y sin embargo creo que no me equivoqué, que hice bien en desprenderme de ella, fue como si dijera adiós no a mi madre ni a su recuerdo sino a una parte de mi vida que se había convertido en un lastre. Ludi pareció satisfecha: acarició la foto de Irene como había hecho antes con la de Román Samperio antes de decir:

—Esta mujer sufrió mucho antes de morir, pero tú no puedes compartir su dolor y no te hace bien cargar con él, por eso es mejor que la tenga yo.

No podía saber que mi madre estaba muerta, puedo jurar que desde que llegué al valle no había hablado a nadie de ella, mucho menos a aquella desconocida, pero ya empezaba a acostumbrarme a los sucesos extraordinarios.

Guardó la foto en uno de los bolsillos de su delantal y de algún rincón oscuro sacó a cambio un par de albarcas que reconocí de inmediato. Áurea y yo intercambiamos una mirada cómplice: esa era la razón por la que Áurea quería que conociese a Ludi y no solo por ser tan vieja como para recordar a Amalia Valle o Román Samperio. Las albarcas de madera eran idénticas a las que aparecían pintadas en el cuadro, podía reconocer el mismo dibujo tallado en la parte del empeine y recordé que también lo había visto en el dintel de la casa de los Lavín: el círculo, las tres barras, los tres puntos. Las puso en el suelo delante de mí junto a un taburete de madera de tres patas.

—Tienes que sentarte aquí, descalzarte y meter los pies en las albarcas.

A pesar de lo extraño de la petición, obedecí. Creo que hubiera hecho cualquier cosa que aquella mujer me pidiera por muy ridícula que fuese. Así que me quité las botas y metí los pies en las albarcas tal y como decía. Con extraordinaria agilidad para su edad, Ludi se sentó en el suelo frente a mí y Áurea se retiró a un rincón.

—Las Ancianas te escuchan. ¿Qué quieres saber? Puedes preguntarles.

—¿Dónde está Román Samperio?

—Ese hombre ya no está, no hay forma de encontrarlo.

—¿Está muerto?

—Ni vivo ni muerto. Pero ya no está porque no quiere ser

encontrado. Sin embargo, una parte de él sigue ahí aunque cambiado, transformado. Tiene algo que decirte y te lo dirá, solo que de otra manera.

—¿Qué tengo que hacer?

—Seguir buscando. Hay otras mujeres que han venido contigo, te acompañan. Ellas te ven, tú las ves y marcan el camino que tienes que seguir.

—¿Dónde están?

—Están dentro de la montaña y de las cosas que conoces y que no. Están dentro del ojo que mira. Están en el pasado y en el presente. El tiempo no es más que una pompa de jabón, puedes traspasarlo con un dedo y hasta romperlo, eso es lo que te dicen las Ancianas. Confía en ellas. Y no tengas miedo porque no hay nada que temer.

Sus palabras pesaban como las de los ritos y las oraciones. Me recordaron a las escritas por Román Samperio, aunque en la Vijana me parecían naturales y sin afectación literaria, como pensadas para ser dichas en alto y en un lugar como aquel, donde el tiempo parecía haberse detenido hacía siglos.

—Una es la morena, la de la foto primera.

Era obvio que yo estaba muy interesada por Amalia Valle, no hacía falta ser adivina para saberlo.

—¿Hay más?

—Está la que crees conocer como un hombre. Y luego está una que tiene el pelo rojo. Y ya está, que se hace de noche y tenéis que marchar.

Cuando salimos de la cabaña anochecía y hacía más frío. En la puerta Ludi dio un último extraño aviso, pero no a mí sino a Áurea:

—Estos días es mejor que no os metáis por adentro del monte, vigilad a los perros y a las vacas porque han puesto trampas y cepos por todas partes y el bosque está enfadado.

Áurea abrazó a la anciana y ella le susurró algo al oído mientras la otra asentía, pero no oí lo que decía. En la furgoneta, ya de regreso a El Jardín del Alemán, Áurea me explicó que aunque Ludi solo hacía el ritual en contadas ocasiones y con personas muy concretas, ella también había podido preguntar a las Ancianas metiendo los pies en las albarcas.

—Acababa de conocer a Valvanuz, nos habíamos enamorado como dos quinceañeras y dudaba de si tenía que dejar la plaza de profesora y cambiar de país. Estaba perdida, iba a abandonar mi carrera, con lo que me había costado llegar... En fin, que no sabía qué hacer. Un día vi a Ludi atravesando el puente sobre el río Pas, llevaba en la mano una velorta, el palo ese tan largo que llevan aquí para cargar hierba, y arrastraba las albarcas por el asfalto haciendo ese ruido característico de madera, rítmico... Parecía una estampa de otra época, como salida de una máquina del tiempo, y me recordó a mi abuela la de Albacete, así como en un flasazo... Pues fíjate, no había nadie y mira que es raro porque siempre encuentras a algún turista del balneario haciéndose selfis en el puente. Íbamos una al encuentro de la otra y al cruzarnos le dije «buenas tardes» y me contestó: «No le des tantas vueltas. Te quedarás». Me dejó con la boca abierta, la vi seguir por el puente hasta perderse de vista porque no podía moverme de la impresión. Fui corriendo a preguntar a Vali, claro, y entonces me contó quién era.

—¿Ella también forma parte de vuestra comunidad druídica?

—¡Qué va! Ni falta que le hace, viene de una familia de mujeres muy famosas en todos los valles pasiegos como sanadoras y curanderas, las Vijanas las llaman. Pero desde luego que nuestras creencias se conectan con sus conocimientos, antiquísimos. En realidad todas venimos de lo mismo.

—¿Quiénes son las Ancianas?

—Así llama ella a las fuerzas de la naturaleza, como si fueran unas diosas muy muy viejas. La verdad es que resulta fascinante desde el punto de vista antropológico; estas figuras se remontarían a épocas preceltíberas como si hubieran continuado un matriarcado espiritual que acabó hace milenios, muy típico de las culturas megalíticas. El dolmen donde nos reunimos para hacer nuestras fiestas está muy cerca de una de las cabañas de Ludi y fíjate que ese terreno lo heredó de su tatarabuela, una Vijana muy poderosa y la más famosa de todas. Se dice que hasta Isabel II, volviendo a Madrid desde sus baños de ola en Santander, pidió conocer a la curandera de Puente Viesgo. Al parecer la reina tenía dolores como consecuencia de un aborto y no confiaba en sus médicos, creía que de eso sabían mucho más las mujeres de pueblo. Bueno, pues se corrió la voz y como con la moda de las amas de cría pasiegas en la Corte, todas las señoras bien se empeñaron en tener su propia curandera como la que había tratado a la reina. La capital se llenó de curanderas de los valles muy bien conectadas con las altas instancias que con los buenos duros ahorrados se dedicaron a poner hostales, pensiones y restaurantes. ¡Todo un *lobby* pasiego!

Nos reímos, pero la pregunta estaba ahí, haciéndose grande entre las dos.

—¿Tú te lo crees?

—¿El qué?

—Todo. Este supuesto poder… adivinatorio.

—Si es verdad o se equivoca, solo lo puedes saber tú y nadie más.

En cuanto salimos a la comarcal revivió el móvil. Tenía tres llamadas perdidas de Martín y un mensaje de voz:

«Inés, he revisado todo el material grabado varias veces y nunca había visto algo así. Voy ahora hacia la casa, te espero allí».

AMALIA

Cuarto de maravillas

1

Un hombre de pelo blanco y arrugas sabias, un anciano recluido en su casa y confinado a una silla de ruedas: así había imaginado a aquel don Santos que velaba por mí desde la distancia. Pero estaba equivocada.

Vivía en una casona con jardín en terraza al río, portalada, torre y blasón, como muchas otras en el tiempo detenido de los valles pasiegos. Sin embargo, el interior no se parecía a nada que hubiera visto antes, salvo a uno de esos decorados de película con salones grandísimos de mentirijillas, hechos adrede para el cine. El palacio antiguo ocultaba todas las ventajas del siglo XX tan escasas en la región: luz eléctrica, teléfono, hasta un ascensor desde la planta baja al tercer piso. La luz entraba a raudales por los balcones y las solanas inundando las salas diáfanas, sin molestos muebles aparatosos y con las paredes llenas de cuadros; al verlos me contagié de la fascinación que tanto el palacio como su propietario suscitaban entre los habitantes del valle.

Él me esperaba en el segundo piso, eso me dijo Cachita abriéndome la puerta de forja del ascensor. La madera de la cabina brillaba tanto como el espejo del interior, con mi propio reflejo pálido al lado del oscuro de mi acompañante y la tarima pulida del suelo. Lo encontré en la solana, sentado en la silla de ruedas, abrigado con una manta a pesar de que no hacía frío, ensimismado en el paisaje que se veía al otro lado del vidrio del mirador. Me tendió una mano huesuda y al estrecharla tuve la sensación de apretar ramitas secas.

—No sé cómo agradecerle todo lo que ha hecho usted por mí.

—Espero que se encuentre mejor de salud, Amalia. ¿Me permite llamarla así?

Me examinaba con ojos febriles; la piel de cera amarilla, tan fina como el papel cebolla de las Biblias, el cuerpo sobresalido de la ropa mal encajada, siempre demasiado grande, de los que están a punto de morir. Pero no era un anciano: apenas tendría cincuenta años y su voz sonaba juvenil, apasionada. Santos nunca hablaba de su enfermedad, tampoco Cachita mencionó nada. Bajo el título oficial de ama de llaves administraba la casa, los arriendos y las demás propiedades de un amo que delegaba todo en ella. La cubana también dirigía al personal de servicio que hacía falta para mantener el caserón impecable y atender a los invitados, aunque yo nunca vi a nadie más que a ella, como si limpiaran y cocinaran los duendes. Había que ver a doña Caridad caminar por la casa como dueña y señora en un reflejo de su verdadero propietario, desdoblado en otro cuerpo más capaz de llevar a cabo su voluntad. Quizá por eso suscitara entre los habitantes del valle una mezcla de fascinación y rechazo, como ya se había encargado Paquita de contarme.

—Entre el acento, el ser negra y esas cosas que a veces dice, que parecen, qué se yo, como adivinanzas... La pobre habla como las mujeres del Caribe donde nació y la gente de aquí no está para sutilezas. Y la envidia, que es muy mala. Fíjate que algunas de las criadas que pasaron por la casona juran que la vieron vestida entera de blanco, hasta la cabeza, que se ponía de esa guisa para matar gallos negros y echar su sangre en una piedra mientras decía conjuros en lengua de negros. ¡Qué desagradecida es la gente! Porque alguna de esas boconas salió recomendada para trabajar en el balneario y por mala cabeza y darle demasiado a la lengua, acabó en la calle. Pues merecido lo tiene, ¿no? Si es que no sé qué más pueden inventar para criticarla siendo una mujer que no hace mal a nadie, bien lo sabe el señor cura que no hace caso de esas habladurías; por otro lado tampoco es que le convenga llevarse mal con don Santos, tú ya me entiendes.

Caridad sirvió el café. Tintinearon las cucharitas de plata

en la porcelana pintada con vistas de paisajes y reconocí el estilo delicado del siglo XVIII. Lo alabé ante su poseedor.

—Sabía que le gustaría. La vajilla viene de la fábrica de Capodimonte; fíjese en las vistas de Nápoles con el Vesubio al fondo, humeando. Rodearme de objetos especiales, bellos y raros es una de mis pasiones, ya verá.

El juego de café rococó, la sirvienta negra que parecía una reina... todo era raro, también el hombre que desafiaba a la muerte.

—Es usted un coleccionista, entonces. Y de mucho gusto.

—Quizá solo un caprichoso, pero cuando se vive en un aislamiento como el mío ciertos objetos representan una compañía que pocas personas en el mundo pueden comprender, quizá solo aquellas que sean igualmente extraordinarias. ¿Sabe usted lo que es un cuarto de maravillas?

—Pues no, la verdad.

—Así se llamaban en tiempos pasados las habitaciones con curiosidades exóticas traídas de los nuevos mundos recién explorados, animales y objetos tan extraños y raros que podían considerarse tesoros. ¿Le sorprendería saber que yo dispongo de algo parecido?

Podía esperar cualquier cosa de mi anfitrión, capaz de emular a un genio salido de la lámpara maravillosa, ya me lo había demostrado.

—¿Nos acompaña?

El genio ni siquiera tuvo que hacer un gesto a Cachita para que empujara la silla porque ella parecía adelantarse a sus deseos. Los seguí hasta una puerta de dos hojas de madera gruesa y rústica, tan fuera de lugar como el portón de un castillo medieval en el interior de un delicado palacio hindú. Santos sacó del bolsillo de la chaqueta de paño inglés una llave de hierro grande y antigua —se parecía a la de mi refugio— y se la dio a su sirvienta. Con el gesto digno de una vestal romana, la mujer abrió las puertas y ante nosotros apareció un cuarto casi tan grande como el salón principal pero atestado hasta el techo como el almacén de un chamarilero: esculturas de mármol de dioses paganos, bustos de bronce, vitrinas repletas de monedas y camafeos, piezas arqueológicas como puntas de lanza y fíbulas y figuritas, ídolos de obsidiana, estanterías llenas de libros de todos los tamaños —los más grandes abiertos en sus atriles de pie— arcones cerrados y ánforas romanas, máquinas raras y juguetes curiosos, máscaras exóticas, catalejos, astrolabios y telescopios, instrumentos musicales antiguos, un globo terráqueo de una época en la que algunos mares eran todavía desconocidos, maquetas de barcos y trenes, máquinas extrañas y, sentado en una silla, un autómata de tamaño humano. Una lámpara con lágrimas de cristal lanzaba destellos de arcoíris sobre la cueva de Alí Babá.

—Si no le importa, y antes de mostrarle mis juguetes con detenimiento, me gustaría que examinara estas obras y me diera su opinión —dijo, señalando una pared despejada en contraste con el abigarramiento del resto del cuarto. Colgados en ella, cuadros de regular tamaño, no pinturas ni grabados sino una serie de fotografías enmarcadas y protegidas por cristal. Mostraban paisajes de la zona: de un solo vistazo distinguí el perfil reconocible del monte de El Castillo, el puente sobre el río Pas y una vista del balneario en los tiempos de su esplendor.

—Señorita Amalia, ¿no quiere sentarse? —preguntó Cachita colocando una silla cerca de mí.

—No, gracias, Caridad. —A veces su celo rayaba la exageración—. Me temo que no soy experta en técnicas fotográficas, no sé si podré serle de mucha ayuda.

—No se preocupe por eso. Mire bien. Sobre todo esa, la ampliación más grande, a su izquierda —dijo Santos.

Me acerqué al retrato de una mujer sentada bajo el porche de una casa con jardín. Reconocí la casa en la que vivía, la que pertenecía a don Jaime y había estado vacía desde el principio de la guerra. Y a la mujer: sus ojos, su rostro, la expresión atrapada dentro del objetivo, el cuerpo cubierto por la ropa que tan bien conocía, sorprendido en un movimiento borroso que no había podido ser captado, entre gamas de grises que se hacían más oscuras hasta llegar a una mancha negra. Esa mujer era yo.

2

Soy yo. Reflejada en la ventana del balcón que da a la calle, ya oscura, parezco un fantasma que hubiera venido a visitarme.

Casi no salíamos de casa, él no quería ver a nadie y dejó de trabajar. Ir al cine de vez en cuando era lo único permitido. Me dejaba elegir la película, no le importaba porque no veía nada de lo que pasaba por delante de sus ojos, solo podía ver lo que ocurría en su propia mente. Tampoco lo recordaba después, por eso podía mentirle y así repetíamos las que más me gustaban. Como la historia aquella de la chica jovencita que se casa con un viudo acaudalado dueño de una mansión en la que habita el espectro terrible de su antigua mujer, mucho más bella y elegante y que se ha ahogado en el mar. Reconocía en mí el miedo de aquella pobrecita enamorada que solo quería agradar a su guapo marido, que se parecía al mío, quien al volver del viaje de novios cambiaba en extraño e iracundo. El padre de la chica pintaba árboles, decían, y también la hija, igual que yo. Me veía reflejada en ella, que por no tener no tenía siquiera nombre: hasta la película llevaba el nombre de la otra mujer, la muerta. Nunca se la veía pero estaba ahí, como si su espectro pudiera materializarse en cualquier momento. La vi muchas veces y ya no seguía el argumento ni los diálogos, veía lo que ocurría en la pantalla como las imágenes de un sueño o una pesadilla rota en pedazos de la que no lograba salir. La niebla entre los árboles. La casa como un castillo de cuento, negra como un caparazón quemado. El mar embravecido. Una figurita rota en un cajón. La puerta cerrada. La siniestra ama de llaves que se desliza por los pasillos sin caminar, como flotando, enviada por la muerta para cumplir su voluntad. Imaginaba en mi mente un cuadro contando todo aquello porque también era mío, lo veía perfectamente: un perro negro ladrando, la silueta fantasmal de la mujer muerta surgiendo de las olas blancas, una playa y un barco hundido y arriba sobre la colina, una almohada con una letra bordada, los amantes junto al castillo de Barba Azul rodeado de niebla, todo con colores que no aparecían en la película porque era en blanco y negro. Pero ya no podía pintar, se lo había prometido.

Lo que más deseaba en el mundo era que mi final fuese como el de la chica sin nombre, que mi marido no fuera malvado ni asesino y que todo lo que había sucedido entre nosotros fuera fruto de un accidente, un malentendido que se solucionase al final como en las películas. Tenía que volver a verla una y otra vez para convencerme y hasta que no salía la palabra FIN y se encendían las luces y salíamos a la calle, permanecía la esperanza en el fondo de mi corazón. Luego, ya en casa, las imágenes salidas de la pantalla me asaltaban desordenadas, intercambiados los principios y los finales como si el proyeccionista hubiera confundido los rollos de película; la niebla desde la ventana, el fuego devorando el caserón, un hombre a punto de suicidarse.

—Me he intentado matar.

Esa tarde de febrero llovía a mares, un cielo negro había caído sobre Madrid y yo le esperaba angustiada, mirando por la ventana hacia la oscuridad. Había salido sin decir nada, ni siquiera oí la puerta de la calle al cerrarse. Tardó horas en volver y yo no sabía qué hacer, me daba miedo y vergüenza llamar a amigos o conocidos del trabajo y preguntar por él cuando hacía meses que no tratábamos con nadie. Solo de vez en cuando telefoneaba a mi madre para saber de la salud de mi padre, aunque sabía que sacaba de quicio a Jesús. Pero no hablé con nadie de lo que sucedía en nuestra casa, de cómo pasábamos días encerrados y tumbados en la cama me pedía que le abrazase, que tenía miedo, decía; pasábamos así las horas muertas yo mirando el techo, él dormido. Se enfadaba con los médicos diciendo que le daban bromuro, yo no sé qué llevaban las pastillas pero le dejaban dormido de golpe.

—He tenido que aprender a afeitarle yo, fue él quien me pidió que escondiera la navaja para evitar la tentación de cortarse el cuello.

No le digo al médico que también tengo miedo de que me mate con ella. En esa ocasión descendió de su trono facultativo para hablar conmigo a solas, me cogió por el codo, los dedos amorcillados, su boca a mi lado, su mal aliento, la camisa azul Falange asomando bajo la bata blanca. Se cree un seductor, intenta coquetear.

—Mira, Amalia, esto es habitual, hay muchos así, más de lo que se dice y esto es extraoficial. Mmm... Mejor que no salga de aquí, ¿eh? Son cosas de la guerra. Las privaciones, las heridas, la muerte vista de cerca... Eso afecta. Pero pasará, ya lo verás. Lo que tenéis que hacer es tener niños, ya verás que en cuanto tengáis unos cuantos críos dando la tabarra por la casa se le olvidará todo esto.

No respondí que había tenido un aborto natural ni que de quedar de nuevo embarazada correría mucho riesgo, eso habían sentenciado otros médicos parecidos a él que no se quitaban el puro de la boca mientras me exploraban con los dedos amarillos de nicotina; tampoco que mi marido había vivido aquella pérdida como la prueba material de que no le quería de verdad, como si a ese ser no nacido lo hubiera matado yo adrede, como castigo. Además, ¿de qué hubiera servido? Yo era su esposa, le pertenecía, estábamos unidos para siempre, lo que ha unido Dios no puede separarlo el hombre y menos la mujer. Mientras hacía el papel de esposa abnegada y naturalmente preocupada, el médico me atraía hacia sí para decirme:

—No pasará nada, no te preocupes tanto. Tú no le lleves la contraria, déjale hacer y que se vea bien atendido, pero sin ponerte pesada. Sobre todo no le des ningún motivo para que se sulfure. ¿Estamos?

Intentó manosearme pero me despegué de él, le di las gracias, sonreía; creo que estaba muy satisfecho de sí mismo. Le recetó unas pastillas que dejó de tomar en cuanto se dio cuenta de que lo dejaban aletargado, idiotizado.

Y ahora no estaba, se había ido, pero a dónde, la tarde convertida en noche con aquella tormenta, los truenos que me recordaban a los bombardeos que durante años me hicieron temblar; tenía que meterme en la cama o en un sitio cerrado, hasta en los armarios, con tal de escapar de ese bramido. Imaginé la posibilidad de que me hubiera abandonado aunque sabía que eso era imposible, pero me sentí feliz por un momento con la idea de que hubiera desaparecido, con una vida sin él. No sé cuánto tiempo estuve así, sin moverme, sola frente a mi reflejo en la ventana hasta que oí la puerta. Venía con la cara y el pelo y el abrigo empapados, no se había llevado el sombrero y los zapatos dejaban una huella de agua sobre la alfombra del salón.

—He intentado matarme —repitió.

Había salido como un autómata sin darse cuenta de que llovía a cántaros y caminó sin rumbo hasta llegar al viaducto. No pensó en nada, estaba solo, lo comprobó: con ese tiempo no había nadie en la calle Segovia; subió al pretil y miró abajo, a la caída mortal, se imaginó a sí mismo en el vuelo rápido, por un segundo el cuerpo detenido, suspendido en el aire.

—Así te librarías de mí y yo de esta angustia que me atenaza como una mancha negra que me tiñe el alma y no me deja ni pensar... Antes de acercarme al puente lo único que pensaba era: «Ya no me quiere, ella ya no me quiere, ha dejado de quererme y sé que es por mi culpa». Por eso lo iba a hacer, porque no tengo nada más, sin ti estoy muerto aunque no lo parezca, no me da miedo, me da igual; ya conozco el infierno, estuve en él, sigo en él. Por eso estaba allí, a punto de tirarme, con medio cuerpo fuera, cuando empezaron a sonar las campanas, primero las de San Francisco el Grande, tan cerca, y después las de todas las iglesias, sonaban y sonaban cada vez más fuerte, machacándome el cerebro, estallando dentro de mí como si me avisaran de mi propia condenación, porque Dios no quiere que me mate, Amalia, no puede querer eso, después de todo, ¿por qué me dejó vivo? ¿Por qué no me mató cuando pudo hacerlo? Le hubiera resultado tan fácil... Pero no quiso, y para eso solo puede haber una razón. Por ti, me dejó vivo por ti, para ti. Perdóname... Prométeme que no me vas a dejar nunca y no volveré siquiera a pensar en ello, te lo juro, todo va a cambiar a partir de ahora, ya verás.

Se lo prometí. En el fondo de mi alma deseaba tanto que fuera verdad, que volviéramos a ser él y yo amantes y amados como antes. Pero ¿cuándo? ¿En qué momento? Ese momento aparecía borroso, perdido, en una niebla como la que rodeaba el caserón de la película aquella, porque en realidad lo hubiera dado todo por parar el tiempo y volver al tiovivo que daba vueltas, pero a la inversa: a nuestra noche de bodas, al día en que nos casamos, al momento en que le abrí la puerta de mi casa después de que llamara puta a Merche y exigirme que no volviera a verla, así hasta llegar a la verbena en la que nos conocimos y poder decir «No, no quiero ir contigo, me quedo aquí con estos amigos que ríen y beben limonada y hablan de cosas de chicos y chicas, porque soy joven, tengo toda la vida por delante y voy a ser pintora».

Durante un tiempo, no mucho, pareció recapacitar y dejó de comportarse como un loco, hasta volvió a trabajar y eso me daba unas horas de tranquilidad, aunque siguiera vigilada en todo momento por Feliciana. Me pasaba el día bordando, así no sentía tan lejos los colores y las formas. Mis cojines y mantelerías no se parecían a nada porque ocultaban mensajes secretos que solo tenían sentido para mí. Y cuando nadie me veía dibujaba con un dedo mojado en los cristales, en el suelo con el agua de fregar, con el jabón en el espejo del cuarto del baño.

Habíamos comido albóndigas de segundo y mientras esperábamos a que Feliciana recogiera los platos y trajera las manzanas asadas de postre, me descubrió dibujando con el cuchillo en los restos de salsa de color dorado.

—¿Qué haces?

—Nada.

Cogió el plato.

—Es un pájaro con las alas desplegadas —dijo.

—No es nada.

—No mientas... Has dibujado una paloma.

—Un águila.

—¿Lo ves?

Cogió el plato y lo estrelló contra el suelo. Feliciana entró como un rayo al oír el ruido y antes de que pudiera recoger él la mandó de nuevo a la cocina.

—Ven —me dijo.

Al verle la mirada fría y brillante me eché a temblar pero obedecí; me daba más miedo que cuando gritaba, ese fulgor callado era más peligroso. Habíamos guardado en un altillo los cuadros que no había dejado en casa de mis padres junto a las carpetas con dibujos. Sacó todo, me los fue dando uno a uno. Solo tres de mis obras adornaban las paredes de aquella casa, él mismo había elegido el bodegón con granadas y los dos paisajes de bosque diciendo que le gustaban, aunque no eran mis favoritos. Los descolgó también. Mandó salir a Feliciana, le dio una propina para que se fuera con viento fresco, ella se metió el billete en el escote y casi corrió hacia la puerta de servicio dejándonos solos.

—Si me quieres tienes que demostrarme que no hay nada que nos pueda separar. Nada. Si queremos ser felices no podemos tenernos más que el uno al otro. Lo entiendes, ¿verdad?

Asentí y me abrazó y me besó como antes, como cuando me miraba como si me quisiera de verdad, como me había prometido. Sí, aún podíamos recuperarlo todo pero había que pagar un precio para volver a encontrar al dios que nos había abandonado y yo no tenía más hijos que sacrificar. Nadie detuvo mi mano cuando cogí el cuchillo para rajar la tela, hacerla trizas; tampoco impedí que rompiera los bastidores, no dije nada, no hice nada, no ocurrió nada cuando los dos metimos los restos en el fogón, la madera, la tela, el papel, prendieron bien, lenguas de fuego escaparon de la boca del fogón; sentí en la cara el calor que desprendían, una llamarada más fuerte me deslumbró.

3

Recordaba el destello, cómo me obligó a cerrar los ojos. Pero entonces estaba sola: era imposible que no hubiera visto al fotógrafo. Y sin embargo, la prueba destrozaba el recuerdo, porque la composición de la fotografía mostraba que el autor había estado frente a mí en el momento de disparar.

La voz de Santos sonó lejana, irreal.

—Cachita me habló de usted: no se le despinta una cara y tiene muy vista mi colección de fotografías antiguas, sabe que tienen mucho valor para mí. Así que cuando me contó que había visto en carne y hueso a la mujer de este retrato... ¿Comprende usted ahora el mucho interés que su persona me suscita? Esta es la razón por la que le rogué que viniera a verme, tenía que conocerla.

—Esto no puede ser... ¿Quién me hizo esta foto?

—Buena pregunta... Llevo muchos años buscando al autor de estas fotografías y también los negativos originales; he empleado en ello mucho tiempo y dinero. Tengo que reconocer que fracasé.

Cachita cogió el cuadro para darle la vuelta y sacar la copia fotográfica del marco. Me mostró el envés.

—Mire la fecha, por favor —dijo Santos.

Al otro lado, una pluma de letra elegante ya desvaída por el paso del tiempo había escrito unas iniciales E. M. junto a la fecha: 1919.

Sentí que el suelo se movía como me habían contado que sucedía durante los terremotos, pero enseguida me di cuenta de que eran mis piernas, que temblaban.

—¿Quiere sentarse ahora? —dijo Cachita.

Me dejé caer en la silla y no recuerdo si la fotografía se me resbaló de entre las manos, puede que cayera al suelo y Cachita la recogiera.

—Tranquilícese, señorita Amalia —dijo, poniéndome una mano en el hombro. Su contacto arrastró el monstruo que me impedía respirar con ese poder que actuaba sobre mi cuerpo y mi ánimo y quizá también sobre el de otros.

—Es un error... Esa fecha está equivocada. Esta imagen está tomada nada más llegar yo a la casa, incluso puedo recordar el día. Esto solo demuestra que... que alguien sabe dónde estoy y que además me vigila y hasta me hace fotografías.

Volvió el vértigo de siempre, el aire que se hacía demasiado denso para entrar en los pulmones, el temblor, el terror.

—Sinceramente, creo que no hay nada de eso, quédese tranquila. Además, no pienso permitir que le suceda nada malo mientras se encuentre usted en estos valles: le aseguro que tengo la suficiente influencia como para poder cumplir esa promesa. Aquí, entre nosotros, está a salvo. Comprendo su situación mejor de lo que imagina... Pero ahora sabe por qué está aquí, ha conocido la verdadera razón de mi interés en su salud y su bienestar. Porque usted, Amalia, es un verdadero tesoro que, por increíble que parezca, respira y late como el resto de nosotros. Me alegro de haber vivido el tiempo necesario solo por conocerla. ¿Me comprende ahora?

No, no comprendía nada: la habitación daba vueltas a mi alrededor en un tiovivo de objetos salidos de épocas pasadas, presentes y futuras.

—¿Qué significa todo esto?

—Quién sabe... Hay cosas incomprensibles en el mundo. Los milagros son así.

—¿Cree que esto es un milagro?

—¿Qué si no? Soy un hombre racional y ni yo ni nadie puede encontrar explicación a un hecho como este, que escapa a las leyes físicas. Dígame: ¿cree que se trata de una simple casualidad y que la mujer a quien ha visto retratada solo se le parece, en un lugar que también por casualidad es similar a la casa en que vive? ¿Cree que he hecho falsificar la fecha de la fotografía? ¿Con qué fin?

Una maraña en la mente me impedía responder, crecía y crecía invadiendo mi cuerpo hasta llegar al pecho, las manos, las piernas, paralizándome.

—Para mí esta es la prueba de que no todo está escrito —continuó, entusiasmado, de nuevo lleno de energía—. Ahora sé que hay algo más... Aunque no sepamos nada de ello por encontrarse fuera del tiempo y de nosotros mismos. Para alguien como yo es más que suficiente. Un motivo de esperanza.

Cachita devolvió la fotografía a su lugar y la colocó con cuidado. Intenté encontrar algo, una marca de falsedad, una huella o una señal imposible de hallar pero ahí delante solo estaba yo misma.

—¿Quién más sabe de esto? —dije.

—Nadie. Solo Cachita y yo. Y así debe seguir si a usted no le parece mal.

¿Qué podía decir? Nada. La mente entumecida, con un frío repentino metido en los huesos.

—¿Se encuentra usted mal? Cachita, haz el favor de llamar a don Fidel.

—No... no hace falta.

—Niña, está usted todavía convaleciente. Haga caso y cuídese, solo faltaría que recayese.

El día que llegué a la casa de don Jaime, la noche de la aparición de los fantasmas familiares, las telas y las pinturas en el estudio, la tarde en que encontré a la Mujer Roja, mi hambre y Cachita al otro lado de la puerta, mi desesperación al saber que estaba embarazada, la cocina convertida en una especie de quirófano, el aborto, el dolor de los primeros días, los cuidados de Fidel y esa fotografía que acababa de ver, todo formaba parte de una especie de sueño del que no lograba salir. Me castañeteaban los dientes. No sé cómo volvimos al salón, Cachita me sirvió un coñac para que lo bebiera a sorbitos y encendió la chimenea para que entrara en calor. Santos hablaba y hablaba como si mi presencia le desatara un nudo de la memoria que hasta entonces hubiera estado demasiado apretado.

—... el único tesoro que poseo no lo compré con dinero: esas fotografías fueron lo único que me dejó mi hermana al morir. Extraño, ¿verdad? Cómo una mujer del pueblo, una trabajadora sin instrucción más allá de las cuatro reglas, sin contactos, que apenas salió de estos valles, pudo ser su propietaria... Es un misterio. Nunca me habló de ello, pero sé que las tenía por valiosas y las escondió por alguna razón y con sumo cuidado hasta el mismo día en que murió, y su última voluntad fue que yo las tuviera. Es el único recuerdo de la persona a la que debo todo lo que tengo, porque todo lo que conseguí fue gracias a ella, la mujer más alegre y dispuesta del mundo, ¿sabe usted? Se desvivió porque yo fuera un hombre de provecho. Todos huimos de algo y yo escapé de la miseria. Suceso, apenas una cría, entendió que de entre todos los hermanos yo era el único capaz de salir de ella y consiguió a fuerza de mucho insistir que don Alipio, el párroco de Puente Viesgo, me recomendara para una beca de interno con los curas de Villacarriedo, el mejor colegio de aquel entonces. Porque cuando murió mi padre tenía yo apenas cuatro años, dejó seis bocas para alimentar incluyendo la de mi madre, una mujer débil, siempre enferma, incapaz para las labores duras; nació en mal sitio y en mal lugar, ¡pobre mujer! Así que Suceso, trabajando desde los trece años de camarera en el balneario, se echó la familia a la espalda, como quien dice. Ella sí que era inteligente, no yo, dónde va a parar, si hubiera nacido hombre habría llegado a donde se propusiera, pero nació mujer y ya se sabe... ¡Cuánto talento malgastado! Solía decirme: «Estudia por mí que yo no puedo, ya me gustaría». Bendita sea.

Le dejé hablar sin preguntar ni interrumpir, agradeciendo en mi fuero interno que el torrente de detalles sobre su vida íntima me permitieran escapar de la barahúnda de mis propios pensamientos.

—Tuve mucha suerte, los curas me colocaron bien y a los diecinueve años salí de España para trabajar como encargado en una empresa minera en Venezuela, el primero de muchos viajes y distintos negocios, cada vez más lejos. Entonces Suceso aún no se había casado con el afilador que vagaba de pueblo en pueblo; no sé cómo cayó en ese error una mujer tan inteligente, pero ¿qué sabemos nosotros del corazón humano? Nunca me casé creo que por descreimiento: ella influyó en mí hasta en esa decisión vital, porque aunque no fui testigo directo de un matrimonio que no le trajo más que sinsabores, terminé por enterarme: desde que gané mi primer sueldo fui mandándole dinero y ella ahorrando para poner una tienda, la ilusión de su vida, pero en cuanto aquel fulano pudo echar mano a esos ahorros desaparecieron en un abrir y cerrar de ojos: andaba de juerga todo el día, mujeriego, un desastre, un trapacero y un ladrón, incluso incendiario. Terminó entrando y saliendo de El Dueso, cada vez más embrutecido. Yo mandaba algunas cartas, tampoco muchas, y ella contestó siempre, durante años, no sé por qué no me contó nada, quizá no quería preocuparme. Hasta que enfermó. No quiso que la atendieran médicos, al final solo permitía que la viera nuestra tía Damiana, que era curandera, a pesar de que tenía casi cien años. Estaba convencida de que si ella no lograba salvarla es que nadie podía hacerlo; hay cosas en este lugar que... Pero me estoy apartando de lo que quería decirle. Me enteré de su muerte estando muy lejos y solo al faltarme entendí que ya no había forma de recuperarla, que nos habíamos separado demasiado pronto y que no sabía casi nada de mi propia hermana. Busqué la razón por la que guardaba esas fotografías y lo único que encontré fueron unas postales del balneario que coincidían con algunas de las vistas de las imágenes, pero como comprenderá son anónimas; han pasado muchos años desde entonces y nada se sabe de quién las realizó. Mi hermana nunca tuvo cariño a ese establecimiento, donde no la trataron bien; siempre quiso dejar el trabajo de camarera y establecerse por su cuenta, así que no creo que le interesara conservar la imagen de un lugar que tenía tan cerca y donde se hartó de lavar y planchar... Ya ve, no tiene sentido. No creo que logre saber por qué guardó con tanto cuidado esas fotos si no tenían valor para ella.

Se quedó un buen rato en silencio, no sé si esperando a que yo me repusiera o solo sumido en sus pensamientos. El calor del fuego y del coñac hacía efecto: el vértigo se había ido.

—Quizá no diera valor a las fotografías, pero sí a quién las hizo —me atreví a decir.

—Exacto. Por eso busqué a su autor, fue inútil, pero no me rindo. Ese fotógrafo existió aunque no sepamos quién fue, incluso puede que esté vivo, quizá fuera el primer amor de mi hermana y le hiciera ese regalo antes de irse, de abandonarla quién sabe por qué, y ella por despecho se casó con el dichoso afilador... Una historia de amor o de desamor es lo único que me parece verosímil. Pero le debo de parecer un ridículo romántico.

—En absoluto, yo también lo encuentro muy verosímil.

—¿Quiere verla?

Cachita, de nuevo adelantándose a sus deseos traía entre las manos un grueso álbum forrado de seda azul, que me puso en las manos ya abierto.

—Esta es Suceso.

Me mostró la imagen de una jovencita con cara avispada vestida como las aldeanas del valle en día de fiesta: camisa blanca con puntillas en el cuello y los puños, corpiño y chaquetilla corta, la saya con franjas de terciopelo, la cabeza envuelta en un gran pañuelo de muchos colores, se notaba aunque la fotografía fuera en blanco y negro. A su lado había un jovenzuelo rubio y pecoso y ambos sonreían.

—Sonreír a cámara es algo muy poco común en los retratos de la época.

—Lo sé, al fin y al cabo se trataba de un lujo caro y como los retratados eran conscientes de estar pasando a la posteridad, querían hacerlo de la manera más solemne posible.

—¿Quién es el jovencito, lo sabe?

—No, quizás un amigo o alguien de la familia... La cuestión es que la época de la placa original coincide con el resto de fotografías que ha visto.

—Sí, casi podría asegurar que es la misma cámara.

—Lo es, ha sido comprobado —dijo satisfecho.

—Y detrás de la cámara hay un artista —dije.

—¿Cómo?

—No trabaja como un simple retratista... Fíjese en la dificultad de retratar en un exterior cuando en esa época lo habitual era hacerlo en un estudio. Sin embargo, aquí hay un control de la luz y las sombras y un estudio de la composición, la proporción. Mire el encuadre. En la foto anterior, la que me ha mostrado... —Cómo me costaba reconocerlo—. Quiero decir... en la que aparezco. En esa quizá no esté tan claro porque está hecha con urgencia, incluso hay zonas desenfocadas y movidas, pero esta es diferente: se ve preparada y posada. Quien estuviera detrás del objetivo buscaba la perfección además de tener una expresividad propia, peculiar. No solo es un fotógrafo de postales.

—Nunca lo había visto así.

Otra vez los ojos febriles me escrutaron, supongo que miraba así a todos los objetos de su colección de maravillas. Unos pasos rápidos atravesaron el salón de tarima encerada y Fidel Peña saludó a todos quitándose la gorra inglesa. Verlo llegar fue un alivio, como el contacto de su mano al tomarme el pulso.

—Un poco rápido, pero nada grave.

Santos insistió en que me quedara en su casa hasta el día siguiente, empeñado en cerciorarse personalmente de mi recuperación, pero decliné la invitación. Creo que no quería perderme de vista y, de poder, me hubiera encerrado en el cuarto de maravillas como uno más de sus tesoros. No obstante, el médico le aseguró que me encontraba bien y tuvo que dejarme partir, no sin antes encargarle que me llevara de vuelta a Aes en su coche, con lo que Peña estuvo de acuerdo.

4

—Está usted muy silenciosa.

El camino se hacía largo en la carretera estrecha que serpenteaba entre los montes hacia la Casa del Alemán, pero el Citroën negro de Fidel avanzaba seguro sorteando los baches y charcos de barro sobre el asfalto gris, una cuña de hierro que partía el verde del bosque que la rodeaba.

—¿Qué le ha parecido nuestro Santos? Todo un personaje, ¿verdad?...

—¿Qué le ocurre? Quiero decir, ¿sabe qué enfermedad le tiene así, condenado a una silla de ruedas?

—Fiebre amarilla. ¿Sorprendida? Quizá no sabe que antes de regresar a su tierra anduvo por medio mundo... Pues en algunas partes de ese mundo la fiebre amarilla es una enfermedad endémica causada por un virus que se transmite a través de la picadura de un mosquito o una garrapata.

—Es usted quien le ha tratado de su dolencia, entonces.

—No, qué va; no soy experto en enfermedades tropicales. Lo que sí hago aquí es aliviarle los síntomas, o al menos lo intento. Cada vez está más debilitado, por eso va en silla de ruedas; puede andar, pero le agota de tal manera que empeora su estado, ya sufre insuficiencias hepáticas y renales muy graves.

—No tiene cura, ¿verdad?

—No. Sabe que se muere.

—¿Dónde se contagió?

—Pues… Ahora que lo pregunta, no tengo idea. Pero es obvio que debió de ser en los trópicos, América o África, donde los extranjeros están mucho más expuestos que la población local. Fue diagnosticado hace diez años, le dieron pocos meses de vida y a pesar de ello aún está aquí, desafiando a la medicina, yo creo que por pura voluntad. Sabe que está sentenciado, pero a la vez sueña con que aparezca una cura, un milagro médico que le salve, por eso dona verdaderas fortunas a fundaciones hospitalarias y laboratorios médicos. Así nos conocimos, en una de esas fundaciones que él sufraga. Yo acababa de llegar a la provincia para poner una consulta que estaba siempre vacía; no tengo dotes sociales, lo reconozco, al menos no de las que hacen triunfar en la carrera. Quizá por eso Santos y yo congeniamos, porque ninguno de los dos encajábamos del todo con lo que la sociedad espera de nosotros, aunque fuera por razones distintas. Fue él quien se empeñó en que solicitara la plaza aquí en Puente Viesgo, por tener cerca un médico de confianza. Facilitó mi traslado y ahora me alquila a un precio modesto una casa cerca del pueblo; ya ve usted que no es la única favorecida por la generosidad de mi amigo. Puedo llamarlo así porque me enorgullezco de serlo.

Habíamos llegado a la cancela de la Casa del Alemán y Fidel detuvo su automóvil a un lado de la carretera.

—Le ha pasado algo en casa de Santos, estoy seguro, estaba usted alterada cuando llegué. Y sigue estándolo ahora, no quiera engañarme.

Había intentado por todos los medios disimularlo, pero era difícil esconderse de los ojos pequeños y penetrantes del médico, me miraba como recordándome que había tocado mi cuerpo, mi carne y mi sangre.

—Fidel... Le hablo así porque confío en usted, porque por mí ha puesto en peligro su carrera. La sola idea de que pueda ir a la cárcel por mi culpa me hace temblar.

Hizo una mueca de incomodidad.

—Por favor, eso no va a ocurrir, no hace falta ni mencionarlo, Amalia. Es mejor olvidarlo. ¿Esa es la razón por la que está preocupada? ¿Por mi causa?

Seguíamos dentro del coche; me había cogido la mano entre las suyas. Su mirada ya no era la del médico que reconoce al paciente sino otra: rendida, vencida. Me solté de sus manos pero seguía sintiéndome atrapada en el habitáculo estrecho del asiento junto al conductor, como en una jaula. Incluso los árboles, el monte, el cielo me parecieron los barrotes de una prisión; hiciera lo que hiciese, fuera donde fuese no conseguía escapar, algo o alguien querría atraparme, encerrarme, meterme dentro de una casa, un cuarto, una fotografía. Solo tenía dos opciones: seguir huyendo o hacer frente a quien me perseguía.

—¿Qué sabe su amigo de mí? —La voz me resonó en la garganta con una rabia ronca que hasta a mí me sorprendió—. Usted vino porque él le llamó, solo por eso; usted le obedece en todo lo que dispone. Creo que Santos está al tanto de todo, incluso de los motivos por los que salí de Madrid y me escondí aquí. ¿Qué quiere ese hombre? ¿Por qué me busca?

—Le juro que lo desconozco, pero es cierto: está muy interesado en usted aunque no sé cómo ni por qué, su llegada le produjo una gran conmoción, hasta se resintió su salud de la impresión. Llegué a pensar que era usted alguien de su pasado, pero por lo que me cuenta no se conocían ni se habían visto antes... Nada tenía sentido para mí, pero acudí a su casa porque él me lo pidió, con el encargo de atenderla en todo lo que solicitara.

—¿Todo?

—Absolutamente en todo. Pero ¿por qué desconfía? A pesar de desconocer sus motivos estoy convencido de que a

Santos solo le mueve la generosidad, como ha demostrado con muchas otras personas.

—¿Sabe qué ocurrió aquí en 1919?

Esa pregunta no la esperaba y le desconcertó.

—Que yo sepa, nada. ¿Por qué?

—¿Está seguro?

—Déjeme pensar... No, entonces ya había terminado la guerra del Catorce. Con la política de no intervención a España le fueron bien las cosas durante la Gran Guerra, se hicieron grandes fortunas. Incluso en este pueblo se vivió un resurgir momentáneo gracias al balneario y sus termas, gente pudiente de muchos de los países en conflicto vino a refugiarse aquí durante aquellos años. Pero solo fueron boqueadas, el mundo ya no era el de la Belle Époque y pasar largas estancias en balnearios estaba tan pasado de moda como los polisones. No hay más que ver el de aquí, que desde entonces no ha levantado cabeza y después de nuestra guerra aún peor: un vestigio del pasado que ya solo amenaza ruina. Este pueblo ha agonizado desde entonces, y no solo, también estos valles. Hambre y miseria es lo único que encontrará, pero después de una guerra tan cruel no creo que le sorprenda. No hay más historia que esta.

—¿Dónde estaba Santos entonces? Quiero decir, en 1919.

—Sería un veinteañero y por lo que sé, había emigrado a América. Comprendo que es difícil verlo como un aventurero en el estado en el que se encuentra y él no suele hablar de sus tiempos de juventud, pero creo que con solo dieciocho años se hizo cargo de una mina en Chile o quizá en Colombia, y a partir de ahí sus negocios propios despegaron, así que no entiendo su pregunta, ni mucho menos sus insinuaciones.

¿Cómo confesarle que tenía miedo de mi benefactor? Si le contaba lo que había visto me tomaría por loca. No podía explicar la existencia de aquella maldita fotografía, el misterio que pertenecía al también misterioso Santos. ¿Por qué me la había enseñado? ¿Qué quería ese hombre de mí? Tenía ganas de gritar, furiosa como un fuego que arrasaba un bosque espeso, la rabia abrasándolo todo. La nube que tenía en los ojos se hizo líquida, sentí cómo me corría algo caliente por las mejillas.

—Amalia, cálmate, por favor, no llores.

Era uno de esos hombres a los que las lágrimas de una mujer le enternecían; sabía de ellos pero no los había visto nunca; a mi padre las lágrimas de mi madre le irritaban y en cuanto escuchaba un sollozo salía de la habitación dando un portazo. Y luego estaba él, el hombre con el que me había casado y con quien aprendí a llorar de otra manera; sola, en silencio, sin mostrarlas a nadie. Porque a él no le enfadaban ni le enternecían, a él le encendían el deseo. Siempre empezaba de la misma manera, una acusación, un reproche sin importancia, una queja, una injusticia de la que era víctima y de la que me hacía responsable. Luego llegaba la amenaza hacia mí o hacia mi familia y después hacia sí mismo, de nuevo la tentación de tirarse por la ventana o cortarse las venas por mi culpa, por mi falta de amor, por mi desprecio. Mis lágrimas: eso era lo que buscaba y yo sabía que si aparecían acabaría en el suelo de la sala o sobre la mesa de una cocina, con la ropa arrancada, penetrada y luego humillada, insultada, odiada por haber provocado su deseo con malas artes, por no resistirme o por excitarle. Ese era su juego, formaba parte del placer y en cuanto era satisfecho volvía a empezar, cada vez más a menudo, cada vez más violento.

Ahora podía llorar, ya no hacía falta tragar las lágrimas, podía mostrarlas, Fidel las veía. Sacó del bolsillo de la chaqueta gruesa un pañuelo muy blanco bordado con sus iniciales.

—No soporto verte llorar; dime cómo puedo ayudarte, qué puedo hacer por ti… Y no creas que lo hago por imposición de Santos, sino por mí, porque yo quiero.

Me sequé esas lágrimas tan nuevas, le devolví el pañuelo y salí del coche. A mi espalda oí cerrarse la puerta del conductor, aceleré los pasos sobre la alfombra de hojas caídas que ráfagas de viento levantaban a mi paso haciendo remolinos de color de tierra y abrí la cancela de la finca. Tenía que entrar en la casa, allí sí que estaría a salvo, nada podría sucederme.

—Espera, por favor, deja que te explique… —Corrió tras de mí hasta llegar a la cancela de la finca, que sujetó con una mano para impedir que la cerrara—. No te vayas así, déjame que te diga que… que no soporto ver cómo sufres, el tormento al que te han condenado, tan injusto. Yo no pretendo nada, no creas que no entiendo la situación…

No había entendido nada. Y quizá ambos habíamos intentado ignorar el significado de todas esas visitas sin faltar un día, esas tardes de charlas, de intimidad demasiado cotidiana en las que no hablábamos sino de cosas sin importancia, como viejos amigos. Como una pareja, ahora me daba cuenta. No quise verlo por puro egoísmo, otra vez yo era la culpable por haber tolerado una situación equívoca que acababa en este momento, porque tenía que acabar.

—Solo quiero que sepas que yo no te haría daño nunca —dijo, desde el otro lado de la reja, como un prisionero—. No soy como él.

Claro que no. Jamás sentiría por Fidel nada de lo que me había hecho sentir ese otro. No sabía nada de la pasión, el arrebato, el deseo que impedía ser, pensar, existir. Ese hombre que suplicaba al otro lado de la verja solo podía ver a la mujer sufriente que huía de un destino terrible, como una Blancanieves escondida en la casita del bosque, temiendo la aparición de la bruja malvada. Un cuento contado a medias, sin final.

ELISA

Tierra de nadie

1

La guerra había acabado pero yo seguía en tierra de nadie, entre las dos trincheras. En una podía ver a Jules, cambiado, transformado, nunca más sería Ari; en la otra, aun sin verlo, sabía que estaba Jim, perdido. Las líneas enemigas no aparecían pintadas en los mapas, sino que iban conmigo allá donde yo fuese, caminaba sobre el polvo de una tierra devastada como la superficie de la Luna, cubierta de cráteres, inhabitable, de donde era imposible volver. Solo él lo había hecho.

Jules bajó del tren entre nubes de vapor, como en un truco teatral. ¿Sería el mismo o habría vuelto a cambiar? Quizá se había transformado de nuevo, como en una actuación en que el mago atado y encerrado en el baúl se cambia por una bella señorita vestida de lentejuelas. Un truco fantástico había sido cambiarse el nombre judío por otro francés para ir a morir a las trincheras, pero falló: no había muerto.

La figura resucitada atravesó el muro de humo blanco, disipándolo; el ala del sombrero no podía ocultar la cicatriz que le cruzaba la cara, le había robado uno de los hoyuelos de las mejillas que antes le hacían parecer más joven, pero aún le restaba uno y con él me saludó.

—¿Cómo has sabido que llegaba en este tren?

«Gracias a la magia», me hubiera gustado contestar.

—Y te has cortado el pelo a la moda de París…

—Te aseguro que no era mi intención. Aquí no llegan esas cosas.

—Pues ahora todas las chicas modernas lo llevan así, dicen que una mujer que se corta el pelo está cambiando su vida. También han acortado las faldas y enseñan las piernas: no podrías salir por París con ese abrigo de soldado, resultarías escandalosa.

Me eché a reír.

—Hace mucho tiempo que no oía tu risa, Elise.

Y hacía mucho tiempo que nadie me llamaba por mi nombre en francés, tanto que casi no me reconocí en ese nombre.

—Dime, ¿qué has hecho durante todo este tiempo?

—Fotografías.

El tren resopló como un caballo impaciente, el jefe de estación discutía con el maquinista quejándose a gritos por el retraso y bajo la marquesina metálica la pupila de un reloj miraba la estación atestada de viajeros. Jules tenía buen aspecto, mucho mejor que cuando nos separamos: la altura y el porte, el traje elegante, destacaba entre todos los hombres que nos rodeaban como si la alfombra mágica ferroviaria hubiera traído a un príncipe de las mil y una noches hasta aquel pueblo perdido del norte de España. También le hacía parecer principesco el criado, un jovenzuelo que descargaba una montaña de cajas y baúles.

—Este es Gavroche, mi ayudante.

No tendría ni diecisete años el jovencito pecoso y arrubiado que para saludarme hizo una reverencia ágil y pomposa. En algún momento que no recuerdo Jules me contó su historia: un ladronzuelo se había metido en su hotel para robarle la maleta, su especialidad era colarse como un gato por los tejados y ventanas abiertas. Aunque la policía detuvo al culpable, Jules no puso denuncia y el maleante se lo agradeció llevándole la maleta hasta el hotel. Charlaron durante todo el camino como amigos y terminó por contarle que había crecido en un circo que terminó desmantelado a causa de la guerra, cuando movilizaron a todos los hombres jóvenes. Él, un niño, tuvo que aprender a sobrevivir gracias a sus habilidades de equilibrista. Era una historia que podría haber contado Jim, seguía desdoblándose en su sosias. Sentí de nuevo la ausencia como una bofetada.

—Dímelo ya.

—¿El qué?

—Lo que has averiguado.

—Muy poco.

—Poco es suficiente. Poco es mejor que nada.

Creí que vendría conmigo a la casa que tenía alquilada, insistí en que era demasiado grande para mí sola, pero había reservado habitaciones en el balneario porque pretendía dar representaciones allí. Como siempre, se alejaba en cuanto la cercanía le quemaba y en el fondo lo comprendía; no habíamos vuelto a hablar de lo que me dijo aquella noche en que Jim quiso casarse conmigo. Jamás. Yo tampoco lo mencioné pero sabía que su promesa seguía presente; no hacía falta tocarla, ardía. Me pregunté muchas veces si estaba siendo egoísta o injusta al no dejarle marchar, si de alguna manera estaba alentándole en vano, porque él sabía bien que yo amaba a Jim de la misma manera en que él me amaba a mí y a pesar de ello no podía abandonarme, como yo tampoco a él. Y sin embargo, allí estábamos juntos y solos, refugiados en un país extraño al que no pertenecíamos, como lo que éramos realmente: dos solitarios sin patria ni hogar.

Comprobó que las cajas y baúles estaban bien sujetos, ordenó al cochero ir con cuidado para evitar sacudidas, dejó al cuidado de Gavroche que llegaran de una pieza y solo cuando el coche partió en dirección al balneario miró a su alrededor, al valle brillando a la luz de un sol cegador.

—Ese es, ¿verdad? —dijo señalando el monte de El Castillo, levantado sobre nosotros.

Un manto pegajoso de viento sur caía sobre los prados y los árboles y el río. El calor, insoportable al sol, obligaba a los animales y a las personas a refugiarse a la sombra; en el paseo por las afueras del pueblo no vimos a nadie. Jules se quitó la chaqueta y remangó las mangas de la camisa blanca; en chaleco y con la chaqueta al hombro parecía de nuevo joven, casi como antes de todo.

Cruzamos el puente y bajamos a la ribera del río, que discurría con un rumor blando aplastado por el calor africano. Me ayudó a saltar de piedra en piedra para acercarnos a la orilla y fue a mojar las manos y el pañuelo en el agua quieta, de espejo.

—Lo que encontré allí… Todo el país está hundido; no solo los soldados, también la población civil ha sufrido el cataclismo. No entienden la derrota de su país, la desaparición del Imperio. Todo lo que conocían está destruido, muerto o perdido, no es como en Francia, donde al menos la victoria oculta todo lo demás.

—¿Entender qué? No hay nada que entender —contesté.

Me acercó el pañuelo para que me refrescara y se sentó cerca, aunque no demasiado.

—Pensé que me odiarían, que seguirían viéndome como un enemigo, pero no, creo que ya no tienen fuerzas ni siquiera para eso. Llenábamos el teatro cada noche, la gente solo tiene ganas de divertirse, de bailar en los cabarés, de beber hasta caer rendidos. Nada asusta, nada extraña, nadie tiene miedo. Y nadie se sorprendió porque buscara a un amigo, allí todo el mundo busca a sus desaparecidos y nadie sabe nada de nada, el caos de la guerra continúa bajo una burocracia infinita, del siglo pasado. Cuando ya desesperaba apareció el sargento Lang. Había oído que un francés buscaba a un soldado de su regimiento llamado Maltzan y se presentó en el teatro como uno de sus camaradas de armas. Lang y yo vemos todo lo que pasó de la misma manera; el engaño, las mentiras, la propaganda, las banderas que arrastraron a tanta gente. Aunque combatimos en bandos distintos, al despedirnos nos dimos un abrazo. Fue extrañamente liberador. Los dos…

Le tembló la voz, calló. Se tumbó sobre la piedra lisa con forma de barco encallado en la orilla, tapándose la cara con un brazo para protegerse del sol.

—¿Qué te dijo de Jim?

—Que había combatido con él en el frente italiano, fue de los últimos en incorporarse a pesar del reclutamiento obligatorio en Alemania. Creía que la influencia de su familia lo protegió durante un tiempo, luego ya no.

Italia. Al menos no había estado en los mataderos de Verdún ni en el Somme como Jules y eso aumentaba las probabilidades de que hubiera sobrevivido.

—Pero lo perdió de vista después de la última batalla del Isonzo. Hubo una desbandada de todos los ejércitos, miles de desertores, ya no podían más.

—Entonces, son buenas noticias.

—Elise...

No me miraba, seguía tapándose la cara.

—... allí también hubo decenas de miles de bajas, no solo por los combates, también a causa del frío y de las malas condiciones. Lang me contó cómo los bombardeos provocaban aludes que enterraban a hombres, caballos, pertrechos, regimientos enteros sepultados bajo la nieve, desaparecidos; nunca pudieron recuperar sus cuerpos, ni siquiera hoy saben cuántos murieron allí.

¿Qué quería decir? No, no iba a convencerme, ni él, ni Lang, ni nadie. No tenía sentido. Allí menos que en ningún lado, junto al rumor del río, la brisa caliente sobre nosotros y los árboles de la ribera, la trucha que salta sobre el agua y la plata fugaz de su lomo, la caricia de un mundo vivo.

—Llevo tiempo pensándolo... Solo fue a esa guerra porque le obligaron, él nunca tuvo intención de alistarse, ¿recuerdas? Por eso creo que escapó cuando pudo, por eso no le encontramos, sigue escondido y no puede volver todavía —dije.

—¿Quieres decir que desertó?

—¿Por qué no? Es lógico que continúe huido, todos sabemos lo que hacían en Alemania con los desertores.

Ahora me miraba pero de una manera extraña.

—Hacían lo mismo que en Francia.

—Lo que quiero decir es que tuvo que salvarse para vivir, para poder volver conmigo. No todos podemos ser héroes.

Sacó del bolsillo algo que brillaba. La estrella laureada con la cinta roja, la medalla inventada por Napoleón para que sus soldados lo adorasen, apretada en su mano. Con todas sus fuerzas, la lanzó al río.

2

No supe que Jules era un héroe hasta que un coronel le prendió al pecho la Legión de Honor. Cuando el coronel entró en la sala atestada del hospital y se hizo un silencio entre todos los heridos, el soldado Dassin ni siquiera se levantó del catre, y tampoco dijo una palabra durante la breve ceremonia.

Como aún llevaba la cara vendada, el oficial debió de pensar que la aparatosa herida le impedía hablar, así que le estrechó la mano y se despidió con un rígido saludo de visera antes de volver a cruzar la sala para irse. Corrí tras él.

—Coronel, ¿puedo hablar con usted?

—¿De qué se trata?

—Necesito conseguir un permiso especial, pero me envían de despacho en despacho, me piden formularios imposibles de encontrar…

—Eso no puede ser. —Me pareció una sonrisa amable—. Seguro que puede arreglarse, señorita. Venga usted esta tarde a mi despacho.

Papeles y más papeles, por todas partes, allí dentro olía a almacén de trapero, a polvo y a cuartel. No tuve que esperar aunque había mucha gente apiñada frente a las puertas acristaladas de las oficinas de Suministros, con los pasillos atestados de uniformados que llevaban de un lado a otro documentos para firmar, para registrar, para archivar. Cuando me hicieron pasar sentí las miradas de odio de los que llevaban días soportando la condena burocrática. Un ordenanza me guio a través del laberinto administrador de oficinas y puertas inexpugnables hasta llegar a la del despacho del coronel, abrió sin llamar y cerró tras de mí. Sentado tras el escritorio, no levantó la vista de los papeles acumulados sobre la mesa, un parapeto. Tampoco me ofreció un asiento porque no había más silla que la suya, así que me quedé parada frente a él como hubiera hecho un recluta esperando órdenes.

—¿Eres la novia?

Al entrar allí dejaba de ser una señorita y ya no me trataba con cortesía: solo era una mujer.

—¿Perdón?

—Me han dicho que eres la novia del judío.

Había puesto la medalla al valor sobre el pecho de Jules, pero no era suficiente; tampoco que se cambiara el nombre, nunca lo sería, ni para él ni para el ejército francés.

—Creo que le han informado mal.

—¿Ah, sí? Entonces solo eres una voluntaria que se sacrifica por nuestros soldados heridos. Mejor. ¿Qué es lo que quieres?

—Un permiso para visitar prisiones militares.

Levantó la vista lentamente. Creo que respiró hondo, eso me pareció. Luego se levantó, apoyándose en la mesa muy cerca de mí. Se acariciaba el bigote con un gesto donjuanesco, no era viejo ni feo ni desagradable y lo sabía.

—¿A quién buscas? ¿A tu hermano o a tu novio?

—A un soldado alemán.

—Vaya... ¿Sabes que a los dos podrían acusarnos de traidores o de espías por tener esta conversación? Solo un maldito idiota podría darte ese permiso.

El tono no era de alarma ni de prevención sino insinuante: me estaba diciendo que él iba a ser ese idiota.

—No me importa. Necesito ese pase.

—Y yo necesito muchas otras cosas.

Acercó una mano a mi cara lentamente y cuando vio que no la apartaba me levantó la barbilla con un dedo, lo deslizó hasta mis labios y los tocó con suavidad, sin hacerme daño, jugando con ellos.

—¿Estamos de acuerdo, entonces? —dijo.

—Sí. Pero antes, firme el documento.

No reconocí mi voz, sonó distinta, ya no era la mía sino la de otra persona que me había poseído y que el coronel estaba obligado a obedecer. Con disciplina, acató la orden: sacó un papel de entre muchos, lo firmó, lo selló y me lo entregó. No había terminado de leerlo cuando se lanzó sobre mí, me besó sujetándome la cara y mordiéndome los labios, apretándome un pecho con la mano, noté su lengua ansiosa en mi boca, en mi cuello, en la oreja, una invasión torpe de mi cuerpo, sin estrategia. Casi entendía su urgencia, la desdichada necesidad que le obligaba a envilecerse de una manera muy parecida a la mía; debió de ver la compasión y el desprecio en mis ojos y no le gustó.

—No me mires.

El empujón me lanzó contra la mesa, la falda levantada, el tirón que arranca la ropa interior, la mano en el sexo, primero un dedo, luego dos, tres... Un desgarro me atraviesa y un líquido caliente baja, chorrea por los muslos, él se aparta y se mira los dedos cubiertos de sangre. Inmóvil, paralizado, como si estuviera viendo el muñón reciente de una mano arrancada por una granada. Grita sin mirarme.

—¡Vete! ¡Fuera!

Jim tenía que haber sido el primero pero nada ocurrió como teníamos planeado.

—Esperaremos a la boda; yo soy un caballero.

Me sorprendí y protesté, no entendía la relación entre el deseo, el matrimonio y la caballerosidad. Me respondió un poco escandalizado.

—Piensas así por los malos ejemplos de quienes te han rodeado toda tu vida, y quizá yo sea anticuado, pero no un canalla ni un anarquista. Tampoco soy como Ari; al fin y al cabo, él es un judío.

Judío. Nunca entendí qué es lo que había detrás de esa palabra ni por qué definía así a su amigo; quizá Jim pensaba como el coronel quizá no fueran enemigos sino aliados en algo que me daba miedo descubrir.

Al volver al hospital no vi la medalla que el coronel había prendido en la camisa del enfermo.

—¿Ha pasado algo? —preguntó, mirándome con el ojo que no tenía tapado por el vendaje.

—No, ¿por qué?

Me palpitaba el corazón, sobre él crujía el papel firmado. Si le hubiese contado cómo lo había conseguido se hubiera levantado aun esquelético, tembloroso y débil para matar al coronel, y no estaba dispuesta a empujarlo a una hazaña tan patética, una más de todas las de aquella guerra. Y además... ¿qué había perdido yo en realidad? No encontré a Jim entre los soldados alemanes prisioneros, pero si debía sentirme culpable o arrepentida por haber perdido a cambio de nada mi virginidad, eso que el mundo consideraba tan importante, no lo conseguí. Quizá Jim tuviera razón y este convencimiento tan impropio de una dama fuera fruto de mi defectuosa educación.

A pesar de lo que había visto en el atelier de Madame Vù y de lo que sabía de las actividades maternas, lo ignoraba todo respecto a la práctica del sexo. Al volver del convento y recién cumplidos los dieciocho años, sin necesidad de que yo le preguntara, la mujer que había tomado sobre sí el papel de mi madre —la reconvertida Esperanza Mendiguchía— consideró que ya era hora de ponerme sobre aviso y enumeró todos y cada uno de los inconvenientes del encuentro físico entre un hombre y una mujer con su habitual crudeza. Las monjas no hubieran conseguido que le tomara mayor aversión al sexo con toda su mojigatería y sus amenazas de llamas infernales.

—Suele ser algo rápido, incómodo y sucio, aunque también una actividad muy sana siempre que se haga por deporte y tomando las debidas precauciones, porque en este asunto, como en todos, las mujeres siempre somos la parte más perjudicada: las primeras veces que te la meten duele como si te arrancaran una muela, así hasta que te acostumbras; para colmo un desaprensivo te puede contagiar cualquier porquería y para rematar hacerte un bombo, ya ves tú la gracia. Cuando te llegue el momento, porque a monja no te vas a meter, ¿no?, avísame y te daré unas cuantas cosillas para evitar complicaciones, eso es lo único que te tiene preocupar. Incluso si te casas, que las señoras decentes tampoco se libran de una gonorrea… Se supone que ellas no deben cogerle gusto al asunto y las educan con melindres para que sus maridos se dediquen a preñarlas sin más, y claro, así siempre van a estar llenos los burdeles, si lo sabré yo. Por muchos aires que se den son todas unas pobres desgraciadas que han cambiado su libertad por un apellido que dar a los hijos, mal negocio ese… Y si son muy pocos los hombres que saben tratar a una mujer en plan sencillo, imagina lo dificilísimo que es encontrar alguno que folle hasta hacerte ver las estrellas. Haberlos hay, no digo que no, pero son escasos y casi mejor no cruzarse con uno, que la puede volver a una majareta, tanto como para llegar a hacer por él todas las tonterías que imaginar puedas, ¡hasta mantenerle, no te digo más! Lo ideal es darle la vuelta a la tortilla y hacerles ver las estrellas a ellos como sabe hacer tu madre, pero para tener la sartén cogida por ese mango hay que valer, porque ser una especie de diosa del placer es un trabajo cansadísimo, agotador, yo es que casi prefiero fregar escaleras, fíjate lo que te digo. Por mucho que digan, cada hombre es un mundo con demandas distintas y gustos diferentes, se cansan y se aburren enseguida, tienes que dar en adivina para saber lo que quieren antes de que lo digan y no equivocarte, que muchos tienen malas pulgas y les gusta arrear; por no hablar de los pervertidos que abundan más entre las clases pudientes, como aquel banquero bretón podrido de millones: ninguna chica le quería atender del pánico que daba. Llegaba con un maletín misterioso que no enseñaba a nadie y más le valía porque le hubieran metido en la cárcel o en el manicomio...

Su discurso preventivo no sirvió para explicar mi deseo por Jim, lo que sentía cuando me abrazaba hasta dejarme sin respiración, cuando nos besábamos hasta que se nos entumecían los labios, ni por qué una ola arrebatada me ensimismaba en mi propio cuerpo y en el suyo como si no existiese nada más en el mundo.

Aunque por mis palabras pudiera pensarse que no aprecié a Esperanza, no es así: la quise mucho y lloré a lágrima viva, como una niña abandonada, cuando murió. A su entierro acudió todo París menos los muertos antes que ella; ese invierno de 1917 no se podía hablar de la enfermedad que se la llevó por delante en apenas cinco días y aunque la epidemia hiciera estragos por todo el país, a los médicos que alertaban de ella se les acusaba de derrotistas y antipatriotas. Por supuesto, mi madre no apareció.

—Nunca voy a funerales: me deprimen y son fatales para los nervios.

Me mandó llamar días después para que fuese a su elegante chalecito de las afueras. Cuando me acerqué a darle un beso en la mejilla, se apartó.

—Acaban de maquillarme y peinarme y tú eres tan torpe...

Sospeché que tenía miedo de un contagio aunque jamás lo hubiera reconocido.

—¿Te ha dejado algo?

Eso era lo que quería saber. Madame Vù había vivido en un decorado de opulencia tan espléndido como sus creaciones; era su mejor carta de presentación. Quizá fuese mejor que no llegara a comprobar cómo aquella guerra afectaría al mundo hasta el punto de cambiar la moda; ahora sus antiguas clientas no vestían sedas ni brocados ni plumas, sino trajes sencillos y sombreros recortados a la mínima expresión. Mi madre también se estaba quedando anticuada: me había recibido tan cubierta de encajes y puntillas como una dama de María Antonieta, intentando inútilmente aislar su pequeño Versalles de los desórdenes de la modernidad. Cuando le expliqué que su antigua amiga había muerto endeudada y con todas sus propiedades hipotecadas, que apenas me había dejado unas cuantas joyas y cachivaches, hizo un mohín de disgusto: conmigo habían logrado entrar en su casa la muerte y la pobreza, palabras prohibidas.

—¿Y de qué vas a vivir?

—De mi trabajo.

—¡Qué ridiculez! Esa tontería de las fotos no te llevará a ningún sitio, no seas estúpida. Pero todavía eres joven y guapa, no lo malgastes. Se acaba pronto.

Parecía momificada. Su rostro empolvado, inexpresivo, aterraba más que la vejez; me prometí no parecerme nunca a ella.

—¿Qué ha sido de ese pretendiente alemán? Su familia es muy rica.

—¿Cómo lo sabes?

—Esperanza me lo contó: siempre fue una metomentodo. En fin, al menos has cazado un buen partido.

—No tengo noticias de él desde que lo movilizaron para ir al frente.

—Vaya... qué contrariedad.

La guerra tampoco era un tema de su agrado y ya no preguntó más. La máscara blanca se encogió levemente, la mujer que había tras ella hacía un esfuerzo para decir lo que no quería.

—¿Necesitas algo?

—Gracias pero no: no necesito nada.

Me despedí y desde entonces no la he vuelto a ver. Vendí las joyas al mismo joyero de Madame pero a un precio ridículo que aun así me permitió encontrar a Jules, comprar material fotográfico y pagar mis viajes al frente, también los sobornos a funcionarios y oficiales, como hacían las otras miles de mujeres que buscaban a sus hijos, maridos, amantes. Yo solo era una más.

3

La pantalla parpadea de grises, blancos y negros, se mueve, tiene vida propia.

El público ríe a carcajadas. Un soldado pequeño de bigote

ridículo intenta sobrevivir en las trincheras; las balas, el peligro, el agua que inunda su camastro para sumergirle, todo llevado a un absurdo límite hasta conjurar el horror. La risa, el exorcismo.

—Me encanta esta película —dice Jules.

Seguro que conocía mejor que nadie los apuros pasados por el hombrecito al que aquí llaman Charlot. Lo imaginé en el frente haciendo trucos de magia para divertir a sus camaradas de trinchera, aunque dudo de que fuera esa la razón por la que le condecoraron con la Legión de honor, la medalla que había lanzado al fondo de un río.

Había traído su magia al balneario y ahora los rostros agrandados sobre la pared blanca de Douglas Fairbanks o Mary Pickford o Francesca Bertini formaban parte de su universo. Como las fantasías de Meliès, a quien Jules había comprado muchas de sus películas enterado de que el cineasta, arruinado y desesperado, pretendía destruirlas. El moderno proyector de la marca Pathé, una cámara y otras máquinas del equipo también le habían pertenecido. Jules decía que fue viendo sus películas cuando comprendió que su magia era pequeña comparada con aquella otra.

—Me di cuenta de que el cine es la ilusión más perfecta que ha creado el ser humano. Es la vida, como ella solo un truco de luz que se enciende y tiembla durante un momento y de pronto se apaga. Frágil como una pluma o una caricia, tan fácil de destruir como ella y a la vez fuerte como un recuerdo de niñez o los fragmentos de un sueño que se repite. Una imagen que al mirarla también nos mira a nosotros... No sé si me explico, pero tú sabes de qué hablo, ¿verdad, Elise?

Sí que lo sabía. Mis fotografías también miran dentro del espectador, al menos eso espero. Retrato paisajes porque me pagan por ello, pero también intento capturar eso que dice Jules: las mujeres lavando en el río, agachadas sobre la ropa blanca, levantan la vista y entonces disparo y las meto dentro de la caja que las fotografía. También las que acarrean agua o van cargadas con las cántaras de leche y los niños agarrados a sus faldas; las familias sentadas a la puerta de la casa, descansando o recogiendo el pasto segado con rastrillos en las manos; la anciana que posa vestida con sus mejores galas, la cabeza envuelta en el pañuelo de seda. Sí, miran dentro de mi cámara: me miran a mí.

En el balneario, Jules pronto se convirtió en una especie de celebridad, las mujeres le adoraban. De nuevo metamorfoseado, ahora era don Julio, un personaje encantador y tan extravagante que hacía sombra al poder omnipotente de don Gustavo, a sus excursiones terapéuticas al río y a sus aburridas conferencias sobre los poderes de la homeopatía; sus fantasías no podían competir con la verdadera y sincera fantasía del cine. Tampoco con un maestro de ceremonias a quien el frac sentaba como si hubiese nacido dentro de él; se escuchaban suspiros cuando salía a presentar las películas y subía al pequeño escenario del hotel, habitualmente ocupado por músicos que desafinaban. Allí se esfumaban la introversión y la timidez un poco agresiva que yo había conocido como rasgos de su carácter. Conseguía atrapar a un público pendiente de sus movimientos, de sus palabras, porque se expresaba muy bien en un español suave con acento francés. Yo no sabía que hablaba español de sus explicaciones, inconexas y desmadejadas, entendí que había nacido en Argentina, que su madre era una rusa que solo hablaba hebreo, que lo mandaron a París a educarse con unos parientes pero no aguantó mucho con ellos porque quería ver mundo. Quizá lo contó antes de la guerra pero entonces solo tenía ojos y oídos para otro.

—No te soportaba: estaba convencida de que me detestabas.

—Ya lo sé. Jim me lo dijo.

Otra vez la punzada, como siempre que atisbaba a un Jim equivocado, cruel como un niño que aplasta una hormiga. Jules no dijo nada más; pronto me di cuenta de que se había rendido o quizá creía que ya había hecho suficiente por Jim y que debía dejar de ser narrador de la vida de un fantasma ausente y presente a la vez.

Nos veíamos menos de lo que yo hubiera querido porque siempre estaba ocupado, requerido por la vida social del balneario, el reino de los picnics, los bailes y las charadas, pero Suceso venía hasta la casa en el bosque a comadrear todo lo que ocurría abajo en el valle, en los baños de aguas medicinales y las salas de masajes, en el casino, en los pasillos del hotel, en los bailes de salón. Corrían historias sobre el recién llegado y sobre su cicatriz que, lejos de espantarlas, atraía a las señoras golosas de miel romántica. En cambio ellos resabiaban que se trataba de un tahúr y un delincuente y que la marca en la cara no era más que un chirlo recuerdo de alguna reyerta entre hampones. A estos les hubiera sorprendido saber que algunos de los caballeros con los que compartían mesa de bridge o bacarrá también suspiraban lánguidamente por el francés, pero en secreto y con menos publicidad que las señoras.

Yo solo acudía al balneario en las ocasiones en que Jules me avisaba de una actuación o el estreno de una nueva película, pero también sabía por Suceso de los chismorreos sobre mí que ahora, y a causa de mi amistad con aquel francés, continuaban con más fuerza que nunca. Cuando en una ocasión me crucé con don Gustavo, apenas me saludó muy digno y tieso y se alejó. Posiblemente aún rabiaba por mi rechazo y seguro que hubiera hecho lo imposible por impedir que la dirección contratara a Jules de haber sabido de mi relación con él.

—No se fíe de ese venigosu, que es un venigosu, señorita Elisa.

—¿Qué dices que es?

—Uno que suelta veneno por la boca, como las culiebras. Ándese con ojo de por donde pisa.

Con quien sí hacía buenas migas Suceso era con Gavroche: aunque él no hablaba una palabra de español y ella apenas chapurreaba unas frases en francés los veía cuchichear y reírse en cuanto se encontraban.

—¿Te gusta Gavroche?

—Es simpático... ¡Y un fresco! Estos gabachos tienen nombres muy difíciles de pronunciar y las manos muy largas. Me dice que me va a llevar a París, pero no me creo nada. Ay, si fuera un mozo de aquí otro gallo cantara, pero de estos criaditos que llegan al balneario no se puede una fiar porque la estación está cerca y todos terminan por coger el tren y volver por donde vinieron.

Les hice un retrato juntos en las fiestas del pueblo; al principio no querían, quizá supersticiosos de aparecer juntos, unidos por un vínculo misterioso, como de hechizo de amor: al fin y al cabo ninguno de los dos comprendía del todo el mecanismo por el cual mi cajita podía atrapar la forma de alguien y dejarla sujeta a un trozo de papel. Pero al final convencí a Suceso de que estaba muy guapa con sus mejores galas, el vestido típico del lugar que llevan las mujeres del valle al acompañar a la imagen de san Miguel en la procesión y la misa en su honor. Acompañamos a la parejita a la romería, la fiesta en la campa repleta de gente llegada de otros pueblos para beber y celebrar con mucho bullicio, música y bailes. Gavroche terminó convertido en el verdadero espectáculo con sus giros y saltos y volatines que aplaudimos, como todos los demás.

Jules y yo paseamos entre la gente, extranjeros curiosos del color local. Como no importábamos a nadie se nos contagió la sensación de libertad, alegría y juventud que los dos habíamos perdido y hasta hubiéramos bailado, pero no reconocíamos la música de panderetas y pitos y tambores: nos resultaba extraña, primitiva.

Sentí su mirada recorrerme de arriba a abajo antes de verla. La Vijana detenida frente a nosotros.

—¿Lo has encontrado por fin, pelirroja?

Creo que había bebido o eso parecía.

—De algo te sirvió la melena... No te preocupes, que eso crece y te lo quité por una buena razón.

Se acercó más, su corpachón como un muro nos cerraba el paso.

—Mmm... No, este no es... No me des gato por libre que este tiene los ojos negros y el otro los tenía azules. Si has cambiado de hombre casi mejor para ti, pero recuerda que las Ancianas no se equivocan nunca. Adiós, pelirroja.

Y se alejó.

—¿Quién es?

«Un sueño de la imaginación, un deseo, una ilusión», me hubiera gustado contestar. Pero le conté la verdad, al menos, mi verdad.

—Ya sé que es difícil de creer, pero desde que llegué aquí las visiones me atormentaban. Te juro que caminé entre esos muertos como si el tiempo se hubiera detenido, vi los cadáveres de cerca. Y no solo, también tuve visiones en la choza de la Vijana. Era todo tan real...

—Es pura sugestión, trucos como los que hacemos los magos. Además, tú misma dices que bebiste una pócima hecha con vete a saber qué. Además nuestros sentidos pueden traicionarnos después de haber sufrido una emoción intensa, yo mismo he combatido con soldados que enloquecían bajo el fuego y creían ver aparecidos y hasta ángeles... El rumor corría por el campo de batalla, no sé cómo pero conseguía atravesar las trincheras, cualquier invento se extendía como una epidemia porque estábamos desesperados, porque hubiéramos creído cualquier cosa. La locura es una protección contra algo peor, igual que la fiebre.

—¿Crees que soy como ellos? ¿Que he enloquecido?

—Solo digo que todo esto no ha pasado y solo es una trampa de tu propia imaginación, el producto de un engaño.

Me impacienté: no lo estaba entendiendo.

—Te aseguro que lo viví: yo estaba allí. Te juro que vi a esos muertos como te estoy viendo a ti, igual que seguí a un hombre hacia el monte de las cuevas, subí tras él, no le vi la cara pero estoy segura de que era Jim, no podía ser otro aunque parecía distinto, como si le hubiera seguido hasta ese lugar años atrás, antes de conocerle. Y después, cuando parecía que todo había desaparecido, cuando la droga que me dio esa mujer había dejado de hacer efecto, oí tu voz llamándome y supe que tu tren llegaba. ¿Por qué? No lo sé. Pero lo supe.

A eso no contestó, esquivó la mirada hundiéndola en el paisaje, quizá harto de la conversación y de mí. Nos habíamos alejado de la romería, la música y el griterío sonaban lejanos; el pueblo, el puente, el balneario, el valle parecían pintados como en el forillo de un decorado y de nuevo me invadió la sensación de irrealidad, de vivir dentro de una ilusión. Lo que Jules veía como espejismos de la mente me seguían pareciendo mucho más reales que todo lo que nos rodeaba.

—Si no me crees, te lo demostraré. Tengo una prueba de todo lo que te he contado.

4

Al fin había aceptado venir hasta aquí, algo a lo que se había negado desde que llegó, pero ante la posibilidad de que yo hubiera logrado retratar a un fantasma, la curiosidad de mago que inventa trucos propios y desvela los ajenos le venció. Se detuvo un momento antes de que yo abriese la cancela, noté su prevención y, si hubiera sido otro, un aldeano por ejemplo, hubiera pensado que tenía miedo de entrar en un lugar prohibido, un bosque encantado o un castillo lleno de espectros, como si el pisar ese lugar fuera a atraer hacia sí una maldición. Quizá fue solo mi impresión, porque unos minutos después sujetaba entre las manos una de las muchas ampliaciones que había hecho de la mujer misteriosa aparecida en una fotografía.

—¿Esto es lo que has estado haciendo? ¿Ampliaciones?

—No hay ninguna otra manipulación. Ni siquiera he movido las fotos de aquí, necesitaba tenerlas cerca. Me acompañan.

—¿Tienes el negativo?

Se lo mostré. No me molestaban sus sospechas, eran lógicas, pero cuando comprobara que todo era cierto mi victoria sería completa.

—Dime si crees que es un montaje: tú eres un experto y no lograría engañarte. Y explícame también si tiene algún sentido el que yo misma trucara esa foto.

Me sentía por fin liberada al mostrarle el secreto que solo había compartido con Suceso y la Vijana, cuyo criterio era, cuando menos, discutible.

—Parece una locura, pero estoy convencida de que esa mujer vino desde algún lugar para decirme algo importante, para comunicarse conmigo... Es pintora y vivió aquí, en esta casa.

—¿Cómo puedes saber eso?

No dejaba de mirar la imagen de la mujer, estoy segura de que hacía un esfuerzo por reconocer su rostro o por encontrar algo que delatara una falsificación, pero yo sabía que no encontraría nada.

—Fue en una de esas visiones. Ella también apareció, la vi trabajar en el cuarto de ahí al lado y habló conmigo.

Pero Jules ya no me escuchaba.

—¿Qué es esto?

Señalaba la mancha oscura y borrosa sobre la mujer con un dedo tembloroso. Había visto antes esos temblores cuando no podía controlar el dolor, en los peores momentos antes y después de la operación y solo se calmaban con morfina.

—No lo sé —contesté—. Ni es una mancha en el objetivo ni un efecto del revelado. Llevo años haciendo fotos y nunca encontré nada parecido.

Estaba pálido. Dejó caer la fotografía al suelo, se arrancó el cuello duro como si se ahogase.

—Esa sombra parece... un soldado.

Tuvo que apoyarse en la pared, mareado, se sentó en el suelo. Intenté calmarle diciendo que la mancha no era más que un defecto, cosas que pasan a veces en la fotografía.

—No —dijo—. Es la sombra de un hombre que se parece demasiado a mí, que está dispuesto a hacer daño a esa mujer. ¿No lo ves?

Nunca le había visto así, ni en los peores momentos.

—¡No soy yo! Yo jamás te haría daño, Elise, tú lo sabes, ¿verdad? Dime que me crees...

Le juré mil veces que creía en él, pero seguía hablando como si no me escuchara y hubiera caído en una pesadilla de la que era imposible despertarle.

—Esa mancha es un hombre, un hombre de la tierra de nadie, ha sobrevivido pero está hinchado como un cuerpo enfermo, repugnante, no puede salir del paisaje horrible, antinatural, devastado, roto... Es el hombre que ve a su lado cuerpos sin enterrar, destrozados por los obuses, en el agujero con él, todo el día, toda la noche. Nosotros también... El cabo que olfateaba el aire por miedo al gas como un perro de caza, todavía veo su boca abierta todas las noches, la dentadura rota bajo la nube de gas venenosa que no dejaba ver el sol durante horas. Esa mancha es todo lo que no contamos, todo lo sucio, porque todo es sucio, las ratas como conejos, los cuerpos llenos de piojos, de pulgas y garrapatas. Tenía miedo de volverme como ellos, nadie se lava o se peina, no había llevado tanto tiempo la misma ropa en mi vida. Y siempre mojado, barro, mierda, nos cala, nos quedamos sin tabaco, fumamos el libro de oraciones que alguien le ha robado al capellán, hay que fumar mucho para ocultar el olor a carne podrida... Y beber y no pensar en el agujero negro de la monstruosa estupidez de todo esto, saber que la misma desgracia está también del otro lado, las mismas miserias que las nuestras, que todos, miles, cientos de miles, hemos dejado de ser humanos y nos hemos convertido en un saco de tripas con disentería, no hay agua limpia y bebemos nuestra propia orina, lamemos un lodazal para sobrevivir a la nada, para ir hacia el alambre de espino, el sonido del silbato de nuestro oficial, hay que atacar y ver cómo toda la compañía muere gaseada con quemaduras en los pulmones, los veo retorcerse en el barro, tengo que disparar a los desertores y luego con el pelotón de fusilamiento beber vino peleón y ron, todos estamos un poco borrachos siempre, a todas horas… No quiero recordar sus nombres ni el nombre de ninguno de mis compañeros ni comerme los caballos, porque hay miles de caballos muertos pudriéndose, pero lo peor está por llegar, dicen. Ha llegado el fin, cantan, adiós a todo, estamos condenados…

Calló de pronto, de la forma brusca en que cesan las tormentas. La sombra del atardecer repentino nos envolvía, me pareció que su cuerpo se disolvía en ella. Esperé a que se recuperara en silencio, sentada en la mecedora al otro lado de la habitación. Había visto antes esos ataques en el hospital y sabía cómo actuar, había que dejar que pasara el tiempo y el paciente se tranquilizara por sí mismo. Estuvimos así mucho, el momento alargado se me hizo eterno, él con los ojos cerrados y yo esperando a que regresase de ese lugar terrible al que le había llevado mi fotografía. La tarde caía, solo me dejaba distinguir su figura en el rincón oscuro. No se movía y me pareció que ni respiraba hasta que se levantó con esfuerzo, sus pasos lentos atravesaron la distancia que nos separaba, se arrodilló frente a mí.

—Fui a la guerra para morir porque ya nada me importaba. Pero antes quería matar a Jim. Cada ataque, cada bala, cada vez que me echaba el fusil a la cara le veía al otro lado, en mi punto de mira. Y después también, llevo años rogando para que esté muerto, para encontrar su cadáver, para que esto pare de una vez…

Sabía lo que iba a decir antes de que lo dijera.

—Jim está muerto.

Siento que un cuchillo se clava en mi pecho, lentamente.

—Tienes que dejar de buscarlo.

El cuchillo más y más dentro. No puedo hablar, el cuchillo sube del pecho a la garganta, a la boca, es una mordaza.

—Lang vio cómo murió... Tienes que creerme. Está muerto. No quise decírtelo al llegar, me pareció cruel, no tuve valor. Hice mal... Perdón, perdóname.

El dolor rompiendo, cortando, destrozando. Quise levantarme pero sus brazos rodeaban la silla, mis piernas. Una jaula.

—Yo tampoco puedo soportarlo, pero no podemos vivir así, no es justo para ninguno de los dos. Deja que se vaya, por favor, Elise. Deja que se vaya.

Escapar de él, del cuchillo y de las sombras negras que invaden la casa convirtiéndola en una cueva siniestra, el techo y las paredes a punto de derrumbarse sobre mí, aplastándome y dejándome enterrada, no puedo respirar ni pensar, solo sé que tengo que huir de él, del asesino.

Abrí la puerta de par en par y atravesé corriendo el jardín que ya no reconocí, empujé con todas mis fuerzas la cancela que me separaba del camino y seguí corriendo. Pensé que el ruido extraño y abrumador salía de mí misma, de mi respiración entrecortada o los latidos desbocados de mi corazón y el zumbido en los oídos, pero era demasiado fuerte y antinatural, como el estruendo de la máquina de un tren acercándose cada vez más fuerte y más atronador, abalanzándose hacia mí con dos enormes ojos amarillos que me deslumbraron. Me quedé quieta, paralizada, y la bestia me atravesó como si yo no existiera.

INÉS

Nosotras las sombras

1

—¿Has visto eso?

—¿El qué? —preguntó Áurea.

—Me pareció que había alguien ahí delante... En la carretera.

Una silueta humana iluminada por los faros de la furgoneta, tan fugaz como una chispa, pero la carretera estaba vacía y no habíamos atropellado a nadie.

—Pues no he visto nada... Y eso que yo siempre voy con cuidado porque por estos andurriales sin una luz te sale una vaca suelta en cualquier curva y te pega un susto de muerte.

¿Cuidado? Áurea no era consciente de su temeridad automovilística, por otro lado tan parecida a la de su cuñado, a quien había llamado ya de camino, en cuanto tuve cobertura. Le avisé de que íbamos ya hacia El Jardín del Alemán pero no pareció interesado lo más mínimo en lo que hubiéramos podido estar haciendo Áurea y yo, solo me apremió:

—Llevo aquí un rato esperándote. —Su voz del otro lado del móvil sonaba inusualmente nerviosa.

—Pues entra: la llave está escondida en el limpiasuelas que está junto a la puerta. Siempre la dejo ahí por no cargar con ella porque pesa un montón...

—Vale.

—Pero ¿pasa algo? ¿Ha habido algún problema?

Temí que por culpa de alguna circunstancia incomprensible para mí —la tecnología nunca ha sido mi fuerte— hubiéramos perdido las imágenes.

—No, no… Solo que… Tienes que ver la grabación.

Fue un alivio ver el farolito del porche brillar entre los árboles de la casa rural como un faro perdido en un mar negro: me estaba empezando a marear. Áurea pisó el freno junto al viejo deportivo de Martín levantando grijo de la cuneta y arrimándose peligrosamente al muro de piedra de la finca.

—Aquí te dejo, que Vali me está esperando. Y dile a este que mañana os veo en la entrada de las cuevas; no os lieis mucho que a las diez de la mañana os quiero allí. Pero sin falta, ¿eh?, que los tiempos de las visitas están minutados al milímetro.

Hasta en la más estricta información Áurea se las arreglaba para imponer su voluntad como si obedecerla fuera lo más natural del mundo y en realidad, lo era. Volvió a la carretera con un acelerón y un golpe de claxon como despedida, muy propio de su estilo fragoroso. Martín se había acercado hasta la cancela al oírnos llegar, nervioso como un tigre enjaulado y mostrándolo sin disimulo, algo completamente impropio de él.

—Tienes que ver esto —repitió por enésima vez, echando a andar hacia la casa con unas zancadas más inalcanzables que nunca y subiendo los escalones del porche en dos saltos. Había dejado la puerta abierta de par en par sin darse cuenta del frío que hacía ya, ese frío de monte, de aire libre, de cuchillo invisible, que no se parece al de la ciudad.

—Pero ¿qué pasa? ¿Tan grave es?

Cerré la puerta tras de mí; no parecía ni darse cuenta ni del frío ni de nada. En mitad del salón encontré desplegada una pantalla portátil grande con pie y sobre la mesa la cámara conectada a su ordenador y a un proyector. El cine en casa.

—Estaba tan perdido que se me ocurrió enviarlo a una amiga que trabaja en Telson y que lleva veinte años haciendo postproducción, pero también a un colega director de foto que sabe un huevo de este modelo de cámara. Pues los dos me dicen que no hay nada raro, que es una imagen normal, una simple grabación.

—Vale, no entiendo nada. A ver, explícamelo desde el principio.

—Es que no puedo, no tiene explicación.

—Estás poniéndome tan nerviosa como lo estás tú.

—Apaga la luz, por favor.

Esperó a que la habitación quedara a oscuras y a que me sentara en mi butaca favorita para pulsar el PLAY de la cámara. El proyector lanzó contra la pantalla las imágenes del interior del museo de las amas de cría sin editar, «en crudo». Buenos planos, bien encuadrados y con movimientos de cámara limpios, una luz cuidada. De fondo se oían mis pasos, incluso mi voz en alguna frase; recordé que entonces estaba enfadada con el hombre que se sentaba a mi lado.

—El material está muy bien, Martín, de verdad.

—Espera —me cortó tajante, con esa brusquedad suya. Adelantó las imágenes en modo rápido hasta llegar a la grabación en el bosque cercano a la ermita—. Aquí. Atenta.

El arroyo transparente, su fondo oscuro y suave de cantos rodados y el pequeño puente de madera sobre él, el manantial brillante brotando de la pared de roca, la luz verde del sol tenue y lejano en las hojas y las ramas y el musgo, casi podía oír el viento soplando en el cielo gris por encima de las copas de los árboles. Una mujer apareció al fondo de la vereda dirigiéndose hacia la cámara, pasaba a su lado y salía de cuadro.

Martín fue hacia atrás y congeló la imagen.

—¿La ves?

—Claro que sí.

—Pues yo no la vi cuando grabamos esto. Ni tú. Y estabas allí.

—Te perdí de vista varias veces... Estaba a lo mío. No vi a nadie, no me crucé con nadie.

—Yo tampoco. Estuvimos solos todo el tiempo.

—¿Qué quieres decir?

—Fíjate en ella. Cruza el plano por delante de la cámara. ¿Crees que me hubiera pasado desapercibida? La cámara no miente.

—La cámara siempre miente —contesté.

Me acerqué a la pantalla. La mujer llevaba un vestido y un

abrigo largos, caminaba abrazándose a sí misma como si tuviera frío. Me pareció triste. ¿Adónde iba?

—Dale un poco hacia delante por favor, pero *frame* a *frame*.

¿Miraba a la cámara? El viento la despeinaba, se quitaba el pelo de la cara, largo y rizado; no, no era rubia...

—¿¿Es que no la reconoces?? —Martín casi gritó.

Me mostraba en su portátil un pequeño montaje —había aprovechado bien la tarde sin mí— con dos imágenes: por un lado la mujer grabada en vídeo, un retrato ampliado y cercano, y por el otro, también ampliado, en detalle, la pelirroja del cuadro de Amalia Valle.

La misma mujer.

—Tengo que verlo todo otra vez. Todo lo que grabaste, plano a plano.

2

Blanca Orozco contestó al teléfono ella misma y a la primera. Me sorprendía que después de tanto secreto resultara fácil seguir la pista de mi madre, que las piezas perdidas del puzle estuvieran bien a la vista y encajaran tan bien, pero cuando le dije quién era yo hubo un silencio largo al otro lado de la línea y pensé que, finalmente, colgaría. No lo hizo, solo pidió disculpas porque mi aparición telefónica la había sorprendido. Luego escuchó todo lo que tenía que decir sin interrumpir.

—Lo que tú quieres saber... no es para contarlo así, por teléfono. Vamos a hacer una cosa: como voy cada cierto tiempo a Madrid, podemos vernos entonces. Si quieres.

Tuve que esperar casi un mes para poder escuchar lo que tenía que contar, hasta la tarde en que nos encontramos en una pequeña cafetería del barrio de Ópera salvada por milagro de la especulación y las riadas de turistas.

—Vengo de vez en cuando a ponerme al día con museos y expos, pero a pesar de que en Mallorca estoy como una reina, qué quieres, el Foro me tira.

Profesora de literatura en un instituto, desde que se jubiló vivía en Mallorca. Sola.

—En Llucalcari, el paraíso mediterráneo. Aunque no vayas a pensar que es una masía, qué va, una casita muy modesta pero en medio de un olivar. Ahora la zona se ha puesto imposible con los hoteles de lujo, pero hace veinticinco años no había nada alrededor. Estaba en ruinas, pero en cuanto la vi me dije «aquí me quedo yo cueste lo que cueste». La fui arreglando poco a poco, al principio iba allí en plan acampada porque no tenía ni techo y aprovechaba las Semanas Santas y los veranos para tirar paredes y cambiar tuberías sin más ayuda que la de un albañil vecino de Deyá, hasta que hicimos aquel gallinero habitable, con él aprendí hasta pocería...

No había vuelto a casarse ni convivir con nadie desde que murió su marido.

—Estoy muy bien sola, nunca he echado de menos la convivencia con un señor, la verdad, creo que no sirvo para eso. Tampoco cuando estaba casada; ahora lo veo con distancia y me importa un pito, pero entonces lo pasé mal... Fue un error casarnos. Esto tú no lo vas a entender porque eres de otra generación, pero por mucho que te vendan eso de que éramos más modernos que nadie y que lo cambiamos todo, no te lo creas porque es un mito más grande que la catedral de Burgos. Al final la mayoría de las chicas nos casábamos demasiado jóvenes con el primero que te lo pedía, todo por salir de casa y hacer por fin lo que te daba la gana y hala, otra vez metidas en la trampa. Fíjate que yo me casé con Toni a los diecinueve años, estando en la facultad, si es casi un infanticidio, por favor. Así que cuando llegabas a los treinta tenías la sensación de haber vivido media vida como si la hubieran concentrado en un cubito de caldo y querías probar la libertad que en realidad no habías ni rozado. Pues eso: me lie la manta a la cabeza, dejé a Toni y me fui a Ibiza. ¿Te estoy aburriendo? Es que no quiero ponerme en plan batallitas de abuela.

No parecía una abuelita: alta, delgada, de sonrisa perfecta, la media melena lisa y blanca con las puntas de un color violeta colorido, con un estilo sofisticado que llamaba la atención.

—Al principio no fuimos amigas, solo conocidas de aquella época tan loca en Ibiza. Coincidíamos en todos lados, entonces el ambiente se reducía a cuatro sitios donde estaba la gente interesante. No recuerdo quién nos presentó ni cuándo, tengo la sensación de que Irene siempre estuvo ahí. La verdad es que todo el mundo la conocía no solo por guapa sino por ese aire como ausente, misterioso, que los volvía locos a todos y a todas.

Puede que insinuara que mi madre tenía novias además de novios, pero no explicó más y yo tampoco pregunté.

—Pues lo sorprendente es que fue aquí en Madrid y no en Ibiza donde nos hicimos imprescindibles la una para la otra, cuando nos encontramos en la consulta de un médico muy bueno. Toni me había llamado, estaba aterrorizado y solo, no se atrevía a decírselo a nadie, no podía contar más que conmigo.

Al marido de Blanca le diagnosticaron VIH casi al mismo tiempo que a mi madre.

—Di negativo de chiripa, porque llevábamos más de tres años sin vernos, pero qué se yo, en esa época no se sabía nada de la enfermedad, solo que era una sentencia de muerte: fíjate que entonces el ochenta por ciento de los infectados moría al cabo de un año de ser diagnosticados. Toni aguantó dos y solo al final me confesó que siempre había tenido relaciones homosexuales, incluso antes de separarnos, lleno de vergüenza, como un pecado horrible, menos mal que en eso hemos mejorado. Hasta intentó suicidarse dos veces, pero me decía que le faltó valor. Imagina cómo me quedé yo: no tenía ni idea de con quién me había casado aunque siguiera siendo mi marido. Pues a pesar de todo, volví con él. Todo el mundo nos evitaba como a leprosos, también a mí; si en casa hasta comíamos en vasos y platos de papel y con cubiertos de usar y tirar. Lo peor fue cuando le aparecieron las señales en la cara, una marca infamante. Estaba desesperado, yo no sabía qué hacer, nadie me había preparado para una cosa así, que en ese momento se consideraba una especie de maldición, un castigo divino. Irene, que vivió con nosotros durante un tiempo, se negó a pasar por todo aquello y volvió a Ibiza. Cuando Toni murió y la llamé para contárselo, me preguntó qué pensaba hacer. Al día siguiente estaba cogiendo un avión y plantándome en su casa. No creas que fui su enfermera, al revés, yo llegaba agotada y como vacía después de la muerte de Toni. Su entereza, su valentía, me sostenían.

Blanca me ayudaba a darle forma a la vida y el tiempo que no había pasado con mi madre, ahora podía imaginarlo y hasta comenzar a comprenderla. Y perdonarla, porque hasta entonces había creído a mi madre una mujer débil, incapaz de hacerse cargo de mí. Nada que ver con lo que me contaba Blanca sobre ella. No tenía sentido, si así fuera no me hubiera abandonado.

—Lo que te voy a contar no es plato de gusto ni para ti ni para mí, por eso quería verte para decírtelo, es lo menos que puedo hacer por Irene. La verdad es que no me habló de que tenía una hija hasta al cabo de mucho y me quedé de piedra. Era una historia como de otra época lo de quedarse embarazada y dejar al bebé escondido con aquella familia, el dinero para pagarla salido de no se sabe dónde, lo de tu abuela, en fin…

Tengo recuerdos de una casa de pueblo, hay cabras y perritos y gatos y gallinas. Una mujer que huele a leña quemada. Y sin solución de continuidad, la casa de Naná, mi abuela, que no quería ser llamada así. Blanca sabía muchas cosas, pero no todas.

—De quien fuera tu padre nunca hablaba y cuando lo hacía no mostraba rencor, como si conocerlo hubiera sido un accidente; en cualquier caso no esperaba nada de él, quizá estuviese casado y quiso quitarse de encima el problema; ya te digo que por mucho que te hayan contado, las mujeres seguíamos en una situación de desprotección total, más cuando tu familia te rechazaba. Irene se quedó sin nada, no tenía trabajo, decía que quería ser artista y tenía espíritu; en casa tengo algunas cosas de ella en cerámica muy inspiradas, pero claro, no le alcanzaba para vivir. No es por descargarle culpa, pero puede que actuara así por desesperación, la insistencia de alguien, quizá las presiones vinieran de su propia familia o de ese hombre, eso no lo sé, nunca me lo explicó, pero creo que ni siquiera ella fue consciente hasta mucho después. Y tengo que decírtelo… Sin ser lo que se dice una adicta, durante una época consumió heroína. Ya, ya sé lo que vas a pensar… Pero es que bajo su delicadeza escondía una rabia enorme que no sabía cómo encauzar, que se revolvía contra ella, autodestructiva. Además tienes que entender que estábamos en los años ochenta y cuando nos decían que la droga mataba contestábamos «sí, pero de risa». Lo de los yonkis quedaba para los navajeros de barriada, había un prejuicio clasista entre aquellos músicos, jefazos de discográficas y niños bien con ínfulas de artistas. Entre ellos muchos buscavidas pero también pintores, fotógrafos, actores venidos de todas partes de Europa siempre de fiesta, gastando dinero a manos llenas, nada que ver con la oleada anterior de los jipis. Todos vivíamos como si aquello fuera a durar para siempre, un Nunca Jamás, la isla de Peter Pan la llamábamos. Irene hacía de musa de todo aquello de una manera un poco infantil, al menos esa era mi impresión, aunque entonces lo veía desde fuera, como si estuviera de público. Y de pronto, de un día para otro, todo terminó. Algunos desaparecieron de repente. No puedo asegurarlo, pero yo creo que una jeringuilla compartida con aquel grupito fue lo que mató a tu madre.

Había esperado algo diferente, aunque no sabía qué. El puzle se había completado. O quizá no del todo.

—Llegó a Madrid para buscarte y fue entonces cuando se hizo los análisis; yo creo que salió huyendo, temiendo qué se yo, hasta haberte contagiado. Entonces me pidió ayuda: la familia que te acogió había iniciado los trámites de adopción y al enterarse se puso como loca. Ya estaba mal, había pasado una tuberculosis y pesaba menos que una pluma; no podía viajar, así que me presenté en casa de tu abuela, que me recibió con esa frialdad de estatua que tenía, insistiendo en que era la primera noticia que tenía de ti. Pero no la creí y la amenacé con montar un escándalo con abogados de por medio; entonces exigió ver a Irene, hablar con ella. Comprendí que no sabía nada de su enfermedad. Cuando se lo dije estuvo un rato largo callada, mirando por la ventana, dándome la espalda, supongo que para no mostrarme ni un resquicio de debilidad, y luego prometió que se haría cargo de ti. Solo hasta que Irene se recuperara, esa era la condición que puso tu madre, porque estaba convencida de que se recuperaría, que vencería a la enfermedad, toda su rabia tenía por fin un objetivo… Y yo también llegué a creerlo. —Lloró al decirlo—: Estuve con ella hasta el final.

Puso la mano sobre la mía y nos quedamos un rato así sobre el velador de la cafetería. Recuerdo mis lágrimas casi de liberación y ver borroso el mármol gris, negro y blanco, y la mano de la única persona que me consoló por la muerte de mi madre.

—Hay algo más... Desde que la conocí hasta que volvimos a encontrarnos hubo un hombre del que estuvo enamorada; yo no le conocí, pero algo me contó de él. Fue su verdadero amor. No puede ser, es imposible, decía. Pero ¿cómo de imposible? Pues como Romeo y Julieta, contestaba. Pensé que estaba casado pero reconoció que no, que ese no era el problema. Había viajado con él sobre todo al País Vasco y al norte de España, creo que era de allí aunque había pasado mucho tiempo en Francia. Tu madre era muy hermética al respecto, pero sé que sufría. Irene tenía algo espiritual, todo lo contrario que yo, que estoy pegada a la tierra como la raíz de un árbol. A veces parecía comunicarse con cosas, qué se yo... Estoy diciendo tonterías.

Desde entonces hablamos muchas veces por teléfono o por Skype, dice que verme y escucharme es como encontrarse de nuevo con Irene. De vez en cuando voy a visitarla a su paraíso, a Llucalcari, a la luz interior de ese mar azul profundo como no hay otro igual en el mundo, a pasear por el olivar y recoger aceitunas y escuchar al burro del vecino rebuznar. Ya casi no hablamos de Irene sino de nuestras cosas. Es mi amiga, no solo la mujer que trajo a mi madre de vuelta.

3

Uno a uno, repasamos todos los archivos, pero la mujer de pelo rojo no volvía a aparecer. Aparecida, esa es la palabra. Solo la encontramos en ese momento, la imagen congelada, su gesto, su ropa extraña. Martín apagó el proyector.

—No la perderemos, ¿verdad?

—Siempre hago varios *backups*, está todo archivado y enviado a la nube de Gaula tal y como me dijiste. Me mandaron a mí también el acuerdo de confidencialidad —contestó.

El dichoso contrato de confidencialidad.

—No me lo habías dicho.

—Lo olvidé.

Tampoco yo le había confesado que estaba convencida de que en Gaula no tenían mucho interés por el proyecto, tampoco que creía que nadie se preocupaba por el material que enviábamos o dejábamos de enviar.

—Vale, entonces, ¿qué crees que pasa?

Esperé una respuesta pero me respondió con una mudez pasmada.

—Vamos a hablar tranquilamente de esto, tú y yo. Porque tendrás una opinión al respecto, ¿no? —dije.

—No sé. ¿Tú qué crees?

Pasaba la pelota sin querer jugar. Me levanté y aparté un poco la pantalla blanca: pienso mejor si me muevo.

—A ver... Tenemos el cuadro de Amalia Valle, una pintora recientemente rescatada del olvido aunque muy reputada, y un cuadro desconocido del que posiblemente sea la autora, pintado en una fecha más o menos perdida en su biografía. En ese cuadro aparecen muchos signos, objetos, detalles, pero entre ellos sobresalen el monte de las cuevas formando parte del paisaje y una figura femenina de pelo rojo vestida con un abrigo largo sobre un abismo. Entre los signos encontramos unas manos rupestres iguales a las que se encuentran la cueva de El Castillo, cerrada durante los años en que se pintó el cuadro. Por cierto, tu cuñada identificó las manos, por tanto no es solo una impresión: certifiquémoslo como hecho.

—¿Áurea ha visto el cuadro?

—Sí, cuando vino a pedirme disculpas, pero no nos desviemos del tema. Hasta aquí digamos que tenemos una serie de extrañas coincidencias que no podemos considerar como inexplicables. ¿Estás de acuerdo?

—Claro.

—Y ahora nos encontramos en una grabación digital, hecha por nosotros mismos, con la aparición de una señora muy guapa que se parece a la modelo del cuadro.

—¿Solo se parece?

—Vamos a las certezas, si no, no hay manera de poner orden ni concierto en este asunto.

—¿Y la ropa?

—La ropa es idéntica, ahí te doy la razón, pero se puede copiar, igual que un disfraz. Sigo: una señora a la que durante la grabación, y a pesar de que pasó muy cerca de la cámara, no vimos ninguno de los dos. Eso es…

—Raro.

—… porque has consultado a técnicos expertos al respecto y los dos están convencidos de que la grabación no está manipulada, no hay errores ni nada por estilo. Así que eso está totalmente descartado.

Asintió.

—Reconozcamos que algunos de los sucesos son particularmente extraños, especialmente el que ni tú ni yo viésemos pasar a la mujer. Pero nada indica que no se deba a alguna explicación racional, como que estuviéramos despistados en ese preciso momento. Ya, ya, no me mires así… Pensemos, por ejemplo, en que alguien que hubiera visto el cuadro, porque al fin y al cabo este sitio es un hotel abierto al público, copiara el traje por verse favorecida… ¿Has visto *Rebeca*? ¿La escena en que Joan Fontaine se disfraza con el traje de la antepasada de su marido que ha visto pintada en un cuadro y resulta que antes ya lo había hecho la propia Rebeca?

—No me acuerdo.

—Vale, pienso en otro ejemplo.

—No, ya lo he entendido.

—Pues avancemos, porque hay algo más, algo que no sabes. Esta tarde Áurea y yo hemos ido a ver a una señora que se llama Ludi.

Se echó las manos a la cabeza.

—Lo que faltaba…

—Tranquilo, no hemos hecho más que hablar de la Valle y resulta que la conoció siendo niña. También nos contó que andaba en tratos con un guerrillero antifranquista, un maqui llamado Angelín.

—Angelín fue muy famoso, todavía se cuentan leyendas de él. Como nunca lo atraparon dicen que sigue viviendo en el bosque convertido en *trasgu* y protegido por anjanas.

—¿Anjanas?

—Las hadas del bosque y de los arroyos.

—¿Hadas y guerrilleros? Interesante, eso puede ser buen material para incluir en el guion, me lo apunto. Pero sigamos con lo nuestro: podemos sospechar que la Valle pintó el cuadro aquí, yo al menos estoy convencida de que nunca se movió de esta casa; esa sería la razón por la que los propietarios desconocen su valor. Es casi seguro que Amalia se inspiró en lo que veía durante ese año de 1949. Y no descarto para nada que entrara en la cueva y viera las pinturas: estaban abandonadas pero no era imposible entrar, desde hacía años todo el pueblo debía de saber que allí dentro había vestigios rupestres, por la investigación de Obermaier. Seguramente le hablaron de ellas.

—Bien, pero ¿qué pasa con la mujer del cuadro y la grabación?

—Ludi mencionó a una mujer pelirroja relacionada con Amalia.

—Ya. Ir a verla habrá sido idea de Áurea, como si lo viera. Escucha: Ludi es una mujer mayor que vive sola en mitad del monte y que se cree heredera de una tradición de brujas pasiegas con poderes y toda la vaina, así que lo que diga no me parece muy fiable.

—Pues ha sido muy interesante.

—No lo dudo. Pero ¿de verdad crees que todos esos cuentos sirven para algo?

Volvía a parecer malhumorado.

—Tienes razón: debemos analizar solo los hechos. Y estarás conmigo en que lo que tenemos ahí arriba, pintada bien grande, es una mujer que, de alguna manera que ignoramos, fue importante para Amalia Valle. Puede que solo fuera fruto de su imaginación de pintora, porque imaginación tenía a raudales, o puede que retratara a alguien real a quien vio en alguna parte y que la impresionó lo suficiente como para servirle de inspiración.

—¿Y por eso se nos aparece en 2019?

—Bien, ahí hay un agujero. Prefiero pensar que se trata de alguien de aquí…

—De aquí no es, ya te lo digo yo.

—… o una turista del balneario que ha venido a hacer un

circuito de spa y que se alojó en este hotel en algún viaje anterior, quedándose prendada del aspecto de la modelo...

—... y por eso ahora se pasea por el bosque disfrazada. Ya.

—Un poco rocambolesco, pero no imposible.

—Casi prefiero creer que hemos grabado a un fantasma.

Dijo la palabra que ninguno de los dos quería oír y creo que se arrepintió en cuanto le salió de la boca.

—¿Crees en fantasmas?

Miraba hacia el techo, al suelo o a cualquier otro lugar de la habitación donde no me encontrara. Me asaltaron unas horribles ganas de fumar.

—Lo siento, pero te lo tenía que preguntar.

Cogió aire antes de contestar, como si necesitara llenar de oxígeno los pulmones y el cerebro.

—No me gusta pensar en ello. Pero no, no creo en nada de eso.

—Yo tampoco, aunque hay que reconocer que lo que acabamos de ver es tan... tan extraordinario que precisamente por eso debemos hacer el esfuerzo de mantener los pies en el suelo para que no se nos vaya la cabeza a... fantasías. Y como estás rodeado de gente que cree en druidas, hechizos y albarcas mágicas no era una locura pensar que los fantasmas vinieran en el lote.

—Yo no soy así, ya te lo dije.

—También reconozco que desde el mismo día en que llegué me han pasado un montón de cosas raras y la verdad, no sé qué pensar.

—¿Qué cosas raras?

—La primera noche aquí, en este salón, me quedé dormida y en el sueño vi a mi abuela como te estoy viendo a ti. No teníamos buena relación y cuando murió hace unos años, no nos hablábamos. En el sueño me pedía perdón... A su manera. Te juro que era tan real, tan ella...Yo nunca he soñado así, con ese detalle, recordándolo todo.

—Solo un mal sueño, cansancio. O si estabas nerviosa, estrés.

—Claro, pero es que además está lo de Samperio, la fotografía hecha en vuestra finca, el lugar idéntico. Si es una casualidad no hay que darle más vueltas, lo sé. Espera... Estoy olvidando algo importante, porque Samperio se cruza en todo esto continuamente; él sí que parece un fantasma que no quiere irse.

—El monte de El Castillo y las cuevas...

—Exacto. Aparece en sus escritos, se refiere varias veces a la cueva en sus notas de guion, pero es que también habla de una mujer pelirroja. Debo de tenerlo por aquí...

Había dejado los papeles ordenados sobre la mesa de comedor ocupándola por completo con folios, libros y carpetas; sabía dónde estaba la anotación y se la mostré con mis propios subrayados en rojo. Martín leyó con atención mientras yo seguía dando vueltas por el salón. He dicho que pienso mejor cuando camino: así soporto mejor el síndrome de abstinencia del tabaco.

—Una mujer de pelo rojo se nos aparece tres veces: en el cuadro, en las notas y en la grabación —dijo él.

—Si se lo hubiera contado a Ludi...

—Hemos quedado en que no íbamos a hacer caso de las adivinanzas de Ludi, ¿no?

Tuve que volver a darle la razón, pero es que Ludi era un comodín estupendo, aunque demasiado arriesgado, lo reconozco. Ahora fue Martín el que se puso de pie; ya no era espectador, estaba claro que él también estaba atrapado por el enigma tanto como yo.

—Supongamos que esa mujer está conectada de alguna manera con Amalia Valle en 1949 y con Samperio justo treinta años después. La foto estaba fechada en el 79, ¿no?

—Eso es.

—¿Por qué? No lo sabemos. ¿Para qué? Tampoco. Y sobre todo, ¿quién es ella?

Nos quedamos en silencio durante un buen rato; ninguno de los dos podía responder a esas preguntas.

—¿Qué hora es?

Desencallar la mente cambiando de tema. De manera instintiva miré la hora en mi reloj de pulsera, soy de las que mantienen ese complemento pasado de moda porque no me fío de mi relación con el móvil: puedo perderlo o dejarlo sin batería y no estoy dispuesta a perder con él la noción del tiempo.

—Las diez y media.

—Vamos a cenar y luego continuamos. ¿Te gustan las setas? Una buena excusa para escapar de un callejón sin salida.

4

Había estado toda la tarde tan nerviosa que no me di cuenta de que también estaba muerta de hambre hasta que pusieron delante de nosotros los platos desmesurados con setas, huevos y patatas fritas y el queso de cabra con tomate del país, aunque no pude llegar a la crema pasiega que se zampó Martín. Goloso, huraño y solitario como los osos, aunque no tanto como pretendía: al verlo llegar, Mari, la dueña de La flor del Pas salió de detrás de la barra para plantarle dos besos y otros parroquianos también lo saludaron. En la barra estaba la gente del valle, bebían vino acompañado de tapas y raciones sabrosas y contundentes, sin florituras, reflejo del paisanaje. En cambio, en las mesas del fondo los clientes tenían el aspecto de ser urbanitas del balneario tan forasteros como yo misma. Había una diferencia sustancial entre los paisanos y los foráneos incluso en los cuerpos y los rostros, algo indefinible que tampoco tenía que ver con los tópicos del desprecio de corte ni la alabanza de aldea.

—¿Qué es para ti ser pasiego? No, no te sorprendas, lo digo sin ironía. Tengo que escribir sobre este lugar, ¿recuerdas? Contar qué tiene de especial. Aunque claro, tampoco eres un buen ejemplo si has vivido fuera.

—Oye, que tienes delante a uno que es más pasiego que nadie.

—¿Y eso qué significa?

—Ni idea. Pero es así. Supongo que lo decimos con un orgullo un poco malsano porque llamar pasiego a alguien fuera de estos valles es un insulto.

—¿Sí? ¿Por qué?

—Resulta que nuestro origen y nuestras costumbres siempre han sido vistas con recelo; si sales unos pocos kilómetros hacia la costa lo comprobarás. Se nos considera gente sospechosa, de orígenes moros o judíos, chivos expiatorios desde tiempo inmemorial. Hay decenas de mamotretos con teorías de lo más peregrinas para justificar la inquina que se nos tiene: que si venimos de esclavos rebelados de los reyes godos, que si de moros refugiados tras la conquista de Granada o judíos escapados de la expulsión de 1492. Hay para todos los gustos. Mi favorita es que somos los descendientes de un grupo de esclavos seguidores de Espartaco que milagrosamente escapó del ejército romano. Fantástico, ¿verdad? Pero pocos hablan de la pobreza terrible que impulsó a tantos a salir de esta tierra, poniendo a prueba nuestra capacidad de trabajo y de sacrificio.

Creo que nunca le había oído una parrafada tan larga.

—Pero ¿de verdad crees que sois distintos?

—No. Tampoco que tengamos una marca de nacimiento ni para bien ni para mal. Todos hemos nacido en alguna parte: a mí me tocó aquí.

Sonó el tono de mi móvil: tenía un mensaje.

—¿Te importa que conteste?

—No, claro.

El mensaje lo enviaba Daniel: «Estoy de fiesta con Antonio, que ha venido de NY y no sabes la que te vas a perder. Llama, cabrona, que no sé nada de ti y ni siquiera me has mandado una foto de ese sitio! ¿Tan horrible es? (Emoji de carita aterrada)».

Había olvidado por completo los pocos días que me separaban de Madrid y también todo lo relacionado con esa ciudad salvo lo concerniente a Gaula.

«Te llamaré. Bss para todos», contesté.

—Es un amigo que se queja de que no le he llamado desde que vine. Estaba pensando que sería interesante conocer su opinión: es antropólogo y un tipo muy... cómo lo diría... Interesante. Imaginativo. Puede que mañana le llame para contárselo. ¿Te parece bien?

—No tienes que pedirme permiso.

Y se hundió otra vez en su lado oscuro como si no le interesara lo más mínimo mi presencia; hasta me daba la espalda, repentinamente atento hacia lo que ocurría en el exterior del local donde había gente aparcando y hablando en voz muy alta. ¿Acaso le molestaba que me escribiera un amigo? ¿Es que tenía celos? Porque por ahí no paso, nunca he pasado: puedo tolerar a un oso pero no a un Otelo.

—¿Ocurre algo?

—Nada.

Esta vez sí que me ofendieron su tono y su gesto crispado que no venían a cuento; creía haber vencido sus prevenciones o prejuicios o lo que fuera y no estaba dispuesta a volver al principio y aguantar impertinencias, pero cuando iba a replicar, la puerta se abrió de par en par y cuatro hombres malencarados entraron en el bar: reconocí a uno de ellos como el propietario del Land Rover que días atrás había frenado en la carretera como retándonos.

Llevaban las botas sucias de barro y ropa de campo, color verde y marrón como la de los cazadores o los militares, las caras rojas de trabajar al raso o del vino, porque era seguro que venían borrachos, apabullando, con la violencia notoria de quien está acostumbrado a ejercerla.

Di un grito al ver algo gris y peludo volando por los aires que cayó dando un bote en el suelo y llegó casi a mis pies: uno de aquellos bestias había tirado en medio del bar, junto a nosotros, un bicho muerto. Se hizo un silencio de muerte mientras ellos reían y celebraban la gracia. El bicho era un tejón enorme o eso me pareció, porque nunca había visto ninguno salvo en los documentales de la hora de la siesta. Martín se levantó y fue hacia el grupo de tipejos.

—Quita esa carroña de aquí —dijo.

—Si es buena compañía, hombre, mejor que la mayoría... Este por lo menos está callao y no da por culo —contestó el bromista que lo había tirado.

—¿Qué pasa, molesta? —Este era otro, pero no reía, como si no pudiera por falta de evolución a tono con su aspecto embrutecido y cavernícola.

—Molesta menos que tú.

—¿Qué? —dijo el aludido dando dos pasos desde el extremo de la barra hacia donde estaba Martín.

—Que me molesta a mí y también al Seprona cuando los llame, porque habéis matado a un animal protegido.

No podía creer lo que estaba pasando delante de mí. ¿De verdad Martín iba a enfrentarse con aquellos brutos? Si pensaba que con un numerito de película del Oeste iba a impresionarme, estaba muy equivocado: todo aquello me estaba dando mucho miedo.

—¡Aquí de toda la vida se han matao tasugos! —gritó el tipejo.

—Eso se lo cuentas a los civiles después de pagar la multa. O si no, ya os estáis largando a toda hostia.

El hombre primitivo dio otro paso hacia Martín, pero los demás borrachos recularon y uno de ellos recogió el animal muerto.

—No se llama a los civiles si no es pa tomarse unos vinos, joder… —dijo.

Se encaminaron hacia la puerta, rezongando insultos variados entre los que escuché claramente «bolleras de mierda» y «jipis de los cojones». Solo respiré después de oír cómo subían a sus todoterrenos y se marchaban, e imagino que conmigo el resto del bar. Mari, la dueña, vino a nuestra mesa para dar las gracias a Martín.

—Estos siempre igual, si no la lían no están contentos… Es que me tienen harta, no te digo cuando me asustan a los clientes y a los turistas. ¡Hasta que monten una más gorda que la de Ramales no paran!

Por lo que decía entendí que muchos en el valle estaban hartos de aquellos matones pero poco o nada hacían al respecto. Mari bajó la voz.

—Porque todo el mundo sabe en lo que andan y no solo de lo vuestro, que ya me he enterado, ya… Estos cabrones nos están jodiendo vivos a todos. Ganas tengo de ver cómo se los lleva la Guardia Civil o terminan achicharrados en su propia hoguera.

En el coche, de vuelta a El Jardín del Alemán pregunté por ello a mi oso conductor, todavía sombrío y tan de mal humor que casi arrancaba la palanca de cambios al meter las marchas.

—O sea que son estos tiparracos los que os han amenazado…

—No tenemos pruebas. Por eso te dije que denunciar no solucionaba nada.

—Pero Mari ha insinuado que había algo más.

—Hay más, claro que hay más. Ya has visto: se creen que

el valle y el pueblo son suyos, no solo se meten con nosotros sino con todo el que destaque o intente hacer algo distinto, cambiar algo. También son furtivos que no respetan nada y matan de todo, zorros, aves rapaces, pero sobre todo lobos, su peor enemigo después de los ecologistas; a todos los tratan a tiros. Este tipo de gente está detrás de los incendios que veis luego en la tele los que vivís en la ciudad: los culpables no son pirómanos ni domingueros que tiran colillas mal apagadas, como os cuentan, sino gente con intereses muy concretos y que hacen lo que hacen para ganar pastos al monte y echar a los lobos de las zonas de caza.

—¿Y nadie hace nada? ¿No pasa nada?

—Aquí todo el mundo es pariente o familia o tiene amistad, eso hace las cosas más difíciles y nadie quiere hablar. Además, un par de estos cafres tiene mano con políticos y hasta están metidos en asociaciones ganaderas, las de toda la vida; pregúntale a mi hermana que de eso sabe un montón. La Guardia Civil los conoce muy bien, vaya que si los conoce, pero miran para otro lado porque no quieren líos, porque también viven aquí, hasta al mismo colegio han ido con los Celsos y el Carambita, los que acabas de ver. Además de tener amiguetes en los mandos, esta gentuza va armada, es peligrosa y no para en nada. Durante los incendios de 2015 atacaron los camiones de bomberos pinchándoles las ruedas y las mangueras hasta que llegó la UME y militarizaron algunos ayuntamientos, un toque de queda como en una guerra. Y cada vez es peor… Saben que el fuego es su mejor arma, una extorsión, una amenaza que todo el mundo conoce y de la que nadie habla, por miedo.

Al otro lado de la ventanilla corría la noche cerrada sobre sí misma, sin estrellas ni luna, salida de una película de terror con animales muertos y personas que no eran humanas y solo lo parecían, como monstruos disfrazados de hombres. Estuve vigilando la carretera todo el tiempo por si nos seguían y solo cuando llegamos a El Jardín del Alemán me sentí a salvo. Aunque dentro nos esperara nuestro callejón sin salida, nuestro misterio imposible y sus personajes fantasmagóricos, era un refugio después de lo ocurrido en el bar del pueblo y su repulsiva realidad. Incluso la pantalla del ordenador con su fría tecnología representaba un amparo virtual donde no había fuego ni ira ni animales muertos.

—¿Seguro que hemos visto todo lo que grabamos? ¿No hay ningún archivo más?

Martín guardaba los archivos en carpetas fechadas.

—¿Y ese de ahí? Tiene fecha del mismo día.

—Ya lo revisé yo antes y no hay nada, son descartes.

—Vamos a verlo por si acaso.

—No hace falta.

—¿Qué pasa? ¿Es secreto?

—Solo sale el bosque. Y tú: te colaste en algunos planos.

—Bueno, al menos yo no soy un fantasma, de eso puedes estar seguro.

Quería hacer un chiste, eso siempre me defiende del miedo, pero no tuve éxito.

—Hace años que no me veo en una grabación, desde los talleres en la facultad cuando nos poníamos a hacer de todo, y te aseguro que aquellos platós cutres no eran un decorado tan bonito como este bosque. ¿No quieres enseñármelo porque salgo mal?

—Yo no te sacaría mal.

—Por supuesto que no: eres capaz de sacar guapa hasta a una mujer que no existe. Quién sabe, quizá murió hace años como Amalia...

—Por favor, no bromees con eso.

Se tomaba su tiempo, parecía avergonzado de enseñarme su obra, cosa muy rara entre los individuos de esta profesión, más dados a la vanidad y al narcisismo, así que en realidad me gustaba ese rasgo de su personalidad, aunque tampoco había que pasarse... ¿Y si fuera inseguridad? Basta, tenía que dejar de pensar en Martín y concentrarme en lo que iba a ver, pero había bebido demasiado durante la cena, ese vinillo entraba estupendamente con el frío y ahora se me iba un poco la cabeza, sentada en el suelo sobre la alfombra gruesa de lana espesa; era agradable tocarla con los dedos como si acariciara a un mastín.

—Tengo curiosidad: nadie sabe quién es realmente hasta que no se mira en ese espejo, la cámara siempre nos devuelve a alguien desconocido... Quiero saber si puedo reconocerme.

—Yo creo que la cámara no es un espejo. Es un vampiro. Absorbe la vida, pero no solo la que está delante del objetivo, también la que está detrás.

Martín decía cosas inesperadas que me desconcertaban; no pude replicar por culpa del vino. Se levantó a apagar la luz y fue a sentarse detrás de mí como si fuera mi proyeccionista personal, ese lujo al que solo tienen derecho las estrellas del cine y los dictadores. Pulsó el PLAY.

Yo sentada, de perfil, seria, con el ceño un poco fruncido, el papel de plata de los bocadillos de tortilla brillando sobre la piedra, rodeada de un halo verde brillante que parece la respiración del bosque. La cámara se acerca a mí, pasa del plano general al medio y luego al corto, mi rostro cada vez más cercano, rectificado en un zoom para pasar a un primer plano, mis ojos, mis labios, mi pelo enredado por el viento, el gesto de quitarme el flequillo de la cara sí era mío: yo pero una yo que existía desde un solo punto de vista, en la mirada de otro. Mi imagen observada, recreada. La cámara me interroga y busca más allá del aspecto físico, de la piel, como un ojo de cristal afilado que corta y penetra los sentidos, cada vez más adentro. Quiere saberlo todo, conocerlo todo de mí. Quiere quererme.

Al levantarme del suelo me atravesó la luz del proyector, convirtió mi cuerpo en pantalla y sobre él todas las imágenes grabadas, el bosque, también la otra mujer, el cuadro pintado y quien lo pintó, sus rostros distintos en tiempos distintos. Del otro lado de la luz, una silueta silenciosa en la oscuridad vino a mi encuentro. No hizo nada más, solo estar allí para que yo me acercara, para besarle y tocarle y sentir su cuerpo pegado al mío y hasta el corazón dando golpes en el pecho, en el suyo, en el mío. Pero no lo hice.

El *fathliaig*.

«No pienses eso, sácalo de la mente, sé solo piel y carne y aliento, déjate llevar, no lo analices todo, no pienses mientras te besa el cuello y te muerde los labios.» Podía verle ahora a la luz de las imágenes proyectadas en la pantalla y él también a mí, tan cerca, como si necesitara tener la seguridad de que estaba allí y de que ese instante existía, de que yo era una persona real y no una fantasía.

Salió del salón y le seguí hasta la puerta, bajo el farolillo, temblando de frío. O no era el frío. Su rostro cortado por el contraste de luz y sombra dura que hacía el farol de la entrada.

—Quédate —dije.

Se acercó tanto a mí que podía sentir su respiración, su deseo, sus ojos recorriendo mi boca, pensé que me besaría, que no se iría a ninguna parte donde no pudiera verme ni tocarme, pero algo le detuvo.

—Perdóname.

Salió del círculo de luz y se hundió en la tiniebla del jardín.

AMALIA

La firma

1

«No soy como él», había dicho. ¿Cómo explicarle a Fidel lo inexplicable? Hubiera tenido que confesar con vergüenza que el monstruo que me perseguía se parecía demasiado a mí misma y el hombre amable y comprensivo que me ofrecía su vida entera sin necesidad de decirlo se espantaría si supiese que cada noche soñaba con mi verdugo, volvía a mí no para castigarme ni amenazarme, sino para meterse en mi cama en silencio y desnudo para abrazarme y besarme, sin pedir perdón porque no hacía falta. En el sueño recorría mi cuerpo, me penetraba y gritaba en un orgasmo interminable hasta que su aliento me despertaba, era tan real que al abrir los ojos aún me temblaban las piernas y sentía arderme la cara como si me hubieran dado dos bofetadas, los latidos del corazón desbocados golpeándome el pecho. Seguía deseándole de una manera descarnada, feroz, ilógica, absurda: ese era mi secreto. Como la maldición de un cuento de hadas, moría con la luz del día pero regresaba cada noche al meterme en la cama, cuando las sábanas primero frías se volvían calientes en una caricia y su fantasma me inundaba hasta sentir su aliento cálido en mi boca. Éramos él y yo todavía y quizá para siempre.

—Lo mejor será que no nos veamos durante un tiempo.

Fidel dudó un momento buscando algo que decir, pero no encontró nada; no le había dejado ningún resquicio.

—Tienes razón... Será lo mejor —contestó.

Retiró la mano que aferraba el hierro oxidado de la cancela, regresó al coche, arrancó y volvió a la carretera. No me moví de allí hasta que se perdió de vista: al menos eso se lo debía.

Durante días no salí del estudio, el único lugar donde podía decirlo todo sin vergüenza ni miedo a ser juzgada porque solo me acompañaban la Mujer Roja y su mundo, que era el mío. No había vuelto a verla pero aparecía en mi mente con una claridad que superaba la de cualquier otro recuerdo, crecía más a medida que pasaban los días. El cuadro me envolvía, me abrazaba, me llamaba cuando pasaba muchas horas sin estar a su lado; una forma de amor nueva, como no había conocido nunca, que lavaba la suciedad del otro amor que conocía. Me estremecía al recordar cómo había quemado mis propias obras convencida de que hacía bien, de que su destrucción era la única manera de recuperarle, un sacrificio necesario para lograr la felicidad: ahora me parecía un atentado contra mí misma, casi como si intentara cortarme las venas o tirarme por un precipicio como en el que vi a la Mujer Roja.

Soñaba con pintar y luego pintaba mis sueños desde que salía el primer rayo de amanecer hasta que anochecía aunque hiciera frío, envuelta en dos chaquetas de lana con las que casi no podía moverme, calentándome las manos con dos patatas asadas que metía en los bolsillos del abrigo; cuando se enfriaban me las comía allí mismo a pesar del olor a pintura, por no detenerme. No me importaba, al revés: el cuadro me alimentaba la imaginación, la alegría. Los colores subían al cielo y a la cima del monte y hacían respirar el viento libre y frío a la mujer pintada y con ella yo podía respirar también.

—Todo lo que puedas imaginar es real —decía don Jaime, mi maestro.

En el despacho de casa había una lámina de *El jardín de las delicias* de El Bosco; de niña podía pasar horas sentada en el suelo asombrándome con sus maravillas y aterrándome con sus monstruos, a los que inventaba historias y ponía nombres, preguntándome si aquel pintor del pasado veía así el mundo que le rodeaba, si era un bromista o un loco. Ahora sabía que ese universo imaginario existía y era real de la misma forma que las frutas de un bodegón o el rostro de un rey, igual que la pared del museo y el bedel que vigilaba la sala, don Jaime con sus pinceles y yo misma frente al cuadro, tan real como mi admiración, como mi amor. Después de reconocerme en la fotografía que guardaba Santos entre sus maravillas podía creer en casi todo, quizá no en ese escapar de la muerte que el indiano buscaba desesperado y que me recordaba los rezos susurrados en la ermita de Aes con su frialdad y su lejanía, pero sí en otras vidas y otros mundos invisibles, reflejos escondidos del mío, del nuestro, que se habían escapado a través de un pequeño resquicio, una rendija al alcance solo de una segunda mirada, un poco más allá, tal y como sucedía en el arte.

—Por mucho que se esconda, aunque pinte bodegones o jarrones con flores, un artista siempre estará pintándose a sí mismo.

Don Jaime era copista habitual en el Prado y yo aprendí lo que sabía de arte recorriendo los pasillos del museo rodeada de reyes inútiles y dioses vengativos estallando en óleos y marcos de pan de oro.

—Don Jaime, ¿una mujer puede ser artista?

—Claro que sí. Y no solo ahora: en el pasado hubo algunas muy importantes, hasta pintoras de cámara, he visto obras muy buenas en los fondos del museo y en Italia. Siempre hubo mujeres artistas, aprendían en el taller de un padre pintor, por ejemplo, y muchas se ganaron así la vida a pesar de todas las dificultades que tenían que superar, como la prohibición de estudiar anatomía, que les impedía aprender a retratar bien las figuras humanas. ¡Nada de ver a gente desnuda, que es pecado!

Estábamos delante de *El juicio de Paris* de Rubens y las tres diosas se desnudaban frente a nosotros: me reí en alto y algunos visitantes me fulminaron con miradas censoras.

Don Jaime me enseñó a pintar y a pensar y a escapar de la mojigatería a la que me condenaban mi tiempo y mi madre, a quien no le gustaba que fuese a un lugar lleno de «señoras en cueros vivos». Para ella un museo era un lugar tan indecente como un cabaré, pero tuvo que ceder tras enfrentarse con mi padre y yo continué yendo al Prado con don Jaime. Puede que mi madre perdiera muchas batallas, pero al final había ganado la guerra; al marcharme me negué a admitir su victoria, a presenciar cómo aniquilaba a un enemigo cautivo y desarmado. Ignoro si don Jaime supo de todas las disputas que sus clases originaban, creo que lo sospechaba aunque nunca hizo mención de ello. Solo hablábamos de lo que a ambos nos interesaba, como aquellas artistas que permanecían enterradas en los almacenes, olvidadas.

—Algunas pintoras dejaban sus cuadros sin firmar y sin embargo en ellos se encuentran sus autorretratos. Las únicas modelos disponibles eran ellas mismas y su imagen, su firma. Cuando no les quedaba más remedio que dedicarse a los paisajes o a los bodegones aprovechaban el reflejo en un cuchillo o en una copa de metal brillante para pintarse a sí mismas, convirtiendo el cuadro en un espejo.

Escondida, desaparecida. Firmar mi cuadro no era importante porque mi nombre no lo era, nadie me conocía y nadie lo apreciaría. Pero lo cierto es que el cuadro era mío y de nadie más, mi creación, quizá la única que me estaba permitida. Por eso decidí aparecer en la pupila verde y dorada, mi reflejo pintado en otra mujer. Solo podría verlo quien estudiara el cuadro al detalle, pero ¿quién querría estudiar la pintura sin valor de una aficionada desconocida? Eso no importaba, lo importante es que yo estuviera allí, junto a ella.

Me aparté del lienzo para ver el efecto de la pupila que era mi espejo y juro que escuché su voz como si hubiera salido del cuadro y estuviera a mi lado.

—¿Lo ves? Podías hacerlo —dijo la Mujer Roja.

—Sí —contesté al aire.

Una sensación de plenitud me invadió, de pronto ya no tenía miedo. Su ausencia no dejó un vacío, una extraña furia lo había sustituido. Dentelladas de rojo fuego, verde abismo, azul estrella, amarillo luz; la rabia me desgarraba por dentro pero esos mordiscos me mantenían despierta, viva y alerta.

Desde ese día he hecho la rabia mía, su fuerza me sostiene, me alienta, incluso me ayuda a pintar cuando desfallezco. Entonces me guiaba la mano o destrozaba los pinceles sobre el lienzo, en silencio, en soledad, hasta que la falta de luz me obligaba a dejar el trabajo y entonces esperaba la llegada de Angelín.

—Anda, a ti te ha pasado algo. Te noto distinta, compañera... Cuando llegaste no hacías más que arrastrarte y poner cara de acelga y ahora te veo hasta lustre.

Como los animales que pueden oler el peligro o el miedo ajeno, el maqui había notado la transformación.

—Vas hecha un cuadro, pero un cuadro de verdad: tienes churretes de pintura en el pelo y en la cara. Sí que te lo tomas en serio, tú.

No me había mirado al espejo ni cambiado de ropa en muchos días, pero solo fui consciente de ello cuando él lo advirtió.

—¿Sabes que no había conocido a ningún artista antes? Tú eres la primera. Bueno, sé de uno que era cantante de cuplés por los cabarés y que se hizo miliciano después de que unos falangistas le rompieran la cara por maricón. Pues a pesar de serlo, no he visto tío más valiente, oye, siempre el primero en atacar, unos cojones como melones. Na más caer Madrid se fue a Francia y siguió pegando tiros en la guerra gorda contra los alemanes. Pa que luego digan que los maricones son flojos.

El gnomo salía del atardecer de improviso, avisaba lanzando piedrecitas allí donde veía luz, en el salón o en la cocina, igual que los niños para llamar a un compañero de juegos. Al salir lo encontraba sentado en la fuente seca o en el banco bajo el magnolio o en la mecedora que había sacado al porche, hiciera frío o calor, lloviera o no, como si no notase los cambios del clima o formara parte de él.

—Los guardias están demasiado tranquilos, para nosotros que traman algo.

A veces hablaba en plural de su cuadrilla fantasmal, más cuando estaba inquieto.

—Algo habrás oído allá abajo en casa del ricachón, que allí pastan desde el cura hasta los jefes de la comandancia.

Conocía todo lo que pasaba en el pueblo, quién hacía y decía qué, en las chozas y en las casonas, también de mi visita a casa de don Santos; hacía alarde de ello, de sus mil ojos y mil lenguas.

—Te aseguro que estuvimos solos y hablamos de su colección de arte. Creo que eso es lo único que le interesa.

—¡Caliente andas! Don Santos, don Santos... No se le cae a nadie de la boca... ¡Otro burgués! Y el peor, porque era pueblo y se le subieron los humos y mira cómo le ha lucido.

Menuda presa sería... ¿Cuánto sacaríamos de un señorón como él? En monedas de oro como las de un tesoro de los moros, le iba a hacer pagar.

«Bandoleros», así llamaban en el fondo del valle a los que se echaban al monte acusándolos de sabotajes o de robar como los salteadores de caminos y secuestrar a los adinerados obligando a sus familias a pagar un rescate por su regreso.

—No lo dirás en serio...

—Muy en serio, si no fuera porque el muy jodío no sale de casa; pero que ande listo que si no iba a parar a una cueva que yo me sé atado como un chorizo y yo esperando a que la negra me trajese su buen parné. Que no sería el primero.

Se le guiñaban los ojos de duende con las maldades y a la luz de la luna parecía uno de esos enanos malignos que secuestran a los niños en los cuentos.

—Dicen que si hace muchas cosas por la gente de aquí, que si tal y pascual... Como está para irse al otro barrio quiere pagarse el peaje echando monises al cepillo de la iglesia. ¡Todos los indianos son unos fanfarrones! No me jodas: eso es caridad, una limosna, no justicia social; mientras haya miseria ser rico es una ofensa. Además, ¿sabes cómo hizo tanto dinero?

—¿Lo sabes tú?

—No hacen falta muchas entendederas, ¿eh? ¿Conoces tú a alguien que se haya hecho rico, pero rico de verdad, sin robar, ni explotar ni matar? Anda, la hostia... Si lo sabe medio pueblo, si hasta esclavos tenía en una plantación de cacao en Guinea. Así es como se amasan las fortunas, explotando jodidamente al proletariado mundial, que estos no miran el color de los machacas del mundo, no, lo mismo les da dar por culo a un negro que a un blanco, a un indio que a un moro. El colonialismo va de la mano del capitalismo, compañera, y eso lo saben hasta los tasugos y los jabalíes.

Antes de que yo llegara no sé a quién lanzaría tanto mitin; al bosque, quizá, a los pájaros y a los lobos, ya que prefería la compañía de las bestias a la de los seres humanos.

—De los animales puede uno fiarse, dan mucha información sin ser soplones, que solo hay que saber mirarlos y escucharlos y te dicen si suben los tricornios y dónde hay buenas setas. Mira las que te traje.

Dejaba un buen puñado de setas de pie azul sobre el poyete de piedra y yo las guisaba con patatas que luego repartíamos como buenos camaradas.

—Háblame de cómo se puede llegar a Francia, anda. ¿Crees que yo podría hacerlo también?

—Si estás dispuesta a andar por riscos no es imposible, qué va a ser. Tenemos gente, apoyo del Socorro Rojo Internacional... Pero cuesta dinero, que son muchos días hasta allá y los que se ocupan del asunto también tienen que vivir, hay que soltar buenos duros. ¿Los tienes? Qué vas a tener... Yo te veo más limpia que una trucha.

Y se limpiaba la boca con la manga verduzca del chaquetón cubierto de moho: mitad hombre, mitad bosque.

Cuando se marchó volví al estudio. La claridad del candil iluminó la mesa de trabajo junto a la pila de trapos, botes y tubos de óleo y vasos con lápices, también la jarra con pinceles que no solía usar. La volqué sobre la mesa y los pinceles rodaron por la madera manchada de pintura, tuve que meter la mano en el fondo de la jarra para sacar el paquete hecho con una servilleta, lo deshice y también el nudo de la bolsa de terciopelo que guardaba las perlas y los pendientes de zafiros, las joyas que no me atreví a empeñar y que no había tocado desde que las escondí al llegar. A la luz del carburo lanzaban destellos en la oscuridad.

2

—Papá, ¿qué haces a oscuras?

Encendí la lámpara.

—¿Ya se ha hecho de noche? No me había dado cuenta.

Le costaba mucho hablar, las palabras se le resistían y a veces se quedaba en blanco; le veía en la cara los esfuerzos por ordenar las ideas sueltas, despedazadas.

—¿Quieres que te ponga la radio?

—La radio... No. Para lo que hay que oír...

Bajo el ceño fruncido, los ojos perdidos me atravesaron como si yo no estuviera allí.

—Papá, ¿sabes quién soy?

—Vaya pregunta... Alguien serás. Ven que te vea bien.

Me acariciaba la cara.

—Soy Amalia, tu hija.

—Amalia. Esa eres.

A Jesús le dije que tenía que pasar más tiempo con mi padre porque cada vez estaba peor, aceptó a regañadientes y porque se aseguraba de que siempre fuera y volviera acompañada por él o por Feliciana. Mi madre acababa de volver del rosario en casa de las de Peláez, ahora iba casi todas las tardes. No le gustaba nada que anduviera por casa, le parecía una ridiculez porque mi padre estaba bien cuidado por ella y las muchachas; había mejorado mucho, decía, hasta se levantaba solo para ir a sentarse en la butaca, aunque fuera para mirar alrededor durante horas como perdido en su propia casa. Le pedí que me dejara llevarle al despacho, la parte del piso que había habitado durante años y donde tenía sus cosas, sus libros y recuerdos, pero ella lo había cerrado a cal y canto.

—¿Para qué vamos a abrirlo? Además, ya no puede leer y los libros solo están ahí para acumular polvo, una porquería, por eso lo hemos cerrado todo, hasta los muebles están con fundas. No seas metete y mejor vete a tu casa a hacer por tu marido.

Yo seguía yendo a ver a mi padre resguardada en una aparente abulia, una terquedad silenciosa que la sacaban de quicio.

—¿Ves? Esa manera de ser tuya, tan fuera de lugar, tan rara... Luego la gente habla.

Al parecer y según mi progenitora, las fuerzas vigilantes del decoro, gente decente y como Dios manda, habían tenido noticia de los problemas de mi marido en el trabajo y fuera de él y dictado sentencia al respecto: si un hombre tan guapo e intachable y hasta héroe de guerra se comportaba de manera errática, sin duda la culpable sería una esposa que nunca estuvo a la altura.

—Hay que acallar esas lenguas, ¿entiendes?

Había desistido hacía tiempo de intentar explicarle lo que ocurría entre él y yo porque no hubiera servido de nada: mi madre siempre me culpó de todo y de nada, mi sola existencia era una herida abierta por la que supurar una inquina que ni siquiera ella misma podía definir ni mucho menos aceptar. Era muy niña cuando descubrí que no me quería y si yo me acercaba a desearle buenas noches con un beso como hacía con papá, ella se apartaba como si mi contacto quemara. Mi hermano fue tolerado, creo que incluso querido a su manera distante, pero yo siempre resulté una extraña y una competidora por la atención de los hombres de la casa. La sima entre nosotras se agrandó durante años, hasta que ya ninguna de las dos pudo cruzarla. Quién sabe, quizás tuviera sus razones, quizá mi nacimiento le resultó imprevisto o doloroso o puede que nunca quisiera convertirse en madre y lo fue obligada por las circunstancias, plegándose a lo que se esperaba de una mujer de su época, de todas las épocas, sin ser plenamente consciente de lo que significaba esa maternidad. Eso era capaz de entenderlo sin culparla porque yo sentía crecer en mi interior la misma duda. Por eso acepté ir a los rosarios y a las meriendas que organizaban sus amistades: estaba dispuesta a intentarlo todo con tal de ser aceptada en ese mundo pequeño en el que vivían las otras mujeres y hacer lo correcto, como quien pone silla a una yegua para domarla, ¿acaso se me permitía elegir? Ya no había nada ni nadie, estaba derrotada, porque acabado el amor —un amor loco inconfesable, impúdico— tenía que aprender a dejar de querer, de esperar, de ser. Ya no era más Amalia, tenía que aceptar vivir dentro del cuerpo y el alma del hombre que había elegido en lo bueno, en lo malo, en la salud y la enfermedad. Eso llevaba tiempo, renuncia, voluntad y sobre todo, sacrificio.

Me encontré con ella la segunda vez que acompañé a mi madre a donde las de Peláez, en el piso lúgubre siempre de luto, los bargueños y los aparadores negros de mil barnices, las cortinas polvorientas; las de Peláez también parecían talladas en madera como los medallones con conquistadores de perfil en sus muebles de estilo castellano. Ya no era la Malena que conocí, estaba muy cambiada, había adelgazado, no vestía con aquella ropa a la última ni llevaba joyas ostentosas. Aunque seguía siendo guapísima ya no tenía el brillo de antes, como si lo hubiera tenido que ceder a cambio de algo. Dios sabe cómo se hubiera puesto mi marido de haber sospechado que me encontraba con ella, pero solo sabía de mis rosarios en casa de aquellas beatas de decencia tan intachable que ni siquiera él podía encontrar motivos para criticarlas.

Malena y yo íbamos la una al encuentro de la otra como dos amantes, deseando vernos, aprendiendo a no llamar la atención y a pasar desapercibidas entre las demás señoras hasta que lográbamos darles esquinazo para retirarnos a un recodo de la salita y contarnos en voz baja cosas que no se podían decir en alto.

—Tengo una niña, ¿sabes?

No había tenido noticia de que ella y Roberto hubieran tenido hijos, y esas cosas se sabían rápido.

—Es que no es de mi marido. Vaya, eres la única persona a quien se lo he dicho. No sé por qué, solo confío en ti, Amalia. Estoy como loca con ella, no paro de comprarle vestidos; ayer mismo me metí en una juguetería y me llevé una Mariquita Pérez que la tengo en casa para mirarla y remirarla como si fuera ella, porque no vive conmigo.

Se le saltaban las lágrimas y yo le cogí de la mano, pero la apartó haciendo un gesto de aviso.

—Cuidado, estas brujas no hacen sino vigilarnos, como mi cuñada, mírala, ahí está de carabina. Se moriría si supiera que sabes el secreto de esta familia... El próximo día te traigo una foto de la niña. Ya verás qué monísima es Celia; se llama como mi abuela. Lo que pasé con las monjas cuando quisieron ponerle el nombre de la virgen de la capilla, empeñadas en que tenía que llamarse María de la Fuencisla ya ves tú.

Roberto entendió por fin que su mujer no le quería cuando ella se marchó a pasar unas vacaciones en Biarritz. Sin él, pero no sola.

—Enamorada como en la vida, como una niña, ¿qué iba a hacer? Pues liarme la manta a la cabeza.

Malena la enamoradiza: se había pasado la vida buscando un amor imposible.

—Nos conocemos desde críos y siempre hubo algo entre nosotros, pero como también estaba casado... Una pena, chica, siempre anduvimos a destiempo hasta que un día, en fin... pasó lo que tenía que pasar y nos fuimos juntos a Biarritz porque unos amigos nos dejaron un hotelito. Fue un sueño, lo mejor que me ha pasado en la vida y no me arrepiento. Aun así yo no quería que se formara una escandalera, pero algo debieron decirle a Roberto que se presentó allí y yo no negué la evidencia, porque me importaba un pepino.

A Roberto le dijo la verdad, que estaba en estado y que el hijo no era suyo sino de otro señor, y le ofreció seguir juntos en buena armonía pero cada uno haciendo su vida; algo no tan raro entre la clase alta, un arreglo ventajoso para otras parejas que ambos conocían y yo también. Para su sorpresa él reaccionó «como un loco» según ella, aunque yo, que bien sabía lo que era comportarse como tal, pensé que exageraba. No se lo dije, pero creo que Roberto era incapaz de dar un paso sin ella y temía sinceramente perderla. Haberse casado con Malena era su único triunfo en la vida, por eso ni se planteaba la posibilidad de dejarla escapar. Puede que el suyo, no el mejor ni el más deseable, fuera una de las muchas clases de amor que había aprendido a ver a mi alrededor; desde luego, no era yo quién para criticarlo. Lo cierto es que en vez de tragar con el apaño, su marido convocó a la familia para que la llamaran al orden, incluidos sus hermanos, a quienes Malena tenía pánico.

—Es que mis dos hermanos son sacerdotes, el mayor la mano derecha del obispo de Astorga, te puedes imaginar que cuando ellos deciden nadie chista. ¡Cómo se pusieron! Tuve miedo de que me encerraran en un sitio de esos de las oblatas para mujeres descarriadas y si no lo hicieron fue por el qué dirán, porque allí no hay más que pobres, pero me mandaron a un convento de clausura en León para quitarme de en medio y que no se me viera. Seis meses allí, una condena, hija mía, en mi vida he pasado tanto frío, comiendo acelgas y rezando de la mañana a la noche, hasta que tuve a la niña. Me dejaron salir con la promesa de reformarme y volver con Roberto manteniendo las formas con mucho vía crucis y rosario y tómbolas de la parroquia, pero siempre vigilada como una presa. Ni al cine me dejan ir, nada de frivolidades, castigada hasta vete a saber cuándo, así que aquí me tienes haciendo de beata con las de Peláez, que al resto de amigos no me los permiten ver. Todo el mundo piensa que me ha dado por lo místico y que de esta me meto monja, ¡anda que no se estarán riendo! Pero me da lo mismo, lo peor es que no tengo conmigo a la niña porque Roberto no quiso ni mirarla, mucho menos darle su apellido, que no y que no, que si era una humillación y demás zarandajas, lo que pasa es que todavía está resentido. Ella está en un pueblo de Segovia, bien cuidada, pero claro, me muero por verla... Mis hermanos me dejan visitarla de vez en cuando y siempre que yo cumpla con no volver a ver jamás al padre de mi hija. Pero tengo la esperanza de ablandarlos a todos y traerla conmigo, a Roberto le conozco y al final me saldré con la mía, ya lo verás... Pero ¿y tú, Amalia? ¿qué piensas hacer tú?

3

Ir a Francia, eso haría. Antes tenía que vender mis joyas, conseguir el dinero para pagar a esa red secreta de la que sabía Angelín, que sacaba a fugitivos del país. Una vez en Perpiñán, en territorio francés, estaría a salvo, solo tenía que contactar con don Jaime, él me ayudaría a llegar a París. También había decidido el cómo y también el cuándo: al terminar el cuadro. Era extraño, pero después de tomar la decisión no sentía tener que dejarlo atrás, había cumplido su función y de alguna manera pertenecía a este lugar como la mujer que lo había inspirado, mi doble, mi gemela de melena pelirroja, el paisaje que me rodeaba, la casa en la que vivía, mis visiones y mis fantasmas presentes y pasados, unidos todos por líneas entrecruzadas, hilos de vidas y de recuerdos. Pero dentro del cuadro también crecía el futuro, el mío, el de todos.

—Oye, compañera... ¿Por qué es tan importante para ti? —preguntó mordisqueando un nabo de los que había robado a los chones de un aldeano. Si no hubiese sido por Angelín, durante esos días hubiera vuelto a pasar hambre.

—¿A qué te refieres?

—Coño, a qué va a ser... Pues eso de pintar, que te metes ahí y pasas todo el día, dale que te pego, como si te fuera la vida en ello.

Me sentí extraña al reír; hacía mucho que no reía.

—¿Te cachondeas? No vayas a dártelas de sabelotodo conmigo, ¿eh? Que uno no pudo estudiar más que las cuatro reglas por pobre, no por tonto.

—No, hombre. Es que has hecho una de las preguntas más difíciles que se le pueden hacer a alguien que… hace lo que yo.

—Eso que haces tiene nombre, no te avergüences que es un oficio como el de cualquiera, acabáramos: tú eres artista.

Ni estudiante ni aficionada: Angelín fue el primero que me convirtió en artista.

—¿Cómo te lo explico? El arte es casi como una vocación que te elige en vez de elegirlo tú. Si lo tomas en serio, como dices tú, es muy exigente, muy sacrificado. Pero también se convierte en el centro de tu mundo, te da sentido y alegría de vivir como… un acto de amor.

—Cagoensós… ¡Si suenas igual que los curas! Me parece a mí que entonces eso de ser artista es una puta mierda pero de las gordas.

Odiaba a los católicos, a los que llamaba meapilas, chupacirios y comehostias; el desprecio del guerrillero solitario iba más allá del amasijo furioso de sus ideas políticas.

—Ya decía aquel que la humanidad no llegará a la perfección hasta que no caiga sobre el último cura la última piedra de la última iglesia… ¡Si no se atreven a asomar el morro fuera de los cuatro carros de tierra que rodean la iglesia, los muy mierdas! Aquí no tienen mando, esta tierra y estos valles no son suyos, aquí se cree más en darle siete vueltas a un tejo y ver hacia dónde le cae la sombra que todos sus inventos. Lo que pasa es que se han venido arriba por culpa de los fascistas, pero dentro de na daremos la vuelta a la tortilla y los verás a todos corriendo como conejos.

Creo que a veces olvidaba que la guerra había acabado y también que la había perdido. Seguía empecinado en «dar la vuelta a la tortilla» junto a un ejército imaginario venido de no se sabe dónde y a los camaradas también echados al monte que formarían el grueso de la partida y a los que yo no había visto nunca.

—¿Quiénes son esos compañeros de los que hablas? ¿Dónde están?

—Mejor que no lo sepas y punto en boca.

Podía pasar la noche entera sin dormir, como el cárabo, balaceándose en la mecedora que tanto le gustaba y que por eso yo dejaba para él bajo el porche. Al amanecer la mecedora aparecía vacía y cubierta de rocío hasta su próxima visita. Se la apropió como el guerrero que ocupa el trono de un rey vencido en batalla y allí lo encontraba jugueteando con su pistolón o fumando un tabaco de picadura que olía a establo sucio, mientras el balanceo le ponía una sonrisa en la cara de niño envejecido.

El día en que solo me quedaban para comer tres nabos de los robados a los cerdos por mi amigo el proscrito, Cachita apareció ante mi puerta. No nos habíamos visto desde que estuve en su casa, porque era suya tanto como de Santos. Traía consigo una de sus cestas prodigiosas con tocino, huevos y una torta de pan como si supiera de la escasez de mi despensa gracias a sus dotes adivinatorias. Sentí curiosidad por la excusa que pondría a su aparición: quizá su amo la enviaba con el encargo de vigilar mi bienestar, pero lo que antes agradecí como una muestra de generosidad ahora me inquietaba: tras ese tocino apetitoso se escondía la vigilante obsesión del indiano. Ella debió de leerme el pensamiento, porque esquivó hablar de su señor.

—Espero que esté usted bien de salud, señorita.

Supuse que el doctor había informado a su protector de que ya no me visitaba y tanto eso como mi retiro habría causado en el caserón del indiano cierto desasosiego. Le aseguré que me encontraba perfectamente pero que mi trabajo me absorbía.

—¿Trabajo? Se refiere a pintar, ¿verdad?

—Sí. Puede que la mayoría de la gente no lo tenga por tal, no al menos quien tenga que ganarse la vida con un oficio duro y pesado.

Cachita no contestó, por eso no pude saber en qué lado de la opinión estaba, pero me taladró con sus ojos de precipicio hasta que tuve que apartar la vista: su mirada tenía un poder hipnótico, capaz de arrebatar la voluntad. Mi voz, que no mi voluntad, habló, sorprendiéndome.

—¿Le gustaría verlo?

—Me sentiría muy honrada, sí —contestó.

Su interés no podía tener otra razón más que encubrir la pesquisa encargada por su amo y señor: Santos deseaba saber en qué empleaba mi tiempo y por qué, pero como yo no tenía nada que esconder la conduje hasta el estudio, aunque estaba segura de que ella sabía perfectamente dónde se encontraba: tenía que conocer la casa entera porque había entrado y salido de ella cuanto quiso durante el tiempo que estuve en cama. Callada y pensativa, observó la pintura con atención.

—No está terminado…

—No.

—Esto es el monte de El Castillo.

—El paisaje del valle se ve bien desde aquí.

—Quizá le parezca una montaña como cualquier otra, pero por cómo lo ha pintado y dónde lo ha colocado, diría que le ha prestado mucha atención.

Tenía razón: la figura del monte envolvía el cuadro, era imposible sustraerse a ella y yo había sido muy consciente de ello. Me rondó la sospecha de que Cachita era quien había elegido los cuadros que colgaban de las paredes de su palacio y no su amo.

—¿Acaso no sabía usted que el monte está atravesado por cuevas en las que hay pinturas? —dijo.

—¿Pinturas? ¿Qué clase de pinturas?

—Antiguas. Hechas por gentes de hace miles de años.

—Quiere decir pinturas rupestres…

—Eso es. Pero yo poca cosa más puedo decirle, si le interesa debería usted conversar con mi señor don Santos, él conoce muy bien las cosas de la tierra en que nació.

Allí estaba la razón de su visita: Santos quería que yo supiera que me estaba esperando. Lanzado su mensaje, su enviada decidió que ya era tiempo de irse, pero antes me dijo algo que me sorprendió incluso viniendo de ella.

—Por cierto, señorita: no se asuste si recibe en estos días la visita de la Guardia Civil. Están llegando de toda la región muchos guardias para buscar a uno de esos bandoleros refugiados en el monte y en las batidas suelen entrar a registrar las casas más aisladas. Como esta es una de ellas, no sería de extrañar.

—No importa, que vengan si quieren, no tengo nada que ocultar.

Cachita me contestó con una de sus miradas abismales y se fue por donde vino, arrastrando sus albarcas por la carretera abajo. Esa noche se lo conté todo a Angelín.

—La bruja negra sabe que ando por aquí y seguro que te ha visto en los ojos que tú y yo andamos a partir un piñón. Pero ya los olí, hace días que andan nerviosos, estos. Creen que van a cazar a un conejo, pero no te preocupes que voy a enseñarles los dientes de lobo.

—¿Qué vas a hacer?

—Mejor que no sepas más porque los fascistas no paran en nada y si tienen que darle unas cuantas hostias a una mujer para que cante, se las dan, no serías la primera.

Había peligro, me lo estaba diciendo a pesar de las bromas. Le pedí que huyera lejos sin meterse en problemas, temía que le detuvieran. O algo peor.

—¿Te preocupa mi suerte? ¿Ya no puedes vivir sin mí, morena?

Su coqueteo inocentón nunca llegaba a nada; yo sabía de su incapacidad de pasar a mayores porque una mujer sabe esas cosas y para más señas siempre que nos encontrábamos se colocaba a no menos de tres o cuatro metros de mí, como los animales que toleran la presencia humana pero mantienen la distancia preparados para una huida rápida.

—Me quieres por el interés... Que no te voy a dejar tirada, que ya sé que quieres que te saque de aquí con esos amiguitos que tengo. Que no te preocupes, te digo: mil veces me han hecho cerco y siempre logré escapar. Pero no te asustes si ves que no asomo el morro en un tiempo porque a pesar de eso yo sabré de ti y tú de mí.

Sus ojos en el pueblo eran los de su prima Presen. Pocos sabían que eran parientes porque había vivido siempre en otro pueblo, La Cavada, donde trabajó desde niña en una fábrica de hilo.

—Presentación, sí; vaya nombres nos ponen los curas al bautizarnos, nombres largos para que parezca que al menos Dios nos da algo a los pobres. Pero luego la vida nos lo quita, porque Dios no existe y sus nombres no sirven pa na cuando tienes que segar un prau o subir al andamio o sacar las vacas o servir en una cocina; te llamas Presentación y te quedas con

Presen, la mitad, que es lo que te corresponde. Pues eso, que se quedó sin trabajo por tonta, por casarse con un baldragas, porque en las fábricas no quieren casadas y ¡pam! de repente va y se le muere el marido y se queda con el culo al aire y una hija pequeña, qué iba a hacer, pues venirse a vivir con las abuelas, las Vijanas, a tirar de campo y de vacas y a dar la cara por sus hombres. Yo lo reconozco, ¿eh? Porque los anarquistas respetamos a las mujeres como iguales, no van a ser, qué cojones... Mejores soldados no los hay, sin mis mujeres no habría sobrevivido solo en el monte; ellas son las que me cuidan y me protegen, las únicas que saben dónde ando y las que me hacen los encargos, que tenemos nuestros códigos secretos: hasta saben en qué agujero de árbol tienen que dejar el tabaco que me gusta para que yo lo encuentre. Tú espera, que ellas vendrán a ti sí o sí, te llegará el mensaje por mi prima o por Ludi, su niña, que es muy espabilada.

Más que tranquilo parecía contento, como si la amenaza de sus enemigos fuera la promesa de una cita hecha por una moza en un baile. La media sonrisa le ponía la cara diablesca.

—¿Y qué te trajo la negra además del chivatazo? Porque siempre viene con algo para hincar el diente: eso es más importante que lo de los civiles.

Se lanzó a devorar el pan con tocino, comía como un cachorro abandonado y medio muerto de hambre.

—Oye, Angelín, ¿tú sabes si hay cuevas con pinturas rupestres en El Castillo?

—No va a haber... Si en tiempos venían hasta del extranjero a verlas, eso lo saben todos en el valle. Muy antiguas, de los primitivos son —contestó con la boca llena.

—¿Las has visto?

Se echó a reír, la boca abierta y el tocino dentro a medio masticar.

—Las cuevas son mi reino, camarada. ¿Quieres que te cuente lo que hay allí metido? Pone los pelos de punta, eso sí. Las Vijanas dicen que descendemos de esa gente que pintaba y que durante siglos rezamos a las mismas diosas.

—¿Qué diosas?

—Unas, tan viejas como el sol y la luna y las estrellas, que eran buenas porque ni castigaban ni tenían cielo ni infierno. Entonces las hembras eran las que mandaban y tenían el poder de la magia, no los machos, pero todo se jodió cuando vinieron los putos curas. Y digo yo que cuando nos quitaron a esas diosas nos quitaron la tierra y desde entonces no levantamos cabeza.

—Llévame a ver esas pinturas.

Angelín dejó de dar dentelladas al tocino.

—Ya no tienes miedo. ¿No te digo que has cambiado?

4

Mi monte pintado escondía unas pinturas misteriosas. No me extrañaba, lo encontré tan natural como el aire teñido de hierba y musgo, el brillo de las hojas del magnolio, las ramas gruesas del tejo, las manchas de pintura sobre mi piel, el marco de la ventana que encuadraba el paisaje. Porque lo había estado viendo a través de esa misma ventana todos los días, siempre ahí, llamándome, solo que hasta ahora no me había dado cuenta.

Salí de la casa muy temprano sin importarme que los guardias entraran aunque forzaran la puerta, que buscaran porque nada encontrarían salvo un cuadro sin terminar. Traspasé la puerta de la finca como si fuera la marca de una frontera invisible, la reja chirrió cuando la empujé, pero no hice caso de su grito de aviso y caminé hasta alejarme de mi refugio sin mirar atrás. En todo el camino me crucé con nadie, no vi un alma, ni siquiera la de los pájaros, el aire quieto, los árboles petrificados, un paisaje paralizado en una imagen retratada en la que solo yo podía entrar, hasta llegar al valle hundido a mis pies, hacia el pueblo junto al río, hasta el Pas parecía haberse detenido convertido en una cinta brillante e inmóvil.

Rodeé el monte, la ladera empinada y abrupta cubierta de hierbas y matojos que arañaban las piernas enganchándose a la falda y rompiendo las medias, entre helechos y acebos y otros árboles que no supe cómo llamar. A medida que ascendía se cerraban más y más, como soldados que obedecieran la orden de no dejar pasar al intruso: la montaña, ser consciente animado por un hechizo, se resistía a mostrar su secreto. Me rendí; no había dejado de caminar desde que saliera de casa hacía ya horas, agotada, con las mejillas ardiendo por el esfuerzo, me senté en un saliente blando de musgo. Desde allí no divisé más que rocas cubiertas de vegetación impenetrable. Sésamo se había cerrado para mí, quizá tenía que averiguar la palabra mágica que le obligara a abrirse.

La bajada fue aún más difícil que la ascensión, resbalé y caí varias veces, aunque sin hacerme daño, sobre la tierra cubierta de una capa blanda de hojas caídas, barro, hierba y helechos, verdores húmedos de lluvia. Me temblaban las piernas cuando alcancé el camino que llevaba hasta el pueblo y tuve que volver a descansar sentada en el suelo, en la cuneta. Despeinada, sudorosa, con la chaqueta y la falda manchadas de barro y hojas, cualquiera de esos guardias que supuestamente andaban de cacería me hubiera encontrado un aspecto sospechoso de fugitiva. Pero no me vio nadie y pude continuar hasta el pueblo. Recorrí sus calles dando los buenos días a algunos paisanos vestidos de azul Mahón y carros tirados por bueyes, crucé el puente y pasé por delante del edificio del balneario. De cerca su decadencia resultaba más dolorosa, como la belleza derrotada por el maltrato o el tiempo, reducida a una fachada leprosa y en parte caída sobre el río como un pájaro herido de muerte. El abandono contagiaba el césped y los árboles de lo que fueron paseos ajardinados y como no vi a ningún visitante entrar o salir, supuse que cerraba durante los meses de invierno aunque Paquita me había dicho que seguía abierto, pero a mí me pareció que languidecía en una especie de sortilegio esperando a ser despertado de su sueño.

No me escondí; caminé por donde quise, hasta la iglesia. Estaba disfrutando de mi recobrada libertad a pesar de que el pueblo me parecía más pequeño y mísero que cuando llegué. Volví a cruzar el río, donde estaban los edificios más grandes, algunos mostraban carteles con la palabra HOSTAL pintada en la fachada, también habían caído en aquel sueño de muerte del balneario. Y en el recodo del meandro del río apareció la portalada del palacio del indiano, el blasón aristocrático comprado con buenos duros americanos y el afán de todos ellos por borrar su origen reinventándolo con el lustre de piedra de otro nombre. En mi fuero interno oía a Angelín el guerrillero riéndose con su boca desdentada y diciendo: «¿Ves cómo son todos unos fanfarrones?».

El aire seguía espesándose a mi alrededor en una nube oscura que ahora bajaba hacia el valle dispuesta a tragárselo. Las calles se vaciaron en un santiamén y un trueno hizo temblar la nube. Una gota de lluvia me cayó en la cara y a esa primera le siguieron muchas más, hasta que un aguacero se desplomó sobre mí. Me arrimé hacia una pared, el saliente de un balcón me resguardó, la lluvia repicaba sobre los cantos de río que servían de adoquines salpicándome las piernas. Antes de verla oí el arrastrar de la madera de sus albarcas: una mancha oscura rompía el velo de lluvia arreciada. Caridad apareció de la nada bajo un enorme paraguas tan negro como ella, solas las dos en la calle vacía, bajo los truenos. ¿Cómo me había encontrado?

—Venga, señorita Amalia, venga conmigo... En buena hora se le ocurrió bajar al pueblo, con esta caladura no vaya usted a enfermar, por Dios y todos los santos...

El chasquido eléctrico y el trueno recorrieron los vidrios de la galería haciéndolos temblar. Santos estaba en el mismo sitio donde me recibió en la ocasión anterior, frente al ventanal. Desde allí se veían las rachas de lluvia furiosas azotando el paisaje. La tronada bramó al valle como si quisiera hacer caer el cielo sobre nosotros.

Después de llevarse mi gabardina mojada y de avivar el fuego de la chimenea y el brasero de la galería, Cachita se perdió por el pasillo con su porte de princesa nubia dejándome a solas con Santos. El gris del día se le colaba en la piel: el indiano tenía peor aspecto que la última vez, como si la pasión que le arrebataba le consumiera más rápido. Le agradecí el refugio, pero aclaré que tenía que marcharme en cuanto dejara de llover: la mosca inquieta del secreto compartido revoloteaba a nuestro alrededor.

Un relámpago estalló sobre la cumbre partiendo el cielo en dos, tembló el cristal y nuestros reflejos en él, esfumados e incorpóreos sobre el fondo borrascoso.

—Creo que le interesa mucho nuestro paisaje, tanto que lo está pintando.

Su informante había cumplido bien su objetivo, de la

misma manera que había salido a la calle a buscarme, pero no averiguaría nada más: solo quería que amainara el aguacero para poder marcharme.

—Dicen que en alguno de estos montes está enterrado un tesoro. Sí... Somos un pueblo de leyendas, los pasiegos, aunque nuestros detractores afirmen que tenemos demasiada imaginación, también para estafar y engañar. Incluso para la brujería. Ah, ¿no lo sabía? Pero eso es capítulo aparte. Le contaré el cuento de ese tesoro, mucho más agradable que los chismes de las gentes de fuera de estos valles. Por pasar el rato, mientras espera a que pase la tormenta. ¿Le parece?

Me hubiera gustado ser como una de las mujeres del pueblo, como Presen, por ejemplo, libre de todos aquellos corsés delirantes que nos ponían a las señoritas, obligadas desde niñas a no levantar la voz, a agradar. Querría haber dicho a aquel sujeto que no tenía poder sobre mí, que no quería escucharle sin importarme lo que pensase de mí, o mejor, ser grosera, maleducada, ordinaria, su desprecio me haría libre. Pero toda una vida de educación femenina heredada de decenas de antepasadas, mujeres con mis apellidos, mis manos, mis ojos, igual de encadenadas que yo, me clavaba a aquella silla.

—Esto es, que tras la conquista de Granada una reina mora tuvo que huir de los cristianos y no le quedó más remedio que esconderse en estos montes... Con lo bien que hubiera estado en Marruecos, pues no: se vino a la vera del Pas y si logró escapar de sus enemigos que la buscaban para cobrar un suculento rescate, fue gracias al encantamiento de una bruja de por aquí. Como pasa siempre en los cuentos, por su salvación tenía que pagar un precio, así que a cambio de salvarle la vida la convirtió en un espíritu inmortal que recobraría la mortalidad en cuanto pusiera un pie fuera de la caverna. Desde entonces la mora no puede salir de la cueva donde la bruja la confinó y pasa el día convertida en piedra como una estalactita, aunque a medianoche vuelve a ser ella misma y camina por la caverna llorando por su triste destino. En el pueblo puede encontrar a muchos que juran y perjuran haber oído sus lamentos... ¿No se lo cree? Pues hasta le dirán que la reina trajo consigo un tesoro de monedas de oro que escondió en una de las muchas grutas que hay por aquí y lo buscan sin cesar, algunos hasta se perdieron en ellas y otros se han despeñado por andar cerca de lugares tan peligrosos, convencidos de que el tesoro estaba al alcance de su mano.

Tesoro. La palabra merodeaba a su alrededor: pensé de nuevo en la colección de maravillas y en el origen oscuro de su fortuna imaginándolo de mozalbete buscando el oro de la reina mora entre los riscos.

—Como usted bien ha dicho, es solo una leyenda.

—Sí, una leyenda. Hay muchas por aquí, ya le digo. ¿Ha oído hablar de Altamira?

—Sí, por supuesto. ¿Quién no? Pero esas pinturas son famosas en todo el mundo, existen.

—Cuando fueron descubiertas todo el mundo creyó que eran un engaño, la falsedad de alguien que buscaba notoriedad. Y ya ve... Ahora se consideran una joya de valor incalculable. Pues aquí, frente a nosotros, dentro de El Castillo, hay unas pinturas de la misma antigüedad, e incluso más. Puede que le interese el tema, si no desde el punto de vista científico, quizá sí como artista.

Sentí sobre mí sus ojos brillantes, febriles. Santos me estaba probando, buscaba dentro de mí, jugaba conmigo a un juego misterioso del que yo no conocía las reglas. Cachita entró en la galería de improviso.

—Perdonen la intromisión, pero algo ha debido de ocurrir en el pueblo: está la gente en la calle formando revuelo... Al parecer ha habido un accidente cerca de la estación de tren. ¿Quiere mi señor que vaya a preguntar?

—Gracias, Cachita, pero si ha pasado algo grave, seguro que alguien vendrá a enterarnos.

Había dejado de llover pero el día seguía tan oscuro que el verde de las laderas parecía negro y sobre él relumbraba el blancor de la niebla que le recorría la cima, enganchándose en los árboles, rasgándose.

—Creo que debería marcharme —dije, levantándome.

—Espere a que veamos qué ocurre.

Volví a sentarme: no había sonado como un ruego o una invitación sino como una orden: ese era el Santos despótico que imaginaba mi amigo el maqui, el cruel capataz, el amo. En ese momento entraron el propio señor alcalde, muy nervioso, acompañado por un cabo y dos números de la guardia civil, el director de la Electra de Viesgo y poco después, el doctor Peña, quien me saludó muy serio y correcto después de asegurar que el accidente no había causado heridos. Solo faltaba el señor cura porque seguía en la iglesia organizando unas novenas para pedirle a san Miguel que restableciese el orden y la paz social. El resto de las fuerzas vivas del pueblo habían acudido a don Santos demostrando a las claras el poder real que sobre ellos tenía el indiano, una autoridad que casaba mal con su condición de enfermo postrado en una silla de ruedas y también con la del mecenas de la ciencia que con tanto entusiasmo hablaba de arte, leyendas y pinturas rupestres. Ese hombre ahora escuchaba en silencio y con rostro grave los sucesos ocurridos en el valle del que se mostraba dueño y señor.

Al parecer, mientras un destacamento entero de guardias venidos de otros acuartelamientos se desplegaba por los montes de los alrededores con el fin de atrapar a un célebre prófugo de la Justicia al que llamaban Angelín, este había escapado del cerco para atentar contra la línea ferroviaria haciendo explotar dos granadas en las vías. Se había sabido tarde porque el ruido de las explosiones lo había amortiguado la tronada de la tormenta que ahora empezaba a remitir y que además había sorprendido a los guardias en pleno monte, entorpeciendo el operativo. Después de perpetrar el sabotaje, el bandolero se había paseado por el pueblo con total desfachatez delante de media vecindad, que sin embargo, no había sido capaz de reconocerlo. El tal Angelín, famoso por estas osadías y por haber sido cercado hasta catorce veces escapando en todas las ocasiones, había entrado de incógnito en un bar de Puente Viesgo y después de tomar tranquilamente un vaso de vino había dejado pagado un café con una nota firmada:

«Yo, Angelín, tengo el honor de invitar a café al capitán de la Guardia Civil, y que le aproveche, como a los pajaritos los perdigones».

ELISA

Hilos de la madeja

1

Frente al abismo, un momento antes de que desapareciera el último rayo de luz sepultado tras la punta de los picos, y el valle, a mis pies, se sumergiera en la sombra. Con solo dar un paso el precipicio me tragaría, acabaría con el recuerdo que me desgarraba, con las pesadillas fantasmagóricas y sus monstruos, casi no me daría tiempo a sentir la caída que acabaría con el dolor.

El vacío abría los brazos. Me acerqué más y unas cuantas piedras pequeñas se desprendieron de la montaña y cayeron al fondo del barranco haciendo ruido de tierra resquebrajada, rebotando en la negrura del fondo. Esperé a que volviera el silencio, lo necesitaba, me acompañaba. Y entonces escuché claramente una voz a mi espalda.

—Tú no quieres tirarte. Tú estás viva, más viva que nada y que nadie.

Me volví: no había nadie, solo la noche y el resplandor de una luna llena batallando por deshacer la bruma que la acariciaba con una mano espectral. Un escalofrío. Di un paso atrás para alejarme del abismo, la tentación de arrojarme a su boca abierta se había ido.

—¿Quién está ahí?

Grité a la oscuridad pero nadie respondió.

La brisa nocturna limpió de bruma la cara de la luna y su resplandor iluminó el fondo del valle, hizo brillar el río y los tejados de las casas como si abriese una cortina para dejar entrar la luz. De allá abajo llegaba el ruido de la fiesta, la música del baile entre fogatas encendidas. Tenía que volver, la voz quería que volviera, lo mandaba, lo repetía ahora ya en mi cabeza y su eco sonaba como muchas voces juntas, gargantas invisibles salidas de la tripa de los montes que me rodeaban en un eco repetido, insistente: la voz del valle entero.

Corrí. Con todas mis fuerzas, aunque ya ningún monstruo metálico y atronador me persiguiera, abriéndome camino en la sombra encontré el camino; tropecé y caí arañándome las manos y las rodillas; el dolor pequeño aliviaba el otro dolor, el del cuerpo y el alma intentando escaparse fuera de mí como el aliento de los pulmones. No sé cuánto tardé en llegar abajo, cuando perdía de vista el pueblo tenía miedo de no alcanzarlo nunca, como si cada uno de mis pasos lo alejara más, temiendo que desapareciera sin más como los pueblos encantados de los cuentos de hadas. No sé cómo llegué por fin a la campa de la fiesta, las mejillas ardiendo, el sudor corriéndome por el cuello y la espalda.

La gente bailaba alrededor de los fuegos cercados por la noche, los cuerpos y los rostros se volvían grotescos en el contraste de luces, figuras agitadas y movedizas como sombras chinescas. El sonido elemental, tosco, de la tripa tensada, el cascabeleo metálico de las panderetas y la flauta destemplada pertenecían a un mundo incomprensible, animalesco y hostil: el mundo de la Vijana. Eso era, por eso las voces de la montaña me habían arrastrado hasta la única persona que las conocía, que sabía qué es lo que querían de mí. La busqué por todas partes sin verla.

—¡Señorita Elisa! ¡Señorita!

Suceso se acercó acompañada por Gavroche; habrían estado bailando y pelando la pava como los demás mozos y mozas que apuraban los restos de la fiesta.

—Tienes que ayudarme a encontrar a la Vijana, ¿la has visto?

—Pues sí, por ahí andaba mi tía Damiana, ya la vi, con una cogorza… ¿Para qué la quiere, si se puede saber?

—Tú solo dime dónde está.

No veía más que sombras danzantes, las llamas bailaban también siguiendo el ritmo estridente de un violín rudimentario y la voz de un hombre que cantaba coplas picantes. Los bailarines con los trajes típicos y las mujeres con pañuelos en la cabeza con forma de turbantes parecían oficiantes de una saturnal o salidos de una pintura medieval, desgajados del tiempo. Gavroche cuchicheaba al oído de Suceso, ella reía, a saber qué le diría el francés y qué entendería ella en su amor de torre de Babel. Hasta las lenguas se hundían en el caos y el desorden que me rodeaban y les odié a ellos y a todos por mostrar tanta alegría indiferente, una descarada inocencia ignorante del mal y de la muerte; les odié porque respiraban y estaban vivos y deseé que arrasara la campa un ejército, que cayeran obuses sobre las hogueras levantando nubes de tierra y verlos a todos sepultados por ofenderme con sus ganas de vivir, de ser felices. Nadie tenía derecho a serlo, no ahora.

—Acompáñame, Suceso... Ayúdame a buscar a Damiana, a la Vijana.

Gavroche el descarado cogía del talle a Suceso marcándola como una posesión y ella se revolvía, azorada porque yo estaba delante.

—Quita, hombre... Qué tío más pegajoso... Pues hace rato que no la veo, a saber dónde andará... Pero ¿qué le ha pasado? Usted no puede ir por ahí así, mujer, toda atonicá, déjeme que le limpie las manos, si es que se ha hecho hasta sangre...

Me cogía de las manos y me solté con brusquedad.

—No es nada.

Al limpiarme las manos en la falda, los arañazos escocieron. Las parejas abrazadas se deslizaban hacia la oscuridad, un grupo de hombres con caras rojas de borrachines cantaban apoyados en largas varas como si retaran a los músicos con sus voces desentonadas. Unos niños corrían entre la gente persiguiendo y golpeando a otro niño más pequeño deshecho en lágrimas. En dos zancadas, Suceso se plantó entre ellos repartiendo insultos y pescozones.

—¡Cabrones! ¡Os jode que sea más listo que vosotros, so talingones! ¡Como os coja sus arreglu!

Los niños se burlaban desde lejos, ella les lanzaba maldiciones.

—No llores, ricura... Te tienen pelusa porque eres más listo. —Cogió en brazos al niño que lloraba—. Lo mismito que mi hermano Santín cuando era pequeño ¿No le he hablado, señorita, de mi hermano Santos?

No contesté, ni siquiera la escuchaba ya porque la Vijana

había aparecido al otro lado de la hoguera, salió de entre las llamas como si hubiera invocado a un espíritu al que ni el fuego del infierno lograra quemar.

—Ah, ¿pues no preguntaba por mi tía? Ahí la tiene...

Me alejé de ella y de todos, cayeron en la noche, porque yo solo veía a Damiana: la luz del fuego toda para ella.

—Ya sabía yo que volverías —dijo—. ¿Qué quieres saber?

—Esta vez no tengo nada que darte.

Se encogió de hombros.

—No importa, hoy estoy generosa. ¿No ves que estamos de fiesta? Y la fiesta hay que celebrarla.

Echó a andar hacia lo oscuro sin decir más, yo la seguí y pasamos cerca de las parejas que se besaban en la maraña del bosque. La Vijana veía en la oscuridad como los animales nocturnos y se movía en silencio como ellos; caminaba delante de mí hasta que la tiniebla se la tragó y me sentí perdida, huérfana, terriblemente sola. Y aterrada.

—¡Vijana! ¿Dónde estás?

—Aquí.

Pero no veía más que el negro de la noche, las copas de los árboles enjaulaban a la luna.

—No te veo.

—Aquí estoy —respondió—. Como el búho y la escolopendra y el sapo... ¿De qué tienes miedo?

La llama se abrió paso apartando la noche con un zarpazo y la bruja volvió a aparecer ante mí. Agachada en la tierra, soplaba una fogata, sus manos se movían alrededor de las llamas y crecían a la orden de la sacerdotisa. Sobre nosotras se levantaba una bóveda arcaica hecha con losas de piedras tan grandes que solo podía ser obra de gigantes.

—Vijana... Me estoy volviendo loca.

2

—Si te vas creo que me volveré loca.

Jim rio, se quitó el sombrero para abrazarme y besarme como si fuera una niña. Siempre reía cuando le declaraba mi amor: debía de encontrarlo candoroso, casi infantil.

—Estaré de vuelta en un abrir y cerrar de ojos, ya lo verás.

Le acaricié la nuca con una mano, la otra estaba aferrada a su chaqueta gruesa, de paño color marrón oscuro; si cierro los ojos aún puedo sentir el tacto de la lana arrugada entre mis dedos. Me resistí a llorar, quería demostrarle que era una mujer y no una niña, pero era la primera vez que nos separábamos desde que nos encontramos. Intentaba entender la razón de su partida, aquellos motivos tan importantes para él y tan poco para mí.

—Sabes que tengo que ir, es de vital importancia que consiga esos fondos, sin ellos no habría nada, Obermaier dejaría de confiar en mí, su prestigio está en mis manos, eso me dijo. Es una gran responsabilidad y una gran muestra de confianza por parte del Instituto, porque al fin y al cabo yo no soy un erudito, mi participación en todo esto depende de si soy o no capaz de encontrar el dinero que necesitan. Es ese maldito dinero el que tiene la culpa de que me aleje de ti, no yo, querida mía. Piensa en mi vuelta, entonces iremos a ese lugar increíble, haremos descubrimientos, pasaremos a la historia y tú estarás tan orgullosa de mí…

Sus explicaciones, siempre tan confusas y truncadas, enredadas y contradictorias. Lo único que comprendí es que el maldito Obermaier le alejaba de mí con sus exigencias.

El silbato de aviso me estremeció, el jefe del tren pasó a nuestro lado gritando «*Passagers dans le train!*».

Un día. Hacía un solo día que me había dicho que tenía que coger el tren y ahora yo me aferraba a su cuello mientras el gentío nos empujaba en la colosal y ruidosa Gare du Nord, con su arco del triunfo, sus estatuas en la fachada y sus ríos de viajeros.

—Allí serás feliz: imagina, no solo son las cuevas y sus pinturas, en los alrededores se pueden encontrar megalitos espectaculares, dólmenes y menhires… Los turistas del balneario donde nos alojaremos organizan excursiones para visitarlos, es un sitio encantador y podrás hacer todas las fotos que quieras, ya lo verás.

Un zumbido en los oídos. Intentaba consolarme como si fuera una chiquilla a la que hay que prometer un caramelo para que deje de llorar. Pero no había vuelto a mencionar los planes para la boda desde la noche en que nos los anunció a Ari y a mí. Tampoco me había contado que se marcharía, ni que hoy estaría despidiéndose de mí en la estación.

—Es raro que Ari no haya venido a despedirse, ¿verdad? —Miraba el andén atestado de gente.

¿Debía contarle lo que me había confesado su amigo la noche de la pelea?

«Me dejaste con él, Jim, fue él quien me sacó de allí, tú tuviste que huir, ya sé que no querías abandonarme entre esas furias, pero lo hiciste y él... Tu amigo inseparable, tu casi hermano, se me declaró, sí, de la manera más traicionera, porque eso es lo que hizo, traicionarte, Jim; a pesar de que no me ofendió, no se propasó, de hecho me pareció patético y tierno a un tiempo, casi logró conmoverme. Aunque se haya enamorado de mí en un intento desesperado por emularte, por seguir teniendo algo de ti, pudo evitar decir lo que me dijo, callarlo, ocultarlo, ¿no crees? Por eso no deberías confiar en él, eres demasiado bueno, querido Jim.»

Pero callé lo que había pasado porque no era el momento ni el lugar y no estaba dispuesta a que la sombra del mal amigo pudiera empañar nuestra despedida. Jim intentó disimular su decepción bromeando, como hacía siempre.

—Creo que le perdonaría el desplante si es por causa de alguna de sus aventuras... Tiene mucho éxito con las mujeres, ya te lo dije.

Jim se equivocaba: no había ninguna mujer porque la única que le interesaba era yo.

—¿A dónde irás? ¿Dónde puedo escribirte?

—Aún no lo sé, mi amor, ha sido todo tan repentino que no me ha dado tiempo. Tendré que pasar por Berlín, claro, puede que me aloje en un hotel o quizá en casa de mis tíos. Te enviaré la dirección desde allí cuando lo haya decidido y te escribiré desde alguna parada, durante el viaje.

—¿Lo prometes?

—Claro que sí. Y te traeré un anillo con un brillante y así todo el mundo se enterará de que estamos prometidos.

Prometidos, ahora me lo recordaba.

—No quiero ninguna joya, ni grande ni pequeña. Te quiero de vuelta.

Ni siquiera le pregunté si iba a visitar a su familia para hablarles de mí y de nuestra futura boda ni le confesé que temía que no me aceptaran, no ser suficiente para ellos, para él. No dije nada más, solo temblé entre sus brazos y me aferré más fuerte a su espalda, a su chaqueta.

El día anterior habíamos ido a la feria ambulante. Acababa de decirme lo que iba a hacer, sus intenciones, y mientras me tragaba las lágrimas, él insistió.

—Lise, no me gusta verte con esa cara tan larga sino alegre, disfrutando, vamos. Vamos.

Nunca le negaba nada, tampoco lo hice esa última vez, cuando hubiera querido estar en cualquier otro lugar, los dos solos, quizá en un sitio alejado y tranquilo y no entre aquella muchedumbre apiñada bajo las barracas de madera y lona, decenas de ellas levantadas en el Jardín de las Tullerías entre música de organillos y pianolas, carruseles con caballitos, figuras de cera, dioramas, guiñoles y sombras chinescas, los juegos del pim pam pum, faquires con alfombras voladoras en una ilusión óptica, gitanas leyendo el futuro en la bola de cristal, el hombre de dos cabezas y la mujer que habla sin lengua y el hombre jabalí, las gigantas y los domadores de pulgas. Soldados, doncellas, sirvientas y amas de cría hacían cola para fotografiarse convertidas en grotescos caballeros y damas con miriñaque y peluca, las cabezas asomando por los agujeros de los paneles pintados, como nobles guillotinados. Un grupo de mujeres con hojas y flores en las melenas sueltas, vestidas con largas túnicas, bailaban como si fueran hadas: entran en cuadro, aparecen y desaparecen como si fueran capaces de sobrevivir fuera de la proyección y traspasar los límites de la sábana mágica que cuelga del fondo de la barraca del cine y más allá, un mago reunía a su alrededor a niños y mayores. Bajo el maquillaje blanco y el disfraz de chino de larga coleta, ¿me estaba mirando a mí? No era un chino real sino una máscara, ¿y si fuera Ari?

El ruido de un vidrio roto, el grito de una mujer y el público se convirtió en una masa despavorida que me separó de Jim y derrumbó los puestos y los toldos. Fui zarandeada de un lado a otro por la ola humana asustada del grupo de hombres con banderas que irrumpían en el recinto dando vivas a la

República y mueras al Káiser, a los traidores y a los extranjeros, con un fervor capaz de hacer estallar los espejos deformantes en los que todos nos veíamos reflejados devolviendo imágenes distorsionadas, inconcebibles. Tuve miedo de que alguien me señalara por extranjera: volvía a ser la niña perdida que buscaba a su madre.

Durante años creí que estaba muerta, incluso recordaba haber estado presente en su entierro; mi mirada traspasaba la tierra y la madera del féretro para verla joven y bella, el pelo recogido bajo una mantilla, el vestido blanco, las manos cruzadas sobre el pecho. Hasta que mi padre me llevó a su despacho, la habitación oscura donde yo nunca entraba, para decirme que mi madre quería verme, que debía encontrarme con ella porque era lo mejor para mí aunque separarnos le resultara doloroso, puesto que yo era lo único que le quedaba de ella.

—No quiero ir con ella. Es un fantasma —contesté.

Estalló en sollozos. Eso ya no me asustaba como cuando era más pequeña porque había aprendido a reconocer la forma en que mi padre se relacionaba conmigo, a través del desespero de su alma torturada. Fue entonces cuando reconocí mi falso recuerdo, al volver a ver a la mujer del cuadro colgado en un lugar de honor: era mi madre, retratada con su vestido de novia, llevaba una mantilla sobre el pelo y las manos cruzadas sobre el regazo, igual a como la había visto enterrada. No estaba muerta sino pintada, el artista había caído también hechizado por la belleza perfecta, de diosa.

Poco más recordaba de mi infancia española, apenas una calle junto a un parque grande, las copas de los árboles que se veían desde el balcón, los pasillos largos de una casa siempre triste, silenciosa, con las criadas que me cuidaban porque mi padre pasaba mucho tiempo fuera. Lloraba por las noches aterrada por los fantasmas que se escondían en el armario o tras las cortinas, hasta que entraba mi padre regañando a la sirvienta que me había dejado llorar y me cogía en brazos y yo me aferraba a su chaqueta siempre negra, clavándole las uñas en la tela, y finalmente me quedaba dormida en sus brazos. Eso era todo, el resto de mi vida había ocurrido en otro país que nunca sentí ajeno hasta el momento en que aquellos hombres gritaron que los extranjeros como yo debían volver a sus países, porque iba a haber una guerra que nos enfrentaría a todos.

Me refugié en una esquina; dos guardias discutían con los patriotas de las banderas junto a algunos hombres que les reprochaban haber entrado así en un lugar atestado de mujeres y niños, pero ellos se encaraban a los agraviados con la convicción de los que se creen elegidos para una misión trascendental. Entre las cabezas distinguí al mago chino, bajo su máscara de maquillaje blanco me miraba otra vez, como si me reconociera. Jim se abrió paso hasta mí a empujones, estaba pálido: esto ya no era una pelea de taberna sino algo organizado, preparado para provocar y asustar a los desafectos y a los sospechosos. Lo llamó «caza al hombre» quejándose de que París se hubiera convertido en una ciudad peligrosa para él; era mejor salir de Francia y esperar un tiempo a que todo se calmara. Busqué con la mirada al mago chino, pero ya no estaba, se había perdido entre la muchedumbre.

La sombra de desconfianza que me perseguía desde niña, la que me volvía taciturna y triste, me gritaba con una voz de futuro que Jim no podría volver. Me hubiera gustado que una de las gitanas de la feria le leyera el futuro en la palma de la mano; él decía que no creía en esas cosas pero yo sabía que a veces se mostraba extrañamente supersticioso, como cuando tropezó y cayó en mitad de la calle y se empeñó en regresar al sitio exacto donde había dado el traspiés para deshacer la mala suerte; una tradición alemana muy antigua, explicó. Ir hacia atrás para reparar los errores: mucho tiempo después, tendría que recordarlo.

—No me dejes aquí, llévame contigo.

Los brazos alrededor de su cuello, su cara tan cerca de la mía que su barba corta me acaricia las mejillas.

—Mi amor, sabes que no puede ser.

—¿Por qué no?

—No estaría bien; no es correcto que una pareja viaje junta sin estar casada. Y menos allí, respecto a cuestiones de moral Alemania es mucho menos tolerante que París y no quiero que nadie se equivoque contigo…

Censuraba ciertas costumbres parisinas a las que tachaba

de licenciosas y libertinas, los mejores ejemplos se encontraban entre los amigos de Madame Vù.

—No me importa lo que piensen.

Había vivido toda mi vida aprendiendo a desdeñar las opiniones ajenas, no me quedó más remedio si quería sobrevivir.

—Pero a mí sí. ¡Qué más quisiera yo que poder llevarte conmigo! Pero es un viaje de trabajo, tengo que dar buena impresión y no causar un escándalo. Lo comprendes, ¿verdad? No pongas esa cara, dime que te parece bien, que dejas todo en mis manos porque confías ciegamente en mí, dímelo, cariño mío, necesito oírlo...

Jim no solo pedía que aceptara su decisión: exigía mi renuncia en forma de aplauso. Cuando hablaba así era otro hombre, no el vagabundo aventurero sino el privilegiado que con naturalidad se consideraba por encima de todos los demás. De mí. A veces mi pasión le halagaba, otras le irritaba, quizá por eso necesitaba alejarse de mí y quizá por eso me negaba a admitirlo abrazándole con todas mis fuerzas, colgada de su cuello.

Un nuevo pitido del tren.

—El tren va a salir, Lise. Déjame.

Tuvo que hacer fuerza con las dos manos para arrancarme los brazos de alrededor de su cuello.

—Por favor...

Subió al estribo de un salto, con el tren en marcha. Antes de que se perdiera de vista, me di cuenta de que había aferrado la tela de su chaqueta con tanta fuerza que había arrancado de ella unos cuantos hilos, aún los apretaba entre las uñas.

3

Escuchó en silencio mientras juntaba ramitas, hojas y palitroques y los echaba al fuego. Cuando habló por fin no reconocí su voz, ahora profunda y enlazada con la noche que nos rodeaba.

—Eso que has visto y oído... Son cosas de las Ancianas.

—Te oí a ti. Tu voz.

—Las diosas pueden coger cualquier forma para hablar con nosotras. Hoy están más revueltas de lo que suelen, como siempre que hay una fiesta que las honra. Porque todos estos bailes y hogueras ¿por qué crees que son? Aunque los hombres y las mujeres de estas montañas hayan olvidado de dónde vienen y no recuerden que celebran a las diosas viejas y no a ningún santo, que esos vinieron después y se les pusieron encima como quien se echa encima un tabardo. Pero en días como hoy las Ancianas se despiertan, se escapan del monte donde duermen y sus espíritus que todo lo gobiernan se cuelan por las rendijas del tiempo, a veces se hacen de carne y pasean entre nosotros como una moza guapa que te lleva a los bardales para reírse de ti o un demonio que concede deseos o una osa que tumba colmenas y se come la miel. Algo de lo que viste sería eso... Piensa que también les gusta lanzar hilos de vidas que se cruzan y se lían como los de una madeja, confundiendo a los incautos, cambiándoles de día y de hora y hasta de año, haciéndoles ver gente muerta y cosas del pasado o del futuro. El tiempo se abre en brechas, sale de la cueva y se hace realidad como si se volviera loco. ¿Y por qué, te preguntarás? Pues porque está de Ellas el quererlo, que siempre tienen sus razones aunque no las entendamos. Solo las personas que Ellas eligen pueden saber de sus prodigios, y tú eres una de esas... Suerte que tienes.

—¿Suerte? No lo soporto... No sé lo que quieren de mí. ¿Es que no he sufrido bastante para que además me atormenten de esta manera? Tú puedes hacer que me dejen en paz, solo quiero eso, quiero que pare todo esto, por favor, Vijana, haz que pare...

—No tengo yo tanto poder, mujer. ¡Qué cosas tienes! Una es solo la mensajera de lo que Ellas vienen a decir.

—Eso que llamas mensajes, son visiones terribles, imposibles de entender.

—Las Ancianas hablan a su modo, con su lengua. ¿No hablas tú con tus amiguitos en gabacho? Y os entendéis, ¿no? Pues esto lo mismo.

—Dime tú entonces qué es lo que dice ese mensaje, lo que significa.

—Eso solo lo puedes hacer tú, pelirroja.

Dijera lo que dijese, hiciera lo que hiciese, no encontraría la salida. Seguía desorientada, dentro del laberinto, y no tenía sentido preguntar a la Vijana, una pobre mujer inculta y pobre que vivía apartada en lo alto de una montaña y que seguramente tenía perdida la razón. ¿Cómo iba a poder ayudarme? Levantó la vista del fuego como si hubiera escuchado mi pensamiento.

—Ya, ya... Para qué vas a hacerme caso si soy lo que soy: una pobre vieja medio boba, sin más mérito que el de haber aprendido a no morirme pronto...

Lo dijo sin reproche, con tal sencillez que me avergoncé de haberla despreciado con mi mal pensamiento.

—... pero resulta que eso les da querencia.

—¿Querencia?

—Como lo quieras llamar. Las Diosas Viejas tienen gusto y querencia por las que resistimos, por las que pasamos por mil perrerías y aun así seguimos sin dar nuestro brazo a torcer. Yo les gusté desde mocita y me mandaron señales de las suyas desde que mi padre me vendió a un quincallero que venía de Castilla; el muy talingón se me llevó a la cuadra y después de aliviarse conmigo sin importarle las patadas ni los gritos, le dio a mi padre un reloj de plata del que se había encaprichado. Yo no quería irme con él pero el cabrón de mi padre me ató con una cuerda al carro diciendo «un trato es un trato» y así llegamos hasta el puerto de Lunada, ya casi en las Merindades de Burgos. El tío no se fiaba, pero como me tenía ganas me desató para joderme otra vez; bueno, pues esperé a que se durmiera y le reventé la cabeza con una piedra. No sé si lo maté, yo siempre he tenido mucha juerza, pero por aquí no se le volvió a ver. Me volví al valle sola caminando de día y de noche y al llegar fui a por el reloj de plata de mi padre diciendo: «Este es mío que me lo he ganao y si te parece mal te abru la cabeza como hice con el quincallero». Oye, mano de santo, porque no dijo ni mu. Después de eso, cada vez que andaba cerca del monte de El Castillo oía voces que me llamaban: «Damiana, Damiana: ven, veeen...». Como me daban miedo salía corriendo y hacía como que no había pasado. Después de eso tuve dos hijos, uno de los padres quiso casarse pero era un borracho y le dije que nones. Ya entonces, y bien joven que era, tenía aprendido que los hombres no hacen más que chuparnos la savia y dejarnos secas y vacías como una cáscara.

En ese momento me di cuenta de que la Vijana se parecía mucho a Madame Vù: su corpachón, su pelo escaso y revuelto, su voz... Hasta hablaba como Esperanza Mendiguchía, como si el fantasma querido se le hubiese colado dentro a Damiana y se hicieran las dos compañía dentro de un solo cuerpo. Ya no estaba arrepentida de haber buscado a la Vijana ni de haberla seguido hasta este lugar apartado en mitad del bosque, ya no me parecía una decisión absurda ni desesperada ni ella una pobre vieja chiflada, mi propia intuición me había guiado hasta ella por una buena razón. Damiana —y Esperanza en su interior— seguía hablando al aire frío y oscuro que había entre nosotras; sus palabras dándome calor.

—Lo único que los hombres nos traen de bueno son los hijos, después se pueden ir con viento fresco a hacer puñetas. Yo tuve dos, pero los pobrucos se me murieron de viruela y entonces enfermé de pena, ay, hasta morir quería. Una noche me fui al río para tirarme y acabar de una vez con tanta pena y entonces volví a oír las voces aquellas, que ya no me dieron miedo porque me di cuenta de que estaban cuidando de mí como no habían hecho ni mi padre ni mi madre. Pero no fue fácil entender todo lo sabias que son. Por una mujer de Cayón que me enseñó de ungüentos me enteré de que a mi abuela ya la llamaban bruja, que de casta me venía la cosa, y hablé con otras curanderas y agoreras de los valles a las que les había pasado lo mismo. Bueno, pues por todo lo que te he contado creo yo que las Ancianas me eligieron a mí para contar de su poder.

—Pero yo no conozco nada de eso que cuentas, nunca había estado aquí antes, vengo de muy lejos.

—Eso a ellas les da igual, no hay espacios ni lugares ni tiempos que valgan porque son eternas. Y cuando eligen a alguien, es por algo.

—Por sobrevivir.

—Por empeñarte en vivir, que es menos fino pero igual. Ya te digo que Ellas te han cogido querencia porque lograste vencer todos esos espantos tremendos que he visto en tus ojos. Ese es el verdadero monstruo y no ese bicho que dices...

—No era un bicho, sino una especie de… máquina.

—Da igual. Es lo que te decía de las visiones que regalan las Ancianas; parece como que se emborrachan y se vuelven locas, pero no, algo buscan, andan tras de ti, seguramente para protegerte de algo malo, eso tenlo por cierto. También de ti misma: a veces somos nosotras quienes llevamos el enemigo por de dentro. Es por eso que le hablan a una, y venga de hablar, a veces a gritos que te vuelven loca hasta que no te queda más remedio que escucharlas, buenas son Ellas, no te creas que vas a escapar. Ese es el poder de las Ancianas, el de hacernos ver lo que nosotros mismos hacemos invisible, como si nos pusieran espejos dentro del corazón. Algunos son capaces de hacerlos cachos y dejarlos dentro del cuerpo antes de enfrentarse a la verdad que se refleja en ellos y esos cristales cortan y se les van metiendo en la sangre y en la carne volviéndolos fríos y malas personas. A ver… piensa en cuál es la razón de tus males, en cuándo empezó todo.

Era fácil: Jim. Su amor. La pérdida, la espera de su vuelta, la razón por la que había llegado hasta este rincón perdido del mundo en el que era una extraña, aunque en realidad ya era una extraña en cualquier parte, ¿a dónde iría ahora? Él me había abandonado. Para siempre. Había aguantado demasiado tiempo el llanto que se me agolpaba en el pecho, convertido en un grito, un aullido de animal herido, ni siquiera parecía yo misma, el bosque se me había metido dentro y lloraba como un loba a la que han matado su camada.

—Llora, anda, llora, que así echas pa fuera todito lo que llevas dentro y que pesa arrobas.

Y esperó a que se me pasara sacando de no se sabe dónde, quizá de debajo del refajo, una bota de vino y bebí todavía con la vista empañada, atragantándome. El calor del alcohol, el esfuerzo inútil de intentar acertar en la boca sin mancharme, el gesto impasible de la Vijana, hicieron efecto inmediato y dejé de llorar. Me limpié los mocos y los goterones de vino con unas hojas que cogí del suelo mullido.

—Tú me lo dijiste. Y también las Ancianas. Ellas lo dijeron…

—… que tu hombre no estaba muerto, ya. Pues si ellas lo dijeron, es que no lo está. ¿Tú qué crees?

—Ya no sé qué creer. No sé qué es verdad y qué mentira, o solo un espejismo.

—Puede que no haya mucha diferencia entre esas cosas, aunque lo parezca. Pero no seas impaciente, mujer, ya lo descubrirás. Ven, arrímate más al fuego, que te vas a quedar helada, eso pasa siempre que una se coge un berrinche.

Sí, de repente tenía frío. Me acerqué al fuego y me senté junto a ella, canturreaba algo que no reconocí, una canción antigua como las que cantaban en la fiesta. Estaba cansada, agotada de pensar y de sentir; solo quería estar junto al crepitar del fuego y su canturreo.

4

El canto susurrado de la Vijana me acompañaba de nuevo hacia el monte de las cuevas, volvía a seguir a un hombre, pero ya no estaba segura de que fuera Jim. Aparté los helechos y los matorrales, pero seguía sin verle la cara, igual que la vez pasada. ¿Quién es entonces? No me atreví a llamarle, pero no puedo dejar de seguirle, cada vez más arriba hasta entrar tras él por la boca abierta en la mole de la montaña. Sigo su sombra a través de las galerías de la caverna, veo el techo pintado, las manos rojas en él, pero continúo, tengo que alcanzarle, allí está: al fondo de la gruta, quiero avisarle de que no se acerque a la sima, corro hacia él pero no puedo impedirlo; todo se repite y cae de nuevo al abismo oscuro y sin fin. Y como antes, aparece la mano que se aferra al saliente intentando salir: tengo que sacarle, me tumbo en la piedra fría, agarro esa mano que se escurre, no puedo dejar que caiga esta vez ni que vuelva a desaparecer tragado por la tierra, tengo que impedir que su mano resbale de la mía. Me quito el cinturón de cuero, eso es, lo enrollo en mi mano, en la suya, aprieto la hebilla con fuerza y tiro hacia mí, esfuérzate más Elisa, Lisa, Lise, el cuero y el metal se me clavan en la carne, no me importa. Grito y la energía me traspasa, estalla haciendo eco en las paredes de la caverna atrapada, rebota hasta perderse poco a poco. Entonces me responde otra voz que no es la mía y que resuena desde las entrañas hondas, antiguas, verdaderas.

—Es el hombre de la cara cortada y los ojos oscuros, el que te quiere bien, el que siempre ha estado ahí, el que esperabas sin tú saberlo.

Sí, era él.

La figura que nos observaba desde lejos en una playa de Biarritz, antes de conocerle.

El amigo silencioso y extraño, siempre presente, del que no puedo escapar, está en la fotografía que hice en los jardines de Luxemburgo.

El mago judío que hace trucos con monedas, la descarga eléctrica si me toca.

La sombra triste que me declara su amor incondicional y sin esperanza.

El soldado de espaldas que mira por la ventana de la casa de madame y se vuelve al oírme bajar por la escalera.

El herido de guerra con la cara destrozada y los brazos con marcas de agujas que delira por la morfina.

El caballero vestido de frac atravesado por la luz blanca y negra de un proyector de cine.

Ahí estaba, ya veía sus ojos, su rostro, roto por el esfuerzo, llamándome por mi nombre, reconociéndome. Ahora sí tenía fuerza: de un tirón logré sacarle del abismo negro. Un abrazo, estaba allí, sentí su respiración, su corazón latiendo y de nuevo resonó la voz de las Ancianas:

—Esto no es un sueño.

Desperté. Se había hecho de día y la Vijana ya no estaba junto a mí, solo las cenizas frías de la hoguera bajo el dolmen. Ahora veía adónde me había llevado la hechicera la noche pasada, al claro en el que crecían moles de piedra surgidas de la tierra. Me habían hablado de los dólmenes, los turistas más curiosos venían a veces a visitarlos, tenía que haberlos fotografiado para el balneario y por alguna razón que no recordaba no lo hice. Pero los gigantes pétreos me habían esperado hasta aquella noche para vigilar mi sueño, que quizá no lo era: «Esto no es un sueño». Lo había oído perfectamente, tanto que me había despertado.

El mundo se desperezaba descubriendo un paisaje vuelto familiar. Reconocí cada monte y cada sendero, la suavidad de las laderas cayendo hacia el río, el esmeralda de los campos y las manchas más oscuras de los bosques, el pueblo en el fondo del valle, la vida saliendo en forma de humo de las chimeneas de sus casas, acogiéndome, aceptándome como si ya no fuera forastera y me dejara formar parte de él. Creo que por eso encontré sin dificultad el camino de vuelta a la casa; se me alegró el corazón al distinguir desde lejos la copa del tejo, contenta hasta de escuchar el chirrido metálico de la cancela, de pisar las losas que conducían hasta el porche de la entrada, subir los escalones y mirar el banco de piedra a lo largo de la pared donde había retratado a la mujer invisible. La imaginé saliendo de la placa revelada, recibiéndome en su hogar como una vieja amiga a la que no hay que contar nada porque ya lo sabe todo de ti. En la cerradura de la puerta estaba la llave, grande y tan pesada que nunca cargaba con ella. Entré y desde el recibidor llamé a Jules, pero nadie respondió. Se había ido, quizá había decidido regresar al balneario, cansado de esperar. Lo comprendía, pero ¿me comprendería él a mí?

En el suelo del salón, desperdigados alrededor de la chimenea, donde los habíamos dejado la tarde anterior, estaban los retratos ampliados de mi amiga desconocida. Pero había algo nuevo. En el primer momento creí que era algo que había dejado Jules, pero no: sobre la mesa brillaba una especie de pequeña pantalla de luz artificial como la de los anuncios luminosos eléctricos. Me acerqué. El cuadrado brillaba dentro de una especie de maletín muy delgado, casi plano y en la pantalla aparecía ella: era otra fotografía distinta a la mía, la reconocí aunque por ella hubiera pasado el tiempo, pero seguía siendo morena, con los mismos ojos tan negros y directos que atravesaban el objetivo. Junto a su imagen, un nombre y dos fechas:

AMALIA VALLE (1920-1979)

«Amalia. Te llamas Amalia. Ahí dice que nacerás en 1920, pero ese año aún no ha llegado, y que morirás dentro de muchas décadas.»

¿Qué es verdad y qué es mentira? ¿Qué es real y qué fantasía?

Recordé las palabras de la Vijana: tenía que descubrir algo

que solo podía saber yo, que ya sabía, ocurriera lo que ocurriese dentro o fuera de mi mente me pertenecía solo a mí. Y lo que veía era una señal. Como las alucinaciones de fantasmas y de monstruos, esto también formaba parte de esa madeja de hilos entrelazados en la que nos enredábamos Amalia y yo, la Vijana y las Ancianas de la Montaña. Hilos de pasado, futuro y presente: la fecha que veía sobre la imagen de mi amiga Amalia decía que todavía no había nacido aunque ya la hubiera conocido y formara parte de mí, de todo lo que había vivido, de mi historia.

—¿Qué quieres de mí, Amalia?

La pantalla relumbrante no contestó: debía buscar la respuesta en otro lugar.

No encontré rastro de Amalia en la cocina ni en el resto de habitaciones de la planta baja; nada de lo que me rodeaba había cambiado y sin embargo todo parecía distinto, aunque no sabría decir por qué.

Subí las escaleras que conducían desde la entrada al primer piso: en el rellano, de espaldas, estaba una mujer mirando un cuadro. No era Amalia: tenía el pelo más claro y la piel más blanca y vestía de forma extraña, con unos pantalones ajustados que le ceñían el cuerpo como un mallot de bailarina y unas botas de colores muy vivos. Ella no me veía, estaba absorta en lo que miraba con tanta atención.

—Dime quién eres, pelirroja, y qué haces aquí —dijo de pronto.

¿Cómo podía verme si ni siquiera se había dado la vuelta? Debía de tener alguna relación con Amalia, quizá fuera su amiga… Me quedé sin aliento.

En el cuadro estaba yo, junto al barranco. Era yo, vestida exactamente igual a como lo estaba ahora pero con mi larga melena, antes de que la cortara la Vijana.

—Soy yo, ¡soy yo! —dije. Pero la mujer no me oyó—. ¡Estoy aquí, a tu lado!

Sin responder, sin verme, se dio la vuelta, bajó las escaleras y se metió en el salón. No la seguí, no podía dejar de mirar el cuadro, a mí misma.

¿Quién me había retratado? La firma estaba escondida, casi tapada por el marco las dos iniciales: A. V. El cuadro estaba fechado en 1949, aún faltaban treinta años para que Amalia lo pintara, porque solo podía ser de ella, de Amalia. Reconocí el paisaje con el perfil del monte de El Castillo tocando el cielo, las albarcas de la Vijana y las manos rojas de la cueva en la que había entrado con la magia de las Ancianas. La artista había plasmado un universo completo, con sentido, llena de fuerza, de talento, de inspiración, había volcado todo lo que sabía y sentía en un trozo de tela como si fuera un pedazo de su vida que solo pudiera contar de esa manera y me lo mostraba a través de una grieta del tiempo para que lo compartiera con ella. Por eso me había pintado. Pero ¿dónde y cuándo me había visto Amalia? Quizá me había encontrado de la misma forma en que yo la había fotografiado a ella: topándose conmigo de improviso, sin querer. Me gustaría tanto hablar con ella... Le diría lo que solo a ella podía decirle: que ambas habíamos logrado detener el tiempo en una fotografía o en una pintura y que nuestra imaginación era capaz de crear fantasmagorías de linterna mágica, como los muertos caídos en la ladera de la montaña o el aparato rugiente que se abalanzó sobre mí para luego desvanecerse, incluso la caja prodigiosa que había encontrado en el salón.

Bajé a la sala. Como sospechaba, no había nadie, ni la mujer que vestía pantalones ajustados, ningún artefacto sobre la mesa, solo los pocos muebles que conocía, mis cosas, mi maleta y las fotos de Amalia.

No tuve miedo sino alivio: ya no tenía que buscar ninguna explicación, porque no la había.

«Esto no es un sueño.»

INÉS

Cuando Dios sea mujer

1

Andrea no respondió a mi llamada como no había respondido a las anteriores, salvo con mensajes de OK en el WhatsApp. Me sentía un poco abandonada, no tanto por mí como por el trabajo que estaba llevando a cabo: ni ella ni nadie en Gaula parecían interesados en mis avances, nadie me apremiaba ni opinaba; la primera vez en toda mi vida laboral que ocurría algo así. Imaginé a Andrea en una reunión inacabable o atendiendo a otras personas más importantes que yo o metida en su coche, casi podía oír el atasco a su alrededor. Madrid, una ciudad llena de Andreas que siempre estaban moviéndose, trabajando, produciendo, con aspecto impecable, implacable.

Dejé un mensaje de voz en su buzón para informarle de que todo iba bien y ya teníamos bastante material grabado con cosas interesantes porque el cámara era muy competente —sí que lo era—, también para pedirle más información sobre Samperio, esa que había prometido enviar, aunque sospechaba que no la enviaría jamás. ¿Cuánto tiempo llevaba en El Jardín del Alemán, una semana? Quizá menos, pero desde que llegué los días y las noches se alargaban y entrelazaban haciéndome perder la noción del tiempo, como si llevara media vida en este valle y en esta casa. Las apariciones, el cuadro misterioso, los hechizos druidas y Martín tenían la culpa.

El claxon de la furgoneta espantó los sonidos campestres.

Áurea entró en casa como un terremoto pero bien acompañada: una quesada y sobaos para desayunar.

—He venido yo a buscarte porque Martín anda con lío... Cosas de la granja. No te preocupes que estará a la hora en la entrada de las cuevas y con la cámara, por la cuenta que le trae.

Fue directa a cacharrear en los armarios como si la cocina fuera suya, preparó la cafetera y puso tazas y platos mientras daba dentelladas a uno de aquellos sobaos de dimensiones colosales, nunca vistas.

—A ver, dime: ¿cómo vas a enfocar esto de hablar de mis cuevas? Porque algo tendrás que contar de eso, no vais a soltar imágenes a pelo, ¿no?

—Pues si te parece bien, comenzaríamos hablando del personaje que las descubrió: Hermilio Alcalde.

—... del Río, del Río. Un pionero autodidacta, un gran descubridor del arte rupestre paleolítico en el norte de España. Fue el primero que identificó muchísimas cavernas de la región cantábrica, sin medios y cuando todavía la prehistoria estaba bajo sospecha...

Esto de repasarme la lección era una trampa porque no pensaba dejarme meter baza: su tema era suyo y de nadie más.

—... por las falsificaciones. Eso es un temazo, también. Deberías contar que hasta bien entrado el siglo XX, cuando la ciencia metió mano, hubo mucho caradura imaginativo, de ahí todos los problemas con la verificación de Altamira. No creas que es asunto resuelto, que todavía colean algunos descubrimientos polémicos, de antes y de ahora mismo: a los paleoarqueológos nos gusta tanto hacer un descubrimiento real como denunciar uno falso y venderíamos nuestra alma por una publicación en *Nature*.

—Pero la autenticidad de las cuevas de El Castillo nunca se puso en duda, ¿no?

—No, más que nada por estar los franceses de por medio, que eran los que entonces partían el bacalao. Ellos fueron quienes dieron carta de naturaleza a don Hermilio, si no, de qué. Un modesto director de la escuela de Artes y Oficios de Torrelavega, que tiene mérito, removiendo Roma con Santiago para hacer del descubrimiento un acontecimiento internacional. Y en 1903, cuando el polisón y el analfabetismo estaban a tope. Eso lo tienes que contar, ¿eh? Es que soy muy fan de este tío porque fue un adelantado en todo, hasta consideraba a los pintores rupestres como artistas a la altura de un Velázquez o un Miguel Ángel, y claro, lo ponían a caldo: entonces la mayoría erudita creía que el mal llamado hombre de las cavernas era una especie de ser humano a medias, incompleto, incapaz de producir arte. Pues ahí tienes a don Hermilio, con un par, saliéndose con la suya y participando en la excavación de las cuevas que en 1911 sufragó el mismísimo príncipe de Mónaco.

—Ya he visto, eso es una rareza total.

—Sí, hija: a veces a los monarcas les da por ahí, la ciencia bien entendida da mucho lustre. Y los expertos del Instituto de Paleontología Humana de París, encantados con la pasta monegasca, reconociendo a don Hermilio y dejándole trabajar mano a mano con el alemán Hugo Obermaier, un capo, con quien firmó un libro sobre la cueva de La pasiega.

También conocía esa historia: el arqueólogo alemán era fácil de encontrar y sus estudios estaban muy documentados.

—Oye, Áurea, ¿tú crees posible que Obermaier se alojara aquí?

—¿Aquí dónde?

—En esta casa. El Jardín del Alemán parece un nombre demasiado rebuscado incluso para una posada rural. Quizá tenga una base real, ¿no te parece?

—La verdad, no lo había pensado. Lo lógico hubiera sido que todos los extranjeros se alojaran en el balneario, entonces ya existía y tomar las aguas era lo más fino del momento. Pero vete tú a saber. ¿Tiene importancia?

Ahora la había emprendido con la quesada. Seguía asombrándome su apetito devastador, ¿todo en ella sería así de voraz? Valvanuz debía de ser para ella como un enorme pastel de nata del que comer hasta hartarse. Vaya suerte tenían las dos.

—Aún no lo sé. Lo decía por si recuerdas algo que te hayan dicho, algún dato que hayas leído sobre el personaje.

—No me suena, la verdad... Lo que sí te puedo asegurar es que en la excavación en la que estuvo don Hermilio participaron franceses y alemanes, lo normal al ser una expedición con fondos de los dos países. Ahora pasa igual, al menos en los proyectos grandes. Desde luego Obermaier pensaba volver y preparaba una gran expedición en 1914 que se frustró por culpa de la Primera Guerra Mundial: al menos la mitad de los que participaron en la primera excavación de El Castillo fueron alistados y unos cuantos murieron en las trincheras. Como tampoco regresó tras la guerra la financiación, que no debía estar Europa para muchos dispendios, y el mecenas monegasco cerró el grifo. Las cuevas quedaron olvidadas desde entonces, algo que le traía a mal traer al amigo don Hermilio, quien por lo visto quiso volver a reunir a los que quedaban de la primera expedición, sin éxito. Murió en 1947 y las cuevas permanecieron cerradas desde entonces. Durante los años sesenta empezaron a abrirse extraoficialmente para algunos visitantes de postín, un poco como la pariente pobre de Altamira, pero sin contar con los expertos; una cacicada, vamos. Así fue hasta el año 80, pero eso ya lo sabes. Una vergüenza, esto del abandono sistemático del patrimonio que sufre este bendito país nuestro. ¿No vas a comer más? Hija, eres un pajarito.

El discurso torrencial no le impedía recoger a la misma velocidad de vértigo platos, tazas y migas sin esperar siquiera a que terminara —casi me arrancó de las manos la taza de café— y cuando la mesa estuvo despejada sacó de la mochila un objeto envuelto en papel. Lo colocó delante de mí con cuidado exquisito, un gesto inusitado en ella.

—¿Y esto?

—Ábrelo, anda.

Era un libro antiguo encuadernado con primor en piel granate. El título en letras doradas, un poco desvaídas ya: *Las pinturas y grabados de las cavernas prehistóricas de la provincia de Santander: cueva de Altamira, cueva de Covalanas, cueva de Hornos de la Peña, cueva de El Castillo.*

—Una joya, ¿a que sí? Te lo puedo prestar pero con vuelta porque no es mío; vas a flipar, pero lo encontré en casa de Vali, yo creo que ni nos habíamos enrollado todavía. Hasta que llegué yo, encuentro esta maravilla y me caso con la dueña: es como si el libro de don Hermilio me hubiera estado esperando... Una señal.

En la segunda página, escrita con pluma firme y tinta de color violeta, había una dedicatoria: «Para mi querido amigo don Santos Ortiz, generoso mecenas de la inteligencia y el progreso, ejemplo preclaro de que no hay más fuerza que la de la voluntad».

—¿Quién era este Santos Ortiz, lo sabes?

—Bueno, eso es lo mejor: un tío abuelo de Vali y Martín. Un emigrante que volvió al pueblo tan forrado que era famoso en el valle: hacía las típicas fanfarronadas de indiano como pagar la campana de la iglesia y ponerle techo a la escuela.

—Un mecenas, al decir de don Hermilio.

—Lo sería, pero no se gastó toda la pasta en mecenazgos sino en caprichos raros: el tío era un excéntrico y un pieza, porque al parecer tenía una amante mulata que se trajo de Cuba. No se casó con ella porque en aquellas épocas como para atreverse, pero por lo visto era la comidilla de todos los valles pasiegos, que venían a Puente Viesgo a ver a la negra como si fuera una atracción. Está enterrada en el cementerio de aquí, pegadita a la tumba del tío Santos: cuando él murió se quedó, no se volvió a Cuba, eso es amor, oye, y eso que por entonces el indiano ya estaba arruinado porque antes de la guerra mundial anduvo en negocios con alemanes en medio mundo, que si plantaciones aquí y allá, y después del cuarenta y cinco, kaput. Eso cuenta la familia, aunque aquí de todo hacen una leyenda y no sé si creerlo. Lo que es seguro es que murió endeudado y los acreedores no dejaron ni las raspas para los herederos, sus sobrinos. Dos generaciones después solo quedan de él chorraditas sin valor, recuerdos y algunos libros como este. ¿Has visto la casona junto al río, en el pueblo? La de la portalada con el escudo… Pues fue del tal Santos. Quién la pillara ahora.

Mientras salíamos de estampida, agarrada con las dos manos al asiento del copiloto de la furgo para no salir despedida en cada revuelta del camino, no pude dejar de pensar en Martín y en su oportuna excusa para no venir a buscarme. Quizá temiera encontrarse conmigo pero solo retrasaba el momento en que nos quedaríamos de nuevo solos sin la carabina de Áurea y sin más remedio que hablar de lo que había pasado entre nosotros. No tenía ni idea de por qué me había dejado plantada en la puerta. ¿Es que me tenía miedo? ¿Por qué? Martín me recordaba a mí misma y a los errores que había cometido en todas mis relaciones como si me viera en un espejo: su inseguridad, su falta de confianza, incluso su brusquedad, podrían ser las mías. Antes. Porque estaba resuelta a no permitirme ni un paso atrás, resistir a la tentación de huir en cuanto apareciera algún inconveniente y dejar de andar por la vida como si fuera de cristal, temiendo hacerla añicos conmigo dentro.

Áurea seguía con su cháchara: me estaba acostumbrando tanto a su conducción temeraria como a las vueltas y revueltas del camino hacia el pueblo. Al llegar a la carretera principal casi tuvo que dar un volantazo para dejar pasar a los dos Patrol de la Guardia Civil que se nos echaron encima con las sirenas restallando en el aire.

—Qué raro. Eso es que ha pasado algo —dijo mi conductora.

Desde abajo el monte de El Castillo parecía aún más imponente, una mole inmensa cubierta de vegetación como las pirámides perdidas en la selva. La carretera que trepaba por la pendiente en un brusco zigzag nos llevó hacia el parking del recinto. Acababan de abrir y ya se veían turistas, aunque no demasiados: todas las guías recomendaban visitar la neocueva de Altamira a pesar de ser una reproducción y no las verdaderas pinturas como las que guardaba nuestro coloso. Se lo dije a Áurea.

—Aunque vivamos del turismo, que eso es lo único que les importa a los que mandan, prefiero que no hagan mucha publicidad de las cuevas: así no viene tanta gente. Si esto se llenara de visitantes como la neocueva sería un desastre… El ambiente natural de una cavidad tiene que permanecer en una oscuridad, temperatura y nivel de humedad estables, eso es lo que las convierte en depósitos ideales de almacenamiento, pequeños microcosmos que protegen la pintura. Por eso la presencia humana es una especie de violación que causa alteraciones en el medio con un impacto irreversible. Ya te dije que es cuestión de tiempo que todas las cuevas se cierren si no queremos que desaparezcan.

Saqué el cuaderno y escribí una nota: «El tesoro que había permanecido enterrado durante milenios, sobreviviendo en un mundo de silencio y quietud, a salvo del tiempo, estaba en peligro por primera vez desde que el ser humano las creara, al borde de la destrucción por culpa de ese mismo ser creador». Me pareció inspirada; quizá sirviera para el documental. O no: quizá fuera demasiado pretenciosa. Bueno, ya decidirían en Gaula.

Martín nos esperaba junto al mirador que se asomaba al valle, cerca de la entrada principal. Al verme no me saludó ni con un gesto, parapetado tras su rostro impenetrable. Vale, lo que tú quieras... Hasta que nos quedemos a solas, ya que ahora estábamos rodeados de gente. Su cuñada se había detenido junto a un grupo de jóvenes vestidos con monos de trabajo. Reunidos junto a la entrada, algunos fumaban el primer pitillo de la mañana. Aspiré el humo a su alrededor con placer de exadicta.

—Vienen a trabajar en el yacimiento principal que acaban de reabrir en El Castillo, porque después de años de tenerlo cerrado han empezado de nuevo los trabajos. Si no fuera por estas chavalas...

Daba abrazos y achuchones a aquellas chicas, porque eran mayoría entre los chicos, todas jovencísimas, seguramente aún universitarias. Cuando nos alejamos del grupo, Áurea rezongó por lo bajo:

—Estudiantes que vienen voluntarios, sin cobrar, tres meses nada más: en cuanto acaben, otra vez parado el yacimiento. ¿Te lo puedes creer? Desde la crisis dichosa y los recortes, todos los sitios arqueológicos de España abandonados, oye, que no levantamos cabeza, nunca hay dinero para la investigación ni la ciencia... Es que el tema me sulfura. ¡Qué país de tontos del pijo, peores que arrancaos, me cago en la sota de oros y en la madre que los parió!

Los visitantes comenzaban a arremolinarse en la puerta principal que daba acceso a la entrada a la cueva de El Castillo, la más publicitada; allí esperaban su turno para entrar repartidos en grupos reducidos. Un camino coqueto y cuidado bordeaba la ladera hasta la boca de las demás cuevas, sus nombres escritos con pintura blanca sobre la piedra viva: Las Chimeneas. La Flecha. La Pasiega. Las Monedas.

—Tenéis permiso de investigadores, así que a partir de ahora si os pregunta alguien sois compañeros del CSIC, ¿vale?

Había olvidado decirle que no era proclive a saltarme las normas, que tenía miedo al castigo porque mi complejo de culpa era más grande que su confianza en sí misma, pero no hubiera servido de nada; ya abría la reja de hierro encastrada en la roca. Un saliente caía sobre ella con forma de ola, ocultándola. Era la forma que tenía la montaña de recordarnos que éramos unos extraños que no debían traspasar aquella frontera, pero Áurea abrió la puerta metálica que había tras la reja y entramos en la oscuridad.

2

—Aquí está enterrada mi madre.

Bajo las losas de mármol y los adornos de bronce, sin nombre ni fecha, solo un lacónico «Familia Albret-Silva». Daniel quiso que fuéramos al cementerio de la Sacramental de San Justo en cuanto supo que mi familia tenía allí su panteón; así que una mañana de domingo nos sumergimos en la paz de los muertos. Tiene estas cosas: no se presenta durante semanas, no coge el teléfono y de repente aparece con entradas para el Real o invitaciones para una fiesta drag. O empeñado en ir de paseo a un cementerio isabelino.

—Sencillo pero elegante: dice mucho de tu familia pija. La Sacramental da cobijo a los más ilustres para que quede claro que van a seguir separados del vulgo incluso después de muertos —dijo.

Daniel siempre me sorprende porque sabe de todo: es un yonki de la actualidad capaz de citar artículos sesudísimos sobre teoría política y a la vez ilustrarte sobre los favoritos para ganar el festival de Eurovisión. Ni un guía profesional me hubiera contado mejor los entresijos de un cementerio histórico como la Sacramental y sus muertos ilustres: Larra, Moratín, Espronceda, Gómez de la Serna, Pastora Imperio, Sara Montiel. Aristócratas, políticos y poetas, pintores y escultores, actores famosos y toreros; hasta la maharaní de Kapurtala, Anita Delgado. Todos allí enterrados, amontonando famas desde 1845. Daniel se sabe sus biografías de corrido, aunque creo que tiende a la invención y les añade anécdotas que parecen falsas. Eso mejora la visita, ya que no comparto su entusiasmo por la necrofilia.

—¿Sabes si tienes derecho a un nicho en el panteón?

—Pues no me he molestado en averiguarlo. La idea me resulta pavorosa: recuerda que tengo claustrofobia.

—La gente impresionable como tú no debe leer a Poe ni a Bécquer ni las vidas de santos.

—Además, en ese agujero está también mi abuela y no tengo intención de pasar la eternidad en su compañía.

—Que sí, que bastante los aguantaste a todos en vida. Pero querida, yo que tú me lo planteaba seriamente y hacía una limpia en el panteón familiar: creo que pagando y a partir de unas décadas se pueden coger los huesos del bisabuelito y dejarlos en un osario, quítate tú para ponerme yo. Así cuando palmes te echará el responso un cura de los preconciliares vestido con todos los arreos y en latín, in sécula seculórum, por favor, de lo más chic. Ya me gustaría a mí, que soy de clase obrera. Mira, se me está ocurriendo que podríamos llegar a un trato: tú y yo nos casamos pero con libertad total para llevarnos al catre lo que se nos ponga en el moño a cada uno, igual que los reyes. Tan ricamente que íbamos a estar.

—No me tientes… —me estaba riendo en un cementerio pero a nadie le importaba: no se veía alma humana, divina o en pena.

—Calla, que no he acabado: con este arreglo disfrutarías de mi excelsa compañía, con la única condición de que yo, al cabo de muchos, pero muchos años, cuando casque, ocupe tu lugar en el panteón. Tendría derecho como marido y ya que a ti no te hace ilusión, pues te incineras o te haces compost o cualquier otra cosa que inventen en plan ecológico. ¿Qué te parece? Salimos ganando los dos.

Hacía un día desapacible y frío, según mi acompañante de lo más idóneo para apreciar el decorado y la puesta en escena: el viento silbaba a través de las cruces de mármol y las copas de los cipreses y en el cementerio vetusto, aplastado por la historia grande, trascendente y escrita en lápidas, todo era un monumento al abandono y al olvido. Albergaba muertos desde hacía tanto tiempo que los posibles descendientes que pudieran llorarles habían pasado también a mejor vida. Irene no debería estar allí sino en el trozo de luz mediterránea que rodeaba la casa de Blanca, muy lejos y con un mar de por medio, donde su recuerdo permaneciera siempre rodeado de sol, olivos y amor, no sepultada en el frío de tumba triste de Madrid, rodeada de enemigos. Si su cuerpo había terminado aquí no fue porque ella lo quisiera sino por voluntad de Naná: al saber de la muerte de su hija en Mallorca, se empeñó en traerla de vuelta como si así pudiera atraparla por fin, aunque fuera después de muerta. Pero la losa de la tumba no cerraba la historia de Irene: yo existía, yo era la última pieza que faltaba por explicar en su vida. Y la única persona que podía saber más de mí era justo aquella con la que menos quería hablar. Creo que fue la única vez que tuve el valor de enfrentarme a ella.

Abrió la puerta una criada que vestía el antiguo uniforme de Rita, ya un poco pasado porque hacía años que se había jubilado. Mi abuela y su tacañería legendaria, seguro que a la nueva asistenta le pagaba la misma miseria.

—La señora no recibe —dijo, muy en su papel y con acento rumano.

—Dígale que está aquí su nieta.

Me miró de arriba abajo hasta que la prudencia venció a la suspicacia.

—Espere aquí, por favor.

El minuto que tardó en volver se me hizo muy largo: no estaba segura de que aceptara verme, Naná no era de las que olvidan un agravio y yo le había hecho el mayor de todos cuando me marché de su casa sin decir adiós.

—Está en el salón de los espejos —dijo la sirvienta.

El mismo salón donde la había conocido hacía ya muchos años, cuando solo era una niña aterrada. Recorrí el mismo pasillo de entonces con los mismos crujidos de tarima venerable, miré los mismos cuadros, las mismas puertas cerradas, sonaron las horas en los mismos relojes como si nada hubiera cambiado, pero yo sabía que sí, que la tarima y los óleos y las puertas y los relojes intentaban engañarme, convencerme de que el miedo no se había movido de sitio para que diera media vuelta y escapara. No lo consiguieron.

Hundida en un sillón, el cuerpo caído hacia un lado, la mujer que me fulminaba si no me sentaba derecha en su presencia. Más pálida, casi del color del busto de mármol de Carrara colocado en el pedestal a su lado y tan quieta como él, el pelo recogido aún rubio pero desvaído y como muerto, el traje de chaqueta gris perla con más años que el uniforme de Rita y en el cuello el mismo collar impresionante de perlas que se hacían más grandes en el centro, su favorito.

—Qué sorpresa —dijo, con su entonación fría y a la vez sarcástica; tampoco eso había cambiado.

No la besé, no hubiera podido, solo me senté frente a ella.

—He venido porque tengo que preguntarte algo que... es importante.

—No creo que necesites nada de mí.

—Pues te equivocas: eres tú quien puede decirme lo que quiero saber.

—Ya. Y supongo que eso tendrá algo que ver con tu padre, ¿no?

Seguía mirándome con sus ojos azules tan claros ahora grises, de un hielo sucio y gastado.

—Mucho has tardado.

No hice caso de sus indirectas.

—Estoy segura de que aunque Irene no te lo dijera, tú hiciste lo imposible por averiguarlo. Te conozco.

Al respirar fuerte le salía una especie de gorgoteo desde los pulmones, pero no era eso lo que le impedía responder.

—¿No vas a decirme quién es?

—No te lo voy a decir porque no debo.

—¿Por qué no?

—Porque es mejor que no lo sepas, créeme, aunque hayas sido siempre tan desagradecida. Nunca has valorado lo que hice por ti; desde que viniste a esta casa no hice más que protegerte de ese hombre hasta conseguir borrarlo del todo de mi vida y de la tuya. Y no me arrepiento: volvería a hacerlo.

La ira acumulada durante años me inundó, la impotencia convertida en una rabia violenta me sacudió con la furia de un huracán y tuve que hacer un esfuerzo para no levantarme de un salto y pegar a aquella anciana débil que, sin embargo, seguía siendo un coloso en mi imaginación. No sé cómo lo dije, no puedo recordarlo, sé que no grité pero todo lo que pensaba salió de mi boca; me vi cogiéndola del brazo huesudo, ella que odiaba tanto el contacto físico, la reina de pronto ridícula en su salón de espejos devolviendo una imagen desfigurada, no quedaba de ella nada más que un despojo dañino que por no tener ni siquiera tenía tiempo: vas a morir pronto, vengativa, retorcida, ruin, culpable. El odio. Una nube de tormenta negra, espesa y pastosa que descarga por fin. No sé si me contestó, creo que no, pero recuerdo su rictus, un gesto que le deformaba la boca, tenía que ser odio, tan puro como el mío.

Abrí la puerta yo misma sin esperar a su mercenaria y salí de allí para no volver. Al pisar la calle lamenté mi estupidez; tenía que haber sospechado que ni siquiera ahora me ayudaría, al revés: había esperado para asestarme un último golpe, la oportunidad esperada desde que me fui. Se había atrevido a decir que me estaba protegiendo de una verdad insoportable, pero por muy mala que fuera no podía ser mucho peor que los años de infancia abandonada, las humillaciones, la ocultación, la mentira, los miedos nocturnos, mis pesadillas, mi falta de confianza, mi inseguridad en el trabajo, en el amor, el espejo ante el que me miraba mil veces buscando todos los defectos que ella había señalado, mi miedo a ser querida y a ser engañada y mi miedo a querer y a tener que engañar.

3

—Es un laberinto —dijo Áurea. La palabra dejó un eco largo que atravesó la caverna hasta perderse en algún lugar dentro de ella.

Solo entrar allí sobrecogía. La roca se elevaba sobre nuestras cabezas haciendo bóvedas fantásticas que bajo una luz estratégica, dramática, proyectaban sombras y resplandores en los salientes de las paredes y en el techo entre estalactitas y estalagmitas, columnas, terrazas colgadas y coladas de colores. El olor. Como a barro húmedo de agua limpia, a canto de río. Y el sonido, mejor dicho, la ausencia de él: no se oía nada, absolutamente nada. Una sensación extraña para quien está acostumbrado al fragor del ajetreo diario, a las voces y a los sonidos de la vida: a medida que nos alejábamos del exterior la vida se detenía, petrificada. El suelo reptaba bajo nuestros pies, una lengua pastosa lamiendo los bordes de las paredes de roca.

—Tened cuidado al pisar: en algunas zonas y con la humedad el suelo se pone como una pista de patinaje. Además hay simas profundas y aunque están señalizadas no queremos tener un accidente; eso va para ti también, Martín, que vas cargado.

Llevaba un equipo especial con focos de luz fría muy tenue para no dañar las pinturas y una cámara más sensible y sofisticada que la suya; no sé cómo se hizo con todo esto pero, por supuesto, pagaba Gaula.

—Y no os despistéis que lo del laberinto no es broma: al fin y al cabo estamos en una cueva —dijo nuestra guía—. Hace poco se perdieron unos espeleólogos portugueses en la de Coventosa: un monstruo de 7 kilómetros de largo y pozos de más de 300 metros de caída.

—Una cueva es un lugar estupendo para perderse, esconder algo o para que te pierdan de vista —dijo Martín.

—¿A qué te refieres? —pregunté.

—A que las cuevas siempre han sido lugares usados por los fugitivos para dar esquinazo a sus perseguidores. Incluso para esconder tesoros, como en el pozo de la cueva de Las Monedas que está aquí al lado: encontraron allí monedas del tiempo de los Reyes Católicos.

Pasé a su lado, casi resbalo por culpa de un charco, me sujetó del brazo para que no cayese y en cuanto recuperé el equilibrio, me soltó. Áurea caminaba delante de nosotros; seguía hablando, muy en su papel de guía:

—Hemos entrado por el corredor principal, desde él se ramifican otros corredores secundarios muy sinuosos que se ensanchan formando salas. Allí están los santuarios; llamamos así a las zonas con pinturas, porque en los recovecos más profundos y de difícil acceso es donde se encuentran las pinturas más espectaculares; justo donde no existen pruebas de una presencia humana continuada en las cuevas, por cierto. Así son los artistas de caprichosos: parece que a estos no les gustaba la publicidad. Pero con nosotros no les ha servido de nada... Aquí delante tenéis el primer santuario.

Martín colocó los focos, la luz chocó contra la pared y me deslumbró el rojo. Esa fue la primera impresión: el rojo intenso que inunda todo como si la roca sangrase, dominando al amarillo y al violeta y los trazos negros, que parecen estar ahí solo para darle aún más fuerza a la gran masa roja. Sangre, pero no la huella de una muerte sino de vida, de muchas vidas: bisontes y caballos, ciervas y ciervos, un pez y largos cuernos, cuellos y patas y lomos gráciles recorriendo esa línea negra que había dejado allí alguien vivo. Tanto como los animales trotando unos sobre otros, superpuestos, enfrentados, mirándose, respirando el mismo aire que parecía también pintado sobre la piedra. Casi podía escuchar bramidos saliendo de la roca como si las manadas fueran a saltar sobre mí a través de una grieta. Y también puntos, óvalos, líneas, formas geométricas y lo que parecía una vulva: estábamos dentro de un útero y el rojo de las pinturas parecía sangre menstrual. La montaña en la que habíamos penetrado era nuestra madre y todas las madres las primeras, las últimas. Un origen y un punto de encuentro y partida, de ida y vuelta, una estación de tren en la que se cruzaran nuestros tiempos y los de otros, con vías sin principio ni fin. El corazón rugiente de una montaña enviaba su mensaje horadando el tiempo, lanzando al infinito un mensaje en una botella milenaria que seguía flotando en el mar sin necesidad de llegar a ningún destino.

Áurea hablaba de nuevo, pero me costaba prestarle atención: las pinturas no me dejaban.

—... el mito de los grandes cazadores, porque yo creo que no lo eran; debía de costarles mucho atrapar a estos animales y serían más bien carroñeros y recolectores. El humano es un animal débil, pero con mucha imaginación. Un artista, vamos.

Recordé que había recopilado en mis notas una frase de Picasso cuando visitó Altamira justo el año en que se exilió: «Después de Altamira, todo es decadencia».

—Al conocernos te pregunté qué tenían estas pinturas de especial. Ahora me parece una pregunta tan tonta...

—Te dije que esperaras a estar delante de ellas. No es

como verlas en foto ni como visitar un museo, hay que sentirlas, respirar su aire. Escucharlas. ¿Has notado la reverberación? Hace unos meses vinieron unos especialistas para hacer pruebas de acústica; están intentando probar cómo esos hombres y mujeres podrían haber generado sonidos reverberantes cantando o tocando tambores, uno de ellos decía que estas cuevas son lugares ideales para celebrar una *rave*. Esa idea me encanta: los imagino de fiesta y puestos hasta arriba de setas alucinógenas. Claro que todo esto no son más que suposiciones y la ciencia las rechaza mientras no haya una buena marca de uranio-torio que lo pruebe. Porque, aunque me cueste decirlo, es prácticamente imposible que logremos averiguar mucho más sobre nuestros amigos. A no ser que inventemos una máquina del tiempo capaz de trasladarnos decenas de miles de años atrás.

—No creo que veamos eso más que en un episodio de *Dr. Who* —dijo Martín, mientras hacía foco.

—Entonces estamos delante de un misterio absoluto —contesté.

La perfección de su secreto era lo que hacía este lugar tan fascinante, no su belleza ni su capacidad para soportar el paso del tiempo. El enigma: una obsesión para el ser humano desde que comenzara a serlo.

—Quienes pintaron esto eran personas iguales a nosotros, ¿verdad?

—Eso sí que lo sabemos.

—Así que también tendrían sus propios misterios sin resolver, incluso puede que los intentaran desentrañar como hacemos nosotros… y quizá con el mismo resultado. Somos iguales hasta en nuestros fracasos.

Martín me escuchaba, casi pude sentir la vibración del secreto que nos unía como una cuerda tirante, en tensión.

—Oye, si quieres hacer teoría antropológica, ponte a la cola, que sois legión… —contestaba su cuñada—. Martín, ahí delante está el techo de las manos; el mejor lugar para grabar es ese recodo, el piso está llano, por si quieres poner el trípode.

De nuevo me admiró la forma en que Martín se movía por un terreno abrupto, ágil a pesar de su envergadura, transformado en cuanto llevaba la cámara con él.

—Aquí las tenéis, queridos míos: 78 manos. 37 000 años. Magdaleniense. Las niñas de mis ojos.

El techo de roca vuelto sobre sí mismo como una ola enorme, convertido en un cristal muy fino en el que niños, mujeres, hombres se apoyaron para decir estoy aquí, míranos, solo a un paso de ti, ¿nos ves? Las marcas frescas, de grafiti contemporáneo, como si se hubiesen hecho ayer. Tan sencillas y tan humanas. Los puntos rojos rodeando las manos. Un solo bisonte también rojo.

—Se encuentran por medio mundo: Australia, Argentina... Todas con la misma técnica de aerógrafo, soplaban los pigmentos introduciendo un tubo en la boca. Sencillo como un juego de niños. Y ahora viene lo bueno: según un análisis de la Universidad de Pensilvania, las manos son en su mayoría de mujeres y niños. En 2012 se les ocurrió examinar cientos de estas huellas utilizando un algoritmo basado en manos de personas de ascendencia europea, estudiando la longitud y la ratio de los dedos y determinando si eran femeninas o masculinas. Pues aquí tenemos que 24 de 32 manos son de mujeres. Lo malo es que el algoritmo no es del todo exacto y estableció el sexo solo con un 60 por ciento de precisión. Pero bueno, el estudio está ahí: si la mayoría de estas manos pertenecen a señoras, se va al carajo la suposición tradicional que daba por hecho el que los artistas de las cavernas fueran hombres.

—¿Cuáles son las manos que aparecían en el cuadro de Amalia Valle?

—Estas de aquí.

Áurea las señaló.

—¿Son de mujer?

—Vaya, ahora no sabría decirte... Tengo el estudio desglosado en casa, luego te lo paso. Claro que tampoco tenemos la seguridad: ojo con esto porque aquí entramos en el reino de la polémica. ¿Veis los puntos rojos? Otro trabajo publicado en *Science* atribuye la autoría de estos signos a neandertales, la especie humana desaparecida: algunas dataciones nos dan 64 000 años, un récord. Y en el estrato 18C hay evidencias arqueológicas de la convivencia entre sapiens y neandertales. Fuerte, ¿eh? La controversia va más allá de todo lo conocido:

significaría que una especie distinta a la nuestra, los neandertales, tenía capacidades iguales a las nuestras. Y eso pica.

—¿Racismo?

—Especismo, más bien —dijo Martín, sin apartarse de la cámara.

Me quedé junto al techo de las manos. Amalia, un secreto dentro de otro secreto. Si las había pintado, es que las había visto. ¿Cómo había entrado aquí? ¿Por qué? Mis dos acompañantes se alejaron entrando en las sombras picudas lanzadas por las estalactitas, casi no los distinguía, solo quedó el rastro de sus voces de eco fundiéndose con las paredes de la cueva hasta desaparecer del todo.

Me sentí entumecida: el silencio se me había metido dentro formando parte de mi cuerpo, notaba el aire frío y viscoso entrar en los pulmones y los latidos de mi propio corazón, pero no podía moverme. Extendí la palma de la mano frente a mí: ¿se parecía a ellas, a las pintadas?

El resplandor inundó la caverna y me cegó durante un segundo, luego la vi delante de mí. Caminaba hacia el panel de roca pintada y no me veía, pero yo la reconocí: Amalia Valle. También había venido a la cueva, estaba muy cerca de mí, quise llamarla pero no pude: el aire se espesaba en la nariz y en la boca como una mordaza invisible. Amalia miraba las pinturas sobre su cabeza, extendía la mano con los dedos abiertos y la colocaba sobre la mano pintada. Encajaba: su huella era la huella pintada. Resonó una voz deformada por la reverberación. ¿La de Áurea? ¿La de Amalia?

«Completa lo incompleto, reconstruye lo destruido. Da sentido a lo que no lo tiene, incluso al dolor y a la muerte.»

Puede que no fuera su voz: las palabras pertenecían a Román Samperio.

—Inés, ¿estás bien?

Áurea estaba junto a mí: al echarme de menos había vuelto sobre sus pasos. Su voz me llegaba distorsionada, como si hablara desde dentro de un túnel, iba y venía, entrecortada, no como la de Román Samperio, a quien había escuchado con toda claridad.

—Es mejor que no te separes de nosotros: si te quedas sola en una de estas cuevas, a los cinco o diez minutos empiezan a reducirse los estímulos sensoriales, las ondas cerebrales, el pulso y la presión sanguínea se ralentizan. A algunos les produce ansiedad o alucinaciones y no exagero: compañeros míos ya no se atreven a entrar solos.

4

Me sorprendieron la luz del sol y la brisa limpia al salir de la cueva. Oía a Martín y a Áurea hablar como si estuvieran lejos, incapaz de concentrarme en su conversación.

—Inés, estás muy callada. ¿Estás bien?

—Sí, sí…

Como predijo Áurea, algo había ocurrido; en cuanto bajamos la breve y empinada carretera que separaba el monte de El Castillo del pueblo, vimos los corrillos de gente alrededor de un coche de la Guardia Civil.

—Que no puedo deciros nada, joder, que estoy esperando al señor juez que viene de Villacarriedo y hasta que él no venga, nada —decía el guardia por la ventanilla abierta.

El nerviosismo se contagiaba y mis acompañantes, que conocían a todos, incluso al guardia, se incluyeron al grupo preguntón mientras yo me quedaba al margen, como correspondía a mi condición de forastera urbana.

—Voy a ver si localizo a Vali, lo mismo ni se ha enterado porque hoy bajaba al ferial, pero ya debería estar de vuelta… —dijo Áurea, sacando el móvil. También había caído en el vicio del chismorreo típico de los pueblos. Creo que leyó en mi mente, porque añadió—: Puede que te extrañe, pero esto es lo que tiene vivir en un sitio muy pequeño: lo que le pasa a uno al final afecta a todos.

Martín volvió de su intercambio de pareceres.

—Algunos vamos a ir al Ayuntamiento por si hay que echar una mano en algo… Si quieres volver a la casa puedes coger el taxi de Copi.

No un taxi sino «el» taxi: Copi era el único taxista con licencia de Puente Viesgo.

—Mari tiene su número, ella se encarga de llamarle si quieres.

Estábamos a dos pasos del bar de Mari, de hecho la veía de palique junto a otros vecinos en la puerta del restaurante.

—No te importa, ¿verdad?

—No, claro que no.

Mi indiferencia ante tanta expectación era la de quien vive en una gran ciudad en la que suceden decenas de sucesos lamentables cada día.

—Con la grabación en las cuevas ya hemos cubierto el día de trabajo, así aprovecho para trabajar en la escaleta.

—¿Puedes llevarte el equipo? Es para no tener que cargar con él. Cuídalo bien, por favor —rogó, colgándome la maleta de cámara del hombro con mucho cuidado, el mismo mimo con el que tocaba los objetivos y los cables. Me hubiera gustado decirle: «Lo defenderé con mi vida si prometes tocarme así alguna vez».

Áurea se fue en busca de su mujer y Martín detrás del alcalde, que también había hecho acto de presencia; yo me encaminé al bar de Mari. En la puerta discutía otro grupito de paisanos.

—... hay un cadáver, eso es seguro. Ha subido la Científica.

—¿Y si es por muerte natural? Anda que no hay mayores viviendo en las cabañas más solos que la una.

—Un pasiego de los de antes es más duro que el titanio: esos nos entierran a todos, te lo digo yo.

—Pues este de titanio no era, que dicen que el cuerpo ha aparecido medio quemado.

—Nada... No había señales de fuego alrededor.

—Eso es que alguien quiere tapar las pruebas comprometedoras.

—Coño, Nandín, qué peliculero eres.

—Como si hiciera falta ir al cine: el otro día en Tele5 explicaron como descuartizar un cuerpo para que no te pille la policía.

—Aquí no hace falta na de eso: se les echa el muerto a los chones y ellos se encargan.

Mari debía de haberse cansado de conversaciones macabras: la encontré detrás de la barra y el local completamente vacío.

—¿Has visto qué follón? Pasa, anda, que encima vienes cargada.

—¿Tienes donde guardar el equipo? Un sitio seguro, quiero decir.

—Sí, en la despensa que tiene llave y todo, pero ya te digo que aquí robos no hay. Esto no es como la ciudad.

—Es por si acaso, por si pasa la gente, un golpe...

—Si ya ves que el bar está vacío: solo tenemos un par de mesas reservadas para esta tarde. Estamos solas, mi madre y yo.

A través de la puerta de la cocina saludé a una anciana que cascaba patatas y que posiblemente jamás había oído mencionar la palabra jubilación.

—Ella es la cocinera, la que tiene el mérito, no yo.

—Pues mi enhorabuena: es usted una artista.

La señora me devolvió el cumplido levantando el cuchillo.

—Madre, esta es Inés, la novia de Martín —voceó Mari, como si la mujer estuviera sorda.

Debí de enrojecer hasta la raíz del pelo porque, con todo desparpajo, rectificó de inmediato:

—Ay, ¿he metido la pata? Chica, perdona.

—Solo compañeros de trabajo.

—Pues me había parecido... Es que a Martín le tengo mucho cariño, soy muy amiga de su hermana desde que íbamos juntas al cole, fíjate los años, y si me remonto no te digo más que mi abuelo conoció mucho a don Santos el indiano, su pariente.

Me puso una cerveza sin tener que pedirla: debía de tener una memoria prodigiosa, porque solo había estado en su bar una vez. O quizá es que tenía mucho interés en mí, incluso en mis gustos en bebidas.

—Porque ya te habrás dado cuenta de que Martín es muy especial, muy exigente y tú como que le pegas, aunque hagas cosas del cine o de la tele, no tienes pinta de los de la farándula, pareces, no sé... Normal.

Pobre de mí: la «farándula», esa comunidad mítica que por lo visto habitaba en las grandes ciudades y a la que yo no había visto nunca.

—Si no tiene pareja será por decisión propia —dije, por decir algo. Pero Mari tenía ganas de hablar.

—Tuvo una mala experiencia, pero mala malísima. Su mujer, porque sabrás que estaba casado, desapareció un día de buenas a primeras, sin decir siquiera bajo a por tabaco, como antiguamente. Un día, de buenas a primeras, ya no estaba. Él estuvo buscándola, muy preocupado por si le había pasado algo, imagina la angustia. Es que ella no estaba bien.

—¿Estaba enferma?

—Siempre había tenido problemas, ya sabes: mentales.

Intenté disimular mi interés, pero ¿a quién quería engañar? Quería saberlo todo sobre Martín. Y Mari me daba todo tipo de detalles, los que da alguien muy cercano. Me asaltó la duda de que estuviera de acuerdo con las mujeres Lavín: ¿formaría también parte del grupo druídico aficionado a los hechizos de amor? ¿Cómo se distingue a un druida de alguien que no lo es? Mari tendría unos cuarenta años bien llevados, las mejillas coloradotas y el cuerpo apretado, robusto, con el delantal de rayas rosas a juego con la barra de labios, un detalle de coquetería como la pinza en forma de mariposa que le sujetaba el pelo; imposible imaginarla con una túnica blanca y una corona de muérdago como en las estampas decimonónicas, pero ahí estaban Vali con su mono de trabajo y Áurea y su camiseta de Star Wars, tan druidas como las que más.

—La conociste, claro. Quiero decir, a su mujer.

—Muy poco, porque entonces vivían en Barcelona y solo venían a pasar las vacaciones, de pascuas a ramos. Era monísima, una muñeca. Pero tímida, retraída, de esas que parece que se ahogan en un vaso de agua. Y luego… Pero oye, esto queda entre nosotras, ¿eh?

—Por supuesto.

—Pues que se suicidó. —Hizo un gesto de comprensión cuando vio mi cara de sorpresa.

—¿Cómo?

Nada más preguntarlo me arrepentí, pero Mari estaba lanzada.

—Con pastillas… Jovencísima. Una pena.

Así que eso era. Esa sombra. La herida. Sabía que Martín escondía algo tan doloroso como para que llegara a hacerme sentir su desgarro. Por eso huía de mí y quizá hasta de sí mismo, por eso había ido a esconderse, a enterrarse en un pueblo perdido como este.

—Él pasó una depresión muy gorda. —Mari daba la razón a mis pensamientos—. Como que Valvanuz, al verle tan mal le dijo mira, te vienes conmigo porque así no puedes estar. Para que luego digan: un tío como un roble y más bueno que el pan... Pero es que estaba coladito y lo pasó fatal. Desde entonces ni un mal ligue se ha echao y no será porque no le hayan tirado los tejos, imagina, un soltero así por estos pueblos... Un partidazo.

—¿Y hace mucho de todo eso?

—Hará cinco años o así. Pero oye, a ver si me van a llamar cotilla y en este pueblo de eso nada, eh, no como en Ontaneda: allí sí que tienen una lengua...

Le prometí no revelar sus confidencias dándole la razón respecto a los chismosos de Ontaneda, aunque no conociera a nadie de ese pueblo vecino. Pareció satisfecha: el mensaje había llegado a su destinataria, es decir yo, y cambió de asunto con total facilidad.

—Te quedarás a comer algo, ¿no? Hay tortilla recién hecha. A esta hora cualquiera pilla a Copi y no te vas a ir ahora a esa casa en la quinta puñeta sin comer... ¿Cómo no se te ocurrió quedarte en el balneario? Mucho más cómodo, todo moderno y no en medio de la nada.

Hasta sabía dónde me alojaba y ni yo ni Martín lo habíamos mencionado en su presencia. Mari hacía y decía a su antojo: antes de aceptar su ofrecimiento ya me había puesto en la mesa casi media tortilla de patatas jugosa, melosa, en su punto.

—Oye, Mari... El Jardín del Alemán, ¿tú sabes de quién es?

Yo también tenía mis intereses y no iba a dejar escapar a mi principal confidente.

—Ni idea. Es alguien de fuera del valle, si no, lo conoceríamos. Estuvo muchos años vacía, como abandonada, y con el boom del turismo rural la arreglaron invirtiendo una pasta porque estas casas antiguas si no las vives, se te mueren enseguida. Yo no la conozco por dentro, dicen que es muy bonita…

—Está muy bien, acogedora. Y con un estilo inglés muy curioso.

—Ya te digo que no repararon en gastos y hasta contrataron a una decoradora de Santander y todo, muy maja, a veces viene aquí a comer con la familia de fin de semana. Ahora que lo pienso… Ella sabrá de quién es la casa porque la contratarían los propietarios, digo yo.

—¿Recuerdas cómo se llama?

—Elena… Espera, que tengo por aquí su tarjeta. Es que siempre le estoy dando vueltas a hacer una reforma al restaurante, pero nada, que no encuentro el momento. ¿Te pongo un vino o sigues con la cerveza? Porque los de Madrid sois todos de cerveza.

A través de la ventana junto a mi mesa no se veía la carretera ni los grupos de gente ni los coches de la Guardia Civil, sino la parte posterior del restaurante, un jardín ahora vacío pero que seguramente se convertía en terraza en los días de verano. No había nadie, no se oían voces fuera y dentro me acompañaban los ruidos amables y reconfortantes de las mujeres trabajando en la cocina. Un trozo de prado, unos árboles desperdigados y luego el monte surgiendo de la tierra con su presencia enorme, recordándome que seguía ahí, que no se había ido. El panorama me devolvió de nuevo la voz que había hablado en la caverna y el espectro de Amalia Valle frente a las manos pintadas. Abrí el portátil. Nada encajaba en la escaleta de un guion que en realidad no iba a firmar yo, tal y como me había dejado claro Andrea. Mi trabajo consistía en explicar de forma útil todas esas curiosidades que había glosado en sus notas Román Samperio, facilitar que un director muy competente lo convirtiera en producto —cuánto odio esa palabra— audiovisual. Tuve la sensación de estar cometiendo un sacrilegio, de traicionar lo que me había sido revelado, de profanar algo sagrado. El escalofrío me recorrió de arriba abajo y me envolví más en la chaqueta aunque dentro del bar de Mari no hiciera frío. Mi cuerpo respondía de mala gana a mi mente como siempre que hacía algo contra mi voluntad. Quizá todo era demasiado complicado y Samperio jugara conmigo al haberme traído hasta allí: sus notas mezcladas con las mías, su fotografía escaneada, la imagen del hombre de ojos oscuros que me miraba desde el lugar que ambos conocíamos, cómplice. La voz que había oído en la caverna era la suya, las palabras escapadas de la pantalla brillante:

«El arte completa lo incompleto, reconstruye lo destruido. Da sentido a lo que no lo tiene, incluso al dolor, incluso a la muerte. Quien mira encuentra, quien mira despierta del tiempo que es, que ha sido y será, verá más allá, hasta el tiempo en que Dios sea mujer.»

AMALIA

Quedarás en pie

1

—No se vaya, Amalia. Al menos hasta que sea seguro andar por el valle: estos señores le dirán lo mismo que yo.

Santos me vigilaba como un cancerbero: imposible aprovechar el revuelo a cuenta de la trastada de Angelín para salir de la casona junto al río. Por alguna razón, quería que me quedase allí. Las fuerzas vivas presentes corrieron a darle la razón y a recomendarme prudencia, una mujer sola en momentos como estos, quién sabe de lo que son capaces alimañas como estas, no vaya a fiarse de la gente del pueblo, una señorita como usted... A partir de ahí nadie me prestó atención, bastante tenían con la supuesta amenaza subversiva en forma de bandolero. Fidel Peña fue el único que mantenía un discreto silencio y esquivaba mis miradas; quizá le había ofendido, pero mostrar rencor no era propio de él. Me retiré al rincón donde Cachita servía su café negro, espeso y caribeño como los de antes de la cartilla de racionamiento, y ambas nos hicimos invisibles a los hombres que hablaban y discutían alrededor del señor del valle que tras escucharlos a todos, dio un único consejo que más parecía una orden:

—Es preciso mantener la calma para que el pueblo no se agite, recobrar cuanto antes la normalidad haciendo ver que nada puede perturbar la paz de este lugar. Que las fuerzas del orden continúen sus pesquisas con discreción, sin escándalo, mostrando que lo sucedido no menoscaba su autoridad en lo más mínimo. Hay que dar ejemplo, señores.

—Estoy de acuerdo —dijo Fidel, por fin—. A pesar de lo sucedido no hay heridos que lamentar, eso es lo importante. Lo más sensato es que cada cual regrese a sus obligaciones. Por mi parte y si me necesitan, ya saben dónde dar aviso. Amalia, ¿quiere que la acompañe? Así nadie temerá por su seguridad.

Me estaba ofreciendo una tabla de salvación; la intuición del médico había adivinado que yo deseaba salir de la casona, pero antes de que pudiera abrir la boca, Santos respondió por mí:

—La señorita Amalia se queda. Tenemos algunos negocios que atender.

El tono autoritario de alguien acostumbrado a mandar y a ser obedecido. Sin replicar, Fidel salió del salón dando las buenas tardes y tras él, obedientes, fueron despidiéndose el alcalde, el director del balneario y los guardias civiles, acompañados por Cachita hasta la puerta.

—Bueno, parece que ya ha finalizado este trastorno, si podemos llamar así a los inconvenientes que provocan estos malhechores. Menos mal que quedan ya pocos... Se van convirtiendo en figuras casi folclóricas. Pero así ha podido comprobar con sus propios ojos cómo hombres hechos y derechos, incluso los muy empingorotados, en cuanto vienen mal dadas corren a refugiarse en un guía que les dé la confianza que a ellos les falta. Como es usted inteligente, ya se habrá dado cuenta de que en este valle y aún más allá, yo soy la autoridad. Podría decirse que puedo hacer y deshacer a mi antojo y no solo a causa de mi dinero, cualquiera puede ser rico, no, la clave estriba en una forma de ser: yo me preocupo por todos aquellos que me interesan y ellos saben pagarme con su lealtad.

No estaba siendo irónico, de hecho Santos no lo era. Muy al contrario, había un orgullo un tanto patético en aquella autoproclamación, la petulancia mezclada con rencor de los hombres nacidos insignificantes que han logrado hacerse un hueco entre los privilegiados.

—Hablaré claro: soy la única persona en el mundo que puede garantizar su paz y tranquilidad.

—Perdone, pero no le entiendo.

—Vamos, Amalia... Tiene usted que ser realista, práctica, analizar su situación con frialdad. Llegó a este valle abandonando su hogar, huyendo de su propio marido. Y aun corriendo riesgos y precariedades, prefirió ponerse a sí misma en la situación tan... digamos... arriesgada, por la que pasó no hace tanto, antes que volver con él, con ese tal Jesús Velasco. Así se llama, ¿no es cierto?

Desde que le abandoné y hasta ese momento, el nombre de mi marido solo había habitado en mi mente. Al pronunciarlo en el salón del palacio junto al río, Santos lo estaba invocando como se hace con los espíritus que no encuentran descanso después de la muerte y fuera a materializarse ante nosotros como una sombra borrosa pero reconocible. Su rostro traslúcido salía de la niebla exterior, surgía del verde y el gris del paisaje que se veía frente a nosotros, sus ojos vigilándonos a través del cristal. Me aparté del mirador como si quemara.

—No ha sido difícil averiguar de quién se trata cuando se saben apretar las teclas adecuadas —añadió Santos a mi silencio—. Un héroe de guerra, por lo visto, y de una familia muy respetada en círculos influyentes. En cambio usted, querida amiga, no cuenta con nadie, no tiene recursos, ni sus amigos ni su familia se encuentran en disposición de protegerla. ¿Adónde va a ir? No tiene escapatoria: antes o después él la encontrará. Porque la está buscando, eso es lo que ha llegado a mis oídos.

¡Cuántas molestias se había tomado Santos para saber de mi vida! Pero si pretendía sorprenderme, no lo consiguió: siempre supe que él no se rendiría, que no pararía hasta encontrarme.

—Va siendo hora de que comprenda que únicamente a mi lado estará a salvo. Yo jamás permitiría que ese hombre volviera a acercársele a pesar de tener todo el derecho a demandar su vuelta, pues las leyes y hasta Dios le dan la razón solo por ser su esposo. Ah, las mujeres, tan prontas a regalar su libertad y su hacienda al primer guapo que las lleva a una iglesia... Ni las mejores se libran, tampoco usted, Amalia.

Ni siquiera intentaba convencerme; estaba completamente seguro de que aceptaría su extraño trato. Ya había decidido por mí, igual que hubiera hecho un marido.

—Le agradezco mucho todo lo que ha hecho por mí; pero ya he abusado demasiado de su generosidad...

—No, por Dios, no se confunda: esto es un negocio y le prevengo de que soy un hábil negociante, como buen pasiego, al menos de eso tenemos fama. Porque a pesar de andar por medio mundo en mi juventud, soy más pasiego que nadie, hijo de estas montañas como el que más. No le voy a engañar: para muchos seguimos siendo un pueblo maldito de gentes desconfiadas y marrulleras, casi primitivas. Le echan la culpa a que somos propensos al paganismo, a creer en las leyendas que nos dan de mamar con la leche de nuestras madres. Es verdad que desde niños aprendemos que en cada peña, en cada bosque y cueva se ocultan hadas y espíritus, duendes y demonios que pueden hacer el bien o el mal según tengan el antojo; ya sabe a quién echarle la culpa si encuentra a faltar una jarra de leche o una cinta de colores o una peineta brillante: algún duende o trasgo o trenti se lo habrá llevado prestado. Que no me oiga el señor cura, le daría una apoplejía... Pero ya sabe él que aquí el cristianismo llegó tarde y mal, hasta tuvieron que mandar misiones de jesuitas como si esto fuera el Japón, a ver si nos entraba la letra de una buena vez. Y hasta ahora, porque aunque los vea comulgando en misa, no hay manera de casar a nadie si no es debajo de un tejo o de un roble. ¿Cree que exagero? Puede preguntarle a nuestro buen doctor: más de una vez se ha dado de bruces con la cruda realidad, porque en estos valles si alguien se tronza una pierna o coge la sarna prefiere ir a la curandera antes que visitar al médico. A veces se lo tengo que recordar: Peña, hombre, no puedes competir con una bruja de las que remedian el mal de amores y ven el futuro.

¿Creía Santos en magias y hechicerías? Yo pensaba en la imagen inexplicable que guardaba en su cuarto de maravillas y aunque no la mencionó, los dos sabíamos que se escondía detrás de todo aquel discurso. Seguía hablando sin importarle mi silencio, tampoco el de Cachita, de pie al otro lado de la habitación. A saber cuánto tiempo llevaría allí, escuchando.

—Le estoy proponiendo un trato muy ventajoso para ambos: solo le pido a cambio su compañía. Nada más. No le faltará de nada, seguirá pintando si es que lo desea, esas son cosas que siempre adornan a una mujer. Por supuesto, podrá ir y venir a su antojo siempre que no salga de estos valles, por su propia seguridad. Ya ve que no puede negarse, no lo hará si sabe lo que le conviene. Y aunque ya ha dado pruebas de su desprecio a los convencionalismos, he de recordarle que ni siquiera tendría que preocuparse por el que dirán: la gente también piensa como yo dispongo. No, no vaya a equivocarse, porque aunque no negaré que es atractiva, mi interés no es romántico, como el del doctor. Mujer, no se asombre: ¿creía que no sabía que ha enamorado usted a nuestro Fidel? Pues ya ve; a pesar de estar confinado en esta silla de ruedas, me entero de todo. Incluso de la peligrosa relación que tiene con ese bandolero que persiguen las fuerzas del orden, un delincuente de la peor especie al que usted acoge en esa casa perdida en el monte. Imagine lo que pasaría si tal cosa se supiera, si estuviera en conocimiento de todos esos que han venido hace un rato, imagine lo que ocurriría.

Reconocí la amenaza —había tenido un buen maestro—, aunque Santos hablara con un tono amistoso, tranquilo, como si todo lo que decía no fuera más que un trámite, la lectura notarial obligatoria antes de firmar un contrato.

—No tiene a nadie más. ¿Con quién puede contar? ¿Con la maestra? Pobrecilla, un alma de cántaro comida por la envidia y los celos, precisamente a causa de Peña, que solo tiene ojos para usted y que sufre por un amor imposible: él es demasiado honorable como para robarle la esposa a otro hombre aunque este sea un indeseable. El doctor, no yo, es el verdadero inválido, un sentimental que nunca ha entendido cómo funciona el mundo, tan incapaz de tomar las riendas de su vida que hasta se ha dejado llevar por ciertas adicciones. Un inútil. Él es tan consciente de ello que sabe que depende de mí para todo... ¿No habla, Amalia? Está muy callada, pero yo sé que le está dando vueltas a la cabeza, casi puedo oír el zumbido de su cerebro. Quizá piense en ese loco echado al monte. ¿Es que le ha prometido algo? ¿Cree que puede ayudarla? Si es un infeliz que ni siquiera se ha enterado de que la guerra acabó y anda por el monte a la espera de que lo cacen como una alimaña, cosa que ocurrirá tarde o temprano. Ya ve que no le quedan opciones, salvo la que le ofrezco. Mi voluntad es tenerla a mi lado. ¿Cómo imagina que he conseguido todo lo que ve? ¿Por qué cree que sigo vivo? Por pura voluntad.

Miré a Cachita: al fondo, lejana y en silencio, fundida en la oscuridad, los ojos clavados en el suelo de tarima brillante.

—Caridad, díselo tú también, ¿tengo o no tengo razón? —preguntó Santos a la figura callada. Pero ella no contestó y salió de la habitación.

2

—¿Me dejarás de querer?

—Nunca te dejaré de querer.

—¿Aunque me abandones?

—Aunque te abandone.

Estábamos desnudos, la piel le brillaba.

—No me quieras, Amalia. No lo merezco, no merezco el cariño de nadie: estoy condenado al infierno. Si tú supieras...

—No quiero saberlo.

—Porque así no dudas: quieres vivir tranquila a costa del sufrimiento que el otro tiene que callar, disimular. Y además protegerte de todos los peligros mientras le asalta la locura y la furia. Qué fácil es querer así: las mujeres en vuestra casa, con vuestras madres, preocupadas por el vestido nuevo o si el niño no come, con ir a la iglesia ya está todo bien. Vuestro pecado es el egoísmo.

Me apartó y el abrazo se quedó en el aire, huérfano.

—Tienes que conocerme, conocerlo todo, necesito que lo sepas: así me probarás que tu amor es verdadero y no una mentira.

Me aterraba conocer lo que había detrás de las pesadillas, cuando me despertaban sus gritos: estoy paralizado, no me puedo mover, hay un hombre en el cuarto, está sentado en la butaca, lleva botas y me está mirando, ¿no lo ves? Está ahí, ahí... También gritaba quejándose de un dolor atroz en la espalda, en las piernas, que nada puede calmar. Le doy masajes, le pongo una botella de agua caliente hasta que se calma y vuelve a quedarse dormido.

Sentado en la cama, me da la espalda. Cada vez está más delgado, miro sus vértebras, sus costillas marcadas en la piel, suben y bajan con un ritmo irregular de respiración agitada.

—Hacía calor, mucho. Como en África, dijo Ramírez. Mandaba él en la *harka*, el capitán Ramírez. Habíamos compartido campaña con los legionarios, con los requetés, pero los regulares eran distintos y vivían como en las cabilas, sin mezclarse con los demás. Les dejábamos saquear, entraban en las casas ricas y se llevan la porcelana, las cafeteras, para hacer el té. Una vez me encontré a un moro con los brazos llenos de cálices, cruces de plata, le dije que lo soltara todo, se negó, vino Ramírez y me dijo que el mando no se oponía porque les pagaban poco, que era su costumbre, que había que dejarles. Yo sabía cómo eran los africanistas, bravucones y borrachos, ladrones desde los tiempos de Annual, ascendiendo en el escalafón mientras se corrían juergas en Melilla, pero él no, él era como yo. Hablábamos mucho, rezaba, iba a misa, llevaba con él un libro de poesía, me leía versos, recuerdo unos que decían «yo no soy yo, soy este que va a mi lado sin yo verlo»… algo así, y terminaba: «el que perdona, dulce, cuando odio; el que quedará en pie cuando yo muera». Me hacía llorar, no sé por qué se me clavaban en el alma aquellos versos. Sí, así era; llevaba la foto de su mujer en la cartera y cuando le enseñaba la tuya decía que tenías cara de ángel, «cuídala, cuídala mucho», repetía. Hacía un calor terrible, ¿te lo he dicho? Olíamos todos a demonios después de cuatro días de marcha, casi sin parar, agotados, yo por lo menos. Entramos en el pueblo sin que ofreciera resistencia, creímos que ya no quedaba nadie para defenderlo, parecía una tumba tan blanca que casi hacía daño mirarla al sol y nos fuimos al ayuntamiento a arriar la bandera y poner la nuestra, que todo el mundo supiera que el pueblo estaba tomado, que era nuestro, pero desde una casa de la plaza mayor nos dispararon un par de tiros sin hacer puntería. Alguien dijo que era la del alcalde y que allí dentro había milicianos. Pedí un rifle, enseguida vi al tirador, se asomaba, le di a la primera, un blanco fácil. Cayó hacia atrás como si tiraran de él, como un muñeco. Durante un momento no se oyó nada, el pueblo entero y nosotros detenidos, congelados como en una fotografía, como si esperáramos el grito que nos heló la sangre en las venas. Yo supe enseguida que era el grito de una madre y que yo le había quitado al hijo, eso lo pensé desde el primer minuto, ya te digo que me estalló el grito en la cabeza...

—Calla. No quiero oírlo, no quiero —me puse la almohada sobre la cara, me destapó y la arrojó lejos; me puse las manos en los oídos, pero él me apartó las manos, casi tumbado sobre mí, sujetándome las muñecas con toda su fuerza, clavándolas en el colchón, abriéndome las piernas, colocándose encima, inmovilizándome.

—Vas o escucharlo todo hasta el final... Entramos en la casa, había dos mujeres alrededor del cuerpo tirado en el suelo junto al balcón, alguien pateó su arma y me llegó a los pies: era una carabina de perdigones, igual, exacta a la que me regaló mi abuelo cuando cumplí diez años, más o menos los que tendría el chaval allí tirado: le había dado en el cuello y le salía la sangre a borbotones por el agujero en la tráquea, gorgoteaba, el chorro les manchaba las manos y los vestidos a las mujeres, la joven intentaba pararlo con las dos manos, me pareció que la sangre que corría hasta el suelo era, de tan oscura, negra. El capitán me dijo que le pegara un tiro, no pude, me llamó cobarde, riendo, medio en broma medio en serio, y le descerrajó el tiro, le dio en el corazón creo y dejó de moverse y de hacer ese ruido como de burbujeo. La madre se calló entonces, dejó de gritar en cuanto vio a los moros acercarse, la chica no tendría ni quince años pero la madre estaba como calmada de pronto; nos miraba a nosotros, a los oficiales, no a los moros, y se ofreció a hacer lo que quisieran, pero que dejáramos a la pequeña. A mis moros les gustan jóvenes, dijo Ramírez, y a mí también. La madre me lo pedía con los ojos, lo sé. Acerqué la pistola a su cabeza, ella primero, seguro que no quería ver muerta a la hija, se lo ahorré y luego dos tiros, uno detrás de otro... Cayeron desplomadas como sacos, a mis pies.

Aflojó la presión, solté un brazo, luego el otro. Pero seguía a mi lado, su boca en mi oído, las palabras surgiendo con la violencia de una explosión que brotara de las entrañas de la tierra rompiendo una montaña.

—Una palmadita en mi espalda; eres todo un caballero, decía Ramírez. El aire me quemaba por dentro, necesitaba aire, tropecé con los cuerpos al ir hacia el balcón, vomité todo, hasta la bilis. Había que enterrarlas pero yo no quería acercarme a ellas. Cargaron los tres cadáveres en la trasera del camión, Ramírez dijo al sargento que los llevaron lejos, a una cuneta mejor que las tapias del cementerio porque allí iban luego los parientes y los sacaban, y eso no tenía que ser; ni eso les vas a dejar, me quejé, hombre, ni eso ni nada, respondió. Yo solo quería salir de allí y dejar de oler a matadero. Después, al anochecer, los regulares sacaron sus esterillas y descalzos escuché cómo rezaban a su dios todos juntos, hacia La Meca. Ramírez y yo nos quedamos solos y me ofreció una botella de coñac, nos la bebimos callados, mano a mano, y luego quiso leerme aquellos versos que tanto nos gustaban pero me levanté y de un manotazo tiré el libro al fuego. No dijo nada, solo se quedó mirando al techo, sin hablar.

Se levantó de un salto. Entraba y salía del espejo de luna del armario que teníamos frente a la cama, daba vueltas por la habitación con la espalda doblada, el cuerpo cada vez más consumido, la cara crispada, la sombra en los ojos bellos incapaces de fijarse en algo, alocados como los de las tallas de santos.

—Cuando salí de allí quería morir en el frente hecho pedazos de un bombazo, descuartizado para no tener que volver a tocar aquello que no era la guerra que había imaginado sino otra cosa: un inmenso vómito viscoso que te inunda, que te atrapa, te traga, se mete por la boca, la nariz, te ahoga hasta hacerte morir de asco, poco a poco; lo huelo todavía, no se ha ido, ni siquiera ahora, soy yo, que huelo a muerte y a vómito y a sangre y por mucho que me lavo y me froto con jabón hasta levantarme la piel, no se va, no se quiere ir porque está dentro de mí, soy yo, ¿no lo hueles? ¿Por qué tú no lo hueles? Disimulas, claro, para que yo no me dé cuenta, pero ahora me tienes tanto asco como me lo tengo yo; no, no pongas esa cara. Si no te doy asco es que tú eres aún más vil que yo, sí, porque tu amor incomprensible es una vileza. Antes podías no ser culpable, porque no sabías nada pero ahora que lo sabes ¿aún vas a decirme que me quieres, que no puedes vivir sin mí?

Pegarle en el pecho, en la cabeza, creo que le arañé la cara y dejó que lo hiciera sin defenderse, paciente, como si no se diera cuenta de mis golpes, hasta que me fallaron las fuerzas y me aparté de él, me encogí sobre mí misma como si así pudiera protegerme.

—Yo tampoco puedo vivir sin ti.

Sacó la pistola, tan negra, de debajo de la almohada, brillaba sobre el blanco del lino bordado de mi ajuar, sus iniciales y las mías enlazadas, se la metió en la boca y no hice nada por impedirlo. No lo hizo: la pistola cayó a la alfombra y él se quedó atónito, la mirada estática, inmóvil sobre la nada. Hubo un momento en que creí que iba a levantar el arma, apuntar, casi pude sentir el disparo, el impacto y verme a mí misma muerta sobre la cama. Aunque no lo hiciera ahora volvería a intentarlo, podría matarme y matarse después, pasaría mañana o pasado o al otro, quizá la semana próxima, un día de estos, la muerte cercana, próxima, certera. Me agarré a la vida.

3

—Tómese su tiempo. Pero no demasiado.

Salí del palacio, había dejado de llover. El aire tembló con el golpe de campana de la iglesia; la una del mediodía o quizá más tarde: una y media. Había perdido la noción del tiempo desde que salí temprano de la Casa del Alemán. Atravesé las calles de un pueblo sumido en un silencio de tumba, el miedo corría por el empedrado como los regatos nacidos de la lluvia torrencial. A pesar de las órdenes de que todo el mundo volviera a sus quehaceres, las pocas personas con las que me crucé iban encogidas, hurtaban la mirada como si temieran que los ojos les traicionaran, delatándolos. La explicación estaba al otro lado del puente: los capotes grises y el charol de los tricornios de dos guardias civiles, quietos como estatuas o muñecos disfrazados, ellos también con las caras graves y consumidas por el miedo. No me acerqué, continué por la ribera del río hacia las afueras donde ya no había calles y las casas se separaban unas de las otras y del pueblo como si no quisieran saber de él. Entre la curva más pronunciada del río y la carretera principal estaba la vivienda modesta y campesina donde Fidel vivía y tenía su consulta; sabía cómo encontrarla porque durante los días de mi convalecencia me había contado cómo se le inundaba el huerto cuando el Pas bajaba crecido.

Escuché relinchar a *Sabino* tras la casa, en un trozo de verde enmarañado y salpicado por unos cuantos árboles escuálidos, descuidado, abandonado al ramoneo del caballo. El médico no tenía tiempo para cuidar de ese huerto y tampoco de sí mismo, llegaría hasta allí cada tarde, agotado, calado por culpa de la lluvia, quitaría la silla al caballo, lo metería en una cuadra que también era pajar y almacén y se iría a cenar lo que le hubiera dejado Caridad o alguien mandado por ella, comería solo intentando esquivar el vacío frente a él, se fumaría una pipa antes de irse a la cama, que se quejaría de su peso con un chirrido para recordarle su soledad, tan parecida a la mía. ¿Podía confiar en él?

La puerta de dos hojas estaba abierta y tras ella, en la entrada estrecha, dos mujeres esperaban sentadas en un banco de madera. Una de ellas sostenía un niño de meses envuelto en trapos que gimoteaba; lo había sacado del cesto de corteza de castaño entrelazada en el que las pasiegas cargan a sus críos.

—El médico no está —se adelantó la mayor de las dos mujeres, tenía un bulto grande como una pelota de tenis en el cuello. Bocio.

—Esperaré aquí, si no les importa.

Me miraron incrédulas cuando me senté junto a ellas y se hizo un silencio repentino, receloso; seguro que las había sorprendido comadreando de la hazaña de Angelín y no querían que las escuchara una extraña. El bulto de los trapos empezó a llorar con un quejido suave, monocorde, de animal herido. La madre le mecía cada vez más nerviosa y la mujer del bocio le daba consejos incomprensibles.

—Ojeu: cuidado que hay que cuidarse del mal de un envidioso cuando envidia. ¿Le has pasau el huevo?

—Lleva cintas coloradas desde que nació y bien de ruda y de pelo de tasugo en la cuna —contestó la madre.

—Inténtalo con un buen abogau y lavarlo bien en agua milagrera. Ese avío es para la Vijana, no para el médico.

—La Vijana ya lo miró y me mandó pa'ca, que ella ya había hecho lo que tenía que hacer.

La otra asintió como si aquello fuera la panacea. Protegidas por su galimatías, hablaban como si me hubiera ido o fuera invisible; casi estaba por creer en mi propia inexistencia. ¿Qué hacía allí? En realidad no tenía por qué confiar en Fidel si él mismo reconocía que le debía casi todo a Santos, hasta la casa junto al río y la plaza de médico del valle, pero el cacique hablaba de él sin respeto, como se habla de un sirviente. El llanto no cesaba, me laceraba, se me metía en la cabeza amenazando con hacerla estallar. Al fin y al cabo, no le conocía tanto, solo me había practicado un aborto como seguramente les hacía a mujeres como aquellas que llegarían a él tan desesperadas como yo para que el médico les librase de un hijo no deseado o les salvara un hijo moribundo. No podía fiarme de él: si le contaba lo que había ocurrido, ¿quién me aseguraba que no le estuviera sirviendo en bandeja una oportunidad para vengarse por mi rechazo y correr a contarle a su amo mis intenciones? Pero Santos se equivocaba: la soberbia le había traicionado y había olvidado que yo ya había escapado antes. Y de un carcelero mucho más severo.

—Creo que tengo que irme. Buenas tardes.

No sé si respondieron, no les di tiempo.

La escuela no estaba lejos, solo un poco más arriba, junto a la carretera general. Como cada día, Paquita estaba a punto de acabar las clases. No había ocurrido nada, nadie había visto bajar del monte a Angelín y este no había volado las vías del tren ni invitado a café a la Guardia Civil. Las autoridades parecían tan interesadas como la población en fingir que la guerrilla no existía, aunque por motivos distintos.

Esperé sentada en un murete de piedra al otro lado del edificio; la tormenta había cesado pero tenía la lluvia metida dentro, me subía por los pies por culpa de los zapatos mojados. El edificio de la escuela tenía el encanto de la sencillez rústica y útil; el tejado rojo, la fachada blanca con el adorno de ladrillos tan rojos como las tejas, la única planta dividida en dos por una pequeña torre que subía un piso más para servir de vivienda a la maestra. Los dos arcos de la torre como bocas pintada y sobre ellos los dos ojos de las ventanas: la habitación de Paquita. Si hubiera traído conmigo el cuaderno y los lápices estaría dibujando la escuelita para entretener la espera, pero me temblaban las manos.

Venteó el aire que había despejado la tormenta, me cerré bien la gabardina.

El graznido de unos cuervos que se habían posado en los cables del telégrafo a mi espalda sonó justo antes del repentino abrirse de las puertas para dejar salir a las rapazas, algunas con los hermanos pequeños de la mano. Era una escuela para niñas: los varones eran admitidos solo si tenían menos de siete años y en cuanto los cumplían los llevaban a las escuelas nacionales de Cervera de Toranzo, eso me había dicho Paquita, que estaba contenta porque prefería quedarse solo con las niñas, más formalitas y responsables, aunque a la mayoría las sacaban pronto de la escuela para ponerlas a trabajar con sus mayores, a lavar, a ordeñar, a segar, a atropar la hierba por aquellas laderas de vértigo, a hacer la muda llevando al ganado de pasto en pasto por sus campos alejados y pequeños, apenas un cuadrado que se recorría en diez pasos, colgado del monte como una sábana puesta a secar sobre un prado.

Me acerqué a dos niñas que charlaban entre ellas y no corrían como las demás:

—¿Conocéis a Ludi?

Me miraban y remiraban sin decir palabra. Al cabo, una de ellas, menos desconfiada, señaló:

—Es aquella.

Rubiaja, el pelo corto y liso, no muy alta pero fuerte, de mofletes colorados y los ojos tan grandes y azules que parecía que le hubiesen brotado dos flores de aciano en la cara. Iba a ir a su encuentro cuando Paquita salió a la puerta: me había visto.

—¡Amalia!

No pude darle a Ludi el mensaje para Presen, la prima de Angelín: no, tuve que ir a saludar a Paquita. Quieta bajo uno de los dos arcos, también parecía una estatua como los civiles del puente y al darle dos besos noté otra vez el cuerpo en tensión, la aversión al contacto físico que creía vencida.

—¿Ya estás buena? —dijo.

—Sí, los ataques, ya sabes, se complicaron...

Tenía que mentir porque era imposible decirle la verdad, no en un mundo en el que a ambas nos estaba vedada la verdadera confianza y el cariño sincero. Una enorme zanja nos separaba. Si Paquita hubiera tenido la más remota idea de lo que yo había hecho y además con ayuda del hombre del que estaba enamorada, si conociera el pecado que habíamos cometido, correría a denunciarnos.

—... pero estoy mucho mejor.

—Sí, ya te veo: tienes buen aspecto. Creo que te ha estado atendiendo Fidel, quiero decir... el doctor Peña.

—Sí. Es muy buen médico, pero estricto —contesté.

—¿Ah, sí? Bueno, no lo sé, yo nunca me pongo enferma.

Echó una risilla nerviosa teñida de desconfianza.

—Después de tanto preocuparme por ti, vino Caridad a decirme que no acudiera a visitarte, que estabas delicada... Y ahora te veo tan campante; pues cómo no va a sorprenderme encontrarte así de buenas a primeras, paseándote por el pueblo, entrando y saliendo de casa de don Santos, porque aquí todo se sabe. No te has dado prisa en avisarme. Y con todas esas precauciones que tomabas resulta que ahora tampoco tienes reparo en que te vea alguien, algún visitante de Madrid, que te reconozca y vaya a contarle a... a quien tú ya sabes.

La sospecha me atravesó como una centella: quizá no debía haberle contado nada de mí ni de mi perseguidor. Aunque tampoco había que exagerar: este enfurruñamiento no era más que la reacción infantil de una persona solitaria, recelosa, y yo había cometido el error de no contar con ella cuando a Paquita lo que le gustaba era sentirse imprescindible, como a todas las personas que no lo son.

—Perdona, tienes mucha razón, precisamente por eso había venido. Para ver cómo estabas.

—Pues estoy bien, como siempre...

Dio un respingo: el Citroën negro de Fidel acababa de pararse en la carretera. Desde que Fidel salió del coche hasta que atravesó los cincuenta metros de camino que separaban la escuela de la carretera, ninguna de las dos abrió la boca.

—Amalia, ¿me estaba buscando? Buenas tardes, Paquita. ¿Cómo está?

Se puso colorada y balbuceó un saludo. Él, sin escucharla ni apenas mirarla, se dirigió a mí:

—Tengo un poco de prisa, pero puedo acercarle hasta su casa y me lo cuenta por el camino.

Ambos nos despedimos de la maestra, que no sé qué contestó, y fuimos hacia el coche recorriendo la campa. Antes de tutearme se aseguró de que Paquita no podía oírnos:

—Me dijeron que pasaste por la consulta. ¿Ha ocurrido algo?

—¿Está grave el niño?

—¿El niño? Ah, ya... tiene lo que tantos aquí: anemia, parestesia, calambres, déficit de vitaminas y proteínas. Malnutrición, igual que sus padres. Pero no creo que sea esa la razón por la que me estabas buscando.

Me abrió la puerta para que entrara en el coche. Solo cuando arrancó me atreví a mirar por el espejo retrovisor: allí seguía Paquita, donde la habíamos dejado. La figura detenida se iba empequeñeciendo en el reflejo. Siguió sin moverse mientras el coche se alejaba, quieta como una figurita de belén que un niño hubiera olvidado en medio de la calle, hasta que al doblar la primera curva se perdió de vista.

—¿Por qué me buscabas?

Tras las gafas, su mirada limpia, sincera. Un buen hombre. Me sentí culpable por desconfiar de él.

—¿Qué te parece Paquita?

—¿Cómo?

—Paquita, acabas de saludarla. ¿Es que ni siquiera te has fijado?

—¿La maestra? Bueno, la he saludado. No me digas que he sido grosero.

Al menos la grosería hubiera supuesto reconocer su existencia y la hubiera hecho visible por fin. Lo dijo de esa manera en que hablan los hombres, esa ironía que usan para definir sus propios defectos de forma orgullosa o despreocupada, la confianza irrompible en su propia valía que aprenden desde niños y que nos está vedada a las mujeres. Me molestó su seguridad en sí mismo, en su posición privilegiada. Yo estaba tan sola y era tan frágil como Paquita.

—¿Qué piensas de una mujer que pasa de los treinta y no se ha casado?

—Pues que seguramente no ha encontrado a la persona adecuada.

—¿Y de un hombre en la misma situación?

—Exactamente igual.

—Crees que ambas situaciones son exactamente iguales.

Estaba sorprendido.

—¿Adónde quieres llegar?

—Adonde hemos comenzado: a Paquita.

—¿Es alguna clase de acertijo? Porque por tu tono parece que me estés poniendo a prueba.

—Puede que sea así, por eso debes prestar mucha atención no solo a mis preguntas, sino también a tus respuestas.

—Te prometo estar atento.

—¿Eres un solterón?

Primero se quedó atónito y luego estalló en carcajadas.

—Amalia... no sé qué decir, perdona —contestó, todavía entre risas.

—Ya veo que no te consideras uno de ellos y que jamás has pensado en ti mismo como tal, si no, seguro que no encontrarías mi pregunta tan divertida.

—Eso me temo, sí. ¿Debería considerarme un solterón?

—No lo sé. Eso depende de si tienes o has tenido intención de casarte o, por el contrario, es algo que descartas en cualquier caso. Depende de si en algún momento te enamoraste y el amor de tu vida te rompió el corazón y decidiste guardar para siempre ese cariño rechazado para ti mismo y no para uso y disfrute de alguna otra mujer. También si ella murió. Como tantos hombres, porque hubo una guerra y murieron muchos en ella o quedaron mutilados o enfermos, ya no quedan hombres para tantas mujeres solas...

Ya no reía, al contrario, se había puesto muy serio.

—Depende de si alguna vez se te ha pasado por la imaginación compartir tu vida con alguien y formar una familia, tener hijos, envejecer junto a una persona que amas y admiras y respetas. Depende de si eres pobre y crees que no tienes nada que ofrecer a la persona amada o de si te crees tan degradado y miserable como para encontrar a alguien que te ame si no es por interés, por tu posición y tu fortuna.

—No sigas, por favor.

—Depende de tu aspecto físico, de tu juventud o belleza o falta de ella, para poder enamorar a la mujer de tus sueños o simplemente a aquella que esté más disponible.

—Por favor, Amalia, ¿por quién me tomas?

—Te tomo por lo que eres, un hombre que ni siquiera ha mirado a una mujer que se sonroja solo con verle aparecer. Sí, Paquita, la maestra, bebe los vientos por el médico de Puente Viesgo. En cambio, el respetado doctor Peña jamás sería tomado por un solterón, esa palabra infamante, puesto que él podría casarse mañana mismo si lo desease, esa es la diferencia. Una mujer y pobre además, de la que se reiría medio pueblo si supiera de sus aspiraciones, ¡cómo va a tener derecho a soñar siquiera en casarse con tan buen partido! A quién se le ocurre... ¡Una maestra! ¡Una solterona! Y es terrible porque a pesar de todo muchas veces me gustaría ser ella, sí, una solterona a la que desprecia todo el mundo por no haber podido pescar marido, condenada a estar sola de por vida y sin embargo, libre, libre quizá para morirse de pena o de hambre, pero libre, me cambiaría por cualquiera de esas mujeres ahora mismo...

La rabia insoportable me hizo saltar lágrimas.

—¿Qué es lo que ocurre, Amalia? ¿Qué es lo que quería Santos de ti?

—Perdona... No sé qué me pasa, he sido injusta contigo...

Otra vez su pañuelo grande, blanco, suave, cálido, con la F grande bordada en azul.

—Nunca llevas pañuelo. —No sonó a reproche, quería hacer una broma.

No, porque siempre lo llevaba él por mí: me estremecí al recordar lo que decía: «Estás guapa cuando lloras».

Un frenazo. Tras la curva, un civil, naranjero al hombro, levantaba la mano para detenernos. Otra pareja de guardias cortaba la carretera: las fuerzas del orden habían tomado el valle, cerraban el cerco al maqui. El guardia se acercó a nosotros.

—Deja de llorar, mujer, disimula un poco —me susurró—. Buenas tardes.

—Buenas. No se puede pasar.

—Voy a dejar a esta señora en su casa, en Aes.

El guardia me echó una mirada suspicaz a través de la ventanilla, yo todavía con media cara tapada por el pañuelo. Intenté sonreírle.

—Buenas tardes.

—Identificación.

El otro guardia se acercó también.

—¿Qué haces, hombre? ¿No ves que es don Fidel, el médico?

—Pero el mando ha dicho que no dejemos salir ningún coche del pueblo. Sin excepciones.

—Calla, anda; verás cómo te acuerdas del médico si te pegan un tiro. Perdone, don Fidel, ya sabe: estos novatos que tienen prisa por ponerse medallas…

Fidel dio las gracias y arrancó. El Citroën rugió y minúsculos trozos de carretera mal asfaltada saltaron a su alrededor.

4

Avivó el fuego removiendo los leños con el atizador y el calor de las llamas me golpeó en la cara.

—¿Se ha vuelto loco?

—No exactamente. En estados avanzados, la malaria causa delirios; el paciente va perdiendo contacto con la realidad y puede caer en manías y episodios psicóticos. Son síntomas de que ha empeorado, de eso no tengo duda.

Dejó de pasear de lado a lado de la chimenea, se sentó en la butaca frente a mí y encendió la pipa. Yo había hecho café, lo serví.

—Es más, estoy convencido de que esa estrafalaria proposición, porque no puedo calificarla de otra manera, es producto de su enfermedad.

Quizá tuviera razón, pero aunque le conté lo que había pasado en la casona del indiano, no mencioné nada sobre la existencia de la fotografía misteriosa. La mente racional del médico se negaría en redondo a creer que yo apareciera retratada en el lugar en donde nos encontrábamos pero hacía treinta años. Jamás admitiría la posibilidad de que el futuro pudiera reflejarse en el pasado, ni que una prueba de ello y no solo la malaria, hubiera trastornado a Santos. No podía decírselo porque necesitaba un amigo que confiara en mí.

—Tienes que irte. Cuanto antes —dijo.

—Eso es lo que pretendía. Llevo planeándolo desde hace tiempo, y ahora, con más razón.

—Pero hay que descartar por completo cualquier colaboración con ese pobre hombre, el tal Angelín. Ya has visto el cerco que han montado... No puede ayudarte, si es que estuvo en algún momento en disposición de hacerlo, cosa que dudo. Pero no te preocupes, algo se nos ocurrirá.

El humo dulzón de la pipa me recordaba a mi padre. En el regazo, sobre mi falda, brillaban las alhajas que me quedaban: las perlas, los zafiros. Habíamos hablado de que necesitaría dinero para comprar billetes, pagar alojamientos o comprar alguna voluntad; sabía en qué joyería de Torrelavega las comprarían. Fidel ni las había mirado —«Guarda eso»— y me ofreció sus ahorros, que yo no había aceptado. Volvimos a quedar en silencio.

Le serví más café negro parecido al de Cachita, aunque no tan oloroso. Yo no había comido en todo el día, pero me sentía incapaz de tragar siquiera un trozo de pan. El café me quemó los labios. Mi amigo se ajustaba las gafas con ese gesto inconsciente tan suyo y miraba el fuego concentrado, serio.

—Santos no te cree capaz de ayudarme. Me sorprendió, creí que te apreciaba, que te respetaba como médico, incluso como amigo.

Se le ensombreció la cara, el puño cerrado sobre el brazo de la butaca, crispado, los nudillos blancos, el brazo en tensión con un pequeño temblor. ¿Hasta dónde llegaba la relación de aquellos dos hombres? Bajo la chaqueta de paño grueso, recordé que había marcas en las venas arrasadas, doloridas.

—No creo que respete a nada ni a nadie, menos ahora. Reconozco mi culpa; yo mismo le di motivos para despreciarme mostrándole mi debilidad, soy responsable de ello.

No quiero que suene a excusa, pero existen otras enfermedades que... no son causadas por una infección del organismo, ni una bacteria, ni un mosquito. Son más difíciles de explicar. Y de curar. Puede que no maten pero te hunden en la apatía y la desesperanza haciendo que la vida parezca un abismo.

Se quitó las gafas, las limpió con su pañuelo blanco que ahora estaba arrugado por mis lágrimas y lo volvió a guardar en el bolsillo deformado de la chaqueta. Los ojos miopes empequeñecieron como si se apagaran y se frotó el puente de la nariz: le había quedado una marca.

—Pero eso se acabó. Si cree que puede manejarnos a todos a su antojo, arrastrándonos a su locura, se equivoca.

El ceño crispado.

—Puede perjudicarte.

—No creo que se atreva.

Volvió a ponerse las gafas, cogió la pipa, el ceño desapareció.

—Olvidémonos de él, ¿quieres? —De su boca salió una niebla blanca, el humo se enroscó sobre su cabeza—. Estaba pensando... quizá pueda buscar un sitio donde refugiarte: el médico de Deva es compañero de facultad: podría acogerte durante un tiempo. Estarías más cerca de la frontera.

No hacía falta que le recordase que sin permiso de mi marido no podía salir del país.

—No, tengo que salir de España. En cualquier otro pueblo, incluso en una provincia distinta estaría en la misma situación, incluso peor. Mi marido me habrá denunciado por abandono de hogar, mi nombre puede estar escrito en cualquier comisaría junto a una orden de búsqueda. Aquí al menos sabemos que Santos impediría que me detuvieran.

—Eso es verdad: no dejaría que pasases en el cuartelillo ni una noche, mucho menos que dieran parte a Madrid.

—Pero él me está buscando. Santos sabe quién es y dónde está, pero no hace falta que él me lo asegure: se acerca cada vez más.

Volvimos a quedarnos en silencio pero mis palabras flotaban en el aire cargado de humo de pipa, se enredaron en él y entre ellas hasta que desaparecieron del todo.

—Espera. Hay un hombre… —dijo, de pronto—. Un delincuente. No como tu amigo el guerrillero, sino un verdadero estafador y ladrón, inteligente, un tipo curioso. Le operé de una peritonitis que casi se lo lleva al otro barrio y me dijo entonces que antes o después me devolvería lo que me debía, que le buscase si necesitaba de él. Esta gente es así; tienen una especie de código, no diré que de honor, pero algo parecido. Y el sujeto es fácil de encontrar porque está en El Dueso cumpliendo condena.

Como el ladrón y el guerrillero nos habíamos convertido en delincuentes desde el mismo momento en que escapé de mi marido, también desde que Fidel comenzara a practicar abortos. Nos habíamos puesto al margen de la ley, todos estábamos en peligro. ¿Cómo había sido posible? ¿Cuándo empezó todo? Quizá al ir Jesús a la guerra y no morir en ella o desde que Santos contrajo la malaria y volvió al valle. Entonces se pusieron en marcha mecanismos imposibles de controlar. Todos estamos relacionados, conectados y lo que le ocurre a uno influye en muchos otros, en una ecuación imprevisible que nos atraviesa como un rayo, juntándonos, separándonos, jugando con nuestros deseos y nuestras vidas.

—Un ladrón que está en la cárcel entrará a formar parte de esta historia —dije, por decir algo.

—Si nos consigue un pasaporte falso. Pero no echemos las campanas al vuelo todavía.

Ese era su plan, que había sustituido al mío, mucho más arriesgado y azaroso. Tuve que aceptarlo, aunque hubiera puesto mi vida en las manos del bandolero sin dudar. Al día siguiente Fidel iría a Santoña, a El Dueso, a pedir ayuda a un estafador encarcelado.

—No hay tiempo que perder —dijo mientras se ponía la gorra de tela escocesa y se alejó a pasos rápidos siguiendo el sendero de lascas. Mientras caminaba levantó una mano como despedida, sin volverse.

Tiempo. No podía dejar el cuadro sin terminar, hubiera sido como romper un pacto sagrado, faltar a una palabra dada. De una manera irracional estaba convencida de que todo dependía de aquella pintura que me había salvado la vida, que seguiría haciéndolo siempre, a lo largo de los años. Ya no quedaba mucha luz, tenía que darme prisa y aprovechar antes de la caída de la tarde. Fui al estudio, me puse el mandil, comencé a mezclar colores: sobre el azul, más rojo, blanco y un poco de negro hasta llegar al violeta. Iba a pintar las setas de pie azul.

ELISA

El soldado desconocido

1

Esto es real, no un sueño.

Lo entendí en el momento preciso, cuando necesitaba llenar el vacío que había dejado Jim. El dolor y la angustia se adormecieron al comprender que eran tan pequeños y prescindibles como yo misma. Seguían ahí y quizá siempre estarían, pero ya no podrían reclamar un alma entera: tendrían que compartirme con la alegría, la esperanza, la vida. Y Jules, siempre presente, antes incluso de hacerme su promesa bajo los arcos de la plaza de los Vosgos. Aunque había intentado olvidarla, la recordaba palabra por palabra: «Pase lo que pase, te amaré como la esposa de mi amigo y te juro que mientras vivas no amaré a ninguna otra». El tiempo había pasado sobre nosotros, zarandeándonos, y ya no había amigo, no había esposa: solo estábamos vivos él y yo.

Empaqueté el equipaje, la cámara, una maleta y las cajas con las placas, los negativos, las copias, mi trabajo. Quizá solo una de todas las fotografías que había tomado en mi vida tuviera algún valor: aquella en la que una mujer inesperada aparecía sin que yo la hubiese llamado. Su nombre era Amalia. Había tenido que conocer una guerra mundial y todas las pérdidas, infinitas ausencias, para entender su significado. Ahora Amalia y yo, quizá también el fantasma de aquella otra mujer que vi en la casa, todas nosotras, saldríamos de un túnel de tiempo. Quién sabe lo que nos esperaba al otro lado.

Salí al jardín. La casa me pareció más extraña y ajena que nunca a la hora de abandonarla. Al cerrar la puerta, el cerrojo sonó con un estrépito de portón de castillo. Guardé la llave, tan grande y pesada, en el bolsillo y me alegré de llevar aún el capote militar recuerdo de los hospitales de trinchera: el peso y tamaño de aquella llave era incompatible con un abrigo de señora a la moda.

El jardín se deshacía en el sol del crepúsculo que envolvía el valle entero como un chal de lana fina. La conciencia de que quizá no volvería a verlo me afilaba los ojos y los sentidos. ¿Adónde iría ahora? Marchar, seguir el camino. Quizá formara parte del circo ambulante de Jules o no, pero tenía que alejarme de ese monte que tenía delante, que se hacía más y más grande a medida que recorría el camino que descendía hacia el río y el pueblo. Seguía sintiendo la misma atracción por él que Jim me había contagiado, el zumbido magnético de un imán gigantesco. Por eso no debía acercarme, ni tan siquiera mirarlo si no quería volver a quedar atrapada y caer en la sima que sabía que se hundía en su interior. Porque lo conocía, había estado dentro de su tripa oscura y húmeda y reconocido el misterio pintado con los ojos de Jim en un sueño que no era tal. Porque esto no es un sueño: es real, ¿recuerdas?

Al borde del camino estaba el prado donde vi el ejército de soldados muertos como un presagio de la llegada de mis propios fantasmas. Brillaba de verdor bajo la tarde, las vacas paciendo en él, tranquilas, sin levantar la cabeza a mi paso; parecía imposible que hubiera sido el escenario de una visión terrorífica. Pero ya no temía al resplandor que anunciaba a los espectros: eso me dio fuerzas para alejarme y dejarlo atrás, llegar al puente sobre el río, cruzar al otro lado y llegar hasta los edificios del balneario y su decorado, el atrezo de una época que se acababa, levantada con esfuerzo de tramoya en la que podía vislumbrar la ruina próxima y un renacer en otro tiempo. Ahora podía leer en las capas del pasado, el presente y el futuro como en estratos abiertos en la tierra, como en las páginas de un libro.

En la recepción me dijeron que don Julio estaba en el salón de baile donde proyectaba una de sus películas y me dirigí allí sin cruzarme con nadie: casi todos los visitantes del balneario se habían reunido en el salón, no había sitio libre y me quedé en la puerta, pero a pesar de la oscuridad el hombre del frac impecable me vio, salió de entre las sombras y atravesó el haz de luz. Su silueta rompió fugazmente el blanco y negro de las imágenes, fue a descorrer las cortinas, la luz del exterior entró en el salón de baile y salió un murmullo del público.

—Señoras y señores, tenemos que suspender la proyección; les ruego me disculpen.

Con murmullos y quejas pero obedientes, los espectadores se levantaron y comenzaron a despejar el salón. Doña Guillermina se detuvo a mi lado para susurrarme al oído e inundarme con su olor a perfume dulzón y pegajoso.

—Es guapo el francés, a mí también se me van los ojos, si tuviera diez años menos no se me escapaba. Pero no te conviene, esos galanes son para pasar el rato. Gustavito aún bebe los vientos por ti, no hagas el tonto.

No respondí, ni siquiera la miré y ella pasó de largo seguida por su sobrina muda y traslúcida, como el resto de adictas a los baños, a las charlas de don Gustavo y a la ruleta. También salió el general, quien había solucionado sus querellas con don Romano; ambos me saludaron con un gesto de cabeza sin soltarse del brazo de las rusas, hablando con ellas en un francés sacado de las novelas galantes. Absurdos, descarnados, descoloridos, personajes vomitados por la pantalla de cine, perdidos en el mundo real sin saber cómo regresar a su verdadera dimensión.

—Gavroche, ve a la casa del bosque y trae aquí las cosas de Elise, por favor. Luego recogerás todo esto.

El criado siempre estaba cerca de su patrón: le di la llave y salió. Nos quedamos solos en el salón vacío, separados por las sillas deshabitadas. No recuerdo si hablamos, pero estaba contento y también nervioso, confuso. Yo no.

No nos importó que nos vieran juntos, en el pasillo nos cruzamos con alguien a quien ni siquiera miré, tampoco importó que nos vieran entrar en la habitación. Abrió la puerta esquivándome casi con miedo, sin tocarme, sin saber qué decir, pero es que ya no había nada que decir. Tenía las manos frías, las besé y no las apartó ni se movió tampoco cuando le besé el cuello, la cicatriz, la boca. No me abrazó, ni siquiera me devolvió el beso pero tampoco me rechazó, creo que aún no entendía lo que ocurría, cómo iba a sospechar que todo había acabado y también acababa de empezar. No le dije que era la primera vez: seguro que creía que el primero había sido Jim, qué equivocado estaba. Deshice el lazo de la corbata blanca como si supiera lo que hacía, como si lo hubiera hecho siempre, él se dejó hacer sin decir nada, tampoco cuando le desabroché el chaleco y me desembaracé de mi capote de soldado, la falda, la blusa, manchas blancas y grises que cayeron al suelo con un roce blando. Tenía que ser yo quien me acercara a él, desnudarle, tocarle, ponerle una mano en mi pecho, en el sexo; no iba a ayudarme porque era yo quien tenía que demostrar que podía reconocerme en su promesa: todo había empezado entonces y este era el final.

Lloraba sin hacer ruido, bebí sus lágrimas hasta emborracharme con ellas y con la respiración entrecortada que salía de su boca, en cada murmullo y cada beso, gemido, caricia. No fue un regalo ni una claudicación ni busca de consuelo ni triunfo de la vida sobre la muerte, no era ninguna de todas esas cosas que arrastran de la pena al placer urgente, inconsciente. Con las prendas caídas en el suelo también me desprendía de las capas de Jim, me las arrancaba de la piel y del corazón; casi podía verlo delante de mí, en la habitación en penumbra, su fantasma disolviéndose en una bruma. Vivo o muerto ya no podría arrastrarme con él hacia su abismo.

La tarde y luego la noche caen y seguimos sin separarnos, sin despegar los labios de los labios del otro, los cuerpos como atravesados por un rayo que no cesa ni se detiene, un fulgor nos abrasa, nos incinera hasta que se extingue, el viento sopla sobre nuestras cenizas esparciéndolas por un pasado que no ha pasado y ni tan siquiera es mañana, solo presente.

2

Desperté en una cama ancha y fría: no estaba en ella. Al levantar la cabeza de la almohada vi las hojas de papel sobre la mesa, las palabras escritas con letra escarpada apiñándose en las hojas blancas sin una sola tachadura, bajo el membrete azul del hotel del balneario.

Elisa, Lisa, Lise:

Solo ahora me decido a escribir, mientras todavía estás dormida a mi lado y siento que te traiciono una vez más y me falta el valor para decírtelo de otra manera. Soy un cobarde, los valientes no sobreviven, tú misma lo dijiste. Jim ha ganado también esta vez, como siempre y en esta carta reconozco mi derrota. No tengo que esperar a que despiertes: aunque no lo hayas dicho, sé que nunca seré para ti más que su pálido reflejo y que debo desaparecer con él. Créeme si te digo que no hay en mi ánimo intención ninguna de afligirte aún más, pero estoy obligado a contar todo lo que hice, mejor dicho, hicimos los dos, lo que sé y no sabes. Porque te he mentido y Jim también.

¿Qué carta era aquella? ¿Me estaba diciendo adiós? Tuve que hacer un esfuerzo para seguir leyendo y no recordar al jugador tísico que se había tirado del puente del balneario: la imagen de Jules hundiéndose en el río.

Te conocí antes de todo. Salías de una casa elegante cargada con tu cámara, sola, caminabas por el centro de la calle con ese ensimismamiento de rebeldía inconsciente, natural, tan propia de ti, como si pudieras hacer nuevo el mundo con cada pisada. Fue eso, tu forma de caminar, lo primero que llamó mi atención. Parecía que la gente se difuminaba a tu lado como si todos estuviéramos muertos en comparación, abriéndote paso entre fantasmas. Confieso que te seguí como un espía, vi cómo hacías fotografías en una plaza que no recuerdo. Me pareció que así intentabas atrapar la vida entera y a mí en ella. Llegué a seguirte durante horas, tus idas y venidas hasta que entraste en una casa donde luego supe que vivías. Di vueltas alrededor sin saber qué hacer, hasta se me pasó por la cabeza llamar a la campanilla, presentarme a mí mismo, pero era tan absurdo que desistí, ¿qué podría decirte? Ni siquiera sabía tu nombre, me hubieras tomado por un loco o un pervertido de los que acosan a las mujeres en la calle o te hubieras reído de mí con razón, del desconocido con aspecto de pobretón y patéticamente ofuscado. Estuve allí tanto tiempo que se hizo de noche; me senté en el banco de enfrente de la avenida viendo cómo se encendían las luces en las ventanas y esperé a reconocer tu silueta. Pero no te vi. Me fui intentando convencerme a mí mismo de que no eras más que una chica guapa de la que me había encaprichado, una chiquillada. Pero esa noche no pude dormir, veía tu pelo brillar en la oscuridad del cuartucho de la pensión y entonces, te parecerá una tontería, me convencí de que no hacía falta que te buscara porque un día, tarde o temprano, tú y yo nos encontraríamos, estaríamos juntos y nos amaríamos. Como si estuviera escrito y fuera inevitable.

Después de eso creo que no hablé durante días, no comía, no dormía ni podía pensar en otra cosa que no fueras tú. Jim se dio cuenta: no sabía esconderle nada. Él bromeó como hacía siempre, esta vez con mi «misteriosa desconocida» y me reprochó mi timidez: él siempre conseguía lo que quería de las mujeres, de los hombres, de todo el mundo. Se propuso averiguar tu nombre y al final supo cómo vivías y de qué y hasta de quién eras hija... También que trabajabas: una mujer moderna, «del siglo XX», decía, riendo. Como en un juego me empujaba a buscarte, a perseguirte, y yo me resistía, porque tú vendrías a mí, solo tenía que esperar, estaba seguro; ahora me parece tan ridículo... Pero tienes que entender que no era más que un crío solitario, perdido. Una noche Jim entró en la habitación que compartíamos en la pensión: había decidido que dejaríamos París para ir a Biarritz. Esas repentinas ideas no resultaban extrañas en él, eran frecuentes las escapadas improvisadas sobre todo cuando le llegaban misteriosas remesas de dinero; conmigo o sin mí desaparecía durante días empeñado en alguno de sus muchos proyectos, siempre distintos: publicar un periódico, comprar un caballo de carreras, producir una obra teatral... Siempre inquieto, buscando alguna nueva pasión que lo llenara o le ayudara a escapar de algo que yo nunca vi: no sé qué le movía a hacer aquellas cosas, pero yo le seguía a donde fuera. Entonces no hubiera podido negarle nada, tampoco lo hice entonces sin sospechar que sabía que tú estarías allí. En Biarritz. No sé cómo se enteró, pero le divertía hacer de Cupido y lo confesó al llegar: estaba decidido a hacer que nos encontráramos, así podría comprobar por mí mismo que eras una mujer como todas las demás, no la diosa que imaginaba. Pero para eso teníamos que colarnos en la fiesta de una casa de modas de postín: de tu protectora dijo que era tan escandalosa como tu propia madre. Me mortificaba que se burlara de ti y de todo lo que te rodeaba y le di un puñetazo, pero él me lo devolvió y me tumbó: era mucho más fuerte que yo y además sabía boxear, siempre fue mejor en todo. También podía ser un bribón capaz de engañar a cualquier incauto; invitado a una fiesta encopetada en una embajada y al día siguiente en la boda del hijo de un carnicero en donde todo el mundo lo tomaba por el padrino, cosas así. A veces lo hacíamos por diversión y otras por necesidad, viviendo como vagabundos o como tramposos, yo como simple acompañante de un príncipe de las mil y una noches que se disfrazaba de mendigo para poder vivir libre, sin ataduras, escapando otra vez de la sombra que le acosaba. Le adoraba y no lo digo como excusa: no me arrepiento.

—Yo tampoco —dije en voz alta.

Antes de conocerle mi vida estaba decidida, destinado a hacer lo que todo muchacho judío debe hacer que no es otra cosa que seguir los dictados de sus mayores, trabajar en el negocio familiar, casarse con una buena chica judía en un matrimonio arreglado por la *shadchen*. Mis tíos eran propietarios de una sastrería en la plaza de Saint Paul, crecí entre rollos de tela, tijeras, costureros. ¿Me imaginas como sastre? Lo cierto es que no encajaba, me escapaba, hacía trastadas, no estudiaba y ni los golpes ni las amenazas servían conmigo. Hasta que conocí a Jim y me fui para no volver: solo tenía diecinueve años y el *goy*, otro extranjero como yo, me descubrió el mundo. Aprendí lo poco que sé con él, lo bueno y lo malo. Hasta llegué a robar en casa de mis tíos, fue idea suya, le había dicho dónde tenían la caja en la que guardaban el dinero y me convenció, fue muy fácil. Le divertía jugar a ser un canalla y quizá podía permitírselo porque en realidad era un caballero, en cambio yo no pude regresar con mi familia. Entonces no me importó porque a cambio tenía a un amigo inseparable.

He dicho que no te mentiría, así que reconozco que no fuimos ángeles, nos divertíamos haciendo gamberradas, emborrachándonos, buscando pelea, engañando a las modistillas a las que robábamos besos y zurrándonos con sus novios, saliendo por los balcones huyendo de los maridos cornudos. Y frecuentábamos burdeles; ya ves que no me guardo nada, nada de lo que no has querido saber durante todo este tiempo y que quizá ahora te interese conocer, aunque no por mí, sino por él: siempre me preguntabas queriendo saber más de su vida. En realidad tampoco conozco a ese otro Jim salvo por las piezas desencajadas que a veces se olvidaba de ocultar. Y yo no preguntaba nada: piensa que solo era un niño antes de conocerle, ni siquiera había estado con una mujer hasta que conocí a Jim, ya te he dicho que él me enseñó todo lo que sé, hasta a besar.

Todo lo que había escrito, palabra por palabra, su fascinación, su devoción eran mías, podía reconocerme en ellas: Jules no era reflejo de Jim sino el mío.

Y entonces, te conoció. Al principio no dijo nada, ni siquiera bromeó, por eso supe que le habías causado impresión, pero al cabo de unos días me confirmó que se había enamorado de ti con la misma pasión que empleaba en todo lo demás. «Ella es demasiado mujer para ti. Necesita un hombre, no un niño». No contesté: me lancé sobre él, conseguí tumbarle de un puñetazo al pillarle por sorpresa y desde el suelo, sin levantarse, sin responder a la pelea se levantó y me abrazó: «Tienes razón, me lo merezco. Pero ya no se puede hacer nada; ella me prefiere a mí». ¿Cómo ibas a preferirme? No podía competir con él. A partir de entonces tuve que presenciar cómo os amabais, cómo os prometíais; en silencio, sin protestar si no quería perderos a los dos. ¿Crees que fui noble como un caballero andante? Te equivocas, en el fondo de mi alma seguía creyendo que tú y yo estábamos destinados a estar juntos, que en algún momento dejarías de despreciarme y abandonarías a Jim a pesar de que intentabas disimular que mi presencia te molestaba. Pero la esperanza adelgazaba cada día porque yo veía cómo le querías, cómo hubieras hecho cualquier cosa por él, igual que yo mismo.

Mi inquina hacia ese Ari joven y sin cicatrices, mis celos:

¡qué injusta había sido! Pero ya no podía evitarlo, tenía que entenderlo y no guardarme rencor por ello como tampoco podía guardárselo al amigo a veces mezquino: sí, así era también Jim, pero eso no lo alejaba de nosotros, solo le hacía más humano.

Y entonces llegó la guerra y le doy las gracias a los carniceros que nos llevaron a ella porque me hubiera quedado para siempre en aquel mugriento camastro de hospital solo por ver tu cara junto a mí cada vez que el dolor me torturaba. Tú no lo veías a causa de los vendajes, pero lloraba de emoción cada vez que me tocabas con tanto cuidado para no hacerme daño. Parece ridículo, pero al verte allí, en el hospital, llegué a creer que era un elegido de Dios que me premiaba y la trituradora de las trincheras había sido una de sus pruebas para demostrarle que te merecía. Volvería allí ahora mismo, al momento en que aún esperabas encontrarle vivo y yo te contaba historias inventadas sobre él, sobre su infancia solo por darte gusto: te he dicho que no te mentiría a pesar de que soy un mentiroso y un cobarde, sí, por eso me cambié de nombre, para dejar de ser alguien despreciado y convertirme en otro, un nombre inventado en una tumba, un soldado desconocido, como tantos. Elisa, mi Elise y su Lise: créeme si te digo que estaba convencido de que moriría allí, no creía que podría sobrevivir; el día que te dije adiós estaba convencido de que no merecía vivir, no si tú me despreciabas. Pero si yo no merezco tu amor, tampoco él. Ahora tengo que contarte la verdad por mucho que la tema, por mucho que te duela.

Ocurrió en Berlín. Cuando el sargento Lang se presentó a la puerta del teatro creí que era un pícaro que intentaba sacarme algo de dinero con algún cuento: me encontré a un mendigo, como él hay muchos veteranos, en todas partes. Pero comprobé que aquel pordiosero conocía muy bien a los Maltzan: su padre había sido el chófer de la familia, se había criado junto a Jim y sus hermanas. El hijo de los señores y el hijo de un criado: eso también lo cambió la guerra y en las trincheras Lang fue su superior y el amo tuvo que obedecerle. ¿Imaginas a Jim obedeciendo a alguien? Tenías razón: nuestro amigo hizo todo lo que pudo para no ir al frente, intentó desertar varias veces y Lang le protegió, impidió que lo fusilaran, se reía al contármelo pero no podía ocultar toda su rabia y su rencor, pero no me mintió: Jim vivía. Si no respondió a nuestras cartas y mensajes fue porque nunca quiso que le encontrásemos.

Me dio un vuelco el corazón, la bruja tenía razón: no estaba muerto, lo sabía... Lo había sabido siempre. El espejo se rompía en mil pedazos.

3

La carta tembló en mis manos, había arrugado el papel apretándolo muy fuerte por miedo a que desapareciera o entrase en combustión; la verdad era una llamarada que me quemaba los ojos.

Envié mi tarjeta a la dirección que me dio Lang y sin esperar contestación me presenté en la villa en el campo. No era una casa: el príncipe había vuelto al lugar al que pertenecía, un palacio rodeado de fuentes y jardines y un bosque donde corrían ciervos, otro mundo del que había visto en Berlín: ni la guerra ni la derrota habían tocado su paraíso. El servicio me hizo esperar en una sala elegante y ese fue el peor momento, la espera; me sentí como un ladrón igual que aquel muchacho que robó en casa de sus tíos, al menos hasta que el fantasma apareció ante mí. Solo era un hombre, pero no el que tú y yo conocimos. Lo noté cuando me abrazó al saludarme; no sé explicar en qué ha cambiado porque no tiene heridas ni cicatrices, pero no pude reconocerle ni en sus palabras ni en sus gestos; un extraño al que ni siquiera podía llamar Jim. Solo nosotros le llamábamos así y él aceptó el apodo infantil como aceptó el personaje y quizá por darnos gusto lo hizo suyo, pero ya se había desprendido de él: ahora es el distinguido señor Adler Maltzan. Me ofreció un cigarro, un coñac, un gesto frío, impávido, como si no le sorprendiera mi presencia. Envidié su entereza: me temblaba la voz al contarle cómo habíamos estado buscándole desde antes de que acabase la guerra, quería hablarle de ti y de cómo todavía vivías para él, para encontrarle. Me escuchó en silencio; en ningún momento me preguntó dónde había estado yo, ni en qué frente, ni qué me había ocurrido ni tampoco por Lang, solo habló de sí mismo:

«Estuve en el frente italiano, en la batalla de Las Cumbres. Un desastre militar, como tantos, ya lo sabes. Tuvimos que refugiarnos en las cuevas y casi morimos allí todos congelados. Los demás creyeron que me había vuelto loco cuando les conté que había descubierto un tesoro: a tre mil metros de altitud, en la cima de los Alpes, encontré pinturas rupestres, las más enigmáticas que he visto jamás. Mirándolas olvidaba el frío y el hambre. Luego tuvimos que volar los glaciares para detener el avance aliado, pusimos cargas en las cuevas durante la retirada y nuestras bombas lo destrozaron todo: ya no queda nada allí, como si nunca hubiera existido. A cambio dejamos cientos de cadáveres congelados bajo el hielo y la roca. Juré que si salía con vida no la dedicaría a algo que puede ser destruido con tanta facilidad: no merece la pena. A partir de ahí solo tenía que dejarlo todo atrás y olvidar, como todos. Seguro que tú lo entiendes, viviste lo mismo que yo, seguro que sigues reviviéndolo en tus pesadillas, cada noche. O quizá no, al fin y al cabo vosotros ganasteis la guerra mientras que nosotros firmamos una paz infame que nos ha despojado de todo, incluso del honor».

Protesté: era absurdo que él hablara de desposeídos en aquella mansión, había ganado en todo, no había más que vernos a Lang, a ti y a mí. Una dama muy elegante entró en la sala. Jim me presentó como un viejo amigo de París y ella pidió disculpas por interrumpir; estaba buscando al mayor de sus hijos, por lo visto es muy revoltoso y sale a su padre. La dama era su esposa.

Desde que Jules escribió que Jim estaba vivo, solo había una pregunta que responder: ¿por qué no había vuelto a mí como prometió? Ahí estaba la razón. Simple, razonable, la explicación más sencilla era la que nunca esperé: Jim no había vuelto a mí porque no lo deseaba. Casi podía sentir ese hielo de su batalla traspasándome la piel, las rocas cayendo sobre mí, hundiéndome en el olvido para siempre.

La mujer salió. Pregunté por ella. La conocía desde la niñez, gracias a su matrimonio había salvado de la ruina a la familia Maltzan. Al volver de la guerra encontró hundidos los negocios familiares, supongo que dependían demasiado de la confianza en la victoria del Káiser, eso no lo dijo. Creo que intentaba ser irónico, casi cínico. «Mi vida siempre estuvo aquí, a pesar de todas las locuras de juventud. Al volver del frente me di cuenta de la obligación que tenía para con mi familia, lo mucho que me necesitaban. Es algo que no puedes entender porque tú eres libre de ir a donde te plazca sin ataduras, pero yo me debo a un nombre, a una reputación.»

Volví a hablar de ti. Me contestó con una humillación mayor: «Vamos... No tienes de qué quejarte: te dejo el campo libre. Ella siempre te gustó».

Dímelo tú, Elise: ¿siempre fue vacío y vulgar o fue la guerra lo que le cambió? Nunca lo sabremos y en el fondo ya da igual, pero allí mismo le acusé de actuar de forma despreciable: Lang me había contado su cobardía en combate y seguía demostrándola ahora. La palabra «cobarde» fue lo único que le hizo cambiar su gesto displicente, solo entonces pareció removerse la máscara.

«La quise de verdad —dijo—. Incluso pretendía casarme con ella, estaba dispuesto a hacerlo aunque hubiera sido una locura. Pero todo eso ocurrió antes de la guerra y ahora... ¡Basta! No seguiré torturándome... No merece la pena. Dile que he muerto. Sí, eso es; no sería una mentira porque tú sabes que todos estamos muertos, que en realidad nunca sobrevivimos: nos quedamos allí, con los demás. El Jim que conocisteis es uno de los desaparecidos en la nieve de los Alpes, uno de esos soldados desconocidos que jamás aparecerán y este que está delante de ti no es él, ¿entiendes? Nunca me conociste, nunca viví contigo en París y nunca conocí a esa mujer de la que hablas.» Se levantó y salió a toda prisa del salón. Un criado me condujo afuera.

Esta es la fiel narración de lo que ocurrió, no he añadido ni obviado nada. Esta mañana, mientras dormías, no pude soportar el habértelo ocultado. Me di cuenta de cuánto me había equivocado al mantener su mentira convirtiéndome en su cómplice, su instrumento, una vez más. Aunque ya no tenga remedio, te juro que será la última vez que Jim me domina. Tienes derecho a reprochármelo porque sé que hice mal, pero en mi descargo debo decir que al llegar y verte esperándome en la estación me pareció más injusta y dolorosa la verdad que el engaño. Quizá fui egoísta y cobarde, casi tanto como él, y el dolor que quise ahorrarte te lo he causado por partida doble. He fracasado una vez más y aceptaré todas las acusaciones que quieras hacerme en el caso de que aún quieras mantener mi amistad. Pero tengo miedo, más incluso que durante la guerra, porque temo haberte perdido para siempre. Como ves, me ha faltado valor para decirte todo esto a la cara porque no podría soportar tu desdén, ahora menos que nunca; no después de esta noche. No quiero sufrir más y tampoco que tú sufras, ni arriesgarme a que hoy me digas que entre nosotros no puede haber nada más que el fantasma de alguien que nunca existió, por eso es mejor que me vaya, para que no tengas siquiera que contestar a esta estúpida, amarga y sincera carta. Tendrás que disculpar mi cobardía, ya te dije que no soy un héroe. Y a pesar de todo, tuyo siempre.

J.

La pesadilla se deshacía. Tenía que alejarme de la mujer desesperada, la loca enamorada que paseaba una desgracia que en realidad no lo era. Yo también, como ellos dos, me había transformado y convertido en otra persona, todavía con el mismo nombre porque tenía el suficiente valor como para seguir llevándolo sin vergüenza, pero mi corazón latía de manera diferente y mi mente volaba como nunca antes lo había hecho. Me vestí a toda prisa, corrí hacia la entrada del hotel, quizá todavía no se había ido, podría alcanzarle.

—¿Hay alguna nota para mí, algún recado?

Otra vez en el principio: en la recepción, los uniformes azul de Prusia y la mirada amable tras las gafas de concha.

—No, señorita, pero su equipaje está en la consigna, lo trajeron ayer por la tarde. Y han dejado esta llave para usted.

Gavroche había cumplido fielmente el cometido encargado por su amo y sobre la madera pulida y brillante del mostrador estaba la llave desmesurada de una casa cerrada a la que me había propuesto no volver. Sin pensar, la guardé en el bolsillo del gabán.

—¿Ha salido don Julio del hotel?

—Acabo de empezar mi turno; si espera aquí un momento iré a preguntar a los botones.

No podía esperar sentada, estaba demasiado inquieta no

solo por la ausencia de Jules: algo iba mal, aunque no supiera el qué.

—Me dicen que salió muy temprano esta mañana con su criado, el mismo Andrés le ayudó a cargar las maletas y los baúles del señor don Julio. Asegura que cogieron el primer tren de la mañana —dijo el recepcionista al volver—. Mire, aquí viene, puede preguntarle usted misma...

Andresito, tieso y orgulloso de su uniforme con chaquetilla, guantes blancos, gorra sin visera y barboquejo de charol, sonreía.

—Mande, señorita.

—Así que don Julio salió esta mañana, ¿lo viste?

—No, señorita: yo solo ayudé a su criado a cargar en el carro las cosas, también la caja esa del proyector que pesa mucho.

—¿Estás seguro de que se subieron al tren?

—Pues... Verlo, lo que se dice verlo, no: yo solo ayudé a cargar aquí en el hotel...

—Ya, eso ya me lo has dicho, pero está bien, no importa. Yo también me marcho: cogeré el primer tren. Por favor, ve a por mi equipaje.

—Señorita Elisa, el tren no llega hasta las tres y quince, eso si es puntual. ¿No prefiere esperar aquí? También podemos hacer la gestión de compra del billete. ¿A dónde se dirige? —avisó el recepcionista.

—No, no... Lo haré en la estación, allí compraré yo misma el billete, prefiero hacerlo con tiempo. Iré por delante, ustedes encárguense solo de enviarme el equipaje, recuerden que el contenido de las cajas es frágil, hay placas de cristal... Solo llevaré la cámara conmigo.

Quedaba Suceso: no me había despedido de ella. Sobre la mesa central del vestíbulo encontré el recado de escribir del hotel con el membrete azul, los sobres de diferentes tamaños y mis postales, las que mostraban las vistas del valle. Elegí la que me parecía más conseguida para despedirme de ella, pero ¿cómo contarle el porqué de mi fuga repentina? Escribí apenas unas líneas diciendo que tenía que partir por un motivo urgente y que le enviaría una carta más larga desde el primer lugar al que llegara. No le conté que la idea era ir a San Sebastián y desde allí coger el tren a París, a donde se dirigía Jules; estaba segura de ello aunque no lo hubiera dicho.

—¿Quiere que le llame un coche?

—Mejor iré dando un paseo ya que tengo tiempo de sobra.

Le tendí la mano. El recepcionista, sorprendido por el gesto poco habitual y más viniendo de una mujer, no la estrechó sino que se inclinó respetuosamente.

—Espero volver a verla pronto por aquí —dijo.

—Gracias por todo.

—¿Necesita algo más?

La cámara en bandolera, la faltriquera sobre la falda donde llevaba la documentación y el dinero: no, no necesitaba más. Respiré al salir de aquel lugar, el aire inundando los pulmones como si fuera nuevo, a estrenar. Se había levantado un viento frío que oscurecía el cielo, el río bajaba turbio y el monte de El Castillo escondía su cima tras una niebla gris que bajaba lentamente al valle, tragándose las copas de los árboles y amenazando con descargar una lluvia fina y persistente, pero el edificio de la estación estaba cerca, al menos para mí, tan acostumbrada a caminar. Sonó un trueno, apreté el paso. Vi la estación a lo lejos, apenas unos minutos más y estaría allí, subiría al tren que me alejaría de este lugar y entonces, por primera vez en mucho tiempo, comenzaría a vivir.

En la curva, dos guardias civiles armados bajo las capas largas. No era muy común verlos por los caminos aunque había un cuartel no muy lejos, no recordaba bien dónde. Siempre me parecieron pintorescos con aquellos bigotes y gorros extraños, como salidos de los tiempos de los bandoleros, ese tipismo español de las estampas del siglo pasado. Al fin y al cabo, sigo siendo una extranjera.

—¿Elisa Montalbán?

—¿Ocurre algo?

—Haga el favor de acompañarnos.

4

En el balneario causó cierto revuelo verme volver al hotel escoltada. O detenida. Los guardias sabían muy bien a dónde tenían que llevarme y me condujeron hasta la puerta del director; me hicieron pasar y cerraron tras de mí. Don Gustavo estaba sentado al otro lado de la mesa, los dedos de las manos peludas y regordetas cruzados en un gesto ensayado de control.

—¿Qué significa todo esto?

—Mi querida amiga, estoy sinceramente preocupado por usted —contestó.

—No sé qué es lo que pretende, pero por culpa de sus delirios voy a perder el tren.

El tren, llegar a tiempo, eso era lo único importante, todo aquello no era más que una de las extravagancias del doctor Zaragoza; aunque si creía que iba a aceptar su proposición de matrimonio obligada por unas guardias es que estaba más loco de lo que creía.

—¿Delirios, dice? Es curioso que emplee esa palabra, de la que no sabe nada.

Esquivaba la mirada, la calva le sudaba.

—Deje que los expertos decidan quién sufre delirios. Será lo mejor.

Siseaba como una serpiente: culebra, le había llamado Suceso.

—Me ha puesto usted en una situación incómoda al desafiar mi autoridad. Es algo que no puedo permitir: los pacientes necesitan tener la seguridad de que se cuida de ellos, de que nada perturba su tratamiento. Usted y ese hombre, ese francés, o argentino o… lo que sea. Un escándalo. Exhibiéndose con ese sujeto siniestro, además… No hay más que ver su cara remendada. Es obvio que la atracción que siente por él muestra a las claras una índole histérica. Fruto de sus experiencias en la guerra, usted siente una mórbida atracción por los padecimientos, las heridas y cicatrices, algo de todo punto patológico.

Se atropellaba, tenía la cara enrojecida por la rabia.

—No le corresponde a usted decidir lo que tengo que encontrar agradable o no, señor mío.

—En eso está muy equivocada: puedo decidir todo lo que quiera sobre usted. Ahora mismo podría hacer que los guardias que esperan en la puerta la llevaran a un calabozo acusada de todo lo que se me antoje.

Saltó una alarma en mi interior avisándome de que me enfrentaba a un enemigo implacable, alguien mucho más peligroso que nadie a quien hubiera conocido hasta ahora, incluso más que ninguno de los veteranos desquiciados por la guerra que se convertían en lobos solitarios. La capa de respetabilidad, la bata blanca, el prestigio médico, hacían su demencia más impune, más violenta.

—Ya no se merece mi respeto y nada de lo que diga podrá hacerme cambiar de opinión. Y no crea que me engañará de nuevo ahora que he descubierto que su obsesión, ese alemán al que decía guardar en su corazón y con el que aseguró estar comprometida, no era más que una mentira producto de su imaginación febril y manipuladora, como ha demostrado con su desvergonzada actitud hacia el titiritero del cine, cayendo en sus brazos de forma escandalosa, a la vista de todo el balneario...

Le temblaba la boca, le sudaba la comisura del labio. Los ojos, escapados de las cuencas como ventanas de una tortura interior, los había visto antes en los desventurados que miraban al techo del hospital durante horas o que, ciegos de furia, intentaban golpear a los celadores que tenían que atarles a los camastros. O en los que más pronto o más tarde usarían la navaja de afeitar para cortarse las venas.

—¿Creía que no me iba a enterar? Aquí ni un suspiro escapa sin que yo me entere. No sé si pretendía provocarme con su actitud, es usted más irresponsable de lo que sospechaba y ha perdido todo sentido de la realidad. Y aún habla de delirios... ¿Qué puede haber más delirante que un entretenimiento que arrastra a las mentes débiles a no diferenciar entre realidad y ficción? Se ha demostrado, ¡cien-tí-fi-ca-men-te!, cómo ese invento maligno llamado cinematógrafo influye perniciosamente en los endebles cerebros femeniles subvirtiendo y revolucionando la natural tranquilidad de un sexo que, por influenciable, debe huir de los ejemplos perniciosos, muchas veces indecentes, que allí se muestran. ¡Como si no hubiera suficiente con la lectura de noveluchas que tanto daño han hecho a la paz de los hogares, a la sociedad y al mundo! ¡Y esos malditos franceses nos traen un invento aún peor! No dice nada, claro... No puede defenderse, ¿verdad? No, no haga mohínes ni ponga cara de doncella virginal porque ya no le servirá de nada... Hasta el mejor de los hombres puede caer presa de la pasión por una mujer embustera, pero ya estoy vacunado contra usted.

La ira le había agotado: sin aliento, se limpió el sudor de la cara con un pañuelo.

—Bien, se acabaron los reproches... No quiero ser injusto puesto que hay que tener en cuenta su estado de salud: usted es una enferma y yo un profesional médico. Me limitaré a decirle que he informado a las autoridades competentes sobre su diagnóstico.

—¿Qué diagnóstico?

La paciente Elisa M., 28 años, soltera, de nacionalidad española pero sin arraigos familiares en el país y careciendo de medios de subsistencia, padece un arco de paroxismo histérico con cuadro de alucinaciones y fantasías eróticas de carácter necrofílico. De temperamento sanguíneo-nervioso, muestra también un comportamiento sensual y neurasténico, así como propósitos suicidas y accesos de ninfomanía, la gama extrema de la sensualidad mórbida. El trastorno que padece puede tener su origen en las dolorosas experiencias vividas durante el reciente conflicto bélico en Europa, cuando la paciente visitó las trincheras y los hospitales de guerra en Francia.

Desde su llegada a este establecimiento dio muestras continuadas de conducta anómala y provocativa incumpliendo sus deberes, promoviendo el escándalo del resto de pacientes y visitantes con su inconformismo y hostilidad, actitudes poco femeninas, alejadas de la sumisión propias de las mujeres sanas y mentalmente equilibradas. En una conducta típicamente histérica, huyó de forma intempestiva y ocupó una casa en las cercanías, llevando allí una vida impúdica que alarmó a las buenas gentes del pueblo, quienes, a la vista de su falta absoluta de decoro, la llaman de forma despectiva La Mujer del Alemán.

Por todo ello recomendamos la estancia vigilada de la paciente en este establecimiento para que en él le sea aplicado un tratamiento de agua bombeada, irrigación local y ducha pélvica que excita los centros nerviosos, profundiza la respiración e incrementa las secreciones. De no mejorar su estado en los meses posteriores, se podrá considerar su ingreso en una institución mental.

Dado que la paciente es insolvente y carece de familiares que se hagan cargo de los gastos de su tratamiento e internamiento, estos correrán por cuenta de la Fundación del Agua para la Rehabilitación Universal, cuya presidencia detento en la actualidad.

Fdo.
Don Gustavo Zaragoza
En Puente Viesgo, a 10 de octubre de 1919

INÉS

Oriana

1

Copi me llevó de vuelta a El Jardín del Alemán. A diferencia de la familia Lavín, conducía su taxi muy lento, casi paseando. Y hablaba por los codos.

—Es un trabajo descansado porque aparte de los turistas del balneario no hay mucho trabajo, aquí todo el mundo tiene coche. Pero a mí me gusta porque se conoce gente, se entera uno de cosas de fuera y eso está muy bien, que si no se queda uno hecho un ermitaño... ¿Le gusta esto? El paisaje, muy bonito, pero esta casa rural está en sitio muy aislado y sin coche... En verano, todavía. ¿Cómo no se ha quedado en el balneario?

Por lo visto, medio pueblo desaprobaba mi estancia en aquella casa, encontrando muy necesario hacérmelo saber. El taxista continuó sin esperar respuesta a su pregunta, sin duda, retórica.

—Aunque hay que reconocer que la casa bien bonita que es; he estado en la finca porque compagino esto del taxi con trabajar en el vivero de un primo, le contrataron para mantener el jardín. Pero es que además en mi familia la conocemos de toda la vida porque mi abuela trabajó allí, no le digo más. Entonces era una chavaluca y subía hasta aquí a pata, ¿eh? Dura como el pedernal. Venía a ayudar en la limpieza, la plancha, las cosas de la casa. Los dueños de entonces eran de Madrid y solo venían de veraneo y por las fiestas, pero hablaba muy bien de ellos, que eran buena gente, decía, y que la trataban bien.

—¿Se acuerda de cómo se llamaba esa familia?

—El apellido, a ver que me acuerde... Lantueno, Lamadrid, algo así. Vale, sí: Lallende. Era gente fina, de dinero, ya se nota en la casona, pero después de la guerra se tuvieron que exiliar a Francia, por la política, ya sabe. La finca abandonada ni se sabe el tiempo hasta que la volvieron a comprar los de ahora, que a saber, lo mismo es un fondo buitre de esos porque por aquí no los hemos visto en la vida.

Lallende: apunté mentalmente el nombre por si tuviera algo que ver con Amalia. El informativo y amable Copi me dejó junto a la cancela y atravesé el jardín apreciando mejor lo bien cuidado que estaba, el mimo en mantener la personalidad del lugar, nada pretencioso ni recargado: el primo jardinero era de lo más competente. La tarde templada, las rayos del sol filtrados a través de los árboles; no me apetecía entrar y me senté en el banco bajo el magnolio. Saqué de la cartera la tarjeta de la decoradora que me había dado Mari: bien diseñada, moderna, elegante. Y quizá mi última posibilidad de encontrar al dueño del cuadro de Amalia Valle. Envié un mensaje a Elena presentándome, explicando que me alojaba en la casa rural que había decorado y que me gustaría hablar con ella cuando estuviera disponible: me contestó inmediatamente, podía llamarla cuando quisiera.

—Hola, ¿Elena? Gracias por atender mi llamada.

Para darle más verosimilitud al asunto que me interesaba tuve que contar una pequeña mentira:

—Resulta que trabajo para una productora audiovisual interesada en alquilar la casa como escenario para un rodaje. Está en un sitio fantástico y tanto el tamaño del edificio, la distribución, el jardín: todo nos sirve. Además, la decoración que elegiste es perfecta para el lugar, no tendríamos que tocar casi nada.

—Sí, es un sitio muy especial... Pocas veces se tiene la suerte de que un espacio sea tan inspirador. Era una construcción muy buena y hubo que hacer muy poca reforma, la propia casa te iba pidiendo lo que necesitaba.

—Me gusta todo, pero sobre todo el cuadro del descansillo junto a la escalera.

—A mí también.

—¿Dónde lo encontraste?

—Estaba allí mismo, en una de las habitaciones de abajo, sin colgar y entre cajas y muebles viejos pero bien empaquetado. Fue como encontrar un tesoro.

«No lo sabes bien», pensé.

—Como te decía, el sitio es perfecto, pero me ha resultado imposible localizar al propietario. La productora me pide que hable con él personalmente, sin inmobiliarias de por medio, para hacerle una propuesta. Un rodaje y sus necesidades no tiene nada que ver con albergar turistas y necesitarían la casa durante casi un mes —inventé, con un poco de complejo de culpa, pero no quedaba más remedio.

—Yo solo traté directamente con la propietaria por teléfono, pero te paso su contacto ahora mismo.

—¿No llegaste a conocerla?

—No. Vive en Madrid y nunca vino a ver la obra. Me dijo que no le hacía falta, que confiaba en mí porque había visto mis trabajos en Instagram y le habían gustado. La verdad es que fue un poco raro, pero nunca he tenido mejor cliente; pidió poco y una vez vio los planos y las propuestas, me dio libertad total. Solo llamó para darme la enhorabuena cuando le envié las fotos con el resultado final. Y pagó muy bien y a tiempo, cosa que tampoco es habitual.

—Sí, qué me vas a contar: yo también soy autónoma.

Una fina línea de complicidad vía telefónica: unidas por la precariedad.

—Pues entre tú y yo, espero que puedas convencerla de que os alquile la finca.

—¿Por qué?

—Porque no parece el tipo de persona que necesite el dinero.

Posiblemente tuviera razón si, como parecía, se trataba de alguien que poseía fincas que ni habitaba ni visitaba y que se podía permitir tener vacías durante meses, años quizá. Alguien que abandonaba bajo años de telarañas y polvo el cuadro de unas de las pintoras españolas más relevantes de la segunda mitad del siglo XX, aunque eso Elena no lo supiera.

—Te acabo de pasar el contacto por WhatsApp.

El sonido breve de llegada de un mensaje, un nombre en la pantalla del móvil.

«Oriana Larios.»

—¿Inés? ¿Hola? Creo que se ha cortado... —decía Elena—. Esa zona tiene muy mala cobertura, como está en medio de un bosque...

No era por culpa de la cobertura: me había quedado sin habla. Pude por fin despedirme de Elena dándole las gracias por todo y después de colgar me quedé sentada en el banco del jardín, intentando descifrar lo que acababa de saber.

Eduardo Larios y Osorio era Román Samperio, su seudónimo. Oriana Larios, la propietaria de El Jardín del Alemán, debía de ser uno de sus familiares. Entonces, la conexión de Samperio con el valle iría más allá de su visita en 1978. ¿Cuándo dejó la casa de pertenecer a los Lallende y fue comprada por alguien de la familia Larios? Y sobre todo, ¿coincidiría con la época en que Samperio desapareció a principios de los años ochenta? No tenía ni idea de cómo comprobarlo y menos cuando me asaltaba la extrañísima idea de que aquella casa conectaba a Amalia Valle con Román Samperio e incluso con la mujer que retrató la pintora. Una conexión de décadas en la que yo también estaba atrapada.

Miré alrededor. Las palmeras indianas, el tejo centenario, el edificio tan atípico. Con la tarde deslizándose sobre mí y sobre los seres vegetales que me rodeaban, tan vivos pero tan callados, deseé que aparecieran de nuevo los fantasmas, los míos o el de la misma Amalia; que se sentara a mi lado en el banco bajo el magnolio y me contara la parte de su vida que nadie conocía, su espectro amigo deshaciendo el nudo de lo inexplicable. En ese momento me di cuenta de que ya no soportaba el enigma: estaba cansada de él. Si había algún misterio allí enterrado ya era hora de que alguien lo desvelara; así yo podría respirar tranquila de una vez. Pero nadie vino a contarme nada a pesar del tiempo que esperé bajo el magnolio, la humedad traspasando el banco hasta llegar a mí, intentando convertirme en una estatua de madera tallada en el tronco de un árbol que se cubre de flores blancas con la llegada de la primavera. El ruido de un motor conocido me espantó los pensamientos: el coche de Martín. Me acerqué a la cancela y él, sin bajarse del coche, asomado a la ventanilla bajada, me espetó:

—Ludi ha fallecido. Todo el lío de esta mañana era por eso.

Antes de que pudiera decir nada o quejarme de su brusquedad, añadió:

—Ha sido algo repentino, seguramente un ataque al corazón. La encontraron cerca de una de sus cabañas, en el bosque.

Aunque fuera mayor, aunque apenas la conociera, me impresionó la noticia.

—Coge la cámara que nos vamos.

2

Naná murió apenas un mes después de nuestro último encuentro, pero yo no fui a su funeral, como no acudí al de mi madre porque ni siquiera supe de él. Tampoco estaría en el de mi padre, hubiera fallecido o no. Y si murieran mañana, creo que tampoco asistiría al de mis exparejas, amantes o novios, convertidos en ceniza mucho antes de pasar a mejor vida. Los que me rodeaban entraban o salían de mi vida de forma repentina y se esfumaban dejando un rastro humoso que se resistía a irse del todo. Sin duelo siempre hay algo que no se cierra y quizá por eso permanecían pegados a mí, trasfigurados en sombras borrosas, muertos que no habían vivido y que tampoco morían del todo. Puede que sea una explicación a mi miedo cerval a la muerte y a las desapariciones, por ser propensa a desaparecer en el olvido de los otros. Me dan envidia esos entierros irlandeses o americanos de las películas, con gente reunida en la casa del finado, que lleva comida casera y donde al final terminan todos peleados y borrachos, participando en un ritual de despedida en el que ninguno de los participantes está solo.

Algo parecido pero sin duda más espectacular fue lo que encontré en la campa. El rito funerario comenzaba justo con la caída del último rayo de sol sobre los restos de un dolmen orientado al oeste y Martín quería aprovechar la luz de la hora bruja antes de que se fuera del todo. Por eso tenía tanta prisa. Sacamos el equipo del coche a toda velocidad y tuve que correr tras sus zancadas; el lugar de reunión estaba a unos diez minutos atravesando un bosque de robles, de los pocos que quedaban en la zona.

En el claro se había reunido más gente de la esperada; la noticia de la muerte de Ludi había corrido de pueblo en pueblo, de valle en valle, y muchos de los que alguna vez conocieron a la curandera querían rendirle homenaje fuera de los ritos católicos que seguramente el cura oficiaría al día siguiente con ademán funcionarial. Pero allí no había silencio ni pena negra sino la música de dos gaitas y panderetas tocadas por algunos asistentes muy jóvenes que llevaban rastas y la cara pintada de rojo o azul. Los presentes formaban un círculo de cabezas adornadas con coronas de hojas de roble, bastones de madera entrelazada y colgantes con símbolos. Reconocí uno de ellos: el círculo con tres barras y tres puntos grabado sobre el dintel de la puerta de la casa donde vivían los Lavín. La luz azulada de la hora bruja se abría paso en el naranja de la hoguera que el grupo de druidas rodeaba; fuera de ese círculo, otros mirones —como yo misma— hacían fotos y vídeos con sus móviles. La única cámara profesional era la de Martín.

El círculo se abrió para dejar paso a cuatro mujeres vestidas con túnicas, las melenas al viento y las coronas en la cabeza, que llevaban una tela blanca sujeta por los extremos; dos de ellas eran Valvanuz y Áurea. Extendieron la sábana sobre la hierba, el círculo se cerró, la música cesó, la gente guardó un respetuoso silencio. Martín se abrió paso entre los curiosos y le seguí hasta quedarnos cerca del centro del ritual. Áurea, con voz alta y clara, comenzó a recitar una oración.

> Que el camino salga a tu encuentro.
> Que el viento esté siempre tras de ti y la lluvia caiga suave sobre tus campos,
> que encarnes por el tiempo que requieras,
> y siempre quieras vivir plenamente.

Recuerda dejar atrás las cosas que te entristecieron
pero guarda con amor dentro de tu ser aquellas que te alegraron.

Su rezo se imponía sobre el viento, la noche que caía, el chasquido de la leña quemándose en la hoguera, el silencio de los presentes.

Que siempre tengas techo encima de ti
y que los amigos reunidos bajo él permanezcan para siempre.
Que siempre tengas palabras cálidas en un anochecer frío,
una luna llena en una noche oscura y que el camino siempre se abra a tu puerta.

Martín grababa, me acerqué más: sobre la tela había un hacha, un campano de vaca con cintas de colores, un cuchillo, una cuchara. Un par de albarcas, pero no eran las que me había puesto en la cabaña de Ludi sino otras. Y algo más: a la luz de las llamas parecía un animal enroscado. Costaba darse cuenta de que era una cabellera larga y pelirroja.

Que puedas repasar tus acciones y enmendarlas.
Que el día más triste de tu futuro
no sea peor que el día más feliz de tu pasado.
Hasta que nos volvamos a encontrar,
que los dioses y las diosas te sostengan suavemente en la palma de su mano.

Al terminar la oración todos los presentes aplaudieron, se dieron abrazos y comenzó de nuevo la música. Estábamos en una fiesta y no en un funeral, que es lo que esperaba cuando salimos de El Jardín del Alemán. Volvió a sonar la música, la gente se acercaba a la sábana extendida y dejaba allí recuerdos o regalos, sobre todo flores, mensajes, puñados de bellotas, muérdago, pañuelos y carretes de hilos de colores; cosas que no tenían sentido para mí, pero que debían de significar algo para ellos. Áurea y Vali se acercaron a nosotros.

—¿Qué te parece? Bonito, ¿verdad? —A Áurea le brillaban los ojos.

—Mucho. ¿Qué significan esas cosas que deja la gente?

—En el ritual tenemos que despedirnos del cuerpo a través de los objetos del ser querido y los participantes añaden cosas propias, que le hubieran gustado en vida —dijo Vali.

—¿Y qué se hace luego con todo eso? —pregunté.

—Se envuelven en la tela y se entierran bajo un roble. Y luego bailamos, comemos y bebemos: un funeral no tiene por qué ser triste.

Lo demostraba la gente bailando, asando patatas y chorizos en la hoguera, algunos sacaban neveritas de playa y repartían botellines de cerveza; un grupito de niños corría y alborotaba; seguramente los que más disfrutaban de la fiesta.

—Antes de que se me olvide: esto es tuyo —me dijo Áurea.

La fotografía de mi madre, la que le había dado a Ludi a cambio de sus profecías. Sentí la mirada de Martín pegada a mí cuando me acerqué a la sábana y dejé la fotografía con las demás cosas que acompañarían a Ludi al otro mundo. Estaba enterrando a mi madre, a Naná, y con ellas la parte de mi vida que me había pesado tanto, haciendo el duelo que había quedado pendiente. Puede que fuera sugestión, pero me sentí aliviada. Hasta feliz.

Martín no preguntó nada, seguía encerrado en su laconismo. Puede que fuera incapaz de olvidar y de enterrar el fantasma de una mujer que lo abandonó para morir lejos de él y así seguir culpándose de su huida, incluso de su muerte. No podía censurarle porque durante años yo había hecho lo mismo.

—Tengo que volver a Madrid.

3

La ventanilla del tren, la pantalla de cristal que muestra la realidad y a la vez certifica que por muy cercana que esté resulta imposible de alcanzar, me devolvía un paisaje que no reconocía. Y sin embargo era el mismo que había recorrido hacía unos pocos días, solo que en sentido inverso. Cuando le dije a Martín que tenía que volver a Madrid no puso objeciones, no preguntó nada, ni siquiera si la decisión había partido de Gaula, si mi viaje tenía que ver con Samperio o con lo que habíamos descubierto sobre Amalia Valle y su cuadro. Solo asintió y dijo que mandaría el resto de material grabado a la nube privada de Gaula, tan cerrada y confidencial que ni siquiera Andrea podía entrar en ella sin que le facilitaran una clave temporal. Casi agradecí su silencio porque me hubiera sido muy complicado explicarle la verdadera razón de mi marcha. No podía confiar en que lo entendiera, como él no había confiado en mí para contarme los motivos de su huida aquella noche. Quizá le pedía demasiado; si tuviera otra personalidad, si fuera más comunicativo, yo hubiera hecho un intento, pero él era como era, una nube interna y corporativa de la que no tenía clave para entrar. Puede que él lo pensara de mí también.

Intenté borrar a Martín de mi mente como hubiera hecho con un archivo infectado, pero sabía que solo podría apartarlo durante un tiempo. Maldito *fathliaig*, malditas druidas encantadoras y preciosas en su mundo verde de diosas ancianas y borracheras a la luz de la luna. El tren atravesó la garganta y el mundo verde desapareció de la pantalla panorámica de improviso. Un salto sin sentido a los campos llanos y rojizos de horizonte infinito: estaba en Castilla. «Olvídate, Inés, te vas por una muy buena razón, hay que encontrar a Oriana Larios, preguntar por su hermano o tío o pariente lejano o lo que fuera Samperio para ella y la razón por la que compró la casa.» A estas alturas ya había desarrollado mi propia tesis: esta Oriana sería la heredera de la casa que el mismo Samperio tuvo que comprar después de visitar la región en 1978, es decir, poco antes de su desaparición, ocurrida más o menos hacia el año 81, cuando se pierde su pista y su actividad artística; a partir de entonces no hubo más cine, ni exposiciones, ni participó en ningún festival ni publicó nada. Y según todos los rumores por culpa del sida, como mi madre. Había intentado apartar esa coincidencia como un estorbo, algo que no aportaba nada a mi investigación sobre Samperio y lo oculté como pude en el fondo de un cajón mental, pero a veces se escapaba con la forma de una paradoja amarga.

Como no sabía lo que podía encontrar en Madrid tampoco quise llamar al teléfono que me había dado Elena. Todavía faltaba por armar la historia que contaría a la propietaria del cuadro de Amalia para convencerla de que este debía ser preservado y catalogado antes de que terminara en su salón o lo vendiera y acabara en la caja de seguridad de un banco; de eso ya me había avisado Diana, a quien dejé un mensaje avisándole de mi vuelta a Madrid. Me llamó inmediatamente.

—Entonces, ¿vas a reunirte con ella, con la dueña?

—No lo sé todavía. Pero he averiguado a quién pertenecía la casa en la época de Amalia: una familia llamada Lallende.

—¿Lallende? Me suena de algo... Lo comprobaré. Pues María también ha averiguado algunas cosillas sobre la Valle, como que antes de abandonar España estuvo casada. Hay un certificado de matrimonio fechado en 1940 de Amalia Moreno Luengo y un tal Jesús Velasco Ortega. Es alucinante que no aparezca en ninguna de sus biografías.

—Bueno, no sería de extrañar si ella misma se ocupó de borrar las pistas de su propia vida, de ahí el seudónimo y todo lo demás.

—Lo que nos interesa ahora es qué pasará con el cuadro: a ver qué te dice la propietaria.

Después de colgar a Diana fantaseé con que la interfecta fuera una idiota rematada a la que poder engañar y comprar el cuadro por una miseria, idea que siempre quedaría en eso mismo, una fantasía, por culpa de mi enorme respeto —miedo— a la ley. Otro problema era la confidencialidad con Gaula, así que en esa entrevista no podía mencionar ni una palabra del documental sobre Samperio. Debía presentarme ante ella como una simple aficionada al arte que al alojarse en su casa rural había hecho el hallazgo por azar; tenía que ir con cuidado si no quería meter la pata.

Cogí un taxi al salir de la estación de Chamartín imaginando al pobre Copi intentando sobrevivir en la selva del tráfico madrileño. La ciudad tan atronadora como siempre, la sequedad en el ambiente que me cuarteaba los labios, la calle atestada, la contaminación que hacía refulgir el cielo vespertino, mi piso pequeño, su olor reconocible, las voces en la terraza del bar de abajo al abrir la ventana. Me invadió la sensación de que no me había ido y de que nada de lo que había vivido era real. La tremenda consistencia de Madrid se imponía y el valle pasiego comenzaba a difuminarse como si fuera Brigadoon.

Llamé antes de haber deshecho la maleta. No contestaron y saltó el buzón de voz.

—Buenas tardes, mi nombre es Inés García de Viana. —Consideré acertado dar la versión aristocrática de mi nombre a una Larios y Osorio: nunca hay que subestimar el poder del clasismo—. La llamaba por un asunto relacionado con un cuadro, emmm... una pintura que tiene usted en la casa rural de Cantabria donde me he alojado recientemente. Se trata de una obra que podría tener mucho valor. Me gustaría ponerme en contacto con usted tan pronto le sea posible. Muchas gracias.

¿Sonaba convincente? ¿Suficientemente seria y profesional? A saber. Paciencia, pero solo hasta mañana porque si no contestaba volvería a intentarlo tantas veces como hiciera falta, por primera vez en mi vida dispuesta a convertirme en una de esas personas insistentes que siempre consiguen lo que quieren, es decir, en alguien que no era yo.

Me tumbé en el sofá con el firme propósito de vaciar la mente viendo alguna serie cuanto más facilona mejor —no, de amor, no—, pero fracasé: el runrún continuaba. Daniel, eso es: un buen plan de los suyos, salir, ajetreo nocturno, eso que en realidad no me gusta, incluso tomaría un par de *gin-tonics*, puede que volviera a casa con la cabeza dando vueltas, así no pensaría en Samperio ni en la Valle ni en Martín. ¿Qué estaría haciendo ahora? ¿Me echaría de menos? No, era demasiado pronto. Quizá Antonio no había vuelto todavía a Nueva York, si estaba con Daniel podíamos liarla hasta las tantas, sería estupendo, qué pereza arreglarme y maquillarme para salir.

Nada, imposible: Daniel, en su línea desertora, no estaba disponible. Le dejé un mensaje en el chat pero ya no había caso, eran las diez de la noche y un cansancio repentino y traidor se me echó encima, así que me puse el pijama —que en realidad es ropa buena y cómoda pero tan vieja que da vergüenza sacarla a la calle—, y me preparé un triste té sin teína imaginando el placer de pasar la noche a solas con un paquete de tabaco. No tenía hambre, menos mal; al abrir la nevera bostezó enseñando la tripa vacía, mañana haría la compra.

Di un salto al escuchar la alarma del móvil, había subido el volumen por si llamaba Daniel. ¿Dónde lo había dejado? Sobre la mesa del salón. Pero no era Daniel sino Oriana. Ella.

—¿Sí?

—Buenas noches, ¿Inés García de Viana?

Una voz masculina, un español correcto pero con acento.

—Soy yo.

—Acabo de escuchar su mensaje. Le habla Thorstein Limmer, el secretario personal de Oriana.

—Muchas gracias por contestar tan rápido. ¿Cuándo podría hablar con ella?

—Me temo que eso va a ser difícil.

—El asunto es importante, se lo aseguro. ¿No puede concertarme una cita con ella?

Pareció dudar.

—¿De qué se trata?

—De una obra de arte que se encuentra en la casa rural de su propiedad en Cantabria. Creo que ella estaría muy interesada en recuperar la obra, que es inédita, allí no se encuentra en las mejoras condiciones. Es posible que tenga mucho valor. Imagine, con tanto visitante entrando y saliendo, sin ningún control…

—Ya, entiendo.

—No quiero molestarla y le prometo no entretenerla mucho tiempo, pero es que se trata de algo que creo que le interesará. Por eso es mejor vernos; resulta difícil explicar todo esto en una llamada telefónica.

—En ese caso… Estamos en La Florida, calle Guetaria, 120.

—¿Le parece bien mañana al mediodía, sobre las doce?

—Perfecto.

4

Llegar a La Florida, una de las urbanizaciones más exclusivas y con más solera de Madrid, con sus chalés coquetos y jardines tan recoletos como sus propietarios, me costaba una pasta en taxis, pero ya había decidido pasarle todos los gastos extras a Gaula. La casa de Oriana estaba aislada del resto de la urbanización por un muro de árboles impenetrables y una inmensa parcela de césped cortado a bisturí, tan perfecto como la hierba en un fondo de pantalla de Windows. Desde la puerta automática de la entrada, un camino de losas parecidas a las de El Jardín del Alemán conducía hacia un elegante edificio de dos pisos cubierto de hiedra en la fachada principal y rematado por una torre semicircular con un mirador. Imponía un poco, haciéndote sentir una especie de pordiosera a la que se recibe por la puerta de servicio, pero no me arredré porque no venía a pedir nada sino a ofrecer. Y algo muy valioso, además.

El timbre sonó como una campanita transparente y limpia y Thorstein abrió la puerta. Me sorprendió que fuera un hombre mayor, con edad para haberse jubilado hacía tiempo. Vestía pantalones de pana y un jersey de lana sobre la camisa; cómodo, como si viviera en la casa y fuera el dueño de ella. Me recibió con una coqueta sonrisa juvenil bajo unos ojos tan azules que daban frío al mirarlos y una melena blanca propia de quien sabe que siempre ha sido guapo. Guapísimo, de hecho.

Me condujo hasta una sala de austeridad luterana: desde el mirador el jardín brillaba bajo el sol madrileño, cuando lo que pedía a gritos aquella decoración eran las vistas de alguna desolada playa noruega.

—Antes de presentarle a Oriana, ¿me permite explicar el estado en que se encuentra?

—Sí, claro, cómo no.

—Ha sido tan repentino... Hace un par de semanas estaba perfectamente, solo tenía algunos despistes, olvidos. Cosas normales de la edad. Habíamos estado trabajando como siempre y de pronto perdió el conocimiento. La ingresaron, le hicieron pruebas, después del ataque ella se encontraba muy bien. Hasta que nos dimos cuenta. Mejor dicho, ella se dio cuenta. Estamos a la espera del resultado de esas pruebas, pero ya no es la misma... Me temo lo peor.

Parecía tranquilo aunque lo que decía fuera terrible; supuse que su carácter también hacía juego con la decoración.

—A veces despierta: así es como lo llamo. Son episodios de lucidez, pero el resto del tiempo le cuesta saber en qué tiempo vive, quién es quién. Y habla de cosas del pasado que solo tienen sentido para ella.

—Lo siento muchísimo, de verdad. Debe de ser muy duro, también para usted.

—Son muchos años juntos, media vida. Pero, por favor, dígame, ¿de qué se trata?

Abrí la carpeta.

—Este cuadro se encuentra en la casa rural de Aes. ¿Lo conoce?

Fui pasándole las fotos.

—No, no he estado nunca allí. Pero hace relativamente poco, Oriana mostró un repentino interés y decidió arreglar la finca; antes nunca había querido saber nada de ese lugar.

—¿Sabe desde cuándo le pertenece?

—Desde hace muchos años. Déjeme pensar, porque no es la única propiedad...

—¿No formaba parte de una herencia?

—No, no, se encaprichó del lugar allá por los años ochenta, o quizá antes. No puedo decirle más, tendría que buscar los títulos de propiedad.

Me mordí la lengua para no mencionar a Samperio.

—De todas maneras, no me resulta raro que este cuadro tenga valor; ella tiene su colección, siempre ha comprado obra y ella misma es artista, aunque se retiró hace tiempo. Esos cuadros, por ejemplo, están firmados por ella.

Me señala dos cuadros del mismo tamaño uno al lado del otro: sobre un fondo de materia terrosa, trazos rojos, negros; no puedo evitar que me recuerden a las pinturas rupestres. A su lado, una fotografía en blanco y negro, dura, desagradable: el rostro destruido de un hombre vestido de uniforme. Y junto a él una máscara. Aparto la mirada.

—Estoy segura de que la obra pertenece a Amalia Valle. ¿La conoce?

—Me suena...

—Una pintora muy reconocida. No existe obra de ella en España. Fíjese en el detalle de la fecha del cuadro: 1949. Nadie sabía que hubiera empezado a pintar en esa época temprana, el resto de sus trabajos son posteriores. Si estuviéramos ante su primera obra representaría un hallazgo, un hito para la pintura contemporánea.

—¿Está segura?

—No. Por eso estoy aquí. El cuadro debería sacarse de esa casa para ser examinado por expertos.

—Yo... Creo que esto es muy complicado. Además, si Oriana compró el cuadro y lo puso allí, por alguna razón sería, ¿no cree? Al fin y al cabo es suyo y puede hacer con él lo que quiera.

No estaba dispuesta a discutir con un liberal estricto sobre responsabilidad social y patrimonio artístico.

—Puede que no me haya explicado bien. El asunto es que creo que nadie tiene noticia de este cuadro, puede que la señora Larios ni siquiera sepa de su existencia, porque el cuadro se pintó allí y nunca ha salido de la casa. Estaba empaquetado y oculto, fue la decoradora quien lo encontró y lo colgó. Lo he comprobado todo, se lo aseguro.

Aquí me pasé un poco de asertiva, lo reconozco, pero era necesario. Thorstein escuchaba y volvía a mirar las fotografías sin responder.

—Tiene que decírselo y si es artista ella misma, creo que lo comprenderá.

Levantó la cabeza y los ojos de azul helado me taladraron. Se levantó con la carpeta en la mano, por un momento pensé que me la devolvería y me echaría con mucha elegancia.

—Acompáñeme, por favor.

Lo seguí a través de la casa austera salpicada de muebles, lámparas, alfombras y objetos sofisticados estilo Bauhaus que quizá no fueran imitaciones, hasta el final de un pasillo. Abrió la puerta después de dar unos golpecitos, invitándome a pasar al estudio: una habitación recargada con estanterías repletas de libros, esculturas, recuerdos y más cuadros, nada que ver con el resto de la casa. Ella estaba sentada en una butaca junto al ventanal que daba al otro lado del jardín.

—¿Irene?

Un escalofrío me recorre el cuerpo de arriba abajo.

—Irene. Eres tú. Has vuelto. Sabía que me encontrarías. Que volveríamos a vernos. Es bueno que hayas venido ahora. Es lo justo. Pero tú estás igual que entonces... Ven que te vea bien.

Estoy segura, completamente segura, de que está hablando de mi madre. Me acerco y me siento a su lado. Oriana me acaricia la cara, tiene unas manos largas, grandes y huesudas, las uñas pintadas de azul. Cierro los ojos.

—Oriana, esta señorita se llama Inés, ¿recuerdas? Viene a hablarnos del cuadro —dijo Thorstein—. Perdone, hace unos minutos estaba perfectamente. Ya le dije que… que se pierde.

—No, no. Está bien —contesto.

La anciana me sonríe. Tendrá unos ochenta años, las arrugas de su rostro no me dejan ver más que el tiempo que ha pasado por ella pero todavía es alta, quizá la delgadez lo acentúa. Lleva el pelo blanco recogido en un moño italiano, los labios pintados de un rosa vivo, un collar de cuentas muy gruesas de ámbar y un vestido de seda verde pintado como un kimono. Tan elegante como si fuera a una fiesta. Bajo los pliegues de los párpados aparecen dos ojos muy negros.

—No soy Irene. Soy su hija.

Puede que haya perdido la cabeza como dice el secretario, pero no puedo estar segura de eso; es más: no lo creo.

—Gracias, Thorstein, pero no hace falta que te quedes —le dice Oriana al hombre.

Él no responde, escucho cómo se cierra la puerta suavemente.

—¿Dónde está Irene? —me pregunta Oriana.

—Murió.

—Ah, sí. Ahora lo recuerdo. Tienes razón. Cómo lloré. Ahora ya no lloro por nadie, soy demasiado vieja. Estuviste en aquella casa, ¿verdad? Sí, Thorstein me lo dijo. Algo de un cuadro.

Ya no me interesaba el cuadro ni Amalia Valle ni nada más que aquella mujer delante de mí.

—Háblame de Irene.

Suspiró.

—El amor… No se puede hablar del amor. Vive en el misterio. No lo toques, no lo rompas, no lo desveles o se asustará y desaparecerá. Es tímido el misterio… Frágil. Hay que cuidarlo. Ella vive con él: allí no ha muerto. La veo, la siento, la espero más que nunca, no ha pasado ni un solo día en que no estuviera aquí conmigo.

Esas frases, ese tono, me resultaban familiares.

—¿Dónde está Samperio?

—Aquí. Y en ningún sitio.

Oriana se confunde con Ludi, la Vijana. Cogí el móvil, busqué la imagen de Samperio, la única que tenía y que me había acompañado desde el principio. Se la mostré.

—La hizo ella. Irene —dijo—. De todos los rostros del pasado es el único que veo con claridad, igual que te veo aquí ahora. En ese momento lleva puesta una chaqueta de punto blanca, se aparta el pelo rubio de la cara y me dice «estás muy serio», sonríe, y yo le contesto «no tengo motivos para sonreír». Entonces yo era muy infeliz y ni siquiera ella pudo vencer mi tristeza. Temo haberla arrastrado conmigo.

La copia en el folio de papel, la imagen del hombre sentado en el muro del lugar que conocía, donde había estado apenas hacía unos días y que permanecía igual al día en que se hizo aquella foto, el destello que me deslumbró y la voz que escuché ¿era la de Oriana? ¿La de Irene? Esa imagen la había hecho mi madre. Creo que tengo todo el cuerpo en tensión y noto como se me acelera el corazón.

—Necesito saber quién es ese hombre. ¿Sabes dónde está? ¿Quién es?

—Era yo.

La mujer anciana me coge de la mano. Esa cara, esos ojos. Los conocía. Ya lo veo, es cierto: más jóvenes, penetrando en el objetivo de la cámara.

—Román murió cuando Irene se fue. Tuvo que desaparecer para que llegase yo, la mujer que ves. Fueron las Ancianas; ellas me prometieron darme este cuerpo después de que casi acabara con mi vida. Me salvaron, me parieron, me hicieron lo que soy. Pero a cambio de mi deseo tuve que dar lo que más amaba, lo que tenía más valor para mí... El olvido era el precio que tenía pagar. Cumplí mi parte y ellas también.

Levantaba las manos delante de los ojos, se tocaba la piel cuarteada, las venas hinchadas, los dedos torcidos por la artrosis.

—... mi don, contar, imaginar, la cámara, el pincel, el poema. Tuve que dejarlos allí. Eso pasó cuando comí los frutos del tejo. ¿Has visto el tejo junto a la casa? A Irene le gustaba ese jardín al que nunca he vuelto, no podría soportarlo. Porque allí amé a Irene y tuve que renunciar a ella. Así es como funciona: las diosas nos piden sacrificios. Las Ancianas querían hacer un intercambio, como si fueran hadas y quizá lo sean. Acepté. Les di lo que querían porque era lo que yo quería también. No sufrir más, abandonarlo todo, olvidar. Y volver a ser.

—Tú eras él. Román.

El hombre que había escrito en sus notas «Yo soy ella». Ludi me había avisado de que el hombre que buscaba era una mujer. ¿Cómo podía sorprenderme?

—Hace mucho de eso. Pero tenía que convertirme en mi propia obra de arte. ¿No me ves?

Sí que la veía. Y también a Samperio, mirándome a través de los mismos ojos.

—¿Eres mi padre?

—No lo sé, querida. Ella nunca me lo dijo. Pero me hubiera gustado tanto…

—¿Me buscaste?

—Las Ancianas querían que esperara a que me encontraras tú a mí. «Ya no tengo tiempo», les contesté. ¿Te gustó la casa? He pensado en ella y en ti. Me costó darme cuenta de que había una razón para tenerla, para hacerla mía; tenía que ser para la hija de Irene. Lo he dejado por escrito por si se me olvida, con todo lo demás. Es una buena idea, ¿verdad? Dime, ¿te la quedarás? Prométemelo.

—Me quedaré con lo que tú quieras.

Cerró los ojos y, con un suspiro, apoyó la cabeza en el respaldo. Seguía cogiéndome la mano, pero ya no la apretaba, descansaba sin fuerza dentro de la mía. Me incliné sobre ella con miedo de que no respirara. Al hacerlo aspiré un perfume que olía a bosque, a raíces recién arrancadas de la tierra, y con su vestido verde me pareció cubierta de hojas y musgo y helechos, capaz de atravesar el suelo y fundirse con la tierra del jardín de allá afuera. Se abrió la puerta y Thorstein entró.

—Está cansada. Tiene usted que irse.

No quería irme, tenía que seguir hablando con ella pero obedecí al guardián, solté la mano, dije un adiós que no tuvo respuesta y ambos salimos de la habitación.

—¿Pudo usted hablarle del cuadro?

—No he podido mencionarle nada, hemos hablado de otras cosas más personales. ¿Podría volver mañana?

—Ya ve en qué estado se encuentra, no sabe ya quién es quién. Ignoro si le conviene que le hagan visitas: déjeme que hable con el especialista y la enfermera que viene por las noches; les preguntaré.

No podía decirle que se equivocaba porque yo misma dudaba de todo lo que había oído y empezaba a encontrarlo inverosímil. Repasaba las palabras de Oriana, de Samperio, una y otra vez: ¿y si solo había escuchado lo que quería escuchar?

—Respecto del asunto del cuadro... En este momento es difícil tomar una decisión. Pero si lleva allí tanto tiempo, no pasará nada por esperar un poco más, ¿no cree?

—Llámeme, por favor.

Prometió hacerlo.

El trayecto en el taxi desde La Florida hasta casa se me hizo eterno; la cabeza me daba vueltas, tuve náuseas. Quería dejar de pensar, de imaginar, de intentar unir los puntos hasta conseguir una imagen con sentido, pero no lo conseguía. Al meter la llave en la cerradura de mi puerta sentí el golpe en el esófago, abrí de un golpe y sin cerrar corrí hacia el baño. Después de vomitar la tensión, mi cuerpo cedió a un cansancio extraordinario y desconocido. Pasé una noche de sueños inquietos y sudorosos que no logro recordar y que me despertaron en mitad de la madrugada. Desvelada, intenté leer, pero las letras del libro de Anna Banti bailaban sin música delante de los ojos. Me quedé dormida cuando amanecía y desperté tarde, pasado el mediodía. Gasté el resto de la tarde dormitando delante de la tele y deambulando por la casa como una sonámbula, alimentándome de café y galletas viejas y mirando de reojo el móvil, esperando la llamada de Thorstein, esperando a Oriana. No quería hablar con nadie más, ni siquiera cogí el teléfono a Daniel, que dejó varios mensajes, también en el chat, pero no me molesté en contestar. Me invadía la abulia, una incapacidad física para interesarme por nada que no fuera la idea fija: las palabras de Oriana, los ojos de Samperio, la fotografía de Irene, la revelación de Ludi, volvían a mí una y otra vez. Se había hecho de noche y el mensaje de Andrea brilló en la oscuridad:

«Lo siento Inés, vamos a aparcar el proyecto. Tienes que volver a Madrid. Envía todo el material que tengas, ya sabes que sigue siendo confidencial. Por supuesto, cobrarás lo pactado por días trabajados. Ya hablaremos».

5

Me presenté sin avisar en las asépticas oficinas de Gaula y esta vez no me intimidaron ni las moquetas gruesas ni los trajes caros ni el acero de diseño. La secretaria me preguntó si tenía cita y le contesté muy decidida que no me hacía falta porque Andrea estaba esperándome, ella ya sabía de qué se trataba, esperaría el tiempo que hiciera falta si es que estaba reunida. Pero no tuve que esperar mucho: me recibió poco después de que la secretaria entrara en su despacho para avisarla de que estaba allí.

—Has vuelto muy rápido —dijo. Estaba sorprendida de verme.

—Ya estaba en Madrid: regresé anteayer precisamente a causa del proyecto.

Andrea esquivaba la mirada detrás del flequillo, ya no me parecía tan segura de sí como antes. Recordé que Daniel me había prevenido contra ella, pero no tenía miedo, ¿qué podía perder? ¿La posibilidad de que Gaula volviera a encargarme un trabajo? Ambas sabíamos que eso no ocurriría en ningún caso: su incomodidad me lo gritaba a la cara.

—No hacía falta que te molestaras en venir: ya te dije que pagaremos tu trabajo y los gastos tal y como hablamos. Espero que tú también nos hayas enviado absolutamente todas las grabaciones.

—Está todo en vuestra nube.

Podía verme reflejada en la mesa de cristal limpia, solo el móvil y el portátil abierto sobre ella, ni un papel, un bolígrafo. Tecleaba mientras hablaba, parapetada tras su actitud de mujer ocupada.

—Aunque el proyecto se haya cancelado, te recuerdo que has

firmado un contrato de confidencialidad y no puedes usar nada de lo que hayas encontrado bajo ningún concepto —insistió.

—¿De verdad te preocupa tanto? Si ya no se va a hacer, ¿por qué tanto secreto?

—No tendría por qué darte explicaciones, pero nuestro cliente lo exigió.

—Así que todo esto no fue idea de Gaula sino de alguien que os contrató para hacer un documental sobre Samperio. Tiene sentido. No sabía que trabajabais de encargo.

—No... No es habitual —respondió, nerviosa.

—Supongo que alguien importante y con mucho dinero para gastar. Supongo que, además, exigiría que fuera yo y no otra persona quien hiciera el trabajo de documentación, ¿no es verdad? ¿Impuso mi nombre?

—No...

—Vamos, Andrea. ¿Por qué si no ibas a llamarme? Jamás en tu vida lo habías hecho, no te he interesado nunca y ni siquiera me aprecias. Seguro que te sorprendió mucho que ese cliente tan exclusivo estuviera interesado en mí.

La fachada de éxito profesional suele ser muy frágil; la de Andrea, delante de una don nadie como yo, se resquebrajaba. Casi la compadecí.

—Es que no estoy autorizada...

—Oriana Larios.

Antes de entrar en el despacho ni siquiera había pensado en ello, pero de pronto, al ver a Andrea, tuve la seguridad.

—¿Cómo lo sabes?

—Ella mismo me lo dijo. A su manera, claro; ya sabes cómo es. ¿O no?

Cogió aire, miraba la puerta sin cesar como un animal acorralado.

—Yo no llegué a hablar nunca con ella, solo con su despacho de abogados; fue todo tan extraño que llegué a pensar que era un invento, qué se yo... Pero arriba dieron el visto bueno y no me quedó más remedio que hacerme cargo de un proyecto que no tenía ni pies ni cabeza.

—Y que en realidad a nadie interesaba. Será un alivio para ti que no haya salido adelante.

No contestó.

—Pero seguiste adelante porque no escatimaba en gastos. ¿Cuánto le sacasteis?

Un gesto de incomodidad, casi desagrado.

—No me iré de aquí hasta que me lo cuentes.

Mi mirada le debió de parecer convincente.

—Firmamos toda la producción por un millón de euros, pero después de la cancelación no llegará ni a la tercera parte. Ya ves que nosotros también perdemos mucho.

—Vosotros nunca perdéis: solo dejáis de ganar.

Sacudió el flequillo quizá para darme la razón.

—Quédate tranquila. Te prometo que nada de lo que hemos hablado saldrá de aquí. Solo dime qué es lo que ha pasado para que se haya cancelado el proyecto.

—¿No lo sabes? Oriana Larios murió ayer.

—¿Cómo?

—Por lo visto estaba enferma, no sabemos si lo estaba ya cuando encargó el proyecto, puede que sí. Su abogado llamó ayer para informarnos de que antes de morir quiso cancelar la producción. Una de sus últimas voluntades, por lo visto. Eso es todo. No sé más, de verdad.

Últimas voluntades. Sí, de eso se trataba: de voluntad. Eso era Oriana. Y Samperio. Salí del despacho de Andrea sin despedirme de ella y dejé atrás el edificio acristalado como quien sale de una jaula. Quería ir al funeral o lo que fuera que alguien, seguramente Thorstein, hubiera decidido hacer para despedir a Oriana, así que lo llamé y le dejé unos cuantos mensajes, pero no respondió. Tampoco supe encontrar el lugar ni la hora donde se celebraría el funeral y eso me desesperó: Oriana se convertiría en una imagen fugaz de la que me arrebataban el duelo, convertida en una sombra más de la memoria.

6

Estoy en casa. No hablo con nadie, no contesto a las llamadas de móvil. No sé qué ocurre fuera y no me importa. He guardado y archivado todas mis notas personales sobre Román Samperio y Amalia Valle, incluso lo que recopilé sobre la misteriosa mujer pelirroja. Sombras. Todo lo demás, como las grabaciones que hizo Martín, está en la nube de Gaula o el castillo de la bruja mala rodeado de una maraña de espinos gigantes. Sueño que me convierto en una cámara fantasma que se acerca al edificio de cristal ahora cercado de alambrada, al cartel que avisa NO PASAR, pero nada puede impedir que entre, atravieso un jardín abandonado de árboles torcidos y al fondo el castillo ya no es más que una ruina abandonada. Todo parece un truco, una ilusión óptica pintada sobre un cristal. No puedo entrar: Oriana abrió una puerta y ahora la ha cerrado para siempre.

Me despierta el timbre de la calle. Insiste, llama cada vez más fuerte atronando la casa. Ningún cartero llamaría así, ni un repartidor, además no he pedido nada. El zumbido del WhatsApp: «Haz el favor de abrir la puerta». En imperativo y mayúsculas, solo podía ser Daniel. Yo tengo un juego de llaves de su piso pero él se niega a tener uno mío con la excusa de que teme perderlo. Abrí la puerta de la calle y también la de casa y me volví al sofá.

—¿Se puede saber por qué no das señales de vida?

Y lo decía él. Pero no tenía fuerzas para discutir y solo me revolví en mi nido del sofá.

—Y vaya pinta, hija mía. ¿Has tenido gripe o qué?

Empezaba a preocuparse.

—Vale, quédate sentadita ahí que voy a llamar al japo para que nos traigan de cenar. Una buena sopita de miso y como nueva.

Comida japonesa. Pensé en la tortilla de la madre de Mari que sabía a tierra, a hogar y a certezas. Daniel llamó al *take away* del restaurante y mientras llegaba el pedido recogió el salón y la cocina sin decir esta boca es mía; podía parecer un padre y una madre cuando quería. Le dejé hacer.

—Come algo, anda.

No me entraba nada en el estómago, pero lo intenté mientras él servía el vino y daba buena cuenta de la cena. Cuando terminó remató el vino y sin preguntar nada me miró como diciendo ¿a qué esperas?

—Creo que he conocido a mi padre —dije.

—Espera, espera... *Da capo, darling.*

Le hablé de Samperio y de mi encuentro con Oriana, del

cuadro de Amalia Valle en El Jardín del Alemán, de las cuevas, de las druidas, de mi madre y Ludi, también del fin de mi relación con Gaula: toda la trampa en que me había visto atrapada y de la que todavía no había logrado salir. Intenté ser ordenada pero no sé si lo conseguí. Aun así, él escuchó sin interrumpir.

—Oye, ¿y lo de la casa? ¿De verdad te la ha dejado en herencia?

—Ni siquiera he pensado en ello.

Era cierto, lo había recordado solo al contárselo.

—Pues deberías.

—No te hagas ilusiones. Además, ¿qué hago yo con una casa en mitad del monte?

—Por eso no te preocupes, ya me encargaría yo. Además, así estarías más cerca de él.

—¿De quién?

—No te hagas la loca. Me refiero al hermano guapetón de las señoras druidas.

No sé qué había dicho sobre Martín, creo que apenas le nombré, pero Daniel tiene unas intuiciones mágicas: hubiera resultado un druida estupendo.

—En este rompecabezas me escondes piezas, que lo sé yo, que nos conocemos. Y no me vas a convencer de que estás hecha una piltrafa solo por la posibilidad, de lo más incierta, de que hayas conocido a tu padre justo antes de que muriera.

—Entre Martín y yo no ha pasado nada, solo un tonteo. Si le conocieras te parecería un salvaje. Y es viudo. Bueno, no. Se divorció y su mujer murió, es un tío de esos que… En fin, que no importa.

—¿Y dices que no ha pasado nada? «Nada» en nuestro idioma significa que no te lo has follado y tú y yo sabemos que a veces eso es más peligroso. Uy, por la cara que pones, estoy en lo cierto…

Ahora sí que tenía sed, bebí un trago de vino.

—Me hicieron un *fathliaig*.

—¿¿Un qué??

—Un conjuro de amor, una porquería psicotrópica que me metieron en la comida, me puse malísima…

—¿Drogas? Ya te previne de nosotras las adivinas...

Nos echamos a reír.

—Sí, muchas risas, pero ahora, ¿qué? Ya lo imagino, lo de siempre: la callada por respuesta y una de tus clásicas bombas de humo, no me digas más. Bueno, con este lo tienes fácil: a cuatrocientos kilómetros, no tendrás miedo de volvértelo a encontrar.

La risa se me convirtió en un puchero y luego en llanto imparable. En vez de intentar consolarme, Daniel aguantó el envite bebiendo más vino y me tendió su pañuelo de algodón egipcio con la D bordada. Su dandismo me pareció adorable y lloré más.

—Sí, hija, sí, desahógate, que eso es buenísimo. Y bebe agua y no solo vino, que te vas a deshidratar.

No soy de lágrima fácil, pero cuando me arranco puedo llegar a cascada torrencial, así que lloré hasta cansarme, hasta dejar toda la angustia pegada al pañuelo y convertirlo en una piltrafa húmeda.

—Crees que me lo has contado todo —dijo Daniel, cuando me vio más calmada.

—Absolutamente todo.

—No. No puedes. Es imposible para mí saber qué has vivido en realidad, eso solo lo sabes tú y por mucho que intente ponerme en tu piel, es en vano. Incluso aunque creas que has sido rigurosa y fría en tu relato, sería solo una percepción tan engañosa como un espejismo. Yo no puedo reconstruir tu verdad porque tu relato siempre será subjetivo además de fragmentario y parcial. No es una crítica, solo te digo que la memoria no es más que una representación y nos juega malas pasadas a todas.

Puede que tuviera razón, pero aquello era demasiado complicado, me dolía la cabeza y le pedí que dejáramos de hablar, solo necesitaba su compañía. Le agradecí sin palabras que no hiciera la pregunta impertinente, ese «qué vas a hacer» con el que yo misma me atormentaba cada minuto, cada segundo.

—¿Quieres una pasti? Así descansas pero de verdad.

—Mira que eres politoxicómano...

Pero acepté. Me tomé la pastilla para salir de un mundo

que me parecía incomprensible y loco, como si fuera Alicia aceptando el trozo de seta de la Oruga Azul.

—Vete a la cama. Yo me quedo aquí un rato.

Y se quedó en el salón enganchado a las noticias de la tele.

Al día siguiente tuve el típico despertar fulminante de la droga legal; Daniel ya se había ido dejando preparado un desayuno de tostadas quemadas y café aguado recién hecho. Una suerte tener a Daniel como amigo, pero como cocinero es un desastre. Después de una ducha empecé a sentirme aliviada, incluso me atreví a enfrentarme con mensajes como el que Diana me había enviado.

«¿Qué pasó con tu entrevista? ¿Tienes noticias?»

Respondí con la esperanza de que no estuviera conectada: «No llegué a reunirme con la propietaria. Estaba enferma y murió al día siguiente». Pero inmediatamente se marcó el azul del doble *check*.

«(Emoji de sorpresa) ¿Qué hacemos?»

«No lo sé.»

«Buscaremos a los herederos. ¿Te puedo llamar?»

Los herederos, claro. Ignoraba si Oriana tenía parientes aunque no lo parecía. Recordé su promesa. ¿Era yo su heredera? Contesté a Diana que estaba ocupada y que ya hablaríamos; una excusa, porque no tenía intención de continuar ninguna búsqueda, no encontraba para ello las fuerzas ni las ganas.

El resto eran mensajes sin importancia, chats de amigos y en el mail alguna promesa de trabajo que tardaría en hacerse realidad. Eso me recordó que tenía que facturar a Gaula para olvidar toda la vinculación con ellos cuanto antes. Me decidí a sentarme a trabajar, ponerme al día; no llevaba ni cinco minutos cuando me sobresaltó el timbre del portal: un mensajero traía un paquete a mi nombre. No esperaba nada, pero el corazón me latía a toda velocidad cuando el motero me puso en la mano un sobre grueso en las manos. Lo enviaba una sociedad llamada Lisuarte S.A. que no me sonaba de nada. Firmé el recibí electrónico con un garabato, cerré la puerta casi en la cara del mensajero y rompí el sobre de cualquier manera. Abrí la carpeta de plástico tan nerviosa que su contenido cayó al suelo.

Diapositivas en sus fundas. Fotos, dibujos, frases. Y varias fotografías: ahí estaba Samperio. Con Irene. En distintos lugares, distintos momentos. Lo recogí colocándolo todo sobre la mesa del salón como si pudiera formar una secuencia temporal. Dibujos a lápiz, a carboncillo y a boli Bic de color azul ya verdoso por el paso del tiempo, y en ellos el rostro reconocible de Irene, quizá también la mujer desnuda sobre una cama con el brazo tapándole la cara. En un lado, escrito con letra picuda y nerviosa: «Has venido». Una fotografía de Irene vestida de blanco y sentada en una roca con un mar al fondo. Otra de Samperio, de perfil, mirando un paisaje mediterráneo, quizás Ibiza. Aparecían juntos varias veces en la serie de diapositivas. Otro viaje a un paisaje que sí conocía: los valles del Pas, el monte de El Castillo desde varios ángulos, incluso el propio Samperio posando bajo él. Y en El Jardín del Alemán, Irene sentada en un banco de madera bajo el magnolio, el banco era diferente de aquel en que yo misma me había sentado pero el lugar era el mismo. Un trozo de papel amarillento, escrito a bolígrafo:

> De mucha congoja era su ánimo atormentado, así por la gran soledad que de su amiga sentía, que mucho de corazón la amaba. Tal fue el sufrimiento del caballero, que cambió su nombre por el de Beltenebros, y se refugió en una ermita en la Roca Pobre, convencido de que Oriana lo había injuriado.

Oriana. El nombre escogido por Samperio para volver a la vida convertido en mujer. Tecleé en el móvil «Oriana»: personaje literario, la amada de Amadís de Gaula. Prototipo del ideal de mujer, modelo para la Dulcinea del Toboso. ¿Gaula? ¿De verdad? ¿Otra casualidad? Tienes que dejarlo, Inés, ya está, se acabó. Quizá eso era todo, no había nada, solo el rastro en el corazón de las queridas sombras.

El zumbido de llamada del móvil, vibrando sobre la mesa. Aunque no me apetecía hablar con nadie, miré de reojo el nombre en la pantalla. Era Martín. De nuevo el corazón acelerado.

—¿Sí?

—Hola. ¿Estás ocupada o podemos hablar?

—No, dime.

—Es que estoy aquí abajo, en tu portal. Ahora te lo explico. ¿Me dejas subir?

Como me costaba contestar se adelantó:

—O quedamos en algún sitio si prefieres.

No hacía falta contestar: ya había pulsado el telefonillo. Fui a abrir la puerta de casa y mientras oía subir al ascensor me di cuenta de que sabía exactamente lo que tenía que hacer. Ya estaba delante de mí, parado ante mi puerta, sin atreverse a entrar: le abracé. Noté cómo algo se le derrumbaba dentro, el muro se deshizo.

Todo es fácil. Ya no hay misterios ni preguntas sin respuesta, se ha ido la confusión, la incertidumbre y soy solo presente. No quiero saber ni conocer las vidas de otros, solo descubrir mi propio deseo de latidos, besos y susurros, labios y lenguas viajeras y curiosas. No hay miedo ni vergüenza y todo tiene sentido, el de los cuerpos antes desconocidos ahora acompasados en una ternura inesperada, sorprendente. He olvidado todo y ya no hay sitio para nada más que la cama revuelta, la voz tranquila que me susurra sin dejar de acariciarme: lo hace sin darse cuenta, mientras habla. No le había preguntado nada, pero había una explicación.

—Daniel, tu amigo, me llamó ayer por la noche.

La Oruga Azul, intrigante y enredadora, había estado conspirando a mis espaldas, buscando el teléfono de Martín en mi móvil mientras yo dormía el sueño de los justos y de los pastilleros. Hacer esas cosas le encantaba, así que, en el fondo, no me sorprendió.

—Me contó que Gaula había cancelado al proyecto, entonces me di cuenta de que quizá no te volvería a ver.

Es extraño que la felicidad quepa en una sola frase tan corta.

—No podía dormir y de madrugada cogí al coche, no paré hasta plantarme aquí. Ni siquiera me he despedido de las chicas, van a alucinar cuando les diga que estoy en Madrid.

—¿Tú crees? Seguro que lo han visto en su bola de cristal.

Se reía, creo que era la primera vez que le vi hacerlo. Me pareció extraño y a la vez encantador. El tono de un móvil que no era el mío sonó en el salón.

—Serán ellas. Ni una nota les he dejado, me va a caer una buena bronca.

—No creo, seguro que les parece bien que hayas venido a verme.

Vuelve a sonreír. Se levanta, está desnudo, me gusta ver su cuerpo desnudo en mi casa, invadiéndola con su presencia real, espantando las fantasías: él es verdadero. Sale de la habitación y yo me levanto sin pereza, me pongo una de mis camisetas enormes, entro en el salón. Está de pie escuchando la voz del otro lado del móvil, callado. El ceño fruncido ha vuelto.

—¿Qué pasa?

—Es Áurea. ¿Puedes poner el canal 24 horas?

«El fuego fuera de control alcanza ya las cien hectáreas y tiene hasta diez focos. La propagación de las llamas se ve muy favorecida por el viento sur y la extremada pendiente de los terrenos. Gran parte de los fuegos afectan a zonas de arbolado autóctono de especial valor, como robledales. Los efectivos del servicio de emergencias y algunos vecinos cuyas casas se encuentran cerca de los focos colaboran en la extinción formando cadenas humanas y usando mangueras y cubos. Se ha activado la Unidad Militar de Emergencias del Ejército, UME. Se cree que el origen de los incendios pudo ser intencionado.»

El bosque arde delante de nuestros ojos. Llamas naranjas se enroscan en los árboles, los devoran. El viento brama y arrastra una humareda blanca por las laderas, llega a la carretera general. Camiones de bomberos. Al fondo, saliendo de los montes como chimeneas de volcán, las humaredas azotan el valle.

«De momento no hay que lamentar daños personales, pero sí en casas y establos de las localidades más afectadas.»

—¿La granja?

—No: no ha llegado hasta allí.

Quería decirme algo y no podía. No hacía falta. Ya lo sabía.

AMALIA

La sombra a la sombra regresa

1

Tengo que terminarlo, ya casi no me quedan colores ni aguarrás, el suelo está lleno de trapos sucios. Me duele abandonarlo así y dejarlo como desnudo a la intemperie, o quizá es que no quiero acabarlo por miedo a tener que reconocer que no he conseguido todo lo que quería. O quizá la obra sea buena, tanto que no me sea posible volver a pintar nada semejante, nada que sea tan mío, tan yo. El óleo que es piel, tela que es carne.

Está nublándose, va a llover.

Me senté frente al cuadro aspirando su olor a fresco, viendo cómo la luz de la ventana deja caer el día como un rodillo de barniz sobre él. Cambiaba ante mis ojos cada vez más vivo, respiraba a través del color, de la luz, de las formas que me parecieron móviles y vivaces como las de una película animada, la entrada a un mundo maravilloso en el que nada se explica porque no lo necesita, porque sabe explicarse a sí mismo. El monte de El Castillo al fondo, entre un velo brumoso que un viento suave ha traído y que hace chocar contra la montaña y en ella se desgarra lentamente; el bosque plagado de demonios con sus ojos rojos que parpadean; las raíces de los árboles deslizándose por el cuadro como serpientes sobre las baldosas coloridas; la corza sorprendida en su gesto humano, a punto de saltar y esconderse en la espesura; las manchas azules que son las setas de Angelín surgiendo de la tierra junto a las albarcas de Cachita que caminan solas, como embrujadas; el barranco con su vértigo y en él la mujer de melena roja, su pelo flota a su alrededor como si estuviera sumergida en el agua. Ya no está atrapada en el cuadro, es capaz de salir de él. Quiero que seas libre, que vueles y te alejes. Hazlo por mí, por si soy yo la que no puedo escapar.

—Ya falta poco.

Ahora lo digo en alto, al cuadro y a mí misma. También falta poco para tener noticias de Fidel que ha ido al penal de El Dueso para encontrar la forma de salir de aquí.

Cuando levantaba de nuevo el pincel para posarlo sobre el lienzo, oí el golpe suave y desordenado de las piedrecitas chocando contra el cristal. Angelín. Tenía que ser él, había logrado escapar del cerco de los cazadores. Corrí a la ventana, me asomé: caía ya una lluvia intensa y espesa, el repiqueteo de las gotas me acompaña, no hay nadie más, solo el rumor del viento soplando entre las copas de los árboles, arrancando algunas hojas que caen sobre la hierba. El duende no apareció. Se habría fundido con el valle como la lluvia que caía, filtrándose en los recovecos de la tierra, y seguramente por eso quienes le perseguían no podían encontrarle. Tampoco yo, aunque imaginara que regresaba y se sentaba en la mecedora que dejaba cada noche en el porche para él.

De todas maneras hay alguien en la puerta: la golpea suavemente. No puede ser Fidel que haya regresado con noticias: él siempre usa la campanilla. Nadie más se acercaría hasta esta casa en un día como este, de diluvio. Vuelven a sonar los golpecitos, breves, tímidos. Me acerco al ventanal y miro hacia fuera sin apartar las cortinas: bajo el porche está Cachita; el paraguas no ha podido protegerla de la rabia de la lluvia y el agua le chorrea por la cara haciéndole brillos en la piel oscura. Santos sospecha de mis intenciones, no quiere que escape y por eso la envía a pesar de la tormenta, para que sea ella quien me convenza de que acepte su proposición. Abro.

—Señorita Amalia, tengo que hablarle.

—Perdone, Caridad, pero estoy ocupada y me es imposible atenderla.

—Señorita, por favor… No me cierre. He venido sin que mi señor don Santos lo sepa.

¿Puede leer mi mente? No sé si creerla; su gesto impasible, igual al de siempre, me obliga a desconfiar de ella. Entonces me doy cuenta de que no lleva las albarcas y de la mojadura de los zapatos, los tobillos y las piernas, salpicados del barro del camino.

Le dije que se quitara los zapatos y los puse a secar delante del fuego de la chimenea. Ahora está sentada en la butaca con los pies desnudos sobre la alfombra, le pregunto si tiene frío y niega con la cabeza, ensimismada, con los ojos puestos en las llamas. Espero a que sea ella quien hable.

—Tuvo noticia de que usted y don Fidel salieron juntos del pueblo: alguien desde el cuartel llamó para decírselo. No sé lo que imaginó pero montó en cólera y esa noche se puso muy malo con mucha fiebre. Mandó llamar al doctor y resultó que estaba fuera, había dejado la consulta de repente y sin avisar, cosa que no ha hecho nunca, menos sin decirlo al señor. Estuvo mucho tiempo al teléfono, hasta que consiguió averiguar que don Fidel había ido a Santander, pero no me quiso decir nada más, estaba furioso. Ayer mandó llamar a la señorita Paquita y no quiso que estuviera delante, me mandó a la cocina con cajas destempladas. Después de un rato ella salió llorando, muy ofuscada, y aunque le pregunté por lo que le pasaba tampoco quiso contarme de qué hablaron, como si ya no me tuviese confianza. Se fue corriendo. Luego mi señor pidió una conferencia a Madrid y estuvo hablando con alguien... No quiso decirme con quién. Es la primera vez que el amo me ha hecho salir de la sala, después de tanto tiempo, de tanto cómo hemos pasado ya no quiere saber de mí, me desconoce, lo veo en sus ojos.

—¿Por qué piensa usted eso?

—Porque no me gusta lo que le está haciendo a usted. Y lo sabe. Se lo dije.

Si Cachita había tomado partido por mí, tenía que creerla.

—Santos ha perdido por completo la razón.

—Entiéndalo, no es el que solía. Es la enfermedad que le trastorna.

—Puede ser, pero no se entiende esa obsesión, al menos yo no la comprendo. ¿Sabe qué es lo que quiere de mí?

Le costó contestar.

—Está convencido de que usted es la puerta a un principio y que gracias a usted podrá escapar de su final.

Escapar de la muerte. Eso era.

—Como si yo fuera una pócima mágica capaz de librarle de su destino... Eso demuestra su locura —contesté.

—No, no... La culpa es mía. Yo soy la única responsable. Le he repetido demasiadas veces cosas que quiere hacer realidad. A fuerza de lo que sea.

—¿Qué cosas?

—Que nada muere sino que cambia, que el tiempo no pasa sino que se curva a nuestro alrededor y que el pasado y el futuro están juntos siempre. Pero entiende a su manera lo que eso quiere decir, lo toma al pie de la letra, un error por el que nos pueden castigar... Lo que quiere hacer está prohibido: eso de atrapar la vida y guardarla como con sus caprichos de colección, como si se pudiera hacer con algo tan grande, tan inmenso. Tenía que haberlo sabido, haberle detenido... Ahora ya es demasiado tarde, le come la razón la dichosa fiebre y ve su idea amenazada y enemigos en cada rincón, hasta a mí me vigila. Por eso le he tenido que mentir, para que no supiera que venía hasta aquí.

Se retorcía las manos.

—Sabe que se le lleva la vida, que cada día que pasa le queda menos. Pero no lo acepta.

El dolor le rompía la voz y la máscara impávida.

—¿Y usted? ¿Lo acepta? —pregunté.

—Yo tampoco —reconoció.

—Le quiere mucho.

—Me lo ha dado todo. Y también me lo ha quitado.

Le estreché las manos cálidas, fuertes, intentando deshacerle la angustia como había hecho ella conmigo cuando más lo necesitaba.

—Tiene usted que irse, señorita Amalia. Cuanto antes.

—Lo sé.

Se soltó de mis manos para desabotonarse la blusa que siempre llevaba con el cuello cerrado. Tenía el pecho cuajado de collares de colorines largos y enredados. Un murmullo: estaba rezando.

Ese ohun mofe kose loni je kori be e.
Ni orunko ehiyn iyami oshoronga olo hun ola!
Olokun ola, ojo oju omo, bafefo
Aki gbe pue orunmila ko gbehun agbe ashe o, la gran madre.

La letanía incomprensible se repetía con un canturreo rítmico que se sostenía en el aire como si no fueran palabras, solo música. Yo escuchaba el rezo y a pesar de no comprender lo que decía, entendí que aquella mujer estaba invocando protección. Para mí. Se puso de rodillas y mientras seguía canturreando hizo una X en el suelo con el dedo índice. Sí, me estaba protegiendo de un peligro.

Se levantó y susurró en mi oído:

—*Iyami Oxorongá.*

Luego pasó la mano extendida alrededor de mi cabeza, sin tocarla, de un lado a otro.

Al fin era cierto aquello que se decía de que la negra cubana, como creía Angelín, y puede que también fuera cierto que no solo era ama de llaves sino la amante del indiano, su esclava. Cachita sabía que no me volvería a ver, por eso quería despedirse de aquella manera. Yo también supe que no volvería a escuchar su voz de sacerdotisa de dioses remotos y extranjeros. No dijo más: se alejó a paso rápido en las sombras de la tarde fría y oscura y yo me quedé bajo el porche.

2

Había dejado de llover y solo quedaba un rastro de esa luz blanda y tenue que sigue a la tormenta. Me siento en el poyete pegado a la pared: la misma hora de aquella vez, el mismo lugar donde me deslumbró el destello de una luz blanca indefinible. Vuelvo a ese momento como si la vida pudiera dar marcha atrás. Delante de mí, en el jardín, alguien ha colocado una cámara de fotos en un trípode. Miro alrededor: no se ve a nadie pero está allí, delante de mí, idéntica a la cámara que tuvimos en casa con la que mi padre nos hacía fotos cuando éramos niños. Papá se acerca a la cámara, hace un gesto, tengo que sonreír, ya no le veo la cara, dispara, reconozco el resplandor. Dejo que la luz entre en mí: me hace más fuerte. Cuando abro los ojos mi padre ya no lo es, se ha convertido en la Mujer Roja y descubro que es ella quien ha estado conmigo en este mismo lugar, pero no ahora, sino hace muchos años. No es una impresión: estoy segura de ello tanto como de la fotografía que me mostró Santos: todo es real, no necesito más pruebas. Y puedo soportarlo porque es bello, aunque también sea terrible.

Un sueño profundo. Creo que me he quedado dormida sentada frente al fuego y ahora está amaneciendo. He soñado con caballos, un jinete se acercaba a la casa, el fuego se extinguía en mi sueño y el hilo de humo que se levanta hacia la chimenea se ha convertido en un fulgor verde. Me despierta una intuición animal.

Los cascos de un caballo; oigo el relincho. El fuego del hogar todavía arde, una llama más alta sube hacia la garganta negra de la chimenea, se cimbrea con el golpe de una corriente de aire.

Antes de verle sé que ha llegado y está rodeando la casa con pisadas suaves de cazador. Veo su sombra a través del ventanal y me pego a la pared yo también silenciosa. Quizá si me escondo logre convencerle de que no estoy, de que ha llegado tarde. Pero puede que me haya visto mientras estaba dormida, metiéndose dentro de mi sueño. La puerta de entrada está cerrada, lo compruebo; pero está la otra, en la cocina, que da a la parte de atrás del jardín y ya la ha descubierto.

—Amalia, abre. Soy yo. Estoy aquí, he venido. Ábreme.

La voz ronca, amorosa, deseosa, surge desde el otro lado de la puerta pintada de blanco.

Una fuerza magnética me arranca la voluntad y como hechizada camino paso a paso, lentamente, hacia esa puerta. Alzo la mano hacia el pomo: aunque no quiero, estoy dispuesta a abrirla. Pero antes veo cómo gira primero poco a poco, luego más rápido y violento: está cerrada, sí, anoche la cerré, ya lo hago siempre, no sé por qué he dudado; pero al otro lado él intenta forzarla, la golpea como si quisiera echarla abajo aunque no va a poder, es una puerta resistente y gruesa capaz de aguantar el paso del tiempo, dispuesta a impedir que entre el lobo, puede morderla y arañarla pero no logrará entrar. Golpea la puerta, insiste. Oigo mi nombre en un grito desgarrador de bestia herida. Me apoyo en la puerta con todo el cuerpo como si así ayudara a sujetarla, acerco la boca a la madera fría para decirle que no puedo dejarle pasar, que tiene que irse, vete, vete, vete.

La puerta deja de moverse. Se ha rendido. Todo está cerrado: el ventanal del salón, las dos puertas. Pero ya sabe que estoy dentro de la casa y puede esperar fuera, oculto en el jardín el tiempo que haga falta hasta que yo salga. Un asedio. Puede que esté a salvo, pero ¿y Fidel? Tiene que venir, llegará antes o después y no puedo permitir que le haga daño; imagino lo que sería capaz de hacer si ve entrar a un hombre en la casa en la que vivo. La dentellada del lobo. No puedo permitirlo... Un golpe caliente me atenaza la garganta, me falta el aire, la boca repentinamente seca. Lo he olvidado: he dejado abierta la ventana del estudio para ventilar el cuadro. Corro hacia el cuarto del fondo, tengo que darme prisa, ya ha debido de rodear la casa y debe de conocer cada rincón del jardín; entro en el estudio, la ventana está abierta, ya es tarde.

Está de espaldas, observa el cuadro.

—¿Esto es lo que has estado haciendo sin mí? ¿Para esto necesitabas irte tan lejos?

No hace falta que se vuelva: conozco la espalda y los hombros, la nuca, tantas veces como he acariciado cada parte de su cuerpo y observado cada movimiento, cada gesto, escuchado todas las entonaciones de su voz: este es el tono comprensivo, el paternal, el falso.

—Amalia, ¿cómo has podido hacerme esto? Has sido una niña cruel. Sí, cruel. Has jugado con mi paciencia obligándome a buscarte de esta manera...

Ahora es la víctima, el dolorido, el chantajista.

Se da la vuelta. La mirada indaga, escarba, quiere saber por qué no me reconoce. Está sorprendido.

—¿Quién eres? ¿Dónde está Amalia? Qué habrás hecho con ella, bruja...

No sé qué está viendo en mí, en su delirio. Puede que se haya dado cuenta de que ya no soy la misma. O que haya visto el rostro de un fantasma. Sea lo que sea ha cruzado ya su mente, no se acobarda y se acerca. Está muy pálido y los ojos más hundidos, cercados de una sombra malva como si la locura le hubiera golpeado en la cara. Querría poder decirle muchas cosas, pero ya no es posible.

«Ya no hay vuelta atrás. Ya solo soy yo, no hay más nosotros. Por mucho que te empeñes, por mucho que lo intentes, con buenas palabras o con amenazas, yo no volveré a quererte, ya no soy, ya no estoy. Tú tampoco. Ninguno de los dos podemos volver al día en que nos conocimos, a la feria, al verano de nuestro principio, al vuelco en el estómago cuando me mirabas, a tu mano buscando la mía. Tienes que entenderlo, amor mío: no puedo dejar que me arrastres contigo a ese precipicio que tienes en el alma. No he sido capaz de salvarte porque era imposible, no estaba en mi mano, ahora lo sé, tengo que soltarte, ya lo sabes, no me castigues, no me lo reproches. No temo dejarte solo, aunque me torture tu dolor. Pero no voy a compartirlo. Tampoco voy a pedir perdón por abandonarte porque no me arrepiento, quise hacerlo y quiero hacerlo todavía: es lo más que deseo en este mundo. Es en lo primero en que pienso cuando abro los ojos cada mañana; porque claro que pienso en ti, la memoria me ata a ti incluso con más fuerza que antes, cuando deseaba tenerte entre mis brazos, oír tu voz, verte dormido, en calma, junto a mí. Déjame salir de ti y de tu mente con la misma pasión con la que me quisiste contigo, con la misma intensidad con la que soñé en que mi amor podría espantar tu terror y tu odio y la misma ansiedad con que esperaba una caricia. ¿Olvidarte? Creo que de eso no seré capaz. Jamás. Lo que fuimos pesa demasiado, tanto que puede atravesar el tiempo y presentarse de nuevo como el primer día y acompañarme también el último, en el día de mi muerte. Estoy segura de que en ese momento volveré a verte una vez más, joven y bello como todavía eres ahora, te presentarás ante mí para reclamar lo que fue tuyo y solo entonces podré decirte adiós para siempre.»

Cierro los ojos, los aprieto: no quiero que me vea llorar.

—Te estuve buscando todo este tiempo, sin dormir, sin comer, sin pensar en otra cosa que en encontrarte. Es inútil, no podemos escapar el uno del otro. ¿Lo ves?

Coge mi brazo sin brusquedad y lo coloca en el suyo como si quisiera acompañarme a dar un paseo. Así, hombro con hombro, me conduce hacia la puerta de la entrada. Yo me dejo hacer, no muestro resistencia alguna. Sigo con los ojos cerrados, pero de todo mi cuerpo tira un cable que vibra como una cuerda de violín a punto de romperse y logro zafarme de su garra a la altura de la puerta del salón. Él no se mueve seguro de que no puedo escapar, de que no tengo adónde ir. Pero no espera que llegue hasta la chimenea y coja el atizador.

—Otra vez no eres tú. Amalia nunca haría algo así —dice.

Yo no contesto, dejo que se acerque confiado en su poder, en su fuerza, en lo que sabe que siento todavía, esa corriente eléctrica.

—Suelta eso.

Extiende la mano hacia mí para que le dé el atizador. No obedezco.

—Dámelo, vamos.

Aprieto las manos alrededor del hierro. Se acerca más. Da otro paso. Levanto el atizador, no sé cómo ni de dónde saco la energía para asestar el golpe. Se tambalea, creo que más por la sorpresa que por el dolor, pero un hilo de sangre le cruza la frente. Me aparto, está a punto de caer, tarda mucho, como si se moviera a cámara lenta: se agarra a la repisa de la chimenea, los pies trastabillan, resbala, el cuerpo se tambalea aferrándose al aire y vuelve a caer hacia delante, hacia la chimenea, levantando chispas, un leño ardiendo cae a la alfombra, rueda por el suelo, prende la alfombra y él se desploma.

No pienso, no miro atrás, corro hacia el jardín, lo atravieso, veo atado a la verja el caballo ensillado, paso a su lado tan deprisa que se asusta y relincha. ¿Y él? Quizá le he matado, no lo sé. Sigo corriendo; tengo que ponerme a salvo hasta que todo pase, esconderme, protegerme, seguir huyendo de él aunque esté muerto.

3

El bosque se cierra delante de mí cada vez más, pero los pies me arrastran sin contar con mi voluntad como si supieran dónde ir; son ellos los que me llevan monte arriba metiéndome entre las ortigas y las zarzas todavía mojadas de agua de lluvia que me azotan las piernas desnudas y se enganchan en la chaqueta de lana. No puede detenerme; oigo el desgarrón, no paro ni siquiera a recobrar el aliento porque cuando miro hacia atrás veo entre los árboles una sombra que se mueve. Me sigue. Sigo corriendo, la sangre late en mis músculos, en mis sienes, impulsándome hacia arriba, hacia el monte; creo que se me va a salir el corazón del pecho y el aire me araña la garganta, ya no entra en los pulmones, siento el sudor resbalándome por el cuello, por el pecho, solo puedo oír mi propia respiración entrecortada retumbando en los oídos. No puedo parar, tengo que seguir, sigue subiendo Amalia, no sé hasta dónde, hasta cuándo. Quisiera convertirme en rama de árbol, en piedra cubierta de musgo o en tábano, en un habitante del bosque pequeño, insignificante, transformarme como sabe hacer Angelín, encontrar un agujero en la tierra para ocultarme como un topo. Eso es. Las cuevas. Tenía que llegar a ellas. Miré hacia atrás: no le vi pero me seguía, estaba segura.

Los helechos crecidos en la ladera me llegan a la cintura, cada vez más espesos, más altos, una maraña inquieta que no deja moverse ni caminar entre ellos, tengo que pisarlos, aplastarlos aunque me escupan agua y me hagan caer y tenga que levantarme; la pendiente es tan pronunciada que voy casi trepando, los últimos metros subo ayudándome con las manos, aferrada a las ramas que se me clavan y a los salientes que ceden blandos en la tierra húmeda y me hacen resbalar. Pero ya falta menos; la boca de la cueva está ahí delante, se abre para mí. Los últimos metros fueron los peores: pensé que una zarpa de monstruo me rozaba una pierna, la falda, que respiraba a mi espalda a punto de agarrarme; tengo que llegar a la cueva y no caer desplomada, tan cerca ya, con las fuerzas agotadas.

Ábrete, Sésamo. La oscuridad se deslizó sobre mí, abrazándome.

Caí sobre la piedra fría intentando recuperar el aliento y acostumbrar los ojos a las tinieblas. La luz del exterior tocaba los hilos de agua que se filtraban de la roca viva, haciéndolos brillar. Al verlos me di cuenta de la sed que tenía y bebí pegando la boca a la pared. El agua estaba helada, tan limpia que hacía daño al entrar en la garganta.

La tripa oscura de la montaña me invitaba a entrar en ella

y hundirme en la caverna. Esa tiniebla me ampararía, me protegería como hace con los animales perseguidos. Caminé hacia el interior con cuidado de no tropezar en los salientes rocosos ni de resbalar en el suelo cubierto de barro húmedo, agarrándome bien a las paredes con las manos, hasta que pisé algo blando. Casi no podía distinguirlo allí dentro, pero lo palpé con una mano: era una manta. A su lado los restos de un fuego: la ceniza todavía cálida, junto a unas mondas de patata. Y algo frío y metálico: una linterna. ¿Era un regalo que me hacía la montaña? Quizá se había puesto de mi parte, ella y su habitante: en ningún momento temí encontrarme con el propietario de todas aquellas cosas: no podía ser peor que mi perseguidor.

La luz redonda me guio por el interior del laberinto de corredores, iluminaba el suelo y el techo erizado de formaciones rocosas mostrando formas fantásticas, hasta que la galería se ensanchó como un salón con techo de bóveda. Ante mí, una enorme ola rocosa brillaba lanzando destellos de cristal como la nieve, y sobre ella, más y más rocas en estratos de colores, pardo, amarillo, verdoso, rojo, negro. Puntos, formas caprichosas, animales mezclados, superpuestos en un desorden que no lo era. Una de las figuras se parecía a mi corza. Nunca había visto una cosa semejante aunque sabía de su existencia porque don Jaime me había hablado de ellas, de las pinturas primeras. Pero nunca hubiera podido imaginar su belleza perfecta, majestuosa, tanto que el tiempo se detenía ante ellas, conmovido. Este era el tesoro de la leyenda que contaban en el valle y todo lo que me habían contado quedaba empequeñecido por su realidad.

La fascinación me hizo olvidar que debía permanecer alerta, por eso no le oí entrar, invadir el silencio pesado, absoluto, con su respiración entrecortada. Su voz sonó con un eco hondo, me golpeó dentro como si mi cuerpo fuera un tambor.

—Amalia…

La linterna se me escurrió de la mano y cayó el suelo, rodó en el suelo irregular hasta quedar encajada en una estalactita, el círculo amarillo fijo sobre una de las paredes pintadas.

—Ven. Ven…

No sé dónde está.

—Has hecho bien en traerme hasta aquí, en obligarme a seguirte hasta este fin del mundo. Ahora lo entiendo, amor mío. Esto era todo, no hay más, todo lo demás no importa.

La sombra me atrapa, me abraza, me besa en la boca y en el cuello y esta vez sí, lucho con todas mis fuerzas por separarme de ella, mordiendo, golpeando, arañando como una bestia salvaje de garras y uñas afiladas aunque el cazador sea más fuerte, siento el sabor de su sangre en la boca, pero no cede: sé que en realidad me ama y me desea más si me resisto, noto su corazón golpeándome el pecho. Las manos se cierran sobre mi cuello, aprietan, lo han hecho otras veces, pero ahora sé que será la última.

—Eh, tú, ganapán, suéltala si no quieres que me enfade.

La voz que resuena en la caverna lo detiene. Él mira hacia las sombras negras del fondo de la cueva más allá de la luz, intentando averiguar quién está detrás de ella. Ha aflojado la presión en mi cuello, vuelve el aire.

—¿Quién es? Déjate ver si eres hombre —dice él.

—Hola, morena, ¿has venido a verme? Ya sabía yo que no podías vivir sin mí... —responde la tiniebla en un tono burlón, el que suele usar cuando viene a verme, como si yo no estuviera a punto de morir.

—¿Le conoces? —me pregunta.

No puedo hablar, me ahogo.

—Dime la verdad...

Vuelve a apretar fuerte con las dos manos, no puedo respirar.

—¿Estás sordo, cabrón?

Me estoy mareando. La presión desaparece y la cueva entera da vueltas como un tiovivo, cae sobre mí, me aplasta.

Un disparo que multiplica el eco. Truena en el corazón de la montaña una descarga cerrada, de fusilamiento; la bala rebota y chasca, alocada, en las paredes de la caverna. Me suelta, mira a su alrededor pero no ve nada porque la oscuridad protege a la voz sin cuerpo. Otro disparo que vuelve a perderse tras golpear dos, tres veces, la roca lanza restallidos de dolor y no sirve de nada porque la sombra de la sombra no se detiene, sigue acercándose, invisible, solo veo un brillo fugaz, metálico a la luz de la linterna caída en el suelo. Dejo caer la cabeza sobre el suelo, el barro húmedo y fino me acaricia la mejilla; se está bien aquí, en esta tumba tranquila.

Lo último que veo antes de cerrar los ojos es la pared pintada iluminada por el círculo de luz de la linterna: manos, muchas manos rojas, levantadas para saludarme o decirme adiós.

Alguien me zarandea, no quiero que me despierte pero me obliga.

—Morena... Levanta, anda. Venga, levanta.

La luz de la linterna me molesta en los ojos. La aparta. Al levantarme respiro otra vez y el aire me produce un dolor tremendo al atravesar la garganta.

—El cabrón casi se te lleva al otro barrio... Menos mal que andaba cerca, hiciste bien en venir a buscarme. Qué... ¿Puedes hablar?

Niego con la cabeza, me da terror siquiera tragar saliva.

—Ya se pasará.

Miro a todos lados, ya recuerdo lo que ha pasado y comienzo a temblar, hasta me castañetean los dientes.

—Nada, tranquila, sin miedo que ese no vuelve, ya me he encargado, te digo. A calmarse y vamos, sin prisa, pasito a paso...

Me levanta, no me sostienen las piernas y tiene que agarrarme por la cintura, me agarro a él con los dos brazos y me lleva casi en volandas. La luz de la linterna nos abre la oscuridad, avanzamos por el corredor y me parece que el laberinto es infinito y nunca nos dejará salir. Respira con dificultad bajo mi peso. Me ha soltado para detenerse, tiene que apoyarse en la pared: ha dejado la marca de su mano ensangrentada sobre la pared de roca.

4

—Señor y señora Peña.

El guardia fronterizo inspecciona los pasaportes y luego deja caer una mirada resbaladiza sobre los dos ocupantes del automóvil. A través de la ventanilla bajada ve al caballero de mediana edad, con gafas y sombrero, vistiendo un caro abrigo de espiga. A su lado, en el asiento del acompañante, una mujer joven, elegante, con un collar de perlas sobre el escote discreto y unos pendientes largos con brillantes. El pequeño tul azul de un sombrero redondo le tapa la cara. «Ni miran con respeto el uniforme, estos señoritos», piensa el guardia.

—¿Adónde se dirigen y con qué fin? —pregunta con desgana.

—A Biarritz. De vacaciones —contesta el hombre.

El guardia hace un gesto para que sigan adelante. «Qué bien viven algunos», le dirá al compañero de la garita después de que el Citroën negro arranque.

Permanecemos en silencio. Él mira de vez en cuando por el espejo retrovisor.

—Di algo, por favor.

—¿Puedo respirar ya?

—Claro que puedes. —Y se echa a reír.

No puedo expresar con palabras el cariño y el agradecimiento que siento por ese hombre que está a mi lado. En ese instante le hubiera abrazado, pero solo me atreví a poner una mano sobre su brazo derecho. Ríe otra vez: está tan feliz como yo aunque aún no pueda reír, si ni siquiera recuerdo cómo se hace. Tengo que volver a aprender. Poco a poco, Amalia; respirar es un comienzo. Me quito el sombrero, bajo la ventanilla para asomar la cabeza y que el viento me bese en la cara y me despeine.

Estamos en otro país aunque el paisaje no haya cambiado: el mismo verde suave deslizándose hacia las playas blancas y el añil de un mar consistente, tan firme que parece posible caminar sobre él. Voy sola, completamente sola, nadie más que yo sobre el desierto azul. Mis pies desnudos caminan sobre un infinito cristal de pecera fino y fuerte a la vez, que me separa de la plata movediza de las sardinas nadando juntas en un copo apretado, los pulpos y las medusas translúcidas, las ballenas lentas y apacibles, me acompañan en mi camino hacia al otro lado del océano, señalando la ruta que debo seguir si quiero cruzar su mundo y llegar a otro continente. Pronto llegarás, dicen con su voz de agua y de sal.

Entramos en Hendaya por el puente sobre el Bidasoa, la Isla de los Faisanes abrazada por la desembocadura del río. Al poco estábamos frente a la estación.

—Aún es pronto —dijo Fidel—. ¿Quieres dar un paseo para hacer tiempo?

Un paseo por la calle de una pequeña ciudad, a la luz del día, en medio de gente a la que no le importaba quién era yo ni de dónde venía: eso también era la libertad. Al pensar en ello tuve ganas de salir del coche y gritar, correr como una loca, como una niña, pero me contuve. Ahora era una señora y según decía mi pasaporte falso, estaba casada con el señor que me acompañaba, así que tenía que mantener las formas. Me puse el sombrero, Fidel bajó primero para abrir mi puerta y yo salí compuesta y juntando las piernas: eso eran las formas, mi madre me había adiestrado bien en ellas y también mi otra vida de esposa, muerta y enterrada en la tripa de una montaña.

—No estaré tranquilo hasta que te vea en ese tren y llegues a París.

—No te preocupes. Además don Jaime me recogerá en la Gare du Nord.

Le había llamado desde el teléfono de una cafetería en San Sebastián y casi lloro a lágrima viva al escuchar su voz al otro lado de la línea telefónica, tan lejos todavía y a la vez tan cerca, antes inalcanzable y ahora posible. No sé si notó algo en mi voz, pero no pareció sorprendido de escucharme, aunque estaba muy contento por saber de mí. Con su calma habitual, sin preguntas indiscretas, me prometió estar en la estación esperando la llegada de mi tren. «¿Sabes, Amalia? Desde que decidiste marchar a nuestra casa de Aes, estaba seguro de que nos vendrías a ver. Y así ha sido. No me preguntes por qué, serán aprensiones de viejo, qué se yo... Pero ves que al final tenía razón.»

Frente a nosotros, el Boulevard de la Mer, las casas elegantes alineadas a lo largo de la playa de fachadas blancas entabladas con rojos, verdes y azules y la fantasía morisca del Old Croisière Casino. Cogí a Fidel del brazo; ahora sí parecía que estábamos en viaje de novios.

—Vamos al final de la playa, hasta esas rocas gemelas, ¿te parece?

Mi amigo también parecía cambiado: había dejado de ser el hombre en la sombra que conocí, entonces todavía estaba atrapado por Santos, su vampiro particular. Ya no.

—Estoy decidido a trasladarme a Santander, de hecho hace tiempo me hicieron una oferta de trabajo en la clínica del doctor Madrazo: le llegué a conocer, éramos un poco parientes... ¿Qué te parece?

Me parecía muy bien que se alejara de la influencia venenosa y dominante del hombre que sabía demasiado de él y de mí, posiblemente también responsable de lo que habíamos sufrido.

—Santos es el único que pudo avisar a mi marido. Sabía quién era y por qué me buscaba.

—No puedes estar segura de ello; no es más que una conjetura.

—Recuerda lo que te conté de mi conversación con Caridad, sus temores... Santos sospechaba de tus intenciones desde que saliste del pueblo y antes me había amenazado con delatarme. Tuvo que ser él quien avisara a Jesús, pudo decirle dónde encontrarme, tuvo tiempo suficiente.

—No olvides a Paquita.

Era cierto. ¿Qué motivo tenía Santos para llamar a la maestra ese mismo día? ¿Por qué ella salió de su casa llorando sin querer hablar con Cachita? Sería muy propio de Santos utilizar a Paquita como un instrumento más de sus maquinaciones; quizá fuera ella quien me delató como un favor hacia Santos o solo por odio y envidia.

—En realidad, no importa —dije. Era cierto. No me importaba porque jamás volvería a ese lugar ni volvería a ver a ninguna de esas personas aunque eso supusiera dejar atrás una parte de mí.

—Es cierto, no conviene darle más vueltas, al fin y al cabo... Mírate: tú tienes tiempo, toda la vida. Santos no —contestó Fidel.

Ni él, ni Jesús, pensé. Y eso hizo que recordara otra vez lo que tanto deseaba olvidar. Solo me preocupaba la suerte del hombre del bosque, mi amigo. Juntos regresamos a la Casa del Alemán temiendo que se desangrara si Fidel no llegaba pronto. Le limpié la herida y se dejó hacer sin una queja, sonriendo todo el rato. No habíamos hablado sobre lo ocurrido, ni falta que hacía, pero había algo que me atenazaba de angustia y la pregunta me asaltó en cuanto le vi cerrar los ojos: si moría allí, delante de mí, nunca lo sabría con certeza y no estaba dispuesta a vivir con la duda, la amenaza y el miedo.

—¿Dónde está?

—No te preocupes por eso, morena, que ese nunca más te hará daño. Por estas.

—¿No me lo vas a decir?

—Es mejor que no escarbes y no lo sepas enteramente, mujer, no sea que por alguna malandanza mía, te interroguen y nos metamos en un lío; hazme caso y sigue siendo una inocente que tú no vales para criminala. Y ahora déjame dormir en esta cama tuya tan blanda, ¿no ves que estoy hecho polvo y tengo que descansar?

Después de que Fidel le operara allí mismo —«se recuperará, es muy duro de pelar»— no obedeció las órdenes de quedarse en la cama y a la noche siguiente salió de mi casa con pie firme hacia el caballo que había traído Jesús, porque nada más verlo al llegar y a pesar de estar más muerto que vivo, dijo: «Ese botín me lo he ganado. Es para mí, acuérdate».

Montó en el caballo con agilidad pasmosa para un hombre herido y el animal le obedeció de inmediato, como si formara un solo cuerpo con él.

—Adiós, morena.

El centauro aún caracoleó delante de mí.

—Qué gusto da mirarte, puñetera. —Picó espuelas y se alejó galopando hacia algún lugar recóndito y desconocido.

Ahora estoy en una playa en la que nunca he estado antes y el mundo bajo un sol que ciega parece unos zapatos de charol brillante que acabo de estrenar. A mi alrededor veo paseantes que no dan cuenta de la maravilla de ese mundo que les rodea ni del privilegio inmenso de estar vivos; todas esas parejas de caballeros y damas elegantes, señoras o jovencitas o institutrices de postín con cofias y delantales almidonados paseando a los hijos ajenos vestidos de marineros, las niñas con vestidos rosas. Más allá, casi al fondo de la playa, entre ellos, veo una mujer que pasea sola, de espaldas, el sol que los demás no ven reverbera en su pelo pelirrojo de melena corta, y va vestida con un gabán largo. Es extraña, diferente. Se parece a ella, pero es imposible.

—¿Qué miras?

Se pierde de vista entre la gente.

—Nada, me había parecido ver... Dime, ¿vendrás a visitarnos a París?

—Haré todo lo posible.

Pero sabía que lo decía por contentarme: Fidel tenía su propio camino como yo el mío, no hacía falta decir más, los dos lo sabíamos.

Se acercaba la hora de partir, regresamos al Citroën para recoger mi maleta; la llevó por mí hasta la puerta de la estación pero no entró.

—No me gustan las despedidas y esta me va a costar más de la cuenta. Me perdonarás por eso, ¿verdad? —Se quitó el sombrero—. Fue un placer recorrer este tiempo con usted, señora.

Un beso en la mano, apenas un roce. Y sin esperar a que yo contestara, cruzó la calle a buen paso, se metió en el coche y arrancó. Me dolía tener que decir adiós a un buen amigo, pero era el precio que había de pagar por mi libertad. Lo mismo que dejar mi cuadro atrás. A veces lo imagino en la casa cerrada, esperando en silencio, durante años, a que alguien lo encuentre, deseando ver aparecer unos ojos que lo descubran y lo reconozcan y lo hagan despertar como de un sueño.

ELISA

El espejo que soy

1

Baños de agua caliente, duchas frías, baños diarios de asiento durante media hora, sudor con sábana húmeda durante dos horas y después otro baño frío de ducha pélvica durante tres minutos. También durante el día defensivos fríos en el vientre y en la cintura renovados con frecuencia; por la noche, lienzos tibios fríos en el pecho y en la espalda durante los baños de asiento. Además, beber agua en abundancia, a todas horas. Por la tarde y noche me esperaba el baño sudorífero en el que me envolvían en sábanas húmedas durante media hora, seguido de otra sesión de baños de agua fría.

El doctor Zaragoza siempre estaba presente, disfrutando con el placer morboso de mi humillación, observando la desnudez revelada bajo el camisón mojado. Creo que ansiaba que me volviera loca de verdad para poder atarme a la cama o a las bañeras, como me contó que hacía en los casos más recalcitrantes, provocándome para que me rebelara y así poder aplastar mi orgullo con la violencia que estaba a su disposición.

Yo lo soportaba todo con una pasividad que seguramente le enardecía más, como si mi silencio le retase; en realidad cualquier cosa que hubiera hecho o dicho se volvería en mi contra. Se empleaba a fondo en encontrar alguna forma nueva de tortura con la que martirizarme, de los baños helados al sueño sobresaltado en mitad de la noche para llevarme a las bañeras; durante mi confinamiento no podía relacionarme con el resto de pacientes, ni compartir con ellos el comedor. Una doncella desconocida y mal encarada me traía la comida a la habitación: abría la puerta, dejaba la bandeja en el suelo y volvía a cerrar con llave. Tenía prohibido leer y mucho menos acercarme a mi cámara fotográfica, confiscada desde el primer momento; tampoco me dejaron recado de escribir para que no pudiera avisar a nadie de mi situación. La ropa de calle quedó en el armario, tenía que vestir continuamente un camisón y una bata, además de la camisa larga que debía ponerme para los baños y las duchas; la sensación de despojamiento que provoca la obligación de vestir este precario uniforme es total, absoluta, hacía que me sintiera desnuda todo el tiempo. Por supuesto, me estaban vedadas las excursiones a los alrededores o participar de las actividades del hotel, aunque después de la marcha de Jules supuse que consistirían en los bailes en el salón con sus músicos mustios, los habituales valses y polkas anclados en un tiempo muerto, una música distorsionada con parejas que dan vueltas a cámara lenta movida la manivela por una mano espectral. Nada parecía real sino un mal sueño del que resultaba imposible despertar. Era una prisionera.

Llegué a pensar que mi condena nunca acabaría puesto que dependía del capricho de un demente en una lucha entre dos voluntades. Estaba convencida de que la mía siempre sería más fuerte, de que no podría doblegarme, no conseguiría ninguno de sus propósitos. Pero a la vez, cuando me quedaba a solas en la pequeña celda siempre cerrada con llave por fuera, me encontraba incapaz de aceptar mi propia fragilidad, la impotencia física, la falta de recursos para hacer frente al hombre que tenía el poder de juzgarme y sentenciarme por un delito inexistente. El mundo me abofeteaba gritando que la independencia por la que tanto había luchado, de la que tanto me enorgulleciera frente a mi madre, frente a Jim, frente a los militares en la guerra, no me había traído más que perdición. El sonido de las vueltas de llave con la que cerraban mi habitación era una voz cruel que me echaba en cara no haberme procurado algo o a alguien que me defendiera: ni marido, ni familia, ni amigos con influencia, mucho menos dinero. Una mujer sola está desamparada, gritaba ese mundo, mientras que un solo hombre, incluso un alfeñique como el doctor, podía destruir la vida de cualquier mujer si se lo proponía. ¿Cómo no lo había visto antes? La culpa era mía y solo mía por no haber sabido esquivar la trampa cuando aún estaba a tiempo.

Encerrada en mi celda intento apartar la mirada del techo; conozco cada marca, cada grieta, los finos dibujos de la brocha en la pintura blanca mal aplicada. Me levanto de la cama para caminar de un lado a otro de los cuatro metros que hay de la puerta a la ventana enrejada, barrotes de una jaula de la casa de fieras. El único objeto del exterior que me acompaña y que han pasado por alto en sus inspecciones es la llave de la casa donde he estado viviendo este tiempo. Cuando me dijeron que debía ponerme el camisón apareció en el fondo de uno de los enormes bolsillos de mi abrigo de hombre, tan grande y pesada como la de una fortaleza, casi extravagante, ¿cómo no me di cuenta de que la llevaba conmigo? La escondí con disimulo y ahora me hace compañía. Durante el día la oculto en un rincón bajo la cama pero durante la noche la aprieto en la mano hasta dormirme, deseando soñar que he vuelto a abrir la puerta a la que pertenece y ya no estoy aquí atrapada, sino en esa casa extraña y solitaria, sentada en su jardín bajo el magnolio, mirando el bosque que hay al otro lado. Y el monte. No debo olvidar esconder la llave, no sea que me la quiten.

La mirilla se levanta, hago como que no me doy cuenta, pero sé que me vigilan. ¿Qué es lo que quieren ver? El vacío enorme del sinsentido y la convicción amarga de que nadie, absolutamente nadie, puede ayudarme. Eso era lo más difícil de sobrellevar; la sensación de que hubiera caído sobre mí una plaga, el castigo divino de un dios malvado. Porque ¿qué dios permitiría algo así? Algunas de las monjas del colegio acostumbraban a disciplinarse y aunque las alumnas solo sospechábamos las marcas que ocultaban bajo los hábitos, la palidez, las ojeras y el rostro siempre contraído por el dolor las delataban. Pero por mucho que intentaron convencerme de las bondades del sacrificio, no conseguí entender jamás por qué el dolor físico o moral servían para elevarse sobre el resto de los mortales y el Dios que lo demandaba siempre me pareció cruel y sanguinario, un padre que había querido que clavaran a su propio hijo en una cruz.

Madame Vù me contó cómo algunas chicas del burdel iban

a misa los domingos. «Yo, a diferencia de otras, nunca lo prohibí, pero no me gustaba nada porque volvían a la casa con los ojos llenos de lágrimas, mohínas y con todo el miedo y la culpa que les había metido el cura en el cuerpo, amenazándolas con la muerte en pecado y las penas del infierno que las esperaban. ¡Como si no hubiera suficiente infierno en esta vida! Y entonces se me llevaban los demonios y echaba sapos y culebras contra esos asquerosos medio hombres, que me dejaban a las muchachas hechas una piltrafa y me jodían el negocio...»

Nunca tuve a Dios de mi parte, ni razón ni palabras de consuelo ni un lugar donde refugiarme. Solo tenía algo mío y solo mío: el poder de la imaginación. Así que busqué refugio en todo lo que sabía, todo lo que conocía: poemas y canciones, técnicas de fotografía, fórmulas químicas, imágenes, sobre todo imágenes. Durante las horas muertas en las que era obligada a flotar en el agua o a soportar los vendajes, recreaba con la mente las fotografías que nunca había hecho y que nunca podría hacer.

Las manos cálidas de mi padre limpiándome la cara con un pañuelo blanco. La luz que entra por la ventana de su despacho, las volutas de humo de su pipa enroscándose en ella, su sombra al fondo.

Mi madre pintada, bella, fría, distante. El cuadro ya vivo, el ángel acercándose a mí, sus ojos verdes distantes, el deseo de que esos brazos blancos me abracen.

Los colores y el brillo de las sedas del atelier de Madame Vù, su cuerpo enorme y orondo tirado en el canapé tapizado de púrpura; las plumas de pavo real de sus sombreros.

La cabeza de Jim, los destellos del sol en su pelo, el hombre que llora abrazado a mi regazo mientras suplica que no le abandone y el mar y el cielo juntándose en una línea de bruma, la arena de la playa bajo mis pies.

La oscuridad y la luz nocturna sobre Jules mientras se acerca a mí bajo los arcos de la plaza antigua.

Una voz me sacaba de los recuerdos: lo peor era tener que soportar sus inútiles peroratas.

—La histeria es un agujero en la ciencia, una cavidad morbosa como la del propio cuerpo femenino. Proviene de un deseo vehemente y desbocado de abrazo carnal que cercena la facultad racional. La endemoniada de los antiguos relatos es el vivo retrato de la histeria.

Tenía que tumbarme en la cama mientras él se sentaba a mi lado, muy cerca, durante las sesiones de terapia hipnótica.

—El método consiste en llevar a la paciente a una especie de duermevela para buscar en su mente los recuerdos traumáticos y después borrarlos.

Impostaba la voz para hacerla menos aflautada, como un mal actor interpretando al villano de los espectáculos de cabaré que tanto le gustaban a Madame Vù. Está empeñado en hurgar en mis recuerdos, en los que anida, según él, el origen de mis problemas mentales. Esperaba que me preguntara por la guerra y mis experiencias en ella, pero no lo hizo: le interesaban mis cuestiones personales y aunque al principio estaba empeñado en que rememorara mis recuerdos infantiles, enseguida quiso saber cómo, cuándo y con quién había tenido mis primeras experiencias sexuales, qué sentía por los hombres, si había en mí una neurosis obsesiva hacia ellos.

—Cierre los ojos.

Obedecí.

—En primer lugar, vamos a recrear una imagen muy concreta.

Bien, la imagen es lo mío. Puedo visualizar la puerta de mi habitación, que solo se cierra desde fuera, y las mil formas de escapar de mi guardián.

—Por ejemplo, las teclas de un piano. Su sonido.

No sé tocar el piano: las monjas desconfiaban de las disciplinas artísticas y a Madame Vù siempre le pareció una estupidez aprender a tocarlo: «Las señoritingas quitando el pan a los verdaderos artistas, esas sinsorgas puestas a aporrear teclas en los salones de mucho pisto con el fin de encontrar a algún idiota con el que casarse».

—Respire lentamente... Con armonía. Tiene que sentir el sutil movimiento de los fluidos atravesando su cuerpo, con sus atracciones y repulsiones...

Repulsión, eso era lo que me provocaba, pero disimulé dentro de mi cáscara de indiferencia.

—Sienta cómo se llena su cuerpo de energía, cómo esa energía toca sus órganos internos: pulmones, eso es: respire.

Hígado, estómago, corazón: los latidos, tiene que escuchar sus propios latidos... Cerebro y por último, sus genitales... Y ahora concéntrese en una luz blanca...

Luz blanca deslumbrante: sí, claro que podía imaginarla.

—Uno, dos, tres...

Noté que me apuntaba a la frente con su dedo índice, el calor de esa mano irradiando cerca de mí, pero no me moví a pesar de la repugnancia que su cercanía me causaba.

—... cuando abra los ojos recordará absolutamente todo aquello que quiere borrar de su mente.

No quiero borrar nada, no me arrepiento de nada y me gustaría gritárselo a la cara, porque todo forma parte de mí, también el horror de la devastación, las mutilaciones, la violación de aquel oficial en su oficina mugrienta, los rostros destrozados y las máscaras de Anna Coleman; la muerte de Esperanza y la de mi padre, la indiferencia de mi madre, las mentiras de Jim. Todo eso soy yo y no va a conseguir borrar nada de ello porque lo defenderé con mi propia vida.

Puede que su rudimentaria técnica le funcionara con pacientes más sugestionables, pero por supuesto en ningún momento llegué a caer en un trance hipnótico. Aun así, le sigo la corriente y cuento lo que quiero, aprovechando para recordarme a mí misma todo lo que deseo, lo que añoro, lo que espero. Descargo mi conciencia pero no como quisiera el doctor en su patético intento por curarme de supuestos vicios, sino para recrear mi propio mundo y mantener mi conciencia, no olvidar, nunca, quién soy. También invento mentiras, pero él no lo sabe; por el rabillo del ojo le veo apuntar frenéticamente en su libreta los falsos recuerdos felices o extraños con mi padre y mi madre de una infancia de cuento, lo mucho que ellos se amaban; el pony en el que mi abuelo me paseaba por el jardín; las adorables monjas que me mostraban preferencia, mis amigas ficticias invitándome a sus fiestas de cumpleaños. Contar esas historias me hace más y más fuerte. Mi captor, en cambio, empequeñece, cada vez más ridículo. Entonces me resulta imposible aceptar que tenga ningún poder sobre mí y vuelvo a pensar en la puerta blanca que veo desde la cama y que ahora no está cerrada, preguntándome si el desconfiado habrá dejado a alguien apostado afuera, en el pasillo, para atraparme por sorpresa si intento escapar. Después de todo quizá no haya conseguido engañarle y algo sospeche, porque soy evasiva cuando me pregunta por Jim —dónde está, cómo es, por qué me inventé un personaje así, por qué un enemigo, un alemán...— y por Jules —por qué me siento atraída por él, qué siento al ver su cicatriz, ¿excitación quizá?—. Le he oído quejarse de mi pasividad ante uno de sus jóvenes y menguados ayudantes, diciendo que «las histéricas no quieren curarse». Comenzaba a entender su plan: su intención no podía ser otra más que trastornarme de verdad para poder mostrar mis rarezas patológicas ante sus colegas y que estos certificaran mi enajenación. Así me tendría cautiva para siempre, como se tiene una mascota cara o una figura de porcelana dentro de un aparador. Con el tiempo quizá no se conformase con observar la figurita y querría tocarla, poseerla, incluso estrellarla contra el suelo solo por el placer de verla hecha pedazos.

2

Suceso era la única que podía ayudarme. ¿Dónde estaría? Aunque no fueran tantos los que sabían de nuestra relación quizá tuviera miedo de ponerse en contacto conmigo o puede que la hubieron despedido, qué se yo. Desde mi captura —no podía definirla de otra manera—, el tiempo parecía evaporarse en el aire como el agua sofocante de los baños calientes que me dejaban mareada, agotada y con la tensión baja, así que cuando entró en la habitación creí que no era real sino fruto de mi debilidad y del deseo intenso de verla. Hasta que abrió la boca.

—¡Ay, por la virgen de Valvanuz! ¿Cómo está? Ay, qué carita, pues no se pondrá enferma ahora, ¿eh? Qué caso, madre mía, qué hijo de puta...

Claro que tenía delante a Suceso; soltó la bandeja de la comida sin dejarme siquiera replicar y siguió con su discurso, porque, como siempre, tenía mucho que decir.

—Lo que me ha costado convencer a Carmina para que me dejara traerle la comida... Se lo he cambiado por no sé cuántas coladas... Y todo eso sin levantar sospechas. No, nada de abrazos, señorita, deje, que no está el horno para bollos y no es cosa de venirse abajo... Cómaselo todo, que si no vendrá el loco a dar la murga, a las cocineras las vuelve tarumbas con su menú porque lo cambia cada día... Pero no ponga esa cara: ¿pues qué creía? ¿Que me había olvidado de usted? Quiá, buena soy yo... No la iba a dejar aquí solita y encima ahora que don Julio a saber por dónde andará, este julandrón del medicucho buena prisa que se dio, que en cuanto el otro salió por la puerta a arramplar... No se crea que no ha dado el asunto que hablar a pesar de que le tenga comida la mollera a más de una y de otra, azuzadas como están por doña Guillermina, menuda bruja, qué ganas le tengo, a esa zorra le devuelvo yo la jugada, no me conocen a mí estas señoronas; un escándalo, ya le digo que se formó, porque claro, lo sabe todo el mundo, lo de los guardias dejó a todo quisqui sin habla y hay muchos que no se tragan eso de que se haya vuelto usted loca de un día para otro. Un cuento chino que huele a cuerno quemao, porque todo chichirimundi sabe que don Gustavo le andaba detrás y le sentaron como un tiro las calabazas, que la gente no es tonta, no... Por eso la tiene encerrada, porque no quiere que se sepa, pero ni por esas: me han contado que cuando se fue a la casa de Aes don Gustavo soltaba propinas a diestro y siniestro para saber qué hacía y con quién, ya le dije que era un mal bicho, ¿lo ve? Pues cuando llegó mesié Julio, el hombre debió de volverse majara de celos al verla por ahí con él y la falsa de doña Guillermina yéndole con cuentos a calentarle la cabeza. Pero no desespere, señorita, que no está sola, se lo digo yo, que aquí tiene amigos entoavía y no solo la gente del servicio, que muchos le tienen aprecio, hasta don Romano pregunta por usted muy *escamao* y el general, bueno ese es un marullo... Pero vamos, no nos tenemos que entretener, lo único que le digo es que se prepare que esto lo arreglamos, ay, no, deje, no me llore que me va a hacer llorar a mí también y ahora tengo que salir y hacer como si nada, ya sabe. Hala, hala, más ánimos, que esto se va a acabar, por estas que yo la saco de aquí y si me pillan y me despiden me da igual, ya pensaba irme, que yo no sirvo para mandada. Que termine la comida, digo...

Conseguí por fin preguntarle por su plan convencida de que si había llegado hasta mí es porque ya tendría alguno. Y así era: Suceso había pensado mucho en la mejor forma de salir del balneario sin que don Gustavo ni ninguno de sus perros guardianes se apercibiera; la hora para la huida era la de la siesta, cuando los habitantes del establecimiento reposaban la comida y la vigilancia se relajaba. Desde luego, no podría salir por la puerta principal sino por la de servicio desde la lavandería, donde me esperaría alguien de su confianza para llevarme a un sitio seguro. La dificultad era escapar del lugar en donde nos encontrábamos: la habitación cerrada con llave.

—Ahora mismo está en el pasillo ese cancaneao de Antonio vigilando a las criadas que traemos la comida: no se preocupe por él que Carmina le tiene entretenido.

Antonio era uno de los celadores, un holgazán con la cara picada de viruela que le hacía de recadero y correveidile a Zaragoza. Recordé que alguna vez le había visto rondando a mi alrededor, quizá fuera uno de los espías enviados para vigilarme.

—Tiene encargao echarle la llave y después, como no hay copia, devolverla a don Gustavo.

—Él... Me alegro de no tener una pistola porque si la tuviera, creo que le volaría la cabeza.

Mi amenaza quedó en suspenso, flotando en el espacio que nos separaba; al fin podía decir lo que me explotaba en la cabeza y en el pecho. Sí: hubiera acabado con él sin temblarme el pulso, fantaseaba con ello, podía verme con el arma en la mano, apretando el gatillo con un secreto regocijo por ser capaz de hacerlo.

—La rabia es buena —dijo Suceso por fin—. Nos mantiene vivas.

Era eso o caer en la desesperación, la desazón que me sacudió de arriba a abajo al verla salir de mi celda sin saber cuándo ni cómo volvería.

Me tumbé en la cama intentando calmar los nervios y los pensamientos atropellados y deslicé la mano en el hueco donde escondía la llave de la casa de Aes. Me tranquilizaba tenerla entre las manos, el contacto metálico y frío, la forma de ojo en el extremo del perno, el relieve de sus cuatro dientes.

Doña Guillermina, podía imaginarla en su frustración de vieja libertina, conspirando contra mí solo por entretenerse, por salir del tedio estúpido de una vida malgastada. Don Romano, con sus apolillados gestos de caballero, su interés por mí también era romántico con aquellos coqueteos inocentes de besamanos y requiebros de galán de teatro, en realidad un cobardón que no se enfrentaría nunca al médico: las batas blancas le inspiraban un respeto reverencial. Los demás se debatían entre aquellos dos polos opuestos, desde los completamente depravados a los débiles de carácter, todos fáciles de manipular por alguien como don Gustavo, ansioso de erigirse en una especie de líder entre todos aquellos infelices, fantasmas ociosos, aburridos, hundidos en las bañeras del balneario, dando boqueadas en el vapor de las termas y en el calor de su propio infierno.

Me había prohibido a mí misma pensar en Jules, fantasear sobre la posibilidad de que se arrepintiera de su precipitación y decidiera volver atrás y regresara a buscarme. No podía permitírmelo. Pero tampoco podía evitarlo. Tenía que estar pensando en mí, no me dejaría atrás, él no, aunque ni siquiera me hubiera dado la oportunidad de explicarle por qué estaba equivocado. El héroe había sido cobarde: «No debiste huir de mí ahora que Jim ha desaparecido de nuestra vida para siempre, tengo que contarte la verdad igual que hiciste tú. La verdad es que su marcha definitiva supone un alivio, una liberación, la confirmación de que la felicidad era otra cosa, no un sueño descolorido. Ese Jim del que me hablaste ya no es más que una sombra, una ficción, como quizá también lo era el que tú y yo conocimos; ni siquiera yo soy la misma que Jim conoció, posiblemente él tampoco me reconocería. Pero nada de eso importa ahora. Tengo que salir de aquí. Y encontrarte».

3

Entró en la habitación sin avisar, como solía.

—¿Qué tal la comida?

—Bien —contesté.

Soy fuerte y tan alta como él, además, no está en forma: la bata blanca contenía a duras penas un cuerpo regordete y fofo, un empujón y se iría al suelo.

—Túmbese.

Obedecí.

Se quedó de pie dominando desde arriba mi cuerpo tendido.

—Me han informado de que al fin ha comido todo lo que le prescribí. No es mala señal, pero creo que no avanzamos lo suficiente en su cura… No hace usted por ayudarse.

—¿Qué es lo que tengo que hacer?

Le sorprendió; tenía que aprovecharlo.

—Nunca me ha dicho qué es lo que quiere de mí. Hable claro; seguro que un hombre como usted sabe muy bien las razones por las que estoy aquí, tanto como los motivos por los que me ha perseguido desde que llegué. Llegó incluso a proponerme matrimonio.

—Nada de eso tiene relación con su enfermedad.

—¿Seguro que no? Más de una vez me ha interrogado sobre la atracción que siento por los seres heridos, incluso físicamente. Pero ¿y si a usted le ocurriera lo mismo? Quizá no ha reflexionado seriamente sobre ello… A pesar de considerarme una enferma grave es obvio que yo le atraigo, o le atraía, tanto como para suplicar que le aceptara como marido, ¿no es cierto? ¿O acaso eso también forma parte de mi delirio?

—Creo que se confunde: aquello fue un desliz, una niñería…

—¿Niñería, dice? Todo el balneario sabe de ello, se habla en el hotel, en el casino, ¿acaso no lo sabía? Fue la propia doña Guillermina quien vino a convencerme de que aceptara su proposición y ambos sabemos que no es una persona discreta, precisamente. Hemos estado en boca de todos, usted y yo. Y supongo que seguimos estándolo, no puedo creer que no lo haya tenido en cuenta. Están las habladurías, las suposiciones… Sí, ya sé que usted pretende únicamente curarme de mis males, pero ya sabe cómo es la gente, siempre mal pensada, poniendo en cuestión sus intenciones y lo que es más grave: su prestigio médico.

—No lo creo. No, de ninguna manera.

Se alejó de la cama como si no quisiera escucharme, pero no había otro sitio donde ir que el rincón junto a la ventana enrejada. Yo continué tumbada mirando al techo, como si aquella conversación tuviera lugar durante una sesión terapéutica.

—Piense lo que ocurriría si toda esta situación, digamos ambigua, llegara a conocimiento de algunos de sus colegas. Podría malinterpretarse. Lo cierto es que siente usted mucho interés por mí, hasta el punto de poner en riesgo su carrera.

Su voz sonó más chillona que de costumbre.

—Usted, Elisa... es muy inteligente. No juegue conmigo. Yo soy su médico y usted mi paciente, no lo olvide.

Seguí hablando desde la comodidad de la cama, con calma, dejando caer sobre él cada una de mis palabras como si fueran piedras.

—Y a sabiendas, ha violado usted el código médico desde el mismo momento en que decidió internarme y tratarme, algo reprobable... A pesar de que todo el mundo esté al corriente de que la mujer a quien ha decidido curar de una enfermedad odiosa, infame, es la misma que rechazó su propuesta de matrimonio. ¿Sabe que pueden tildarle de poco profesional?

—¡Soy un profesional respetado! ¡Nadie pude dudar de mi competencia!

—Por supuesto, por eso estoy convencida de que al arriesgarse así, al poner en juego su reputación, me ha hecho la declaración de amor más entregada que una mujer pueda recibir.

—¿Cómo?

—Sí, Gustavo, nadie me ha demostrado como usted cuán fuertes pueden ser los lazos del amor, que por mucho que quieran ser cortados se resisten a dejar partir al objeto de deseo incluso a costa de un gran sacrificio, incluso a despecho del propio interés. Me ha llegado usted al corazón.

Me levanté y me acerqué a él: parecía un animalillo asustado y arrinconado. Se había quedado súbitamente pálido, la boca abierta, sin encontrar palabras para responder; seguro que se debatía entre su natural suspicacia y su enorme fatuidad. La última le arrastraría a creer todo lo que yo le decía. Su ego, su punto flaco: estaba a punto de claudicar.

—No juegue conmigo... Mi alma es delicada aunque en ocasiones haya tenido que mostrarme rudo con usted, mi querida, queridísima amiga. Pero veo que al fin mis desvelos han dado fruto; sí, puedo proclamar ahora mismo que este cambio en su actitud es una prueba más de las bondades de mi método. Como un milagro de la ciencia: su pronta curación no es más que la revelación de una verdad suprema y yo el privilegiado que ha sido elegido para darla a conocer. Oh, Elisa, vida mía...

Se lanzó a besarme la mano y yo puse la mano sobre su pecho, sobre el bolsillo de la bata. A través de la tela noté la dureza de la llave de la celda y su pecho blando.

—Acepte mi mano —dije.

—La acepto, sí, sí... Y todo lo que viene junto a ella, querida mía. Superaremos juntos todas las adversidades como hemos vencido tu maligna enfermedad; no me separaré de ti ni de día ni de noche y junto a mí encontrarás la felicidad, te lo prometo...

Sujetaba mis manos entre las suyas, los ojos llenos de lágrimas.

—... nunca más volverás a estar sola, nunca dejarás de ser amada. Juntos proclamaremos que el tratamiento para tu mal puede cambiar la vida de todas esas infelices que arrastran sus pobres almas por el mundo. «¡El agua, era el agua!», dirán, y ese grito se hará famoso en el mundo entero, viajaremos a todos los congresos y reconocerán que yo tenía razón... Hasta con premios, ¡quién sabe si el Nobel! Y tú junto a mí, siempre, para que todo el mundo vea a mi bella esposa perfectamente curada, radiante, henchida de amor y de agradecimiento...

Lo dijo con tanta emoción, con tanto convencimiento, que sentí una corriente de comprensión hacia él; su alegría irracional era igual a la que hubiera tenido yo de haber podido recuperar a Jim; su locura era idéntica a la que yo había padecido: el dolor por el desencuentro, la obsesión insana, absurda... La desesperación, el desamor, la ceguera inducida: había estado tan equivocada como el pobre iluso que tenía delante y que me abrazaba y besaba con torpeza.

Tan enardecido estaba que ni siquiera se dio cuenta de que Suceso había entrado en la habitación y cerrado con sigilo la puerta tras ella.

—Suéltela, so chon, relocho, tío de mierda.

Y levantó el revólver. Al verla, el médico abrió los ojos como si le resultara imposible meter en su retina la imagen de la doncella con su uniforme, el vestido impecable y negro y el delantal almidonado destellando de blancor como las puntillas de la cofia. Una muchachita con el ceño fruncido, los ojos llenos de odio, la mano en la que temblaba el arma de un gris reluciente, el cañón apuntándole. El médico reaccionó poniéndose delante de mí en un gesto caballeresco de protección, sin entender lo que ocurría.

—Pero ¡qué haces, muchacha! ¿Cómo te atreves? ¿De dónde has sacado eso? ¿Es que te has vuelto loca? Baja eso ahora mismo, cabeza hueca, que vas a hacer daño a alguien.

—Aquí el único loco eres tú y un mal bicho, una culiebra... Te pego un tiro que te mato, cabrón. —Y con esfuerzo, apoyando la mano entera, montó el percutor de la pistola, una Glisenti italiana: la reconocí porque había visto muchas como aquella durante la guerra. Tenía que ser la que don Romano guardaba debajo de la almohada de la cama que hacía la doncella cada día.

Zaragoza debía de haber tratado con enfermos mentales durante sus muchos años de ejercicio médico, porque al escuchar el clic de la pistola cargada, de inmediato su tono cambió de escandalizado a conciliador:

—Tranquila, no pasa nada; obedezco de buen grado... Solo tienes que decirme qué es lo que quieres, mujer. Estate tranquila, que no va a pasar nada. Si aquí está todo bien...

Pero a la vez que hablaba dio un paso hacia ella.

—No te acerques, asquerosu...

—Vamos a arreglar esto... Suceso, te llamas, ¿verdad? ¿A que sí? Escucha, Suceso: no hace falta tomar las cosas por la tremenda, no te vayas a arruinar la vida por una tontería, tú que eres una chica sensata y trabajadora. No hace falta esto, te lo prometo.

Y dio otro paso. Tengo que reconocer que no le faltaba valor. O quizá, como yo, se había dado cuenta de que la buena de Suceso era incapaz de disparar la quincalla de don Romano, de que temblaba como una hoja y el ánimo le iba faltando, diluyéndose en el coraje calmado del médico.

—Anda, dame eso... Si tú eres una buena chica incapaz de hacer daño a nadie. Te prometo que en cuanto me lo des, te sentirás mejor. Todo va a ir bien, ya lo verás...

Ya estaba muy cerca, si seguía caminando tendría que dispararle a bocajarro. El hombre me daba la espalda; no me veía. Solo un paso, al rincón junto a la cama, me agaché y mis dedos chocaron con el tacto helado, al cogerla en la mano me contagió su frialdad, sí, con total frialdad descargué con todas mis fuerzas la llave enorme. La boca abierta sin proferir un grito de la sorpresa: cayó de rodillas sujetándose la cabeza con las dos manos, los dedos intentando parar la sangre que le cubría la calva, que caía al suelo chorreándole por la cara, tiñendo la bata. Me salpicó la sangre, eso creo, o quizá es un falso recuerdo, pero la brecha de la cabeza no dejaba de manar. Se miró las manos y luego se desplomó sobre el suelo sin sentido. No le había matado, pero en ese momento llegué a dudarlo.

Cogí la llave de la celda de su bolsillo manchado de sangre; Suceso no dejaba de mirarlo, paralizada, y tuve que quitarle de la mano la pistola, me costó porque seguía aferrada a ella, apuntándolo, y la arrastré hasta el pasillo como si fuera una muñeca cerrando la puerta tras de nosotras con todas las vueltas. La hora nos favorecía y no nos cruzamos con nadie hasta llegar a la lavandería: allí Suceso pareció recobrar el ánimo y la capacidad del habla.

—Ay... Señorita...

—Escucha: después de lo que has pasado tendrás que venirte conmigo, ¿me oyes? No puedes quedarte aquí.

—Sí... Ya. Es que tengo el cuerpo que ni me lo encuentro.

—Cálmate, aún tardarán en encontrarle y más en abrir la puerta.

Tiré la llave de la celda por el desagüe de uno de los lavaderos.

—Dijiste que alguien me esperaría. ¿Dónde?

—Sí, es verdad, póngase esto.

Todavía iba vestida con el camisón y la bata y descalza, pero Suceso tenía preparada ropa de aldeana: una falda, un mantón, un pañuelo para la cabeza. No tenía zapatos, solo unas albarcas, pero como no sabía andar con ellas y se me salían, las cogí en la mano y salimos al pequeño patio donde se tendía la ropa de cama de los huéspedes. Al fondo una cancela daba al río, bajamos hacia allí a buen paso, sin correr para no llamar la atención. Me había metido la pistola robada por Suceso entre la falda y la camisola; en cuanto llegamos a la ribera y los árboles de la orilla nos cobijaron de miradas indiscretas, la lancé al fondo del río con todas mis fuerzas. El Pas se tragó el destello metálico como si la pistola fuera una trucha y la cubrió con su corriente tranquila.

—Vamos, vamos... —apremió Suceso.

Corrimos, ahora sí, entre el boscaje hasta llegar al camino que llevaba al monte. Sentada en una piedra, tan quieta que parecía formar parte de la montaña, estaba la Vijana.

4

En Ámsterdam a 16 de Abril de 1922.

Mi querido Jules: te alegrará saber que tengo intención de partir hacia París esta misma semana, siempre que se materialice ese trabajo en Pathé para el que me recomendó la extraordinaria señora Guy, quien tan amable ha sido con los dos. Pero estas noticias, con ser buenas, no son el motivo de esta carta.

Te escribo desde mi pequeño refugio, que ya conoces. A mis pies tengo abierto el paquete que acabo de recibir y aquí reunidas unas placas fotográficas y unos negativos atacados por el polvo y la humedad, sin valor para nadie. Pero para mí representan un tesoro: solo tú puedes entenderlo.

Hasta hace pocas fechas no logré dar con Suceso. Ahora sé que durante un tiempo y tras lo ocurrido en el balneario, se ha dedicado al comercio ambulante: esa era la razón de que no contestara a mis cartas. Solo ahora ha vuelto al valle con un pequeño capital y la intención de establecerse allí: está arreglando una casa cerca del pueblo, dice que pondrá en un lugar de honor las fotografías que le regalé. Está contenta puesto que ya no tiene que temer las consecuencias de lo que hicimos: ya nadie se acuerda de lo ocurrido ni de las circunstancias que rodearon nuestra fuga ni mi paso por allí, mucho menos del doctor Zaragoza; por lo que cuenta la propia Suceso, abandonó su puesto de director médico al poco de lo ocurrido y en circunstancias que todo el mundo encontró extrañas. Nadie ha vuelto a saber de él. Le imagino en algún otro hospital o balneario en cualquier punto del globo, intentando convertir a los incautos a su extraña religión. O quizá sufriendo sus propias terapias en una institución mental, pobre hombre.

Intento ordenar el contenido del paquete, pero tengo que detenerme para escribirte y así ordenar los recuerdos de mí misma, esa que fui y soy todavía, la que estuvo a punto de precipitarse en un abismo y la que logró escapar de él. Puede que al fin y al cabo no sea tan distinta de mi madre, a quien tanto odié por todo el dolor que causó. Ahora entiendo que debió de forjar su carácter en situaciones tan terribles como las que yo viví o quizá peores, que la convirtieron en lo que es. Debí escuchar a mi querida Esperanza cuando hablaba de ella, pero no lo hice creyendo que intentaba excusar a la vieja amiga de pasados inconfesables. Pero si la falta de amor de mi madre me aplastaba como una losa, ya no. Así que todo lo que viví y que en algún momento tendré que volver a guardar en una caja, ha supuesto, en cierto modo, algo parecido a reconciliarme con ella.

Hay demasiadas cosas dentro de esta caja mágica y en parte misteriosa, porque, y esto es difícil de creer, Suceso la encontró exactamente en el mismo lugar a donde la llevó Gavroche antes de vuestra partida: durante todo este tiempo ha permanecido en el almacén de equipajes de la recepción, gracias al cuidado del mismo recepcionista, que continúa trabajando en el hotel del balneario. Nada más ver a Suceso supo a qué había ido, eso cuenta. Porque sin que tuviera que explicarle nada fue a por la caja y dijo: «A la señorita Elisa dígale de mi parte que he estado esperándola durante todo este tiempo porque sabía que antes o después regresaría o mandaría por su equipaje. Dígale que está tal como lo dejó».

La caja sigue igual, aunque tú y yo hayamos cambiado. ¿Te acuerdas de ese día? Nos hemos reído y también llorado recordándolo, qué lejano parece ya todo. Sin embargo, la llegada del paquete me ha llevado a esos días como si fuera una alfombra mágica y casi puedo verte delante de mí, junto a mí, tal como éramos. Y vuelvo a revivir todo lo que vivimos, como si tu cámara me hubiera metido dentro de una película que lo contara todo: cada detalle, cada conversación, cada momento. No he olvidado nada y creo que no debo hacerlo, ni mis errores, ni los tuyos, ni siquiera los de Jim. Todos ellos nos hacen, forman parte de nosotros aunque sean como recovecos oscuros dentro de una enorme montaña en la que es fácil perderse, en la que hay imágenes grabadas o pintadas detenidas y guardadas como si fueran los fotogramas de una película enrollada en círculos concéntricos y guardada en una lata brillante que espera a ser revelada. Parece que esto solo tenga sentido para nosotros dos, pero estoy convencida de que algún día alguien encontrará estas imágenes, desenterrándolas, reconstruyendo los fragmentos de un espejo partido y roto que ha permanecido hundido en la tierra. Pero eso ya no importa: no está en nuestras manos.

Lo que sí está y estará es mi deseo de verte. No quiero echarte de menos, así que no dejo de imaginar que nos encontramos de nuevo y volvemos a estar juntos. Aunque nos separe el espacio, nos une el tiempo: todos los momentos en los que pensamos uno en el otro. Te devuelvo repetida, como en un eco, la última frase que escribiste: cada minuto, cada hora de mi vida, cada sol que veo salir cada día, son tuyos.

Elisa, Lisa, Lise.

Ps: La Vijana está bien de salud y me envía uno de sus extraños mensajes. Se ha empeñado en que Suceso lo escriba en su carta palabra por palabra, sin faltar una letra, para que sepa que soy «un camino tan largo que ni yo misma puedo imaginarlo». ¿No crees que es extraordinaria?

Epílogo

1

Por mi ventana veo el futuro. Si extiendo la mano casi puedo tocar las ramas del tejo. A veces sueño con que vuelvo a lo que fue este lugar en el pasado; parece distinto pero como ocurre en todos los sueños, yo sé que es el mismo. Abro la verja de entrada y desde allí veo los muros ennegrecidos de la ruina. A mi paso brota la hierba y el musgo entre las lajas de piedra del sendero y los árboles calcinados van recuperando el verdor y la vida. Llego ante el porche, la puerta está abierta y me invita a entrar en la casa; subo las escaleras de madera, reconozco su olor a humedad de roble. Y allí está, ante mí, donde estuvo siempre, el cuadro con su historia dentro.

No recuerdo que decidiera abandonar Madrid y quedarme en el valle, simplemente ocurrió. Se acumularon los días y luego las semanas y una mañana, mientras Vali me enseñaba a sacar patatas del huerto, dije que el viento olía a lluvia y me contestó: «Ya eres de aquí». Entonces me di cuenta de que no iba a volver, sí, creo que fue entonces.

Después del incendio, Martín y yo no pudimos entrar en esa casa que aparece en el sueño, vimos los destrozos desde la cancela cerrada con un candado y una cadena gruesa, un cartel avisando de que se prohibía el paso porque amenazaba ruina y era peligroso entrar. Intenté imaginar aquella noche, las palmeras ardiendo como antorchas, lanzando chispas hasta prender el magnolio y el banco donde me sentaba, las llamas lamiendo la fachada y haciendo estallar los cristales. Pero el tejo seguía en pie, demostrando que era tan inmune al fuego como al tiempo y que podía seguir siendo el guardián de la casa de Samperio, de Irene y de Oriana, también mía, incluso después de todos nosotros. Los bomberos que frecuentaban el bar de Mari contaron que el incendio había llegado hasta la casa por culpa de los eucaliptales que bordeaban la carretera, pero también encontraron señales de que pudo ser provocado desde dentro del edificio: algunas habitaciones estaban muy afectadas mientras que otras no, aunque no pudieron encontrar ninguna prueba para descubrir a los incendiarios. No tenía sentido: todo el mundo conocía las intenciones de aquellos criminales y quemar una casa rural no entraba dentro de ellas, tampoco robar obras de arte: el cuadro nunca apareció. La confusión y la pérdida cercaban todo lo relacionado con Oriana, como aquella promesa que me hizo la mañana del día de su muerte; después nadie se puso en contacto conmigo para hablarme de ningún testamento ni de herencia, así que supuse que aquel empeño suyo porque me quedara con El Jardín del Alemán no había sido más que el capricho de última hora de una enferma, alguien a quien la cercanía de la muerte sugestionó de tal manera como para hacerle decir cosas de las que en realidad no era consciente. Seguramente se olvidó de mí en cuanto salí por aquella puerta bien guardada por Thorstein. Y yo también lo olvidé, hasta que Daniel me envió un suelto publicado en la prensa económica sobre Gaula, una empresa demasiado grande como para que cosas así no trascendieran. Oriana Larios había resultado ser socia fundadora de Gaula y propietaria de un buen puñado de su paquete accionarial y tras su muerte hubo una accidentada venta de esas acciones por parte de su heredero, que no era otro que su marido. Porque Oriana estaba casada y todo su legado pasó a ser propiedad de su legítimo esposo: Thorstein Limmer. ¿Por qué habrían ocultado que estaban casados? ¿Por qué se hacía pasar el alemán por su secretario? No imaginaba a Oriana arrepintiéndose de nada que hubiera hecho en aquella nueva vida elegida, aquella obra de arte como ella misma decía, así que quizá fuera el propio Thorstein quien quisiera ocultar que se casaba con una mujer que antes había sido un hombre. Puede que fuera también él quien cancelase el documental sobre la vida y obra de Román Samperio, pero nunca lo sabríamos, al menos yo no he vuelto a saber nada de aquel señor alemán, el único que podría contestar a estas preguntas.

Nos enteramos de que una constructora había enviado una cuadrilla desde Santander para limpiar la finca de los destrozos causados por el incendio y poco después se puso a la venta. Llamar a la inmobiliaria fue idea de Martín, no mía; solo por curiosidad quería saber cuánto pedían por ella. Lo cierto es que el lugar se vendía por un precio ridículo, tan ridículo que la compramos. Bueno, en realidad la compró Martín, porque con mi economía precaria no me hubieran concedido jamás una hipoteca. Los dos hermanos y Áurea avalaron la compra con la granja: les sigue yendo muy bien con sus vacas y quesos y mantequillas de sello orgánico. Yo acepté el regalo, porque regalo era, como mi nueva vida. Daniel se rio mucho: «Qué curioso, Oriana quería dejarte la casa... Y al final la tendrás».

Aún estamos reparando, limpiando, pintando; esto no se acaba nunca; aunque ya sabíamos que era demasiado grande para nosotros, ni podíamos imaginar la que se nos venía encima. Y eso que al principio tuvimos ayuda del ayuntamiento y del concejo porque al fin y al cabo, la edificación original tiene más de cien años. El papeleo horroriza a Martín pero es lo mío: logré que se considerara edificio singular y eso facilitó mucho las cosas. Para la obra principal contratamos a unos albañiles de aquí, pero el resto lo hicimos nosotros mismos: he pintado muchas paredes y aprendido a poner azulejos y losetas, desmontar ventanas y puertas y colocar cristales. Hubo que arreglar parte del techo que se había venido abajo y la buhardilla enorme la dejamos cerrada porque no la necesitamos, pero Martín piensa utilizarla algún día como estudio de fotografía y grabación: tiene muchos planes. También Áurea, que me intenta convencer para que montemos una empresa de reforestación y restauración ecológica. Seguro que lo consigue aunque yo no tenga ni idea de esas cosas; quizá más adelante. Como el jardín: Copi está empeñado en dejarlo tal y como estaba, pero no sé todavía si se podrá recuperar, hubo que talar el magnolio y las palmeras. Le digo que no tenga prisa y me quejo de que necesito más tiempo para aclimatarme a un lugar nuevo porque acabo de llegar; Vali me dice que no busque excusas, que va a hacer más de un año que llegué por primera vez al valle. ¿Tanto? Me parece mentira. Está embarazada, aunque nadie lo diría, yo la veo igual que siempre y sigue haciendo el mismo trabajo en la granja: bromeamos diciéndole que el parto la pillará entre sus adoradas vacas y tendrá que parir al bebé en la cuadra y sobre la paja como ellas. Últimamente discute mucho con Áurea porque quiere que la niña se llame Luz Divina como Ludi y su mujer prefiere llamarla Sirona, que significa «estrella» en celta. Martín rezonga porque a él le gustaría que le pusieran Carmen, como su madre. No sé si los tres se pondrán de acuerdo, pero sí que seré la madrina en su bautizo druida, una ceremonia que ellas llaman «lluvia de protección» y formaré parte del círculo que invoca a los cuatro elementos para que protejan a esa nueva vida.

Aunque todavía vivimos los cuatro en la granja, en cuanto lleguen algunos muebles Martín y yo podremos mudarnos. A mí misma me sorprende, pero soy feliz en el lugar que alguna vez se llamó El Jardín del Alemán y creo que a la casa también le hace feliz mi compañía, como si me diese las gracias por haberla salvado de la ruina. Martín se ríe cuando le digo estas cosas, pero sé que en el fondo a él le pasa lo mismo.

Me parece que no lo he contado, pero no se logró detener a los incendiarios: si no les cogen in fraganti no hay nada que hacer. Los sospechosos, los mismos de siempre, ahora no se dejan ver por los valles porque, como dice Mari, «hay mucha gente que les tiene ganas», pero también sabemos que regresarán y volverán a hacer de las suyas. Martín cree que todo depende de nuestros vecinos, de que dejen de ver el fuego como una costumbre o una tradición, como algo inevitable. «Está cambiando, es cuestión de tiempo», me dice, pero yo creo que no demasiado, al menos no lo suficiente. Quizá me estoy aficionando a los cambios y ya no les tengo miedo. La casa también ha cambiado y aunque la chimenea original sobrevivió como el tejo y solo tuvimos que limpiar bien el mármol porque estaba negro de humo, muchas otras cosas hubo que sustituirlas, como la escalera original, así que aprovechamos para tirar paredes y ampliamos las habitaciones, en cambio la cocina está igual. Ahora no parece una posada, el espacio ha quedado casi diáfano y entra luz por todas partes. Cuando paso por delante de la pared donde estaba el cuadro de Amalia, ahora vacía, noto como un pinchazo, no me acostumbro, aún me duele su pérdida. Martín se da cuenta y entonces me pasa un brazo por el hombro y me besa y la tierra parece más firme. Áurea está convencida de que el cuadro no ardió y de que antes o después aparecerá: el optimismo también debe de formar parte de su religión.

A veces voy con ella a las cuevas de El Castillo, podría estar horas allí metida dentro de la montaña, delante de una historia repetida y a la vez diferente: cuanto más las conozco más misteriosas me parecen. De alguna forma me estoy despidiendo de ellas porque, tal y como predijo Áurea, dentro de un par de meses se cerrarán definitivamente al público. Hay mucha más conciencia de preservación ahora que la desmesura turística de antaño prácticamente ha desaparecido. Hasta puede que cierren el balneario: existe un proyecto para convertirlo en centro de investigación de energía geotérmica. Si yo he tenido que adaptarme, supongo que el valle tendrá que aprender a hacerlo también. Pero las cuevas siguen vivas, más que nunca, para la investigación: Áurea está dirigiendo la excavación del yacimiento en colaboración con un equipo de arqueólogos de la Universidad de Cambridge. Ayer descubrieron un esqueleto humano en una de esas fosas profundísimas de la caverna, pero la emoción del hallazgo les duró poco hasta que los paleontólogos analizaron los restos: los huesos que encontraron no pertenecían a un ser humano de hace decenas de miles de años sino a un hombre muerto de un balazo, eso lo averiguaron en cuanto encontraron el proyectil y calcularon que no llevaría allí ni siquiera un siglo. Áurea me contó que no era la primera vez que encontraban «huesos frescos» —así los llama— en una cueva con vestigios prehistóricos, que a veces pertenecían a gentes del lugar más curiosas de lo habitual a quienes sorprendía un derrumbamiento o sufrían una desafortunada caída. O que eran víctimas de algún crimen, dije yo. Y tuvo que asentir. Aunque intentaron ser discretos tuvieron que llamar al juez de guardia y se armó un poco de revuelo en el pueblo por si era una víctima de la Guerra Civil, es decir, pariente de alguien. Martín me cuenta que medio pueblo cree que el muerto no es otro que Angelín, el maqui que en la posguerra tenía a todo el valle en un puño, y el otro medio cree que no, que Angelín era imposible de coger y que si la Guardia Civil lo hubiera cazado, bien que lo hubiera paseado, vivo o muerto, como un trofeo, nada de tirarlo a un agujero. Para unos sigue siendo un demonio y para otros, en cambio, una leyenda. Los restos encontrados han sido enviados al Instituto Anatómico Forense, donde se pueden hacer pruebas genéticas para averiguar si se trata del familiar de alguien y darle sepultura. Esto ha cambiado mucho también y es un servicio habitual; ya se puso en práctica hace unos meses, cuando encontraron una fosa común con diez cuerpos enterrados justo detrás del monte de El Castillo. Áurea y su equipo estuvieron asesorando la exhumación y gracias a algunos habitantes del pueblo que recordaban viejas historias de cuando la época aquella de las correrías de Angelín, los propios arqueólogos y el banco universal de ADN, se logró determinar sus identidades: eran pasiegos, al parecer asesinados al poco de terminar la guerra, algunos soldados republicanos que volvían del frente que quizá tenían la intención de unirse al maquis o hacer de enlaces con la guerrilla, o puede que fueran víctimas de esas rencillas típicas de los pueblos. Ahora están enterrados en los cementerios de estos valles que los vieron nacer.

2

Diana lloró cuando supo que el cuadro de Amalia Valle se había perdido tras el incendio. No la veía desde que dejé Madrid, pero seguíamos en contacto por el chat y las redes sociales. Me enviaba un mensaje: «Amalia, ¡tienes que ver esto!».

Era un *link*. Y añadía: «No te lo vas a creer».

Un vídeo. Pincho. Imágenes de una ciudad japonesa y un recinto ferial. Abro a pantalla completa y subo el audio.

«... que será mostrada en su totalidad en un pabellón de la Exposición Internacional de Osaka. Esta muestra internacional, que ha contado con el comisariado conjunto de equipos de expertos de siete países, reúne los trabajos fundamentales de autoras a lo largo de la historia del arte, con la finalidad de recuperar el talento de pintoras, escultoras, fotógrafas y cineastas de todas las épocas olvidadas a lo largo del tiempo. Cuenta con obras de artistas reconocidas como Artemisia Gentileschi...»

El autorretrato de Artemisia, impresionante.

«... Leonora Carrington, Georgia O'Keeffe o Louise Bourgeois...»

Sí, ahí están sus cuadros, reconocibles siempre, también las manos de la francesa. Muy interesante, pero no sé qué quiere decirme Diana.

«... sino a la recuperación de obras de cineastas pioneras como Alice Guy.»

El montaje muestra las imágenes plateadas de la primera película de ficción, *El hada de los repollos*.

«También artistas españolas de todos los tiempos: piezas del Beato de Gerona iluminadas por Ende y tallas de la escultora Luisa Roldán, la Roldana, de la que se presentan por fin restaurados los cuatro ángeles desaparecidos en 2017, junto a obras de las pintoras Ángeles Santos y Amalia Valle.»

El cuadro. Es el cuadro. Grito. Solo ha sido un momento, pero lo he visto. «Más de trescientas obras procedentes de más de una veintena de colecciones públicas y privadas europeas, americanas y asiáticas, en la que participan museos de todo el mundo como el Capodimonte de Nápoles, el Prado, la National Gallery o el Louvre... —sigue diciendo la voz que acompaña las imágenes. Pero ya casi no la oigo más que a retazos— Un esfuerzo titánico... Nunca antes se había realizado una exposición tan ambiciosa... Y una película documental...»

Estoy tan nerviosa que no acierto con la tecla, me confundo, logro parar el vídeo. Vuelvo hacia atrás, congelo la imagen: tengo que verla otra vez. Martín está en casa y me ha oído gritar, acaba de entrar en la habitación. No acierto a explicarle, es mejor que le muestre el corte de vídeo. Creo que nunca le he visto tan sorprendido.

—No sé cómo tomármelo —digo.

—Alégrate: no se ha perdido.

—Creo que nunca lo estuvo. Thorstein debió de hacerse con él en cuanto supo de su existencia.

—Pues puede que gracias a eso se salvara del incendio.

—En cualquier caso, fui yo quien le puso tras la pista del tesoro. Y parece que se dio prisa en venderlo cuanto antes.

—Quizá siga siendo el propietario, no lo descartes.

—Ya da igual; lo importante es que el cuadro no se perdió y se encuentra a salvo y valorado, aunque creo que debería estar en un museo. Fin de la historia.

—¿Fin? ¿De verdad? Que te conozco... —me dijo.

Y tenía razón: pasé días delante del ordenador rastreando toda la información sobre la expo y el cuadro de la Valle, del que se decía que pertenecía a una colección particular, sin más datos. Por mucho que indagué no descubrí lo que buscaba, es decir, al dueño actual del cuadro reaparecido. Diana y yo estuvimos mucho tiempo dándole vueltas al misterioso periplo del cuadro de Amalia Valle: ella también estaba convencida de que mi breve conversación con el secretario-esposo de Oriana había precipitado el asunto y que tras hacerse el sueco cuando le hablé del valor del cuadro y de su autora, se había dado mucha prisa por sacarlo de allí, quizás el mismo día en que Oriana murió. Sin embargo, ambas estábamos contentas de que se hubiera salvado y María más que ninguna: estaba escribiendo una tesis sobre la Valle.

Pero el asunto no acabó ahí. En la misma sala que iba a albergar a Amalia Valle se expondría la obra de otras autoras españolas, entre ellas varias fotógrafas pioneras, alguna completamente desconocida, al menos eso era para mí Elisa Montalbán. Hacía apenas cuatro años que durante la reforma de una casa en Ámsterdam encontraron una maleta con más de mil negativos de principios del siglo XX, entre ellos retratos de los hospitales y los soldados heridos durante la Primera Guerra Mundial. Solo tuve que ver una copia de esos negativos para recordar la extraña y terrible foto que Oriana Larios tenía colgada entre sus cuadros: el rostro destrozado de un soldado junto a la máscara que reproducía su aspecto anterior. Seguramente fue eso lo que me espoleó a indagar en aquella mujer lejana que hasta hacía pocas fechas y a pesar de su apellido ni siquiera era considerada española. De hecho se dudaba hasta de su existencia: durante años se había considerado aquel nombre de mujer como uno de los muchos seudónimos tras los que se escondía un cineasta francés de la misma época llamado Jules Dassin; un tipo curioso relacionado con George Meliès y también con Alice Guy. Hasta que una artista plástica francesa utilizó algunos de los retratos de soldados con las caras destruidas por la metralla en una serie de obras de videoarte: fue ella quien recuperó a la fotógrafa pionera que había vivido de primera mano el horror de la Gran Guerra retratándola en los rostros de sus víctimas. Aliss Ranga, que así se llamaba la artista, había colgado en Instagram sus trabajos junto a los originales de Elisa Montalbán como forma de reconocimiento. Diana me dijo que todavía se sabía poco de aquella fotógrafa del siglo pasado, aunque había despertado mucho interés y algunos museos y galerías españolas preparaban exposiciones para darla a conocer.

Pero la primera en encontrarla había sido Aliss, así que le envié un mensaje a través de su contacto en la red social y, muy amable, me mandó todo lo que había recopilado sobre la vida y la obra de aquella mujer. No era mucho porque se había dedicado sobre todo a la fotografía publicitaria y de moda, oficio en el que no se solía firmar y los propietarios de los negativos eran los clientes, no los fotógrafos. Tampoco ayudaba mucho la vida errante de la Montalbán: Francia, Holanda, Inglaterra... Había vivido siempre lejos de España y lo más interesante de su obra estaba en aquellas fotos hechas durante la guerra del Catorce por encargo del gobierno francés, que, por alguna razón desconocida, prescindió repentinamente de sus servicios. Quizá aquellas fotos hechas en plena guerra daban cuenta de una realidad demasiado atroz, debieron de considerarlas inútiles como propaganda. En fin, una historia curiosa, pero nada más. Hasta que Aliss mandó algo que sí fue un hallazgo. Entre las imágenes recuperadas de la maleta perdida había varias fotografías de paisajes que reconocí inmediatamente: el valle, el balneario, el río Pas y el monte de El Castillo captados desde varias perspectivas. Como un mensaje en una botella que la marea trajera a mis pies, alguien quería contarme algo, pero ¿qué? Lo único que sí que estaba claro es que Elisa, la mujer desconocida, había estado en el valle durante la primera década del siglo pasado.

Tuve una corazonada, algo parecido a un chispazo tímido que temía convertirse en llama.

—¿Qué estás pensando? —preguntó Martín.

—Nada… —mentí.

Ni yo misma sabía en qué estaba pensando, pero fui recopilando todas las fotografías con paisajes que encontré de Elisa Montalbán, la mayoría de ellas puramente publicitarias dedicadas a promocionar el balneario y algunas otras mucho más interesantes, de tema etnográfico, con hombres y mujeres en sus labores o vestidos de fiesta con trajes típicos de pasiegos. Cuando no pude encontrar nada más, se lo enseñé a Martín. Observó todo muy atentamente, una de las imágenes especialmente, pero no decía nada:

—He pensado que podrías hablar al alcalde sobre estas fotos, son un documento importante para toda la comarca: ¿no sería fantástico que se exhibieran en el centro de interpretación? Dile que yo me encargo de gestionarlo. Porque como son imágenes centenarias quizá estén libres de derechos; bueno, a ver: Aliss me dijo que todo el archivo de Elisa Montalbán pertenecía al Centro Simone Weill, que compró toda la colección de negativos y si le interesara al ayuntamiento… ¿Me estás oyendo?

—¿Qué?

—No me haces caso.

—No, perdona, es que… Mira la foto, pero mírala bien, por favor.

Amplió en la pantalla el retrato de una pareja joven: ella con el vestido de fiesta de pasiega, el chico con un traje oscuro y una corbata mal anudada. Tras ellos aparecía una muchedumbre festiva y difusa en el gris del blanco y negro.

—¿No la reconoces? ¿De verdad? Es mi tía bisabuela Suceso. ¿No te has dado cuenta? Pero si has visto esta foto mil veces…

—¿Dónde?

—En casa de mi hermana, enmarcada con el resto de las fotos de la familia, colgada en la pared, cerca de la colección de albarcas antiguas.

No: en ningún momento había reconocido ninguna foto familiar, ningún rostro conocido. Quizá porque no buscaba nada que tuviera que ver con los Lavín.

—Es la única foto que tenemos de ella. En esa época era muy raro que alguien modesto como una criada, una campesina, se hiciera una fotografía. Era caro, un capricho de ricos, una modernidad casi inalcanzable para estos valles, por eso la familia la ha guardado generación tras generación. Aquí no se nota tanto, pero la que tenemos en casa se mantiene perfecta, tiene muchísima calidad y eso que está sacada en un exterior con luz disponible.

—¿Y él quién es? ¿Su marido?

—Ni idea. Si era de la familia no dejó mucha huella, la verdad. No como Suceso: llevo oyendo hablar de ella toda la vida. Una mujerona de esas que se echan la vida a cuestas.

—¿De qué año es la foto, lo sabes?

—No lleva fecha, pero ella está jovencísima, será de la época en que trabajaba en el balneario... En los años veinte.

—Pues la fotógrafa es Elisa Montalbán, ya te hablé de ella: estuvo aquí, en el valle. No me digas que no es increíble que hiciera un retrato a tu antepasada y que ahora vayan a exhibir sus obras en la exposición universal junto al cuadro, pintado aquí, de Amalia Valle.

Se encogió de hombros, pero sé que no cree en las casualidades y también que tiene miedo de las cosas sin explicación. Pero insistí.

—¿Te das cuenta de que tu tía abuela la conoció? Tú mismo dices que en esos tiempos era imposible que tuviera los recursos ni la capacidad de encargar un retrato a una fotógrafa profesional, por tanto podemos suponer que se conocieron. Incluso que fueran amigas.

—Amigas... ¿No exageras un poco?

—No es tan descabellado: se conocieron lo suficiente como para que Elisa le regalara el retrato a Suceso. Como recuerdo, quizá le cayó bien o puede que le debiera un favor. Después se marcharía a otro lugar, como solía hacer, a seguir su vida peregrina, nómada...

—Ya estás echando la imaginación a volar. Lo único cierto es que hasta ahora no sabíamos quién había retratado a la tía abuela: misterio resuelto. También puedo decir que era muy buena fotógrafa la tal Montalbán.

—Bueno, no eres el único que lo piensa: ya has visto que han incluido su obra en una exposición universal, nada menos...

Por supuesto, no hice caso de Martín y seguí indagando.

Para mi sorpresa, descubrí que en el balneario, bien cerca de nuestra casa, también tenían otra de las fotografías de la Montalbán: una vista del establecimiento tomada desde el otro lado del río, cerca del monte de El Castillo. La ampliación, antigua, quizá de los años cincuenta, estaba enmarcada en dorado y colgada cerca de la recepción. Sin firmar pero con una fecha impresa: 1919. Quise saber si estaba a la venta y me recibió la gerente del balneario, incluso hablamos del proyecto de reconvertir el establecimiento termal en un centro de investigación geotérmica, pero los trabajadores aún no habían sido informados por el grupo hotelero al que pertenecía el balneario y solo sabían de esos planes por lo que había salido publicado en la prensa. Aun así, prometió avisarme para que pudiera comprar la foto si nadie se interesaba por ella, antes de que acabara en las zarpas de un chamarilero o lo que es peor, en un contenedor.

Martín llevaba días barruntando que tramaba algo a sus espaldas.

—A ver... Me parece que estás buscando a Elisa de la misma manera que antes buscaste a Amalia. Comprendo que el personaje te parezca interesante, lo mismo que a mí, que además comparto con ella profesión... Pero como te conozco te lo tengo que preguntar: ¿qué es lo que quieres encontrar?

Dudé antes de contestar.

—Creo que Elisa Montalbán está conectada con este lugar y no solo a través de tu tía: lo más seguro es que ambas se conocieran en el balneario porque coincidieron allí en la misma época.

—Eso ya lo sabíamos. Pero a ti te ronda algo más.

No hablamos mucho de la grabación misteriosa que permanecía encerrada en la nube blindada de los archivos digitales de Gaula, tal y como exigió Andrea, igual que el resto de material relacionado con Samperio, y casi estoy segura de que Martín sintió alivio por quitárselo de encima para no tener que enfrentarse a ello. Pero lo que habíamos visto existía aunque viviera en el secreto; era algo que compartíamos y que, precisamente por eso, nos unía más, hasta tal punto que creo que Martín podía leerlo en mi mente.

—Crees que es ella, ¿verdad?

—¿Quién?

—Tú sabes quién.

Ya he dicho que le cuesta hablar de ello.

—No lo sé. No estoy segura.

Para decirle que sí hubiera tenido que encontrar una prueba, una sola. ¿Cómo era Elisa Montalbán? ¿Quién la había visto aparte de Suceso?

El día que cerraron las cuevas definitivamente, vinieron a comer Áurea y Valvanuz, ya fuera de cuentas. Teníamos que celebrar que nuestra casa estaba por fin terminada y por eso trajeron una rama de roble para poner en lo alto del tejado: antes de entrar a vivir en la casa había que contentar a los espíritus de los árboles que habíamos talado para construirla, aunque la verdad, que yo sepa, no talamos ninguno. Nos quedamos en el jardín mientras Martín se encargaba de subir hasta el tejado y dejar la rama en la chimenea. Apaciguados los dioses del bosque, entramos por fin y solo entonces Áurea me entregó el regalo que traía para nosotros, como si formara parte del ritual. Abrí el paquete sabiendo que era un libro, pero no *Las pinturas y grabados de las cavernas prehistóricas de la provincia de Santander* escrito por Hermilio Alcalde, la joya que pertenecía a la familia Lavín desde los tiempos aquellos de Santos el indiano.

—Creo que debes tenerlo tú. Y Vali está de acuerdo.

No dije nada, solo la abracé.

—Oye, no te me pongas tonta… —Pero respondía a mi abrazo como una madre osa.

—¡Vaya dos! No te las des de dura, Áurea, que tú sí que eres de lágrima fácil —dijo Vali, a quien se lo agradecí también, pero sin abrazo: ella no es de esas cosas.

Lo abrí para leer de nuevo aquella dedicatoria a Santos, el propietario original, y al ojearlo y sin darme cuenta algo se deslizó de entre las páginas y cayó al suelo. Fue Áurea quien lo vio y se agachó a recogerlo mientras yo iba a dejar el libro en la librería junto a los demás que traje de Madrid. Intenté colocarlo en un buen sitio de la librería, pero era tan grueso y pesado que no cabía en ninguno de los huecos, si forzaba y lo apretaba demasiado estropearía su cubierta o la de los libros vecinos. Martín entró en el salón con una botella de vino y dos copas.

—¿Qué tienes ahí? —preguntó a Áurea.

—Creo que ha caído del libro... Pero no puede ser. Es imposible... He mirado este libro muchas veces... Inés, tú misma lo tuviste en las manos, ¿te acuerdas? —dijo Áurea.

—Claro que me acuerdo —contesté desde el otro lado del salón.

Tenía que entrar en el tercer estante, apreté con cuidado, el libro se resistía.

—No he vuelto a tocarlo desde aquel día, os doy mi palabra —sonaba asustada.

—Pero qué pasa... —dijo Martín.

El libro se deslizó por fin y quedó encajado en su hueco, el estruendo del vidrio roto me hizo dar un salto y al volverme vi la cara pálida de Martín, la botella estampada en el suelo, el vino esparciéndose por las baldosas del suelo, en regatos entre las juntas, dibujando cuadrículas.

—Me parece que... Estoy mareado. —Se desplomó en el sofá.

Yo no me había movido del sitio y seguía junto a la librería, pero la cara de súplica de Áurea extendiendo hacia mí el pedazo de papel causante de todo aquello... Su gesto decía que era mío, para mí. Es curioso: a pesar de la conmoción de los demás, me di cuenta de que mi mano al cogerlo no temblaba, estaba misteriosamente serena. Y entonces supe que lo que iba a ver era lo que llevaba tanto tiempo buscando.

Amalia sentada en el porche de mi casa, a solo unos pasos de donde nos encontrábamos. Sobre ella, una mancha oscura, una marca o un defecto de revelado. Mira a la cámara deslumbrada, como si buscara al fotógrafo que ni ella ni yo podemos ver. Le doy la vuelta: una pluma de letra elegante ya desvaída por el paso del tiempo ha escrito unas iniciales, E. M., y junto a ellas una fecha: 1919.

Vali solo echó un vistazo a la foto por encima de mi hombro y preguntó:

—¿Quién es?

Áurea y yo contestamos a la vez:

—¡Amalia Valle!

—¿Y?

—Mira lo que pone aquí; la foto está fechada en 1919 —contesté.

—Vale, pues muy bien, pero si creéis que con tanto escándalo voy a romper aguas, lo lleváis claro. Áurea, anda, deja esa cara de pasmo y vete a por una fregona.

Luego se sentó a la mesa y sin esperarnos, porque para eso estaba embarazada, comenzó a servirse ensalada como para un regimiento. Yo no podía comer nada, ni Martín: no le quitábamos ojo de encima a la fotografía, sentados uno al lado del otro en el sofá que todavía era un poco duro y olía a nuevo, callados como muertos.

—Joder. Casi me da miedo tocarla —dijo por fin. Estaba más impresionado que yo, desde luego.

—¿Sabes quién la hizo?

Estaba completamente segura, pero quería oírselo decir.

—Ella, claro. Elisa Montalbán.

—¿Podrías autentificar la foto?

—Por supuesto.

Se atrevió a cogerla por fin. Frotó suavemente el papel, grueso, casi cartulina, con dos dedos.

—Es auténtico hasta el papel, de esa época. Aunque está un poco estropeada… Aquí, ¿ves? Y aquí. Tengo que restaurarla.

Y se fue al estudio sin decir ni adiós. En cuanto acabó de comer, Vali se levantó y dijo que tenían que marcharse: era hora de atender a las vacas y ellas no esperaban. Áurea obedeció como un soldado disciplinado, sabía que las vacas eran lo primero, al menos hasta que naciera la niña.

—Acéptalo. Y no le des más vueltas —me susurró en el oído al salir.

¿Aceptarlo? ¿Cómo? Las dos habían escuchado nuestra historia sin pestañear después de la sorpresa inicial: quizá sus creencias les ayudaban a ser más tolerantes a los prodigios que nosotros. Pero yo no podía aceptarlo así como así. Además, resultaba imposible mostrar a nadie nuestro descubrimiento: ¿quién creería en la existencia de un retrato de Amalia Valle con casi treinta años fechado en el mismo año en que nació?

Martín pasó toda la noche haciendo copias de la foto, primero en digital y luego pasándolas a papel, y yo le acompañé haciendo litros de café aunque ninguno de los dos hubiéramos podido dormir. Al amanecer teníamos sobre la mesa del salón una decena de copias y varias ampliaciones a tamaño grande del rostro de Amalia. Sabía lo que quería encontrar Martín: un reflejo invertido en las pupilas aumentadas de Amalia. Y lo había conseguido: di la vuelta a la imagen. Apenas una figura pequeña con el rostro tapado a medias por la cámara. Pero sí, era ella, allí estaba.

—Hola, Elisa —dije.

Y abracé a Martín. Creo que reímos y hasta lloramos y seguro que besé su rostro feliz y él el mío.

La fotografía ampliada del rostro de Amalia está ahora donde antes estuvo su cuadro, en el mismo lugar. A veces me quedo un buen rato contemplando esa imagen que me muestra a las dos: a la mujer que mira y a la que me mira a mí, una dentro de la otra. Estoy unida a ellas por un hilo invisible, indecible, infinito, deshilachado, enredado en sí mismo como un abrazo donde no hay final ni principio, nada es pasado ni tan siquiera futuro, solo presente, con toda su belleza, con toda su verdad. Y a veces, no siempre, un rayo de luz blanca destella y una luz misteriosa, salida de algún lugar desconocido, vuelve a deslumbrarme.

En Madrid,
en abril,
en el año del confinamiento.

Este libro utiliza el tipo Aldus, que toma su nombre
del vanguardista impresor del Renacimiento
italiano, Aldus Manutius. Hermann Zapf
diseñó el tipo Aldus para la imprenta
Stempel en 1954, como una réplica
más ligera y elegante del
popular tipo
Palatino

El jardín de los espejos
se acabó de imprimir
un día de verano de 2020,
en los talleres gráficos de Egedsa
Roís de Corella 12-16, nave 1
Sabadell (Barcelona)